EL EXPOS

LA BIBLIA, LIBRO POR LIBRO

9

Esdras, Nehemías, Ester, Colosenses, 1, 2 Timoteo, Tito, Joel, Abdía, Nahúm, Sofonías, Hageo, Zacarías, Malaquías, Apocalipsis

52 Estudios intensivos de la Biblia para maestros de jóvenes y adultos

CASA BAUTISTA DE PUBLICACIONES

CASA BAUTISTA DE PUBLICACIONES
Apartado Postal 4255, El Paso, TX 79914 EE. UU. de A.
www.casabautista.org

Agencias de Distribución

CBP ARGENTINA: Rivadavia 3474, 1203 Buenos Aires, Tel.: (541)863-6745. **BOLIVIA:** Casilla 2516, Santa Cruz, Tel.: (591)342-7376, Fax: (591)342-8193. **COLOMBIA:** Apartado Aéreo 55294, Bogotá 2, D.C., Tel.: (571)287-8602, Fax: (571)287-8992. **COSTA RICA:** Apartado 285, San Pedro Montes de Oca, San José, Tel.: (506)225-4565, Fax: (506)224-3677. **CHILE:** Casilla 1253, Santiago, Tel: (562)672-2114, Fax: (562)695-7145. **ECUADOR:** Casilla 3236, Guayaquil, Tel.: (593)445-5311, Fax: (593)445-2610. **EL SALVADOR:** Av. Los Andes No. J-14, Col. Miramonte, San Salvador, Tel.: (503)260-8658, Fax: (503)260-1730. **ESPAÑA:** Padre Méndez #142-B, 46900 Torrente, Valencia, Tel.: (346)156-3578, Fax: (346)156-3579. **ESTADOS UNIDOS: CBP USA:** 7000 Alabama, El Paso, TX 79904, Tel.: (915)566-9656, Fax: (915)565-9008, 1-800-755-5958; 960 Chelsea Street, El Paso, TX 79903, Tel.: (915)778-9191; 4300 Montana, El Paso, TX 79903, Tel.: (915)565-6215, Fax: (915)565-1722, (915)751-4228, 1-800-726-8432; 312 N. Azusa Ave., Azusa, CA 91702, Tel.: 1-800-321-6633, Fax: (818)334-5842; 1360 N.W. 88th Ave., Miami, FL 33172, Tel.: (305)592-6136, Fax: (305)592-0087; 647 4th. Ave., Brooklyn, N.Y. 11232, Tel. (718)788-2484; **CBP MIAMI** 12020 N.W. 40th Street, Suite 103 B, Coral Springs, FL 33065, Fax: (954)754-9944, Tel.1-800-985-9971. **GUATEMALA:** Apartado 1135, Guatemala 01901, Tel: (502)2-220-0953. **HONDURAS:** Apartado 279, Tegucigalpa, Tel. (504)238-1481, Fax: (504)237-9909. **MEXICO: CBP MEXICO:** Vizcaínas Ote. 16, Col. Centro, 06080 México, D.F., Tel/Fax: 510-3674, 512-4103; Madero 62, Col. Centro, 06000 México, D.F., Tel/Fax: (525)512-9390; Independencia 36-B, Col. Centro, 06050 México, D.F., Tel.: (525)512-0206, Fax: 512-9475; F.U. Gómez 302 Nte. Monterrey, N. L. 64000 Tel.: (528)342-2823. **NICARAGUA:** Reparto San Juan del Gimnasio Hércules, media cuadra al Lago, una cuadra abajo, 75 varas al Sur, casa #320, Managua, Tel.: (505)278-4927, Fax: (505)278-4786. **PANAMA:** Apartado E Balboa, Ancon, Tel.: (507)264-6469, (507) 264-4945, Fax: (507 [illegible] 4601. **PA[illegible]AY:** Casilla 1415, Asunción, Fax: (595)2-121-2952. **PERU:** [illegible] ax: (514)424-5982. **PUERTO RICO:** Calle San [illegible] Río Piedras, Tel.: (809)764-6175. **REPUBLICA DOMI[illegible]** [illegible] o Domingo, Tel.: (809)565-2282, (809)549-3305, Fax: (809)565-694 [illegible] lla 14052, Montevideo 11700, Tel.: (598)2-309-4846, Fax: (598)2-305-0702. **VENEZUELA:** Apartado 3653, El Trigal 2002 A, Valencia, Edo. Carabobo, Tel/Fax: (584)126-1725.

EL EXPOSITOR BIBLICO (La Biblia, Libro por Libro. Maestros). Volumen 9.

Primera edición: 1999
Clasifíquese: Educación Cristiana
Clasificación Decimal Dewey: 220.6 B471
Temas: 1. Biblia—Estudio
2. Escuelas dominicales—Currículos

ISBN: 0-311-11259-5
C.B.P. Art. No. 11259

5 M 5 99

Impreso en EE.UU. de A.

EL EXPOSITOR BIBLICO

PROGRAMA:
"LA BIBLIA, LIBRO POR LIBRO"
MAESTROS DE
JOVENES Y ADULTOS

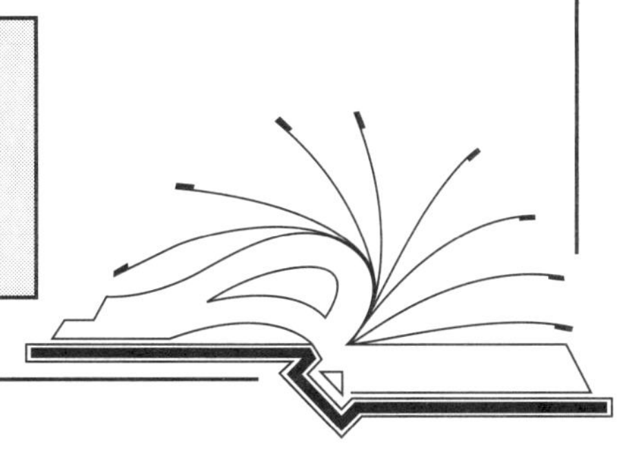

DIRECTOR GENERAL
Ted Stanton

DIRECTOR DE LA DIVISION DE DISEÑO Y DESARROLLO DE RECURSOS
Jorge E. Díaz

DIRECTORA DEL DEPARTAMENTO DE RECURSOS EDUCATIVOS
Alicia Zorzoli

COMENTARISTAS

Esdras, Nehemías
Francisco Patterson

Ester
Alicia Zorzoli

Colosenses, 1 y 2 Timoteo, Tito
Jorge E. Díaz

Joel, Abdías, Nahúm, Sofonías
Rubén Zorzoli

Hageo
José T. Poe

Zacarías, Malaquías
Ananías P. González

Apocalipsis
Arnoldo Canclini

AGENDAS DE CLASE
Joyce Wyatt, Josie Smith

ASISTENTES EDITORIALES
Gladys A. de Mussiett
Adelina M. de Almanza

EDITOR
Mario Martínez

CONTENIDO

Descripción General de La Biblia, Libro por Libro

El objetivo general del programa *La Biblia, Libro por Libro* es facilitar el estudio de todos los libros de la Biblia, durante nueve años, en 52 estudios por año.

El libro del Maestro tiene ocho secciones bien definidas:

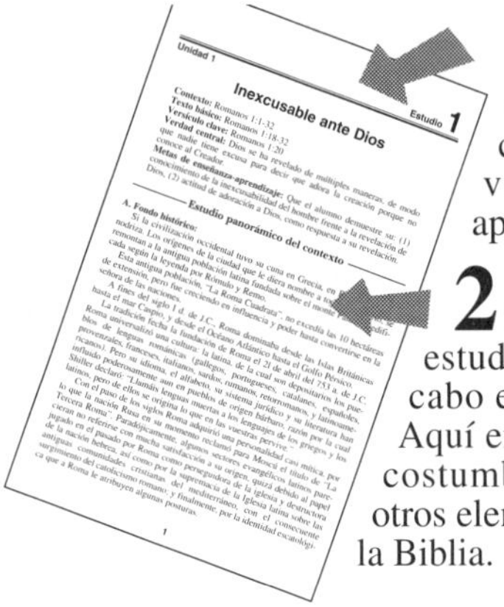
Unidad 1

Estudio 1

Inexcusable ante Dios

Estudio panorámico del contexto

1 Información general. Aquí encuentra el tema-título del estudio, el pasaje que sirve de contexto, el texto básico, el versículo clave, la verdad central y las metas de enseñanza-aprendizaje.

2 Estudio panorámico del contexto. Ubica el estudio en el marco histórico en el cual se llevó a cabo el evento o las enseñanzas del texto básico. Aquí encuentra datos históricos, fechas de eventos, costumbres de la época, información geográfica y otros elementos de interés que enriquecen el estudio de la Biblia.

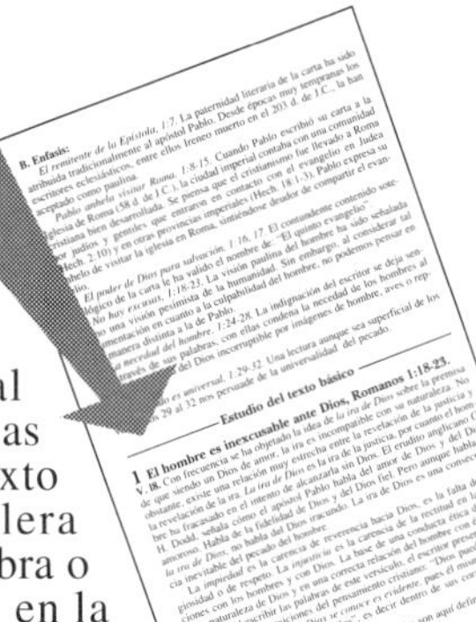
Estudio del texto básico

3 Estudio del texto básico. Se emplea el método de interpretación gramático-histórico con la técnica exegético-expositiva del texto. En los libros de los alumnos esta sección tiene varios ejercicios. Le sugerimos tenerlos a la vista al preparar su estudio y al enseñar. Un detalle a tomar en cuenta es que las referencias directas o citas de palabras del texto bíblico son tomadas de la Biblia Reina-Valera Actualizada. En algunos casos, cuando la palabra o palabras son diferentes en la Biblia RVR-1960 se citan ambas versiones. La primera palabra viene de la RVA y la segunda de la RVR-1960 divididas por una línea diagonal. Por ejemplo: *que Dios le dio para mostrar/manifestar...* Así usted puede sentirse cómodo con la Biblia que ya posee.

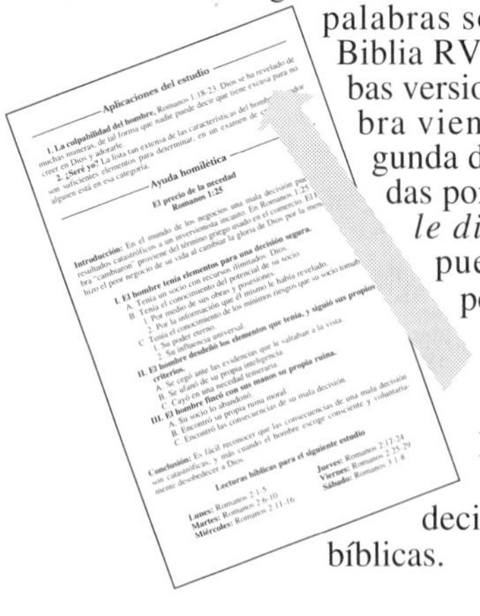
Aplicaciones del estudio

Ayuda homilética

4 Aplicaciones del estudio. Esta sección le guiará a aplicar el estudio de la Biblia a su vida y a la de sus alumnos, para que se decidan a actuar de acuerdo con las enseñanzas bíblicas.

para Maestros de Jóvenes y Adultos

El objetivo educacional del programa *La Biblia, Libro por Libro* es que, como resultado de este estudio el maestro y sus alumnos puedan: (1) conocer los hechos básicos, la historia, la geografía, las costumbres, el mensaje central y las enseñanzas que presentan cada uno de los libros de la Biblia; (2) desarrollar actitudes que demuestren la valorización del mensaje de la Biblia en su vida diaria de tal manera que puedan ser mejores discípulos de Cristo.

5 Prueba. Esta sección sólo aparece en el libro de sus alumnos. Da la oportunidad de demostrar de qué manera se alcanzaron las metas de enseñanza-aprendizaje para el estudio correspondiente. Hay dos actividades, una que "prueba" conocimientos de los hechos presentados, y la otra que "prueba" sentimientos o afectos hacia las verdades encontradas en la Palabra de Dios durante el estudio.

6 Ayuda homilética. Provee un bosquejo que puede ser útil a los maestros que tienen el privilegio de predicar en el templo, misiones o anexos. En algunos casos, el bosquejo también puede ser usado en la clase como otra manera de organizar y presentar el estudio del pasaje.

7 Lecturas bíblicas para el siguiente estudio. Estas lecturas forman el contexto para el siguiente estudio. Si las lee con disciplina, sin duda leerá toda su Biblia por lo menos una vez en nueve años.

8 Agenda de clase. Ofrece los procedimientos y sugerencias didácticas organizadas en un plan de clase práctico con actividades sugeridas para enseñar a los jóvenes y a los adultos. A los maestros se les dicen las respuestas correctas a las preguntas y/o ejercicios que aparecen en los libros de los alumnos.

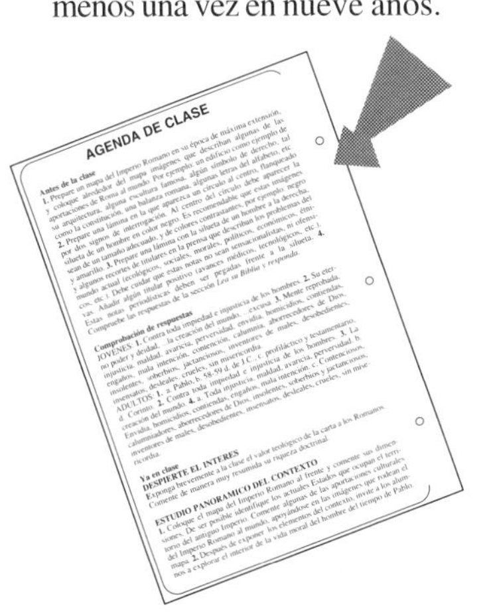

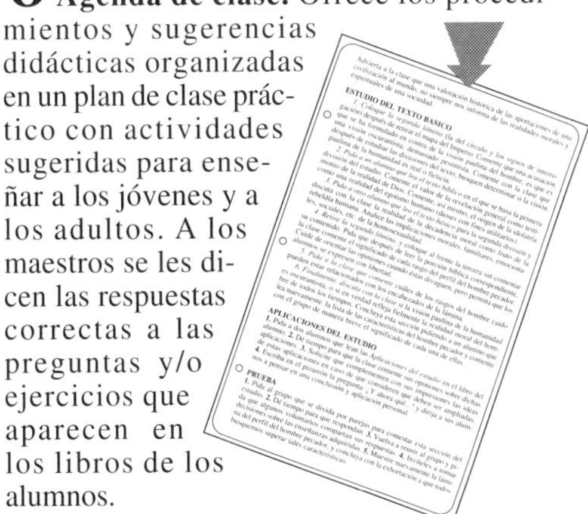

Misión cumplida

Jorge Enrique Díaz

Parece que el mundo en el cual usted y yo vivimos se está haciendo cada día más pequeño y convulsionado. Los seres humanos se muestran más agitados emocional y espiritualmente buscando sin encontrar respuestas en las ciencias, las filosofías y las religiones. De todos lados surgen gritos de desesperación y pedidos de ayuda, pero parece que a nadie le importa mucho; cada uno tiene sus propios problemas que encarar. La generación de los 30's ha llegado a la edad de jubilarse y dejar en manos nuevas el timón de los barcos; la generación de los 40's está a cargo en este momento del rumbo de nuestro mundo, pero no le importa mucho echar por la borda los valores y lo que para las generaciones anteriores era importante. Las nuevas generaciones están aquí, no para echar raíces, sino para "saltar" a otros temas de los cuales "brincar" a otros más.

Aunque el mensaje de la Biblia es el mismo, la manera de presentarlo a las distintas generaciones tiene que ser diferente, hecho a la medida y gusto de los usuarios, sin que por eso pierda sus elementos esenciales: que el hombre es pecador y necesita arrepentirse, creer en Jesucristo, y hacerlo Señor de su vida. Jesucristo es la verdad y el único camino hacia ella. Cómo facilitar la aplicación de los principios de la Biblia a las dimensiones de cada día es el reto que los maestros de la Biblia tienen que esforzarse por alcanzar.

El programa de Enseñanza Bíblica denominado *"La Biblia, Libro por Libro"* fue concebido como un estudio intensivo de la Biblia que provee la materia prima con los elementos básicos para que los maestros y facilitadores de jóvenes y adultos puedan "confeccionar a la medida" los estudios de la Biblia para sus grupos de trabajo. Estos grupos pueden ocurrir dentro del contexto estructurado de una Escuela Bíblica Dominical, o en grupos informales en hogares u otros lugares de reunión.

Con este número, la Casa Bautista de Publicaciones se complace en lograr un sueño: presentar toda la Biblia, libro por libro, en nueve años. Para esto muchas personas han participado, aproximadamente 20 en cada uno de los nueve años. Unos hicieron la exposición del texto bíblico, otros elaboraron el material para ayudar a los maestros a entregar los contenidos, otros más escribieron para los alumnos. Unos 180 nombres ocuparían mucho espacio sólo para mencionarlos, pero usted puede encontrar sus nombres en el libro respectivo. Los editores de la Casa Bautista de Publicaciones sirvieron como coordinadores y elementos de apoyo para dar forma al proyecto. Entre ellos debemos mencionar a Mario Martínez, Gladys A. Mussiett, Nélida González y Alicia Zorzoli. Por supuesto, al lado de ellos hubo un equipo de correctores, diseñadores gráficos, procesadores y prensistas que también sería largo mencionar. A todos ellos nuestra sincera gratitud y reconocimiento por un trabajo bien hecho.

Nuestra oración de fe es que la Palabra de Dios siempre cumplirá el propósito para el cual el Señor la envió. Nos gustaría recibir unas pocas líneas de sus impresiones y sugerencias para mejorar este u otros proyectos editoriales de la Casa Bautista de Publicaciones.

Jorge E. Díaz es Director de la División de Diseño y Desarrollo de Recursos de la Casa Bautista de Publicaciones.

PLAN GENERAL DE ESTUDIOS

<table>
<tr><th>Libro</th><th colspan="4">Libros con 52 estudios para cada año</th></tr>
<tr><td>1</td><td colspan="2">Génesis</td><td colspan="2">Mateo</td></tr>
<tr><td>2</td><td>Exodo</td><td>Levítico
Números</td><td colspan="2">Los Hechos</td></tr>
<tr><td>3</td><td>1, 2 Tesalo-
nicenses
Gálatas</td><td>Josué
Jueces</td><td>Hebreos
Santiago</td><td>Rut
1 Samuel</td></tr>
<tr><td>4</td><td colspan="2">Lucas</td><td>2 Samuel
(1 Crónicas)</td><td>1 Reyes
(2 Crón. 1-20)</td></tr>
<tr><td>5</td><td>1 Corintios</td><td>Amós
Oseas
Jonás</td><td>2 Corintios
Filemón</td><td>2 Reyes
(2 Crón. 21-36)
Miqueas</td></tr>
<tr><td>6</td><td>Romanos</td><td>Salmos</td><td>Isaías</td><td>1, 2 Pedro
1, 2, 3 Juan
Judas</td></tr>
<tr><td>7</td><td>Deuteronomio</td><td colspan="2">Juan</td><td>Job, Proverbios,
Eclesiastés
Cantares</td></tr>
<tr><td>8</td><td>Efesios
Filipenses</td><td>Habacuc
Jeremías
Lamentaciones</td><td>Marcos</td><td>Ezequiel
Daniel</td></tr>
<tr><td>9</td><td>Esdras
Nehemías
Ester</td><td>Colosenses
1, 2 Timoteo
Tito</td><td>Joel, Abdías,
Nahúm
Sofonías,
Hageo,
Zacarías,
Malaquías</td><td>Apocalipsis</td></tr>
</table>

PLAN DE ESTUDIOS
ESDRAS, NEHEMIAS, ESTER

Escriba antes del número de cada estudio, la fecha en que lo usará.

Fecha **Unidad 1: La reedificación del templo y la santa ciudad**

_______ 1. Liberación y retorno
_______ 2. Inicio de la reedificación
_______ 3. Oposición a la reconstrucción
_______ 4. Dedicación del templo
_______ 5. Esdras regresa a Jerusalén

Unidad 2: La reedificación de la vida religiosa

_______ 6. Nehemías, un hombre visionario
_______ 7. Comienza la construcción de los muros
_______ 8. Exito a pesar de la oposición
_______ 9. Reconstrucción y avivamiento
_______ 10. Nuevas reformas

Unidad 3: Dios cuida a su pueblo

_______ 11. Ester llega a ser reina
_______ 12. El valor de Ester
_______ 13. El triunfo de los judíos

ESDRAS, NEHEMIAS, ESTER
Una introducción

Esdras

Título. El libro de Esdras, como Rut, Job, Ester y otros, recibe el nombre del protagonista principal de la obra.

Fecha y paternidad. Aunque no se menciona al escritor, y la narración aparece en primera y tercera personas, es muy probable que Esdras mismo escribiera el libro usando varios decretos, cartas y genealogías como sus fuentes originales.

Ya que Esdras vivió en la época de Nehemías (Neh. 8:1-9; 12:36), tuvo tiempo suficiente para acabar su libro entre abril del 456 a. de J.C., cuando se desarrollaron los acontecimientos de Esdras 10:17-44, y el verano del año 444 a. de J.C., cuando Nehemías llegó a Jerusalén procedente de la corte de Persia.

Marco histórico. El libro de Esdras registra el cumplimiento de la promesa de Dios a la nación de Israel, por medio de Jeremías, de devolverles su tierra después de setenta años de cautividad, mediante la protección y ayuda de tres reyes persas (Ciro, Darío y Artajerjes), y el caudillaje de judíos tan grandes y piadosos como Zorobabel, Josué, Hageo, Zacarías y Esdras.

Nehemías

Como Esdras, el libro de Nehemías recibe su nombre de su principal protagonista. Ya señalamos en la introducción a Esdras la relación del libro de Nehemías con el libro de Esdras.

Fecha y paternidad. El hecho de que la narración esté escrita en primera persona del singular en muchos pasajes es evidencia de que el libro fue escrito por el mismo Nehemías. La historicidad del libro ha quedado bien establecida a causa del descubrimiento de los papiros de Elefantina, que mencionan a Johanán (12:11, 22) como sumo sacerdote en Jerusalén, y a los hijos de Sanbalat (el gran enemigo de Nehemías) como gobernadores de Samaria en 408 a. de J.C. También nos enteramos por estos papiros de que Nehemías había dejado de ser gobernador de Judea antes de aquel año.

Ester

Título. El libro recibe su nombre de su protagonista, Ester. Es un nombre persa, y significa *estrella.* Su nombre hebreo era *Hadasa,* que significa *mirto* (2:7).

Fecha y paternidad. El libro se redactó después del año 465 a. de J.C., porque se habla del reinado de Jerjes (486—465 a. de J.C.).

Historicidad y propósito. La descripción de su palacio (1:6) ha quedado confirmada por los descubrimientos arqueológicos.

El libro de Ester sirve para mostrar cómo la providencia divina gobierna por encima de todo. Incluso en un país distante el pueblo de Dios se halla en sus manos.

Unidad 1

Liberación y retorno

Contexto: Esdras 1:1 a 2:67
Texto básico: Esdras 1:1-11; 2:64-67
Versículo clave: Esdras 1:3
Verdad central: Al usar a Ciro, rey de Persia para facilitar la liberación y el retorno de su pueblo a Jerusalén, Dios nos demuestra que controla la historia para llevar adelante sus propósitos eternos.
Metas de enseñanza-aprendizaje: Que el alumno demuestre su: (1) conocimiento del decreto de Ciro que facilitó la liberación y el retorno del pueblo de Dios a Jerusalén, (2) actitud de confianza en que Dios tiene bajo su control la historia para cumplir sus propósitos eternos.

Estudio panorámico del contexto

A. Fondo histórico:

Esdras y Nehemías. Los libros de Esdras y Nehemías tratan de la liberación de los hebreos de su cautiverio en Babilonia y de su restablecimiento en Judá. En las más antiguas Biblias, Esdras y Nehemías formaron un solo libro. En las Biblias evangélicas, desde hace siglos, Esdras y Nehemías son libros distintos. Los dos se complementan y tratan del mismo segmento de la historia judaica.

Esdras el escritor. En 7:12 se menciona a un "sacerdote y escriba erudito en la ley del Dios del cielo", su nombre era Esdras. El no participó en el primer retorno del cautiverio; pero relata la historia desde su principio.

Contexto histórico. A fin de colocar este estudio en su marco histórico, recordemos algunos hechos importantes. El rey Salomón, hijo de David, empezó su reinado sumiso a la voluntad de Jehovah, pero llegó a inclinarse ante dioses paganos. Con la muerte de Salomón, su hijo Roboam empezó a reinar neciamente. Las doce tribus se dividieron en dos grupos. A las diez tribus del norte se les llamó Israel y su capital fue Samaria. Alejados del templo en Jerusalén, los israelitas iban en pos de dioses extraños, de modo que Jehovah los entregó a sus enemigos los asirios. Los israelitas más nobles y más capaces fueron llevados al cautiverio en Asiria en el año 722 a. de J.C.

El reino del sur. Judá, como se llamaba a las tribus del reino del sur, se mantuvo fiel 135 años después de la caída del reino del norte. Pero igual que Israel, apostató y corrió la misma suerte que aquellos. Dios les entregó a los babilonios. Una gran cantidad de judíos fue llevada a Babilonia en los años 6O5, 598, y 587 a. de J.C. El profeta Jeremías predijo que el cautiverio duraría setenta años (Jer. 29:10-12). También predijo que Judá volvería a la tierra de sus padres (Jer. 30:1-3).

Ciro el Grande. Fue el rey que libertó a los judíos y facilitó su retorno a Judea. Ciro empezó su ascenso al poder cuando Astiages, rey de Media, le nombró rey vasallo de una de sus provincias. Ciro se rebeló contra Astiages y, con la ayuda del ejército, llegó a ser el rey de Media. En el año 546 a. de J.C. Ciro conquistó Lidia y en 539 subyugó a Babilonia. Consolidó estos imperios para formar el imperio de Persia. Ciro falleció en batalla y fue sepultado en una gran tumba (que todavía existe) en Pasargada, Irán. Una inscripción en la tumba dice: "Yo, Ciro, gané para los persas su imperio."

B. Enfasis:

El decreto de Ciro ofreció libertad a los judíos dispuestos a retornar a Jerusalén, 1:1-4. Con este hecho se cumplió el plan de Dios que ya había sido anunciado por los profetas.

El regreso de los judíos a Jerusalén, 1:5-11. Este fue el primer paso en el plan divino para restablecer este pueblo en Judea. Zorobabel, y la multitud que le acompañó en el primer retorno, se sentían orgullosos de su linaje y se dedicaron a restablecer el culto a Jehovah en Jerusalén.

El censo evidencia el empeño con que los hebreos conservaban su historia, 2:1-67. Para ellos era de suma importancia registrar cada evento pues, a pesar de que constantemente fallaban, seguían manteniendo la mentalidad de ser un pueblo especial.

Estudio del texto básico

1 Una comisión sorprendente, Esdras 1:1-4.

Vv. 1, 2. Estos versículos tratan de cuándo y por qué Ciro ofreció a los cautivos judíos permiso para volver a su tierra. Lo hizo el primer año en que fue rey de Persia, o sea alrededor del año 538 d. de J.C. Promulgó su edicto como un año después de su conquista de Babilonia. Lo hizo en cumplimiento de las profecías de Jeremías e Isaías. Jeremías predijo que después de 70 años de cautiverio en Babilonia, Dios iba a despertar a su pueblo y hacerlo volver a la tierra de sus padres (Jer. 25:11-14 y 30:1-3). Isaías, profetizando antes de que Ciro naciera, lo llamó por nombre. Habló por Dios, diciendo: "Soy quien dice de Ciro: El es mi pastor. El cumplirá todo mi deseo al decir de Jerusalén: 'Sea edificada', y del templo: 'Sean puestos tus cimientos'" (Isa. 44:28). Jehovah levantó a Ciro a una posición de poder a fin de que llevara a cabo los planes que tenía para su pueblo.

Cuando Ciro ascendió al trono, dijo: *Así ha dicho Ciro, rey de Persia: "Jehovah, Dios de los cielos, me ha dado todos los reinos de la tierra y me ha comisionado para que le edifique un templo en Jerusalén, que está en Judá"* (Esd. 1:2). Ciro fue perfectamente consciente de quién era la fuente de su poder y de la naturaleza de su comisión: debería libertar a los cautivos judíos y ayudarlos a edificar un templo en Jerusalén.

V. 3. Ciro no obligó a los judíos a que regresaran a Jerusalén, pero sí les hizo pregonar oralmente y por escrito una buena nueva (vv. 1-3). Dijo Ciro: *Quien haya entre vosotros de todo su pueblo, que su Dios sea con él, y suba a Jerusalén, que está en Judá, y edifique la casa de Jehovah Dios de Israel.* El edicto de Ciro fue a la vez una oferta y una invitación. Los judíos debían prepararse para retornar a Jerusalén a fin de edificar un templo a Jehovah. Ciro temía a Jehovah y le reverenciaba. Le llamó "Dios de los cielos". Ciro no era monoteísta pues honraba a Armuz, dios de los persas, y a Marduk, dios supremo de los babilonios.

V. 4. Ciro, sin embargo, apoyaba el plan de Jehovah para Judá. Dijo a los judíos: *Y a todo el que quede, en cualquier lugar donde habite, ayúdenle los hombres de su lugar con plata, oro, bienes y ganado, con ofrendas voluntarias, para la casa de Dios que está en Jerusalén.* Estas palabras fueron dirigidas a cualquier judío a fin de que pusiera su parte en la edificación del templo. Fue preciso que los que iban a hacer la jornada llevaran no solamente plata y oro, sino también utensilios y ganado. El ganado les serviría para cargar el equipaje, en la construcción y en la agricultura.

2 Una actitud de justicia, Esdras 1:5-11.

V. 5. ¿Qué efecto produjo la proclamación de Ciro sobre los cautivos? La vida para ellos en Babilonia había sido muy dura. Habían vivido casi setenta años como extranjeros en medio de un pueblo poco amigable. No tenían templo para la adoración. Tristemente alzaron su voz a Jehovah "junto a los ríos de Babilonia" (Sal. 137:1-4).

Cuando Ciro les prometió libertad y ayuda para la reconstrucción del templo, la buena nueva fue recibida con júbilo. La respuesta de los judíos fue inmediata: *Entonces se levantaron los jefes de las casas paternas de Judá y Benjamín, los sacerdotes y los levitas, todos aquellos cuyo espíritu Dios despertó para subir a edificar la casa de Jehovah que está en Jerusalén.* Judá y Benjamín fueron de las tribus llevadas al cautiverio. Cada tribu se dividía en familias y cada familia tenía su jefe o cabeza. Los sacerdotes fueron descendientes de Leví. Los levitas ayudaban en el servicio del templo. Jehovah, quien despertó el espíritu de Ciro, también despertó al remanente de los judíos para que retornara a Jerusalén y reedificara el templo. Al final de cuentas, Dios demostró una vez más que en él está tanto el querer como el hacer. Fue la obra del Espíritu de Dios lo que despertó en los judíos el deseo de regresar a su patria para realizar las obras de reconstrucción.

Vv. 6-11. *Todos los que estaban en los alrededores les ayudaron.* Ayudaron con *oro, plata,* objetos preciosos y *ofrendas voluntarias.* Los versículos 7-11 hablan de la devolución de los utensilios del templo que en este momento estaban en manos de los babilonios. Cuando Nabucodonosor llevó a los judíos a Babilonia, ordenó que saquearan los utensilios del templo en Jerusalén y los colocaran en el templo de su dios. Ciro, por medio de su tesorero *Mitrídates,* regresó estos utensilios, juntamente con un inventario de los mismos, a *Sesbasar,* uno de los dirigentes de Judá (vv. 7, 8).

La lista de los utensilios fue como sigue: *30 tazones de oro, 1.000 tazones de plata, 29 cuchillos, más 30 tazas de oro, 410 tazas idénticas de plata y otros 1.000 utensilios. Sesbasar los llevó todos cuando los del cautiverio regresaron de Babilonia a Jerusalén.*

El orden e inventario de los bienes que fueron devueltos a Jerusalén demuestra la seriedad que prevalecía en relación con el culto a Jehovah. Asimismo es una muestra de la buena voluntad que Ciro tenía para con los hijos de Dios.

3 Una gran congregación, Esdras 2:64-67.

Vv. 64-67. Estos versículos asientan las cifras totales del primer regreso como sigue: *Toda la congregación en conjunto era de 42.360, sin contar sus siervos y sus siervas, que eran 7.337. Ellos tenían 200 cantores, hombres y mujeres. Sus caballos eran 736, sus mulos 245, sus camellos 435 y sus asnos 6.720.* Es interesante el cuidado que se tuvo de llevar una contabilidad adecuada de los bienes que correspondían a la administración del culto. Sin duda, a pesar de sus constantes caídas, el pueblo de Dios seguía consciente de su lugar en la historia de la salvación. Tenemos aquí la reiteración de la paciencia y la misericordia de Dios que sigue dando una nueva oportunidad a los que estuvieran dispuestos a seguir adelante con la historia de la salvación.

¡Imagínese los gritos de gozo que se escucharon cuando este pueblo que viajó alrededor de mil kilómetros vio su amada ciudad santa después de tantos años! Una vez, más Dios había hecho avanzar sus planes de restauración. Con un pueblo numeroso, dispuesto a acatar su voluntad, el Señor podía demostrar que cuando él tiene un propósito lo cumple. En el cumplimiento de ese propósito, Dios usó a Ciro, pero también tuvo a bien usar a sus hijos.

Aplicaciones del estudio

1. Dios es soberano de creyentes y no creyentes. Muchas veces Dios usa a personas que no son de su pueblo para llevar a cabo su plan eterno. Ciro, rey de Persia, es un ejemplo de cómo Dios es soberano y puede hacer lo que tiene planeado sin que haya ningún obstáculo para ello.

2. Una lección dolorosa. Las consecuencias de no aceptar la soberanía de Dios son desastrosas. En contraste con la eventual obediencia de Ciro, el pueblo de Dios, que se supone que debería ser un ejemplo de sumisión, una y otra vez se negó a someterse a los designios divinos. Si hay una entidad que debe ejemplificar el sometimiento a esos designios es la iglesia cristiana.

3. Somos colaboradores de Dios. El pueblo de Dios puede participar en el plan de salvación de Dios para el mundo con sus bienes, tiempo y talentos. En realidad, la formación de Israel como pueblo era precisamente para que éste llevara las buenas nuevas del amor de Dios a todas las naciones de la tierra. Hoy en día la iglesia es el nuevo pueblo de Dios. La misión es la misma, el mensaje también lo es. Somos privilegiados por tener la oportunidad de colaborar con Dios en su plan de salvar a los hombres de sus pecados.

¡Jehovah es soberano!
Esdras 1:1-4

Introducción: En su infinita soberanía, Dios permitió que su pueblo fuera llevado en cautiverio por una nación pagana. Asimismo y en virtud de esa misma soberanía, decidió usar a Ciro, rey pagano para beneficiar a su pueblo y propiciar el retorno tan ansiado a Jerusalén.

I. El Dios soberano predijo el retorno de sus hijos.
- A. Jehovah le reveló al profeta Isaías el nombre del rey que iba a libertar a los judíos arrepentidos (Isa. 44:28).
- B. Jehovah reveló a Jeremías que Judá iba a sufrir cautiverio unos 70 años, y después retornar a Jerusalén (Jer. 29:10-12; 30:1-3).

II. El Dios soberano usa a quien él quiere para llevar adelante sus planes.
- A. Ciro publicó un decreto escrito y oral.
- B. Ciro confirmó que el "Dios del cielo" le había comisionado para libertar a los judíos y para ayudarlos a edificar el templo.
- C. Ciro hizo devolver a los judíos los utensilios que Nabucodonosor había sacado del templo en Jerusalén. Todos estos utensilios debían usarse en el nuevo templo que sería edificado.

III. El Dios soberano despertó el espíritu de sus hijos para que tuvieran disposición de cumplir con su voluntad.
- A. Antes de emprender su largo viaje a Jerusalén los participantes se reunieron al lado del río Ahava para ayunar y orar tres días.
- B. También los jefes de familias, los sacerdotes, los levitas, los cantores y cargadores se organizaron para iniciar el viaje.
- C. No pidieron al rey soldados para protegerlos en el camino, pues habían declarado que su Dios era capaz de hacerlos llegar a salvo.
- D. Cuando por fin habían terminado el largo viaje, sin duda las lágrimas y gritos de gozo se entremezclaron. En sus corazones fue grabada esta verdad: ¡Jehovah es soberano!

Conclusión: Dios es soberano, todopoderoso, justo y misericordioso. El cumplirá su voluntad en nosotros si obedecemos sus mandatos.

Lecturas bíblicas para el siguiente estudio

Lunes: Esdras 2:68-70
Martes: Esdras 3:1-3
Miércoles: Esdras 3:4-7
Jueves: Esdras 3:8, 9
Viernes: Esdras 3:10, 11
Sábado: Esdras 3:12, 13

AGENDA DE CLASE

Antes de la clase
1. Lea 2 Reyes capítulos 24 y 25 para tener un trasfondo histórico para los estudios de este libro y el de Nehemías. **2.** Lea todo el libro de Esdras para apreciar el contexto bíblico de los cinco estudios de esta unidad. Consulte cuidadosamente las notas indicadas en su Biblia al referirse a eventos previos o profecías. **3.** Lea en un diccionario bíblico o compendio de la Biblia acerca de Ciro, el rey de Persia, y en cuanto al exilio que el pueblo sufrió en Babilonia. **4.** Lea con cuidado los materiales en el libro del maestro y el del alumno. **5.** Consiga un mapa del Medio Oriente de este período para localizar Persia y Jerusalén, para apreciar el largo viaje que los desterrados tenían que realizar. **6.** Ore por los miembros de su clase para que estos estudios de la historia del pueblo de Dios puedan ayudarles a entender mejor los eventos y los conflictos que experimentó el pueblo de Dios en su regreso a Jerusalén.

Comprobación de respuestas
JOVENES: **1.** Ciro dijo: "Dios me ha dado todos los reinos de la tierra y me ha mandado que le edifique casa en Jerusalén" (o algo parecido). **2.** 42.360. **3.** Respuesta personal.
ADULTOS: **1.** Ciro, Jerusalén, edificar casa (templo). **2.** Oro, plata, bienes, etc. Devolviendo las cosas del templo. **3.** Voluntario. **4.** Los jefes de las casas paternas (ancianos), los sacerdotes y los levitas. **5.** Sesbasar.

Ya en la clase
DESPIERTE EL INTERES
1. Dé la bienvenida a los alumnos y pídales que mencionen una petición de oración. Pida a dos personas que oren a favor de estas peticiones. **2.** Pregunte: ¿Ha tenido usted la experiencia de volver a la casa o al pueblo de su niñez o juventud? ¿Qué pensaba usted que iba a experimentar? ¿Cómo fue su reacción al llegar? ¿Había cosas que quiso llevar consigo? Procure que los alumnos se den cuenta de la emoción de volver a casa, y de experimentar de nuevo los recuerdos. Precisamente estas eran las emociones de los judíos desterrados que vivían en Babilonia y Persia. Hoy vamos a iniciar con ellos el peregrinaje a la tierra de sus padres.

ESTUDIO PANORAMICO DEL CONTEXTO
1. Usando la información del libro (Fondo histórico), presente brevemente el trasfondo histórico del libro de Esdras. **2.** Pida que alguien lea 2 Reyes 24:14b y 2 Reyes 25:1-21 y comente brevemente los eventos trágicos de la caída de Jerusalén y el exilio del pueblo de

Dios. **3.** Escriba en el pizarrón estas tres fechas: 597, 587, y 538 a. de J.C. e indique el evento importante en cada caso. **4.** Mencione que muchos de los exiliados ya se habían acostumbrado a la vida de Babilonia y Persia y no tenían interés en volver a la tierra de sus padres. Pero otros sí aprovecharon esta oportunidad inesperada que les presentó el rey Ciro.

ESTUDIO DEL TEXTO BASICO

Dé tiempo para que completen la sección "Lea su Biblia y responda". Compruebe las respuestas.

Lean Esdras 1:1-4. Resalte los tres componentes del retorno que el escritor menciona en el v. 1. Note que el protagonista es Dios, y él es quien "despierta el espíritu" del rey para que dicte el sorprendente decreto. Evite presentar a Ciro como "creyente" en Dios. El reconocía la importancia de la religión de los distintos pueblos en su imperio y quería que los judíos pudieran reconstruir el templo.

Lean Esdras 1:5-11. Mencione que Judá y Benjamín eran las dos tribus que habitaron el sur de la Tierra Prometida. Estas tribus tendrían especial interés en ver la ciudad de sus antepasados reconstruida. Igualmente de parte de los descendientes de la tribu de Leví, los sacerdotes anhelaban tener de nuevo el templo donde podrían efectuar los servicios. Noten la colaboración del pueblo. ¿Cómo indicaba el pueblo su interés en el proyecto? Hablen sobre el tesoro que había sido llevado del templo por Nabucodonosor y ahora era devuelto por Ciro de Persia. Hable de su significación para este grupo de judíos desterrados a punto de retornar a su tierra, y de su importancia para el nuevo templo.

Lean Esdras 2:64-67. Un vistazo general al capítulo 2 indica que el pueblo desterrado era grande. Piensen juntos en los sentimientos y los preparativos para hacer este largo viaje a Jerusalén. Una nota de interés se encuentra en el v. 62 donde indica que los levitas que no pudieron comprobar su linaje fueron excluidos del sacerdocio. Los líderes querían que todo fuera llevado a cabo tal como Dios lo había planeado.

APLICACIONES DEL ESTUDIO

Lean juntos las aplicaciones y discutan el valor que tienen para su vida.

PRUEBA

1. Divida el grupo en dos y pida que cada grupo complete uno de los ejercicios de esta sección. Después compartan sus respuestas con el grupo. **2.** Diga a los alumnos que en el próximo estudio se tratará sobre el inicio de la reedificación del templo de Jerusalén.

Estudio **2**

Unidad 1

Inicio de la reedificación

Contexto: Esdras 2:68 a 3:13
Texto básico: Esdras 3:1-13
Versículo clave: Esdras 3:11
Verdad central: El inicio de la reedificación del templo de Jerusalén marcó un momento histórico en la vida del pueblo de Dios que celebró con júbilo el acontecimienton.
Metas de enseñanza-aprendizaje: Que el alumno demuestre su: (1) conocimiento del avivamiento que trajo aparejado el inicio de la reconstrucción del templo en Jerusalén, (2) actitud de adoración gozosa por la misericordia de Dios.

Estudio panorámico del contexto

A: Fondo histórico:

Primera caravana. Después de que Ciro, rey de Persia, dio autorización para que los judíos regresaran a Judá y reconstruyeran el templo, la primera caravana salió de Babilonia y llegó a Judá el año 537 a. de J.C., capitaneada por Zorobabel. Al llegar a Judá los judíos construyeron habitaciones con lo indispensable para vivir (Esd. 2:70).

Ofrendas para la casa de Dios. Una de las primeras cosas que hicieron los repatriados fue levantar una ofrenda para la casa de Jehovah. Ofrendaron según sus recursos pero de una manera liberal. La ofrenda ascendió a 61.000 dracmas de oro, 5.000 minas de plata y 100 túnicas sacerdotales (Esd. 2:69). Es difícil averiguar cuánto valía la dracma de oro. El museo británico tiene algunas de esta monedas que se remontan hasta el tiempo de Esdras y Nehemías. Pesan 128.6 gramos, es decir, el peso de 128.6 semillas de trigo, de modo que 61.000 dracmas de oro representaban un valor considerable. Las minas de plata pesaban poco menos que un kilo, también eran de mucho valor. Los repatriados estaban conscientes de la importancia de colaborar con sus bienes para la administración de la vida religiosa de su pueblo.

Restauración de la adoración. Los judíos repatriados llegaron a Judá con el fin de reconstruir la casa de Dios y reasumir la clase de adoración que practicaban antes de apostatar. Para lograr esta clase de adoración era indispensable el altar. Sobre el mismo los sacerdotes ofrecerían los sacrificios agradables a Jehovah. Las instrucciones sobre las distintas ofrendas y sacrificios se encuentran en Levítico, libro de Moisés.

B. Enfasis:

Ofrendas para la restauración, 2:69, 70. Los judíos repatriados ofrendaron según sus recursos. Ellos sabían que los bienes que tenían podían ser usados en suplir una necesidad trascendente. Al aportar sus recursos estaban sembrando para que en el futuro inmediato el pueblo de Dios tuviera un lugar digno donde cultivar su vida religiosa.

Reconstrucción del altar, 3:1-7. Los babilonios habían destruido el atar situado enfrente del templo. Los repatriados lo reconstruyeron y reanudaron su adoración a Jehovah. Esa era una verdadera base para reiniciar su vida como pueblo escogido. El altar, de allí en adelante, volvería a ser el sitio donde los sacerdotes ofrecerían las ofrendas y los sacrificios tendientes a restablecer las relaciones rotas con Dios.

Manos a la obra, 3:8, 9. Zorobabel, los sacerdotes y los levitas pusieron manos a la obra de reconstrucción del templo. De la conciencia que tenían y del despertamiento espiritual que propició el Espíritu de Dios en ellos, se dispusieron a trabajar. Podríamos decir que fueron "hacedores de la palabra, y no tan solamente oidores."

Reconstrucción espiritual, 3:10-13. La participación en la obra encomendada a los repatriados despertó en ellos avivamiento espiritual. Una consecuencia natural de dedicarse a la tarea de reconstrucción física fue el despertar espiritual.

Estudio del texto básico

1 Cumpliendo lo que está escrito, Esdras, 3:1-5.

V. 1. Cuando llegó el mes séptimo, y los hijos de Israel ya estaban en las ciudades, el pueblo se reunió como un solo hombre en Jerusalén. Los repatriados llegaron a Jerusalén el mes séptimo (llamado *Tishri* por los judíos), el cual corresponde a la mayor parte de nuestro mes de septiembre y los primeros días de nuestro octubre. Durante este mes observaban varios días de fiesta (Lev. 23). Los hijos de Israel construyeron casas en las ciudades cercanas, de Jerusalén. Los repatriados se reunieron en Jerusalén y se pusieron a las órdenes de sus líderes. Sus jefes principales eran Jesúa (Josué) y Zorobabel. Jesúa (Josué) era sumo sacerdote (Hag. 1:1, 12, 14; Zac. 3:1-10).

Zacarías predijo que Jesúa, sumo sacerdote durante el cautiverio, iba a servir en esta función durante la restauración (Zac. 3:1-10). Jesúa era el líder espiritual y Zorobabel, príncipe entre los judíos, el líder político. Probablemente servía al gobierno de Babilonia en el cautiverio, puesto que Zorobabel no es nombre hebreo, sino arameo. A Daniel también le fue cambiado el nombre por Beltesasar.

V. 2. *Entonces se levantó Jesúa hijo de Josadac, con sus hermanos los sacerdotes y con Zorobabel hijo de Salatiel.* Salatiel recibió, de un siervo de Ciro, los utensilios del templo antiguo y los guardó para usarlos en el templo nuevo. *Y edificaron el altar del Dios de Israel, a fin de ofrecer sobre él holo-*

caustos, como está escrito en la ley de Moisés, hombre de Dios. Moisés escribió sobre estas cosas en Levítico (4 a 6).

V. 3. *Construyeron el altar sobre su base, aunque tenían miedo de los pueblos de estas tierras.* Tuvieron que limpiar los cimientos del antiguo altar antes de construir el nuevo. El altar era el punto focal del culto. Los repatriados tenían miedo de sus vecinos porque eran de otras razas que se oponían al regreso de los judíos. Sobre el nuevo altar *ofrecieron holocaustos... tanto de la mañana como de la tarde.* El holocausto era un sacrificio quemado sobre el altar, ya fuera de animal para remisión de pecados, o vegetal como un acto de gratitud. Estos sacrificios fueron ofrecidos "sobre el altar como grato olor, como una porción memorial para Jehovah". Los sacerdotes atendían al pueblo todos los días. El altar quedó terminado el último día del mes séptimo.

V. 4. *Después celebraron la fiesta de los Tabernáculos, como está escrito.* Esta fiesta conmemoraba la liberación de los hebreos de la esclavitud en Egipto. Deberían celebrar esta fiesta el 15 del séptimo mes, el mes en que llegaron a Jerusalén. Durante siete días habitarían en cabañas. Cada día presentarían ofrenda quemada a Jehovah: holocaustos y ofrendas vegetales, sacrificios y libaciones. Fue una semana de regocijo por la misericordia y bendición de Jehovah (Lev. 23:33-44 trata de esta fiesta).

V. 5. *Y después de esto...* es decir, después de la celebración de la fiesta de los Tabernáculos, ofrecieron holocaustos cada día: *los sacrificios de las lunas nuevas,* etc. Los sacerdotes debían servir al altar todos los días, según las leyes ceremoniales. Hubo convocaciones especiales en que sacrificaban holocaustos y ofrendas: la Pascua, las fiestas de Pentecostés, la fiesta de las Trompetas, el día de la Expiación, la fiesta de los Tabernáculos, etc. También ministraban las ofrendas voluntarias a Jehovah. Dios siempre está dispuesto a recibir el culto de toda persona de corazón contrito.

2 Preparativos para la reconstrucción, Esdras 3:6, 7.

V. 6. *Desde el primer día del mes séptimo comenzaron a ofrecer holocaustos a Jehovah, aunque aún no se habían colocado los cimientos del templo de Jehovah.* Aun sin templo, los creyentes pudieron celebrar cultos a su Dios en conjunto. Mientras los judíos estaban reconstruyendo el templo, sacrificaban y ofrendaban alrededor del altar. A veces es preciso tener cultos al aire libre o debajo de un sencillo techo.

V. 7. El pueblo ofrendaba generosamente para la obra del Señor. Moisés exigió que los creyentes trajesen diezmos de sus ingresos. Este pueblo también ofrendó generosamente para la reconstrucción del templo. *Entonces dieron dinero a los canteros y a los carpinteros así como alimentos, bebida y aceite a los de Sidón y de Tiro, para que trajesen madera de cedro desde el Líbano y por mar a Jope, conforme a la autorización que les había dado Ciro, rey de Persia.* Los obreros que recibieron dinero fueron los canteros que cortaban las grandes piedras y los carpinteros que trabajaban la madera para los interiores del templo. Los obreros de Tiro y de Sidón también recibieron alimentos, aceite y bebidas porque cortaban la madera y la traían a Jerusalén.

3 Avivamiento al comenzar la obra, Esdras 3:8-13.

V. 8. ¿Cuándo empezaron a reconstruir el templo? *En el mes segundo del segundo año de su llegada.* Dedicaron alrededor de seis meses a los preparativos para la edificación del templo. ¿Quiénes iniciaron y participaron en esta obra? *Comenzaron a edificar Zorobabel hijo de Salatiel y Jesúa..., con el resto de sus hermanos los sacerdotes y con los levitas y todos los que habían venido de la cautividad a Jerusalén.* Zorobabel era el líder político y Jesúa era el sumo sacerdote. Con éste servían otros sacerdotes, miembros de la misma familia. Los levitas eran descendientes de Leví, hijo de Jacob. Fueron designados por Dios para enseñar la ley de Moisés y servir como ayudantes de los sacerdotes. Zorobabel y Jesúa *pusieron al frente de la obra de la casa de Jehovah a los levitas de veinte años para arriba.* Por costumbre los levitas servían en la casa de Jehovah desde la edad de 25 años hasta alrededor de los 50 y luego pasaban a ser supervisores. En este caso, quizá por la escasez de personal, administraron desde la edad de 20 años.

V. 9. *También Jesúa y sus hijos y sus hermanos, y Cadmiel y sus hijos, los hijos de Hodavías, se pusieron a supervisar, como un solo hombre.* He aquí el secreto del éxito en cualquier proyecto: los jefes, supervisores y otros obreros deben trabajar en armonía, como un solo hombre. No hay lugar en la obra del Señor para envidias o petulancia. La ley de Dios para su pueblo es: "Amaos los unos a los otros."

V. 10. *Mientras los constructores del templo de Jehovah colocaban los cimientos,* bajo la dirección de Zorobabel y Jesúa, *se pusieron de pie los sacerdotes, con sus vestiduras y con trompetas, y los levitas hijos de Asaf portando címbalos, para alabar a Jehovah según las instrucciones de David* (Sal. 150).

V. 11. Con la colocación de los cimientos del templo, los sacerdotes, levitas, canteros, carpinteros, cantores y la gente que observaba, prorrumpió en alabanza. *Cantaban alabando y dando gracias a Jehovah.* Gritaban: *¡Porque él es bueno, porque para siempre es su misericordia sobre Israel!* Los sacerdotes y los levitas exclamaron con gran júbilo cuando el templo de Salomón fue dedicado (2 Crón. 5:12, 13; 7:3). Todo el pueblo gritaba con gran júbilo.

V. 12. *Pero muchos de los sacerdotes, de los levitas, de los jefes de casas paternas y de los ancianos que habían visto el primer templo lloraban en alta voz.* No pudieron menos que recordar la gloria del gran templo de Salomón. Otros que no habían visto el templo de Salomón daban grandes gritos de alegría.

V. 13. *Por causa del griterío, el pueblo no podía distinguir la voz de los gritos de alegría de la voz del llanto.* El estruendo del júbilo era tal que los vecinos samaritanos lo oyeron y se propusieron frustrar los esfuerzos de los judíos. No obstante las diversas reacciones del pueblo al ver los cimientos de su templo, estaban dispuestos a seguir adelante unidos. Una mezcla de emociones hizo presa de los repatriados. Es fácil imaginar la causa de esta explosión de sentimientos. Habían estado lejos de su patria y de su Dios. Ahora estaban a punto de experimentar grandes cambios.

Aplicaciones del estudio

1. Dios se agrada de que mantengamos en buen estado el lugar de adoración. Además, es un buen testimonio para los que no forman parte del pueblo de Dios.

2. Cada creyente tiene la oportunidad de demostrar su gratitud a Dios ofrendando generosamente. Esto ayuda a mantener el edificio y los diferentes ministerios. Hace falta una revisión de lo que Dios espera de su pueblo en relación con los diezmos y las ofrendas.

3. Cuando participamos en un proyecto de edificación nuestra vida espiritual se enriquece. Las varias ocasiones en que el pueblo de Dios participó en un proyecto así, dio como resultado un avivamiento espiritual.

Ayuda homilética

Dios prospera su obra
Esdras 2:68-70; 3:1-13

Introducción: Dios está listo a prosperar su obra si su pueblo cumple con algunas expectativas que forman parte de su relación con Dios.

I. Dios prospera su obra cuando:
- A. El pueblo de Dios ofrenda liberalmente (2:68-70; 3:5, 6).
- B. El pueblo reconoce que el diezmo es parte de su responsabilidad.
- C. El pueblo hace un esfuerzo extra como en el caso de la reconstrucción del templo.

II. Cuando el pueblo reconoce su pecado (3:3).
- A. Los holocaustos eran un tipo del sacrificio de Cristo en la cruz. "He aquí el Cordero de Dios que quita el pecado del mundo" (Juan 1:29).
- B. La confesión, la fe y el arrepentimiento son requisitos indispensables para que Dios bendiga a su pueblo.

III. Cuando el pueblo alaba a Dios, a pesar de las adversidades (3:10-13).
- A. Cantaban y alababan a Jehovah (3:11).
- B. Ya estuvieran tristes o gozosos, todos alababan a Dios (3:12, 13).

Conclusión: Dios prospera su obra cuando su pueblo le obedece con fe.

Lecturas bíblicas para el siguiente estudio

Lunes: Esdras 4:1-6
Martes: Esdras 4:7, 8
Miércoles: Esdras 4:9-11
Jueves: Esdras 4:12-15
Viernes: Esdras 4:16-20
Sábado: Esdras 4:21-24

AGENDA DE CLASE

Antes de la clase

1. Lea el pasaje bíblico y los materiales en los libros del maestro y del alumno. **2.** Lea Levítico 23 para recordar las fiestas instituidas por Dios en el séptimo mes. **3.** Lea en su diccionario bíblico información sobre "holocaustos" y "fiesta de los Tabernáculos". **4.** Piense en tres o cuatro cosas que usted querría llevar consigo si fuera a empezar una nueva vida en un lugar lejano. Traiga a la clase la lista de las cosas o si es posible traiga los objetos en los que pensó para estimular al grupo a imaginar las emociones de los judíos en su retorno a Jerusalén para reedificar el templo. **5.** En una franja de cartulina escriba las palabras "Porque él es bueno, porque para siempre es su misericordia" (Esd. 3:11). **6.** Canten del Himnario Bautista el himno No. 21: "Alabad al Señor".

Comprobación de respuestas

JOVENES: **1.** El altar para ofrecer sobre él holocausto a Jehovah. **2.** Ofrecieron holocaustos por la mañana y por la tarde, celebrando la fiesta solemne de los Tabernáculos, cada día, por orden, conforme al rito, cada cosa en su día. **3.** Respuesta personal. Una posibilidad es que para ellos era muy importante adorar a Dios aun sin haber terminado el templo.

ADULTOS: **1.** Jesúa y Zorobabel. **2.** El altar, para ofrecer sacrificios a Dios. **3.** Holocaustos diarios; durante la fiesta de los Tabernáculos; en ocasiones especiales; durante las lunas nuevas (mensualmente); las fiestas santas; ofrendas voluntarias. **4.** a. Contrataron a los trabajadores; b. nombraron encargados o supervisores. **5.** Porque unos recordaban lo hermoso del primer templo, otros estaban felices de tener un lugar para adorar a Dios.

Ya en la clase

DESPIERTE EL INTERES

1. Saque las cosas (o la lista) que ha traído que serían especialmente significativas para empezar una nueva vida en un lugar lejano. Explique su razón de haber seleccionado cada objeto y su significado para empezar una nueva vida. **2.** Diga que hoy estudiarán sobre las actividades del pueblo de Dios al empezar su nueva vida en Jerusalén. Al hacerlo pensarán en sus emociones en cada paso.

ESTUDIO PANORAMICO DEL CONTEXTO

1. Mencione brevemente el trasfondo del estudio anterior. Después de unos 70 años en exilio, Ciro, el nuevo rey del Imperio Persa, patrocina el regreso a Jerusalén y la reedificación del templo. **2.** Probablemente pasaron 4 o 5 meses en el regreso (7:7, 8), y después los "colonos" tuvieron que establecerse en las ciudades. Este estudio relata el principio de la reedificación del templo. Sin duda las expectativas de los que regresaron no eran las mismas que las del rey ni las de las personas que vivían en los alrededores de Jerusalén.

ESTUDIO DEL TEXTO BASICO

Dé tiempo para completar la sección *Lea su Biblia y responda.* Aclare cualquier duda en cuanto a sus respuestas.

Pida que alguien lea Esdras 3:1-5. Pregunte: ¿Qué significa "reunirse como un solo hombre?" ¿Por qué había esta unidad en este momento? Distinga entre el liderazgo del sumo sacerdote Jesúa y el líder político y gobernador, Zorobabel. Resalte la importancia de su colaboración. Explique la importancia de las fiestas religiosas del "mes séptimo" (Lev. 23) y la necesidad de tener un altar para los holocaustos. Aclare el concepto de "holocaustos".

Lean Esdras 3:6, 7 y hablen de los preparativos para iniciar la reconstrucción del templo. Resalte la importancia de la práctica del culto para este esfuerzo, notando que no dejaron a un lado los holocaustos hasta que hubieron terminado el templo. A la vez quisieron tener los mejores materiales para construir la casa de Dios. Como Salomón, consiguieron madera de cedro del Líbano.

Lea Esdras 3:8-13 y hablen de los principios de la reedificación del templo. Hubo mucha alegría; fueron momentos de gran celebración porque había llegado el momento tan esperado. Muestre la franja con las palabras de la canción del pueblo y léanlo todos juntos. Noten que estas palabras hablan de su Dios y de las características básicas que él mismo había revelado a su pueblo (Exo. 34:6, 7). El hecho de que ellos estuvieran nuevamente en Jerusalén es una muestra de su bondad y misericordia. Canten o lean "Alabad al Señor" (No. 21 Himnario Bautista) para expresar algo de los sentimientos del pueblo en ese momento, y su propio reconocimiento de estas características del Señor.

Lean los vv. 12, 13. Estos vv. revelan la tristeza de los ancianos al recordar la gloria del templo anterior y las posibilidades tan limitadas en este momento. Su llanto y la alegría del pueblo se mezclaron. Dios había hecho una gran labor; había que agradecérselo. Lea el v. 11, y dé gracias a Dios por su gran misericordia.

APLICACIONES DEL ESTUDIO

Lean juntos las aplicaciones y hablen de su importancia para sus vidas.

PRUEBA

Divida al grupo en parejas y pídales que cada una haga uno de los ejercicios. Que compartan brevemente sus respuestas. Terminen cantando de nuevo la primera estrofa del himno "Alabad al Señor".

Oposición a la reconstrucción

Contexto: Esdras 4:1-24
Texto básico: Esdras 4:4-24
Versículo clave: Esdras 4:22
Verdad central: Las acciones de los samaritanos contra el proyecto de reconstrucción del templo ilustran la oposición del enemigo a toda obra que busque la gloria de Dios.
Metas de enseñanza-aprendizaje: Que el alumno demuestre su: (1) conocimiento de los argumentos que usaron los samaritanos para tratar de impedir que el proyecto de reconstrucción del templo se llevara a cabo, (2) actitud de persistencia frente a los ataques de los enemigos de la obra del Señor.

Estudio panorámico del contexto

A. Fondo histórico:

Artajerjes. Fue el nombre de tres de los reyes de Persia. El Artajerjes de esta parte de nuestro estudio mandó que cesara la obra del templo (Esd. 4:7-24). Este rey fue asesinado poco tiempo después. El segundo Artajerjes (Mnemón) favoreció al pueblo de Dios. En el séptimo año de su reinado comisionó a Esdras para que llevara un segundo grupo de judíos desde Babilonia hasta Jerusalén a fin de terminar la construcción del templo (Esd. 7:1 ss.). Alrededor de trece años después, el mencionado Artajerjes comisionó a Nehemías para que encabezara otra caravana de judíos a Jerusalén, y le nombró gobernador de Judá en asuntos civiles (Neh. 2:1-8).

"El pueblo de la tierra", "gente de Más Allá del Río" (4:4, 11). Estos fueron habitantes de razas mixtas que se oponían a la obra de los judíos repatriados. 2 Reyes 16 a 35 relata cómo éstos se originaron. Los israelitas del norte, con sede en Samaria, fornicaron espiritualmente sirviendo a otros dioses. Jehovah los entregó en manos de los asirios. Era costumbre de los asirios trasladar a sus cautivos a diferentes partes de su imperio. Algunos de los trasladados fueron samaritanos, amonitas, moabitas y judíos. A los israelitas trasladados a Samaria y regiones alrededor de Jerusalén el rey de Asiria les mandó un sacerdote que antes había habitado en Betel. Este debía enseñarles los principios relativos a la adoración a Jehovah (17:28). Entonces sigue un comentario triste: "Pero cada pueblo seguía haciendo sus propios dioses y los ponía... en los lugares altos." "Temían a Jehovah pero servían a sus dioses según las prácticas de los pueblos de donde habían sido trasladados" (2 Rey. 17:28-33).

Algunos de los israelitas, cautivos de los asirios, habían emparentado con gente de otras razas y servían a sus dioses. El pueblo de la tierra usaba el Pentateuco pero seguía practicando las costumbres de los samaritanos.

B. Enfasis:

La oposición disfrazada, 4:1-3. Los paganos fingieron creer en Jehovah y propusieron ser socios de los judíos.

Sembrando el desánimo, 4:4-6. El pueblo de la tierra molestaba y atemorizaba a Judá a fin de que cesara la obra que había comenzado.

Otra estrategia, 4:7-11. Trataron de desacreditar a los judíos ante Artajerjes.

Una carta perniciosa, 4:12-16. Informaron al rey que los judíos que se rebelaron una vez podrían hacerlo de nuevo.

La respuesta de Artajerjes, 4:17-22. Artajerjes mandó a Rejum, comandante del pueblo de la tierra, que diera la orden para que cesara la obra en Jerusalén.

El momentáneo triunfo del mal, 4:23, 24. Los judíos suspendieron la obra para después continuarla con la ayuda de Dios.

Estudio del texto básico

1 El enemigo comienza su ataque, Esdras 4:4-6.

Vv. 4-5. *Entonces el pueblo de la tierra...* se refiere a los gentiles que vivían en Judá, en su mayoría eran de razas mixtas. Su religión fue predominantemente la samaritana, que usaba los primeros libros de la Biblia, pero no veía inconveniente en adorar a otros dioses además de Jehovah. (Revise el fondo histórico.) Cuando este pueblo supo que Judá estaba edificando *un templo a Jehovah,* propuso colaborar en el proyecto. La oferta fue rechazada por "Zorobabel y los jefes de las casas paternas" (4:1-3). *Entonces el pueblo de la tierra* puso en marcha otra estrategia: Desmoralizar *al pueblo de Judá* y amedrentarlo, para que no siguiera edificando. Intimidaron y atemorizaron a los judíos. Podemos imaginar las amenazas y actos de terrorismo que hacían en contra de ellos. Cuando esto también fracasó, los enemigos buscaron nuevas estrategias: *Contrataron consejeros contra ellos para frustrar su propósito.* La palabra *contrataron* puede traducirse como "*sobornaron*". La forma del verbo indica que en repetidas ocasiones sobornaron a los oficiales de la región, a fin de poner al rey de Persia en contra de los judíos. Y esto hicieron todo el tiempo durante los reinados de Ciro y de Darío reyes de Persia.

V. 6. *En el reinado de Asuero, al comienzo de su reinado, escribieron una acusación.* Asuero es el nombre hebreo de Jerjes. Jerjes y el primer Darío eran contemporáneos del segundo Artajerjes. En ese tiempo los enemigos *escribieron una acusación contra los habitantes de Judá y Jerusalén.* El enemigo no descansaría en su plan de evitar el avance y establecimiento del pueblo de Dios. Es interesante observar la cantidad de recursos de que echaron mano para lograr sus propósitos. Fue algo digno de mejor causa.

2 Usando todos los recursos, Esdras 4:7-11.

V. 7. *En los días de Artajerjes escribieron Bislam, Mitrídates, Tabeel y sus demás compañeros a Artajerjes, rey de Persia.* La carta estaba escrita en arameo y fue necesario traducirla.

Vv. 8-11. ¿Quiénes escribieron la carta? *El comandante Rejum y el escriba Simsai* a nombre de sus compañeros: *los jueces, los oficiales, los funcionarios persas, los de Erec, de Babilonia, de Susa (esto es, los elamitas), y del resto de las naciones que el grande y glorioso Asnapar,* rey de Asiria, *llevó cautivos y los hizo habitar en la ciudad de Samaria y en otras de la región de Más Allá del Río.* La historia de este gran traslado está asentada en 2 Reyes 17:24-34. Luego sigue el texto de la carta que enviaron a Artajerjes.

3 El método del enemigo, Esdras 4:12-16.

V. 12. *Sepa el rey que los judíos que han venido de ti a nosotros.* Los enemigos del pueblo de Dios se equivocaron al culpar a Artajerjes del traslado de los judíos a Jerusalén, porque en realidad fue Ciro quien hizo esto. Informaron a Artajerjes que los judíos estaban *reedificando la ciudad rebelde y perversa.* Los judíos y los samaritanos eran enemigos desde siglos atrás. Estos describen a los judíos como pueblo rebelde que resiste la autoridad, y de carácter perverso. Informaron que estaban *restaurando los muros y reparando los cimientos.*

V. 13. Sugirieron al rey que si Judá volvía a establecerse, el rey tendría que sofocar otra rebelión y quizá perder estos ingresos: impuestos, tributos y rentas, los cuales aportaban para el funcionamiento del imperio.

V. 14. *Y puesto que somos mantenidos por el palacio.* El rey nombraba a los gobernadores y consejeros y los sostenía. Además, protegía a los provincianos. De modo que los que escribieron al rey supuestamente lo hicieron para evitar que el rey sufriera contratiempos. Sin embargo, estaban escondiendo el verdadero motivo de la carta. La verdad es que los samaritanos eran enemigos de Judá y deseaban su destrucción.

Vv. 15, 16. El pueblo de la tierra hizo una solicitud expresa al rey: *Que se investigue en el libro de las memorias* de sus padres. Le aseguraron: *Hallarás en el libro de las memorias y sabrás que esa ciudad es una ciudad rebelde y perjudicial... y que desde tiempos antiguos han surgido en ella sediciones.* Cerraron la carta con una amonestación: *si esa ciudad es reedificada y los muros son restaurados, entonces la región de Más allá del Río no será tuya.* Es cierto que hacía dos siglos que Judá se había rebelado contra Asiria; pero había poca posibilidad de que 42.000 judíos repatriados se rebelaran contra Persia. Los dos reyes que siguieron a este Artajerjes consideraron que era provechoso ayudar a Judá con la reconstrucción de su tierra. Una provincia estable y próspera podría beneficiar al imperio. La importancia de registrar los eventos sobresalientes de los pueblos es notoria aquí, sin embargo, es más notorio que los gobernantes estuvieron dispuestos a apoyar al pueblo en el cumplimiento de su misión. Sin duda fue porque la mano de Dios estaba allí.

4 El momentáneo triunfo del mal, Esdras 4:17-24.

Vv. 17-22. Artajerjes, habiendo investigado las acusaciones en contra de Judá, respondió a Rejum y a sus compañeros en Samaria que las acusaciones eran verídicas. El rey fue contundente cuando concluyó: *esa ciudad desde tiempos antiguos se levantó contra los reyes, que en ella se fomenta la rebelión y la sedición.* Por lo tanto mandó a Rejum y a sus compañeros: *Dad órdenes para que cesen esos hombres y que no sea reedificada esa ciudad, hasta que yo lo ordene.*

No se puede negar que en el pasado hubo rebeliones. Pero Artajerjes no es muy objetivo cuando dice: *en ella se fomenta...* Habla en tiempo presente, presuponiendo, o más bien dando por sentado, que los hijos de Dios todavía tienen la misma actitud. *Tened cuidado de no actuar con negligencia...*

V. 23. Cuando el documento de Artajerjes fue leído ante Rejum y sus compañeros, fueron apresuradamente a los judíos con la autoridad real para obligarlos a *cesar* sus trabajos. Desafortunadamente el enemigo logró una victoria momentánea. Si bien es cierto que Dios es soberano y hubiera podido anular el efecto del edicto del rey, también es cierto que permite al enemigo obrar, pero al final de cuentas esa obra siempre será relativa, temporal. El plan de Dios seguirá adelante tarde o temprano.

V. 24. *Entonces cesó la obra de la casa de Dios que estaba en Jerusalén. Y cesó hasta el segundo año del reinado de Darío, rey de Persia.*

Los argumentos de los opositores a la reconstrucción se basaban en una triple apelación: (1) El rey sufriría financieramente (v. 13); (2) se perjudicaría su honor (v. 14); y (3) su imperio sería disminuido. Estos argumentos fueron lo suficientemente convincentes como para detener la obra.

La obra se detuvo, pero conforme a los planes de Dios, algún día tenía que continuar. La oposición no puede detener la obra de Dios permanentemente. Los planes del soberano Jehovah tienen que triunfar.

Aplicaciones del estudio

1. Los enemigos de la obra de Dios muchas veces se disfrazan. Debemos desarrollar un amplio sentido de discernimiento para descubrir al enemigo aunque éste se disfrace atractivamente para tratar de seducirnos y apartarnos de las altas metas en el servicio de Señor.

2. Muchas veces los enemigos de Dios y su pueblo son más persistentes que el propio pueblo de Dios. Una vez que el enemigo fracasaba en uno de sus intentos para frenar los proyectos de los hijos de Dios, inmediatamente implementaba un nuevo plan. Esa actitud, aunque negativa, por ser en contra del progreso, es digna de imitarse en cuanto a la creatividad y persistencia. La iglesia actual debe persistir en la tarea que le ha sido encomendada.

3. Los planes de Dios seguirán adelante a pesar de todo. Así como en el pasado sucedió, estamos seguros de que hoy y mañana seguiremos adelante.

Reconozca a su enemigo
Esdras 4:1-24

Introducción: Este capítulo muestra cómo el enemigo del pueblo de Dios usaba estrategias de Satanás contra los judíos. La vigilancia constante de los judíos para resistir las tretas del enemigo sirve de ejemplo. A nosotros nos conviene saber cómo hacer frente al enemigo.

I. Debemos rechazar las propuestas que comprometen nuestra fe (vv. 1-3).

A. Hay ofertas que parecen piadosas. El enemigo ofreció colaborar con los judíos en la edificación del templo. La oferta fue disfrazada con alegaciones falsas.

B. Debemos saber discernir entre la verdadera y la falsa religión. Los samaritanos no adoraban solamente a Jehovah, incluían a otros dioses.

C. No hacer ninguna clase de alianza con el enemigo de Dios. Los judíos se dieron cuenta de que esa clase de alianza les perjudicaría.

II. No debemos permitir al enemigo intimidarnos o atemorizarnos (v. 4).

III. Debemos saber que el enemigo hará lo posible por destruirnos (v. 5).

A. El enemigo puede usar inclusive a las autoridades civiles (vv. 7-16). Los samaritanos sobornaron a los oficiales para ganar su colaboración en la destrucción de los judíos.

B. El pueblo de Dios no debe detenerse en la realización de sus metas. El pueblo siguió adelante a pesar de los obstáculos.

IV. El enemigo puede detener la marcha del pueblo de Dios.

A. Muchas veces parece que el enemigo ha vencido. Los judíos se vieron obligados a suspender la obra por un tiempo.

B. El pueblo de Dios está llamado a la victoria. En su tiempo Dios hará que sus hijos alcancen la victoria como sucedió con Judá.

Conclusión: También en el día de hoy hemos de perseverar a pesar de la oposición. Cuando el enemigo impide nuestra marcha, debemos confiar en Dios, que a su tiempo nos dará la victoria.

Lecturas bíblicas para el siguiente estudio

Lunes: Esdras 5:1-5
Martes: Esdras 5:6-10
Miércoles: Esdras 5:11-17
Jueves: Esdras 6:1-12
Viernes: Esdras 6:13-18
Sábado: Esdras 6:19-22

AGENDA DE CLASE

Antes de la clase

1. Lea el cap. 4 de Esdras notando las diversas maneras en que los enemigos de Judá estorbaron la obra de reedificación del templo. **2.** Elabore dos franjas de cartulina: "Manos a la obra" y "Estorbos a la obra". **3.** Repase 3:10-13 para resaltar la situación en Jerusalén de parte de los judíos que recién habían regresado, y su alegría al empezar la obra. **4.** En un diccionario bíblico consulte sobre los "samaritanos". **5.** Ore por sus alumnos por nombre. Aproveche la oportunidad para enfatizar la importancia de decir la verdad y no "medias verdades", y la integridad personal que no permite ofrecer argumentos que causen dudas en cuanto a las motivaciones de otros.

Comprobación de respuestas

JOVENES: **1.** a. Los samaritanos; b. Una carta; c. Artejerjes; d. Ordenó el cese de la obra hasta nuevo aviso; e. Se detuvieron las obras de reedificación. **2.** Respuesta personal.

ADULTOS: **1.** Usaron amenazas, chantajes y falsos informes. **2.** Ciro, Darío, Asuero y Artajerjes. **3.** Que estaban reedificando la ciudad para rebelarse contra el rey de Persia. **4.** Artajerjes. **5.** Que pararan la obra hasta nueva orden. **6.** Falso.

Ya en la clase

DESPIERTE EL INTERES

1. Hable sobre una persona que ya estaba lista para edificar su casa, que había comprado los materiales, tenía sus planos y todo listo para empezar. ¡Era un gran momento! Pero precisamente en ese momento vino la noticia de que la ciudad no le permitía empezar a edificar. ¡Qué frustración! **2.** La situación de los judíos era semejante: todo estaba listo para edificar pero sus enemigos hicieron planes para desmoralizarlos y frustrarlos. Este estudio demostrará la habilidad de los samaritanos y otros para tratar de detener el proyecto.

ESTUDIO PANORAMICO DEL CONTEXTO

1. Hablen de quiénes eran los samaritanos y de su principio como un pueblo mezclado del remanente de las diez tribus del norte con personas traídas de otras naciones conquistadas por los asirios. En esta manera los conquistadores limitaban la probabilidad del espíritu nacionalista y enfrentaron la traición correspondiente de los pueblos conquistados. **2.** Muestre la cartulina "Manos a la Obra" y diga que el pueblo judío estaba listo para trabajar (3:10, 11), pero algo trágico pasó. **3.** En 4:1-3 lea el ofrecimiento de los samaritanos y la respuesta de los jefes de los judíos. Noten que la Biblia da el trasfondo de esta situación llamándoles "los enemigos de Judá y Benjamín". ¿Por qué no aceptaron la “ayuda” de los samaritanos? **4.** Muestre la franja “Estorbos a la obra” e identifique este primer estorbo.

ESTUDIO DEL TEXTO BASICO

Dé tiempo para completar la sección: *Lea su Biblia y responda* y compruebe las respuestas.

Lean Esdras 4:4-6 y usando la franja “Estorbos a la obra” noten los tres estorbos mencionados. Debe enfatizar que cuando no funcionó un estorbo, los enemigos buscaron otro. Su determinación era grande y el plan para estorbar la obra continuaba día tras día.

Lean Esdras 4:7-11. La carta escrita por los funcionarios persas indica la astucia de los enemigos de los judíos. Hicieron alianza con otros oficiales para parar la obra de reedificación del templo. Muestre la franja y diga: “Este fue un estorbo poderoso.”

Lean Esdras 4:12-16. Pregunte cuál fue la acusación contra este pueblo (“una ciudad rebelde y perversa”). Entonces, usando la franja “Estorbos a la obra”, hablen de los estorbos presentados en su acusación: **1.** La duda en cuanto a su lealtad de pagar los impuestos al rey, y “el tesoro real será perjudicado”. **2.** “La deshonra del rey” que ocasionaría esta rebeldía. **3.** Consejo al rey de que lea sus crónicas para ver la veracidad de sus acusaciones, creando la duda en cuanto a una posible rebelión. **4.** Finaliza advirtiendo que si terminan la obra la región no sería suya (v. 16). Comenten sobre la astucia de estos enemigos en sus acusaciones.

Lean Esdras 4:17-24 y hablen de la respuesta del rey. Dé especial énfasis a los vv. 21, 22. El resultado es la orden de que cese la obra. Esta orden fue hecha con fuerza para asegurarse de que se llevara a cabo. Muestre las dos franjas “Manos a la obra” y “Estorbos a la obra” y pregunte: ¿Cuál ha ganado? ¿Es la última palabra? Los siguientes estudios darán la respuesta. No pierda la oportunidad de saber lo que pasó.

APLICACIONES DEL ESTUDIO

Lea con cuidado las aplicaciones. Divida al grupo en tres y dé a cada grupo una aplicación para reflexionar sobre su verdad para sus vidas. Hablen de condiciones en las cuales encontramos estorbos a los proyectos que tenemos y formas de resistirlos. ¿Hay estorbos a la predicación del evangelio en su comunidad? ¿Cómo debemos responder a estos estorbos?

PRUEBA

Pida que los alumnos escojan uno de los ejercicios para completar. Dé tiempo para que hablen de sus respuestas.

Dedicación del templo

Contexto: Esdras 5:1 a 6:22
Texto básico: Esdras 6:1-18
Versículos clave: Esdras 6:16
Verdad central: A pesar de toda oposición, el pueblo de Dios al fin concluyó la obra de reconstrucción y lo dedicó para la gloria de Dios celebrando una gran fiesta.
Metas de enseñanza-aprendizaje: Que el alumno demuestre su: (1) conocimiento de los factores que rodearon la conclusión de la obra de reconstrucción y la dedicación del templo, (2) actitud de valorizar la bendición de tener un lugar en donde realizar el culto público.

Estudio panorámico del contexto

A. Fondo histórico:

El templo ocupaba un lugar central en la vida de Israel. Situado en el atrio, delante del templo, estaba el altar de los holocaustos, donde los israelitas sacrificaban animales para el perdón de pecados y como ofrendas de gratitud. El sumo sacerdote solía rociar la sangre de la víctima sobre el arca del pacto, situada en el lugar santísimo. La cubierta del arca del pacto se llamaba propiciatorio o sitio de sacrificios por el pecado (Lev. 16:2). Salomón edificó un templo grande y elegante. Este templo era una maravilla que atraía gran cantidad de turistas. Cuando dicho templo fue consagrado se llenó con una nube, y los sacerdotes no pudieron continuar con el ritual (2 Crón. 5:13, 14). Para los judíos el templo fue morada de Jehovah.

El templo de Zorobabel. El templo que Zorobabel y sus colaboradores construyeron no era tan grande como el de Salomón, pero tuvo la misma importancia en la vida de Judá. Era un lugar de reunión, lugar de sacrificios a Jehovah, y lugar donde los adoradores podían ver la gloria de Jehovah.

El ministerio profético de Hageo y Zacarías. Hageo y Zacarías instaron a Judá a completar la obra de construcción del templo. Sus profecías fueron en forma de sermones. Los dos mencionan a Darío Hystaspes quien llegó a ser rey de Persia en 521 a. de J.C. Dios, obrando por medio de Hageo y Zacarías, animó a los judíos de la región de Jerusalén a reconstruir el templo. Mientras el pueblo trabajaba, los profetas les animaban en la tarea (Esd. 5:1, 2). Darío ayudó a los judíos a continuar la obra hasta completar el templo. La frase “Más Allá del Río” se refiere a las provincias que estaban al occidente de los ríos Tigris y Eufrates.

B. Enfasis:

Más oposición, 5:6-17. Tatnai, gobernador de Más Allá del Río, Setarboznai y sus compañeros trataron de intimidar a Judá, que era otra provincia de Persia. Sin la autorización de Darío, rey de Persia, se enfrentaron a los edificadores del templo. Les preguntaron: ¿Quién os ha dado orden para reedificar este templo? Cuando esto no intimidó a los judíos, los enemigos optaron por dar un informe falso al rey de Persia. Los opositores estaban determinados a detener la obra y no iban a descansar hasta lograrlo. El enemigo siempre tendrá imaginación para tratar de estorbar la obra de Dios.

El valor de un documento, 6:1-5. Darío, rey de Persia, investigó las alegaciones de Tatnai y asociados. En los archivos en Media fue encontrado un documento de cómo Ciro había decretado el regreso de los cautivos judíos a Jerusalén para reconstruir el templo. El valor de los documentos se ve manifiesto en la respuesta que proporcionaron a Darío.

Darío, instrumento de Dios, 6:6-12. Así como Dios había usado a Ciro para repatriar a los judíos a Jerusalén a fin de reedificar el templo, también usó a Darío para protegerlos de sus enemigos y ayudarlos con lo necesario para terminar la reconstrucción.

Conclusión y dedicación del templo, 6:13-17. Los judíos celebraron con júbilo, y ofrecieron sacrificios conforme a las palabras de Moisés.

Celebración de la Pascua, 6:19, 20. Durante esta fiesta el pueblo recordó la liberación de sus antepasados de la esclavitud en Egipto y cómo Jehovah les había liberado de su cautiverio en Babilonia.

Estudio del texto básico

1 El decreto de Darío, una bendición, Esdras 6:1-12.

Los profetas Hageo y Zacarías motivaron a los judíos a que reanudaran la edificación del templo. La oposición fue fomentada por Tatnai, gobernador de la región de Más Allá del Río. Trataron de detener la edificación del templo. Sin autorización del rey de Persia, Tatnai y sus socios se enfrentaron con Zorobabel y los profetas principales de Judá. Cuando esto no dio resultado informaron a Darío, rey de Persia lo siguiente:

1. Fuimos a Judá y pudimos ver que el templo está siendo edificado con bloques de piedra.
2. La obra se hace con diligencia y prospera en sus manos.
3. Preguntamos a los ancianos: ¿Quién os ha dado orden para reedificar este templo? Les preguntamos sus nombres.
4. En respuesta nos dijeron: Estamos reedificando el templo que hace muchos años fue edificado por un gran rey de Israel.
5. Nuestros padres provocaron la ira del Dios de los cielos y él los entregó en manos de Nabucodonosor. Este destruyó el templo y llevó los utensilios a Babilonia.

6. En el primer año de Ciro, rey de Babilonia él dio orden para que el templo fuese reedificado y devolvió a Judá los utensilios que Nabucodonosor había saqueado.
7. Si al rey le parece bien, investíguese en la casa de los archivos en Babilonia si es verdad que Ciro decretó para reedificar esta casa de Dios en Jerusalén.

Posiblemente los enemigos de Judá pensaban que la orden de Ciro autorizando la reconstrucción del templo no existía. De todos modos sugirieron una investigación del asunto.

Vv. 1, 2. *Darío* mandó buscar el documento de Ciro en el que se decretó la edificación de un templo en Jerusalén. Buscaron primeramente en *la casa de los archivos en Babilonia.* Lo encontraron *en Acmeta* (también llamada Ecbatana). Vale la pena registrar los eventos sobresalientes de la vida nacional y cuidarlos para tener constancia y memoria del devenir de los pueblos. ¿De qué sirve esa información? La respuesta la vemos en el caso de las investigaciones de Darío.

Vv. 3-5. Aquí se reproduce el *decreto* de Ciro sobre la edificación de *la casa de Dios.* Los judíos debían edificarla *en Jerusalén.* La casa de Dios debía ser un lugar en el cual se ofrecieran *sacrificios.* Ciro especificó las dimensiones del templo: *De 60 codos de alto* y de *60 codos de ancho.* Ciro hasta indicó las dimensiones y los materiales que debían usarse en la construcción: *Tendrá tres hileras de bloques de piedra y una hilera de vigas nuevas.* Y además, Ciro prometió que el gasto iba a ser *pagado por la casa del rey. Los utensilios de oro y de plata* del templo que habían sido llevados *a Babilonia* debían ser devueltos a su lugar en el templo *en Jerusalén.* Estos son algunos de los datos que se descubrieron en el documento de Ciro.

Vv. 6-10. Estos vv. contienen las órdenes que Darío dio a Tatnai y a sus compañeros: (1) *Dejad la obra de esta casa de Dios a cargo del gobernador de los judíos y de los ancianos de los judíos.* (2) *Los gastos de aquellos hombres sean puntualmente pagados de los recursos del rey, de los tributos de Más Allá del Río, para que no cese la obra. Se les dará cada día, sin falta, lo que sea necesario: novillos, carneros y corderos para los holocaustos al Dios de los cielos... para que ofrezcan sacrificios de grato olor al Dios de los cielos.* Darío pedía que los sacerdotes, además de ofrecer sacrificios, oraran *por la vida del rey y de sus hijos.* En el N.T. Pablo nos enseña que debemos orar por los gobernantes.

Vv. 11, 12. Darío avisa a Tatnai y a sus compañeros del severo castigo que les espera a quienes desobedezcan sus órdenes. El decreto de Ciro no debía ser alterado, de acuerdo con la orden dada por el propio Ciro. De una manera natural el rey reconoce que el Dios de los judíos merece un edificio adecuado que facilite su adoración. Las medidas preventivas parecen ser sumamente radicales, pero vistas en la adecuada perspectiva, más bien señalan la importancia que Ciro le estaba dando al proyecto de restauración.

2 Al fin, la dedicación del templo, Esdras 6:13-15.

Vv. 13-15. Tres cosas apresuraron la culminación de las obras de reedificación: (1) El ojo de Dios vigilaba sobre Judá. Hizo que Darío encontrara el decreto de Ciro y luego actuara favorablemente hacia Judá (Esd. 5:5). (2) Los principales oficiales, enemigos, al ver la firmeza de Darío actuaron con diligencia, conforme al mandato del rey (6:13). (3) *Los ancianos de los judíos continuaron edificando y progresando de acuerdo con la profecía* de *Hageo* y la de *Zacarías* (v. 14). La iglesia que quiere cumplir su misión debe obedecer los mandatos que recibe de Dios por medio de la Biblia. Este templo fue terminado al *tercer día del mes de Adar del sexto año del reinado de Darío* (v. 15). El templo fue terminado en un período aproximado de cuatro años.

3 Una fiesta impresionante, Esdras 6:16-18.

Vv. 16-18. Los judíos que habían trabajado fielmente en la reconstrucción del templo tenían motivos sobrados para una gran celebración. Esdras les llama los *que habían vuelto del cautiverio.* No podían olvidar la reincidencia de sus padres, y quizá de ellos mismos. Pero ahora son un pueblo obediente a Dios. *Celebraron* la dedicación del templo *con regocijo.* Ofrecieron sacrificios por la remisión de pecados y por gratitud a Dios. *Para la dedicación de esta casa de Dios ofrecieron 100 toros, 200 carneros, 400 corderos, como sacrificio por el pecado de todo Israel, 12 machos cabríos, conforme al número de las tribus de Israel* (v. 17). Desde esta ocasión los sacerdotes y los levitas servían conforme a los horarios que les correspondían. Este templo no era tan grande como el de Salomón, pero los cultos cumplían con lo establecido en la ley de Moisés sobre el culto a Jehovah. La gloria del culto a Dios no consiste en la pompa del lugar de adoración, sino en adorar en espíritu y en verdad.

Aplicaciones del estudio

1. Debemos revisar la historia del pueblo de Dios y considerar su relación con él. Un vistazo a la historia del pueblo de Dios nos muestra las constantes caídas del pueblo y la misericordia de Dios que le da una nueva oportunidad. Este vistazo, además, podría darnos la información que nos ayude a evitar los errores de los judíos.

2. Dios siempre avisa al hombre de las consecuencias de su desobediencia. El nunca ha ejecutado un juicio o castigo sin antes decirle al pueblo lo que espera de él. El mensaje profético, los tipos bíblicos como el arca de Noé, la serpiente en el desierto y otros, nos muestran la paciencia y misericordia de Dios.

3. El plan de Dios se llevará a cabo a pesar de la oposición del enemigo. Los profetas Hageo y Zacarías habían anunciado la culminación de la obra de reconstrucción y los hijos de Dios trabajaron con esa mentalidad. Debemos trabajar en la obra de Dios confiando en que todas sus promesas se cumplirán tarde o temprano.

Llamamiento a la obediencia
Hageo 1:1-15

Introducción: Esdras, Hageo y Zacarías motivaron al pueblo a reanudar la construcción del templo. Aparte de la motivación a reconstruir animaron a los judíos a ser obedientes a la voz de Dios para esta nueva etapa de la vida de su pueblo. Judá había usado varios pretextos para no seguir adelante. Sin embargo, se volvió de su pecado y decidió ser obediente a los mandatos del Señor.

I. Por qué fue negligente el pueblo de Dios (1:2-4).
- A. El pretexto de los judíos (v. 2). "Aún no ha llegado el tiempo en que sea reedificada la casa de Jehovah".
- B. La verdadera razón (vv. 3-6). Ellos preferían tener sus casas en condiciones óptimas, olvidándose de la casa de Dios.

II. El alto costo de la desobediencia (vv. 10, 11).
- A. Trabajan mucho pero obtienen pocas ganancias.
- B. Comen y beben pero no quedan satisfechos.
- C. Se visten, pero no pueden evitar sentir el frío.
- D. Al jornalero no le rinde su salario.

III. El mandato renovado (v. 8).
- A. "Subid al monte, traed madera y reedificad el templo."
- B. Yo tendré satisfacción.

IV. El mandato de Dios obedecido (v. 14).
- A. Jehovah despertó el espíritu de Zorobabel, gobernador de Judá.
- B. También despertó el espíritu del sumo sacerdote Josué.
- C. Asimismo animó a todo el remanente del pueblo.
- D. Todos ellos obedecieron.
- E. La obra de reconstrucción siguió adelante.

Conclusión: Una vez que Dios mismo obró en la vida de las personas involucradas en el proyecto de reconstrucción, la obra siguió adelante. Fue necesaria la intervención divina y la disposición de las personas para obedecer para que no se detuviera esta obra tan importante. El templo fue terminado en cuatro años más o menos. El pueblo celebraba con júbilo. La presencia gloriosa de Jehovah llenó de nuevo el templo.

Lecturas bíblicas para el siguiente estudio

Lunes: Esdras 7:1-28
Martes: Esdras 8:1-14
Miércoles: Esdras 8:15-36
Jueves: Esdras 9:1-15
Viernes: Esdras 10:1-17
Sábado: Esdras 10:18-44

AGENDA DE CLASE

Antes de la clase

1. Lea Hageo 1:1-15 y Zacarías 1:1-6 para considerar el trasfondo bíblico de este estudio. **2.** Si tiene programas o recuerdos de la dedicación del templo local, tráigalos. Si ha participado en campañas para edificar un templo o completar la renovación del edificio, sería de interés también tener algunas fotos. **3.** Consulte en un diccionario bíblico en cuanto a Darío, el rey mencionado en el estudio. **4.** Haga un cartelón para resaltar la dinámica del estudio: Bendición + Dedicación = Celebración. **5.** Lleve a la clase el Himnario Bautista para cantar o leer "Engrandecido Sea Dios", himno 16 o "En Tu Santo Templo", himno 240.

Comprobación de respuestas

JOVENES: **1.** a. Buscar en los archivos de Babilonia el decreto de Ciro en cuanto a la casa de Dios en Jerusalén. b. Que la casa fuera edificada como un lugar en el cual se ofrecieron sacrificios. Los gastos correrían a cargo del tesoro del rey. c. Le sería arrancada una viga de su casa y él sería clavado, empalado en ella y su casa se convertiría en un montón de escombros. **2.** Respuesta personal. Debe incluir el asunto de la conclusión y dedicación del templo.

ADULTOS: **1.** Babilonia, Acmeta. **2.** V. 3. Que la casa de Dios fuera reconstruida para ofrecerle sacrificios. Vv. 3b, 4. Las medidas y características de la construcción. V. 5. Devolver todo aquello que había pertenecido al primer templo. **3.** V. 7. Dejar que la obra siguiera su curso. V. 8. Sufragar los gastos de la reconstrucción. V. 9. Proveer lo necesario para la adoración a Dios. **4.** Cuatro años.

Ya en la clase

DESPIERTE EL INTERES

1. Dé la bienvenida a los alumnos y dígales que hoy veremos la culminación feliz del esfuerzo de los de Judá para reedificar el templo. **2.** Pregunte si alguien recuerda la dedicación del templo de su iglesia, o de otro templo. Hablen juntos del esfuerzo para lograrlo, la bendición de tenerlo, y su importancia para promover la espiritualidad del pueblo. Muestre los programas, fotos u otros recuerdos de interés. **3.** Puede ser que su templo haya sido edificado en el tiempo cuando era difícil conseguir un permiso oficial. A veces dentro de las administraciones hay personas que harán todo lo posible por evitar, o por lo menos estorbar, la construcción de un templo. Relatar algo de este proceso y la bendición de lograrlo puede ser de especial interés para todos. **4.** Tenga una oración de gratitud por su templo y por aquellas personas que participaron en su construcción y mantenimiento para tener un lugar de culto a Dios.

ESTUDIO PANORAMICO DEL CONTEXTO

1. Lea Esdras 5:1-5 y hablen del hecho de que los judíos todavía sufrieron oposición para la edificación del templo. **2.** Llame la atención al v. 5. Esta vez ya había una determinación de completar la construcción. **3.** Dé un breve resumen de la carta que los opositores enviaron a Darío (5:6-17).

ESTUDIO DEL TEXTO BASICO

Dé tiempo para contestar la sección: *Lea su Biblia y responda.* Compruebe las respuestas y aclare cualquier duda.

Lean Esdras 6:1-12 y muestre el cartelón que ha preparado. Hablen de la bendición que fue el decreto de Darío. No solamente dio su permiso para su edificación (v. 7), sino también ordenó que los oficiales dejaran de molestar a los judíos (v. 6). Además, Darío pagaría los gastos de la edificación (v. 8) y proveería los animales y ofrendas vegetales para los sacrificios necesarios.

Lean Esdras 6:13-15 y noten las distintas personas que ayudaron a terminar la obra. El papel de los profetas Hageo y Zacarías fue central para terminar la reedificación del templo. Vuelvan a leer Esdras 1:1; enfatice que Dios es el protagonista mayor en promover la reedificación del templo.

Lean Esdras 6:16-18 y hablen de la alegría que deben haber sentido los participantes. Hablen de la "celebración con regocijo". Pida a los alumnos que compartan sus ideas de lo que incluirían en esta celebración. Noten el gran número de sacrificios. Su alegría tiene que haber sido grande.

Mencione que probablemente un mes después celebraron la Pascua o la Fiesta de los Panes sin Levadura. Lea el v. 22 resaltando la provisión de Dios obrando en el corazón del rey de Asiria o Persia. Muestre la cartulina con la fórmula "Bendición + Dedicación = Celebración". Hablen de los tres componentes de esta fiesta. Refiriéndose a su propio templo hablen de estos tres componentes y lo que se debe incluir en una celebración. Lean o canten "Engrandecido Sea Dios" o "En Tu Santo Templo" como parte de su reconocimiento de la celebración de la edificación del templo.

APLICACIONES DEL ESTUDIO

Lean juntos las aplicaciones y hablen de su importancia para sus propias experiencias.

PRUEBA

Que cada alumno escoja uno de los ejercicios para completar. Termine con una oración dando gracias a Dios por su templo y la oportunidad de rendirle culto en su local.

Unidad 1

Esdras regresa a Jerusalén

Contexto: Esdras 7:1 a 10:44
Texto básico: Esdras 7:6-10; 8:21-36
Versículos clave: Esdras 7:9, 10
Verdad central: Dios bendijo a su pueblo proveyendo los medios para el regreso de exiliados a Jerusalén. De esta manera se demuestra que Dios no deja sus planes inconclusos y usa todos los medios que él quiere para llevarlos a cabo.
Metas de enseñanza-aprendizaje: Que el alumno demuestre su: (1) conocimiento de los elementos que Dios usó para facilitar el regreso a Jerusalén, en un segundo grupo, de gran parte de su pueblo, (2) actitud de confianza en que Dios siempre llevará a cabo sus planes de una manera cabal.

Estudio panorámico del contexto

A. Fondo histórico:

Rasgar sus vestiduras. Era una costumbre de los hebreos como una reacción al recibir malas noticias. Hay muchos ejemplos de esto en la Biblia. Por ejemplo: cuando Jacob recibió la noticia de la muerte de José, "rasgó sus vestiduras, se cubrió con cilicio y guardó duelo por su hijo muchos días" (Gén. 37:34). Esdras, al recibir el informe de los magistrados de Judá acerca de los matrimonios mixtos entre los judíos, rasgó su vestidura y su manto (Esd. 9:3).

Arrancarse los pelos de la cabeza. Fue otra evidencia de la agitación que Esdras experimentó cuando recibió la mala noticia de la reincidencia de algunos de los repatriados.

El problema de los matrimonios mixtos. La noticia de que esta práctica había invadido las familias repatriadas, inclusive a las de algunos de los sacerdotes y levitas, motivó a Esdras a rasgar sus vestidos, arrancarse los pelos de la cabeza, postrarse en oración, reunir el pueblo y poner en marcha medidas para corregir el mal. Esta práctica de casarse con personas de otros pueblos invadió la vida de los judíos de manera perversa y rápida. Los matrimonios mixtos afectaron de dos maneras: 1) las razas se mezclaron y 2) se diluyó la religión de los judíos. Al casarse los judíos con los cananeos, heteos, ferezeos, jebuseos, amonitas, moabitas, egipcios y amorreos se desintegraría la nación de Israel como tal. Esta práctica ocasionó que los hijos de Dios adoptaran los dioses de sus cónyuges y abandonaran el culto exclusivo a Jehovah.

B. Enfasis:

Esdras sube a Jerusalén, 7:1-10. Esto ocurrió en el año 457 a. de J.C. Después de que fuera dedicado el nuevo templo de Jerusalén, el rey Artajerjes Longimano comisionó a Esdras para que encabezara otro traslado de judíos de Babilonia a Jerusalén.

Las credenciales de Esdras, 7:11-28. Artajerjes acreditó a Esdras con un documento que presentaría a las autoridades de Más Allá del Río. El rey ordenaba en ese documento que le proveyeran a Esdras los animales y el dinero que fueran necesarios para el culto a Jehovah. Asimismo ordenó que no se les impusiera "tributo, ni impuesto ni renta a ninguno de los sacerdotes, levitas, cantores, porteros o servidores del templo".

Dirigentes que vinieron a Esdras, 8:1-14. Esdras asienta los nombres de jefes de familias y el número de hijos que vinieron con ellos: 1.496 jefes de familia y 220 sacerdotes, levitas y otros que servían en el templo. Contando a las mujeres y a los niños el total llegaría a unas 10.000 personas.

Preparativos para el viaje a Jerusalén, 8:15-31. Esdras proclamó "un ayuno allí junto al río Ahava a fin de humillarnos en la presencia de nuestro Dios y pedirle un buen viaje para nosotros, para nuestros niños y para todas nuestras posesiones".

Los primeros días en Jerusalén, 8:32-36. Al llegar a Jerusalén, los repatriados descansaron tres días y después ofrecieron sacrificios por el pecado; todo ello como holocausto a Jehovah. Luego entregaron el decreto del rey a las autoridades de Más Allá del Río.

Problema de los matrimonios mixtos, 9:1-15. Vea el comentario en la sección *Fondo histórico.*

Medidas contra los matrimonios mixtos, 10:1-44. Esdras, al enterarse de este mal, se postró ante la casa de Dios orando, llorando y confesando el pecado de Judá. Propuso: "Hagamos un pacto con nuestro Dios: Despediremos a todas las mujeres y a los hijos nacidos de ellas. Hágase conforme a la ley." Hubo 118 matrimonios mixtos asentados en el informe (vv. 18-44). Los magistrados investigaron estos matrimonios uno por uno. Parece que solamente cuatro varones se opusieron a la demanda de deshacerse de su mujer de otra raza (v. 15).

Estudio del texto básico

1 Esdras, un líder preparado, Esdras 7:6-10.

Esdras era un líder bien preparado y equipado para realizar la obra que Dios les había encomendado. Sus antecesores eran sacerdotes y él también lo era. Los vv. 1-5 trazan el linaje de Esdras hasta Aarón.

V. 6. *Esdras, escriba versado en la ley de Moisés.* Esdras, siendo escriba, era una persona letrada. Los escribas, en los tiempos de David y Salomón, eran secretarios. Muchos de los escribas llegaron a ser maestros de las leyes dadas a Moisés. El texto griego del Nuevo Testamento llama al escriba *nomodidáskalos* que significa: "maestro de las leyes". Como sacerdote, Esdras era versado en las leyes relativas a los sacrificios. Siendo escriba tenía como deber enseñar al pueblo las demás leyes de Moisés con respecto a la manera de vivir, y recordarles el convenio que los israelitas habían hecho con Jehovah. En efecto, Esdras era responsable de vigilar que los magistrados cumplieran sus deberes de administrar las leyes. El que tenía el oficio de escriba se ganaba el respeto del pueblo. Esdras subió de Babilonia y se encaminó a Jerusalén. Es posible que Artajerjes haya incluido a Jehovah en su lista de adoración. La ayuda que el rey prometió a Esdras consta en los vv. 12-24.

V. 7. *En el séptimo año del rey Artajerjes... subieron a Jerusalén* (457 a. de J.C.). Acompañaron a Esdras 1.496 jefes de familia además de 220 sacerdotes, levitas y servidores del templo. El total de personas que hicieron el viaje fue aproximadamente de 10.000.

Vv. 8, 9. *Llegó a Jerusalén en el mes quinto del séptimo año del rey.* El grupo viajó alrededor de cuatro meses en esta histórica jornada. No hubo estorbos ni demoras en el camino *porque la ...mano de su Dios estaba con él.*

V. 10. Dios pudo bendecir a Esdras y a su pueblo en el viaje porque *había preparado su corazón para escudriñar la ley de Jehovah y para cumplirla.* ¿Cuántas veces leemos la palabra de Dios sin obedecerla? La preparación y obediencia equiparon a Esdras para enseñar a Israel los estatutos y los decretos de Dios.

2 Esdras recibe el cuidado de Dios, Esdras 8:21-31.

V. 21. Esdras recibió el cuidado de Dios porque alimentaba la relación espiritual del pueblo con su Dios. Antes de emprender el viaje desde Babilonia hasta Jerusalén, Esdras proclamó un ayuno junto al río Ahava. El ayuno tenía como propósito que el pueblo se humillara y se acercara más a Dios hasta experimentar su presencia. Un segundo propósito fue el de guiar al pueblo a hablar con Dios por medio de la oración: *Pedirle un buen viaje para nosotros, para nuestros niños y para todas nuestras posesiones.*

Vv. 22, 23. Esdras recibió el cuidado de Dios porque puso toda su confianza en él. Tuvo vergüenza de pedir al rey protección militar en el camino porque los jefes de los judíos habían dicho al rey: *La mano de nuestro Dios es para bien sobre todos los que le buscan... Ayunamos, pues, y pedimos a nuestro Dios acerca de esto; y él nos fue propicio.*

Vv. 24-29. Esdras encargó a personas confiables el cuidado de los tesoros de Israel en el largo viaje. Parece que todo este acto fue ante toda la congregación de los judíos, pues Esdras dice: *Luego aparté a doce de los principales sacerdotes: Serebías, Hasabías y diez de sus hermanos con ellos.* Este tesoro fue de inmenso peso y valor. Esdras entregó a los sacerdotes *la plata y el oro* y les encargó: *Velad y guardadlos hasta que los peséis en Jerusalén, en las cámaras de la casa de Jehovah.*

Vv. 30, 31. Los sacerdotes guardaron los tesoros de Israel durante su viaje como de cuatro meses rumbo a Jerusalén. El comentario de Esdras es: *Y la mano de nuestro Dios estaba sobre nosotros, y nos libró de mano del enemigo, y de los asaltantes en el camino.*

3 Los primeros días en Jerusalén, Esdras 8:32-36.

V. 32. Los judíos salieron de Babilonia en el primer mes del año y llegaron *a Jerusalén* el primer día del quinto mes. El arduo viaje les duró cuatro meses llevando sus enseres, ganado, niños y el tesoro. No cabe duda de que llegaron sucios y cansados. Con razón tuvieron que descansar *tres días.*

Vv. 33, 34. Al cuarto día Serebías, Hasabías y sus hermanos entregaron los tesoros en la casa de Dios. Estos fueron pesados en presencia de testigos y entregados a Meremot y Eleazar, sacerdotes, y con ellos los levitas Josabad y Noadías. Dice la crónica de Esdras: *En aquella ocasión todo fue contado y pesado, y se registró el peso total.*

V. 35. En el camino no era muy conveniente ofrecer holocaustos; pero al llegar del cautiverio, los que habían estado cautivos ofrecieron holocaustos al Dios de Israel. Sin duda los sacerdotes que llegaron del cautiverio participaron en ofrecer los sacrificios. Los animales ofrecidos fueron: *12 toros por todo Israel, 96 carneros, 77 corderos, 12 machos cabríos para sacrificio por el pecado, todo ello como holocausto a Jehovah.*

V. 36. Luego Esdras y sus asociados *entregaron los decretos del rey* Artajerjes *a los sátrapas y a los gobernadores de Más Allá del Río.* El profeta Daniel llama a los sátrapas y a los gobernadores: príncipes. Eran gobernadores de las provincias del imperio persa. Dentro de su provincia el sátrapa representaba al rey y tenía autoridad ilimitada. Sin embrago, so pena de muerte, tenían que obedecer al rey. Esdras dice respecto a estas autoridades: *los cuales prestaron apoyo al pueblo y a la casa de Dios.* Las obligaciones respecto a Judá que Artajerjes demandó a los sátrapas y gobernadores se hallan en Esdras 7:11-26. Al fin del decreto del rey, Esdras exclamó: "¡Bendito sea Jehovah Dios de nuestros padres, que puso tal cosa en el corazón del rey, para honrar la casa de Jehovah que está en Jerusalén!" (v. 27).

Aplicaciones del estudio

1. El liderazgo de una iglesia debe estar constituido por personas que se preparan. Josué pasó mucho tiempo prepárandose para asumir el liderazgo al frente del pueblo de Dios. Desde que fue como espía a Jericó y dio un informe positivo, junto con Caleb, dio muestras de que era la clase de persona que podría asumir el liderazgo. En la actualidad hay muchos recursos para que los líderes de la iglesia se preparen para servir mejor.

2. Toda empresa en favor del avance del reino exige consagración del pueblo de Dios. Esdras convocó al pueblo a tener un ayuno con el propósito de pedir la protección de Dios en los planes de desarrollo espiritual que habían empezado.

3. Dios, a través de sus promesas se ha comprometido a cuidar a su pueblo. Esdras no quiso pedir protección militar porque estaba confiando plenamente en el cuidado de su Padre celestial. El nuevo pueblo de Dios, la iglesia, cuenta con la promesa de Cristo: "Yo estaré con vosotros todos los días..."

4. Debemos evitar los matrimonios mixtos. Este fue uno de los problemas más graves que Esdras tuvo que enfrentar. Es un problema que trae muchas consecuencias negativas. Es mejor escuchar el consejo: "No os unáis en yugo desigual con los infieles."

Ayuda homilética

El problema de los matrimonios mixtos
Esdras 9:1, 2; 2 Corintios 6:14-17

Introducción: Esdras tuvo que recordar al pueblo de Dios la importancia de no comprometer su relación con Dios al emparentar con personas que no aceptaban el señorío de Jehovah en su vida.

I. Esdras hace frente a este problema, Esdras 9:1, 2.

A. Es informado del problema (v. 1). Unos 118 varones judíos habían tomado a mujeres extranjeras. Esa fue la causa principal del desvío de Israel que finalmente lo llevó al cautiverio.

B. Argumentos en contra de la práctica: (1) Casarse con idólatras es abominación a Jehovah. (2) Los hebreos eran un pueblo escogido por Dios. Casarse con una mujer idólatra era mezclar la "simiente santa" con la del "pueblo de la tierra" (enemigos).

II. Pablo denunció el matrimonio entre creyentes e incrédulos (2 Cor. 6:14-17). "No os unáis en yugo desigual con los no creyentes."

Argumentos en contra de los matrimonios mixtos:

1. ¿Qué compañerismo tiene la rectitud con el desorden?
2. ¿Qué comunión tiene la luz con las tinieblas?
3. ¿Qué armonía hay entre Dios y Belial?
4. ¿Qué parte tiene el creyente con el no creyente?
5. ¿Qué acuerdo puede haber entre el templo de Dios y el de los ídolos?
6. Nosotros somos templo del Dios viviente. Si el Espíritu de Dios mora en el creyente, éste difícilmente podrá agradar a Dios y al mismo tiempo al incrédulo.

Conclusión: El asunto religioso no es algo superficial en las relaciones matrimoniales. Antes de casarse es mejor tener en consideración lo que la Palabra de Dios tiene que decir acerca de los matrimonios mixtos.

Lecturas bíblicas para el siguiente estudio

Lunes: Nehemías 1:1-3
Martes: Nehemías 1:4-8
Miércoles: Nehemías 1:9-11
Jueves: Nehemías 2:1-8
Viernes: Nehemías 2:9-14
Sábado: Nehemías 2:15-20

AGENDA DE CLASE

Antes de la clase

1. Lea los capítulos 7-10 con cuidado. Estos son los que nos presentan a Esdras y su labor en Jerusalén. **2.** Lea en un diccionario bíblico sobre el rey Artajerjes y Esdras y su misión. **3.** Prepare tres tiras de cartulina con las siguientes frases: "la bondadosa mano de su Dios", "estaba con él", y "él nos fue propicio". **4.** Prepare una cartulina con el título "Esdras, siervo de Dios", y debajo: 1. Preparó su corazón; 2. Escrudiñó la ley para cumplirla; 3. El fin: enseñó al pueblo. **5.** Pida a su pastor o a un seminarista que le comparta sobre su llamamiento y su preparación y relacione su labor y preparación con las de Esdras. **6.** Ore por sus alumnos y por su aprendizaje de hoy. Puede ser que Dios use este estudio para impresionar a alguien en cuanto a la necesidad de líderes para su obra.

Comprobación de respuestas

JOVENES: **1.** Porque la mano de Jehovah estaba sobre él. **2.** Que ayunaran antes de partir para Jerusalén. **3.** Porque ya había declarado que Dios estaba con él (v. 22).

ADULTOS: **1.** Escriba; conocía a fondo la ley de Dios y podía enseñarla. **2.** Artajerjes; siete años. **3.** Cuatro meses. **4.** Espiritual; puso a ciertas personas a cargo de los bienes que llevarían a Jerusalén. **5.** a. Entregar todo lo que habían traído de Babilonia; b. ofrecer sacrificios a Dios; c. entregar las órdenes del rey a las autoridades correspondientes.

Ya en la clase

DESPIERTE EL INTERES

1. Dé la bienvenida al grupo. Pida que si tienen peticiones especiales las mencionen y oren a favor de éstas. **2.** Hablen de la importancia del líder en cualquier organización. **3.** Comparta algo del testimonio del pastor o del seminarista y cómo Dios ha obrado en su vida, llamándole y dándole oportunidad de prepararse para servirle a él y a su iglesia. **4.** Diga que hoy estudiarán algo de la vida y ministerio de otro de los siervos de Dios, el sacerdote y escriba Esdras.

ESTUDIO PANORAMICO DEL CONTEXTO

1. Los últimos capítulos de Esdras nos presentan a Esdras y algo de su misión. **2.** Fue durante el tiempo de Artajerjes, algunos 50 años después de haber terminado la reconstrucción del templo, que Esdras se presentó ante el rey para pedirle su aprobación y ayuda para ir a Jerusalén con un grupo del pueblo judío. Muestre la tira en que está escrito "La bondadosa mano..." y pida que alguien lea Esdras 7:6c. **3.** En el estudio veremos cómo Dios protegía a Esdras, llevándole a

Jerusalén. Observe que el pueblo en Jerusalén no siguió fielmente la ley de Dios para iniciar reformas basadas en las enseñanzas del Señor. Una de las más drásticas fue la de disolver los matrimonios mixtos (vea Esd. 9 a 10). El razonamiento de Esdras se ve en 10:10, 11.

ESTUDIO DEL TEXTO BASICO

Dé tiempo para que completen la sección *Lea su Biblia y responda.* Aclare cualquier duda en cuanto a sus respuestas.

Lean Esdras 7:6-10 y muestre el cartelón "Esdras, siervo de Dios". Hable sobre lo que Esdras posiblemente pidió al rey. Mencione de 7:14-16 el decreto real y lo que Esdras debía hacer. Con la tira que dice "La bondadosa mano de Dios" frente al grupo, pida que alguien lea 7:6c y 7:9. Resalte el hecho de la protección y guía de Dios y que que él es el protagonista principal, no Esdras ni ningún otro. Lea de nuevo el v. 10, usando el cartelón "Esdras, el Siervo de Dios" hable de sus cualidades para esta labor especial. Coloque el cartelón y sobre éste coloque diagonalmente la tira "la bondadosa mano". Diga: "Esdras era el siervo preparado y listo para servir. La bondadosa mano de Dios hizo que esto fuera posible."

Lean Esdras 8:21-31 y noten la preparación de Esdras para este arduo viaje. La clave está en los vv. 21 y 23. Después de orar y ayunar Esdras entregó la plata, el oro y los utensilios a los sacerdotes. Lea de nuevo el v. 23 y muestre la tira que dice: "él nos fue propicio". Colóquela al lado de la tira que dice "la bondadosa mano de Dios" y lean el v. 31. La misión de Esdras no hubiera sido realizada sin estas intervenciones de Dios. ¡El es fiel!

Lean Esdras 8:32-36. Esdras era un hombre honrado; entregó al templo lo que había llevado de Persia para sus servicios. Además, hicieron sacrificios para pedir perdón por el pecado, y luego entregó los decretos del rey a las autoridades. Con acciones como esta empezaron las buenas relaciones entre los gobernantes seculares y el pueblo de Dios.

Lea de nuevo el cartelón que resalta quién era Esdras, haciendo hincapié en la preparación para esta tarea y la repetida acción de Dios que se ve en las dos tiras encima del cartelón.

APLICACIONES DEL ESTUDIO

Divida al grupo en tres y pida que cada grupo hable de una de las aplicaciones y su relevancia en su propia vida.

PRUEBA

1. Pida que cada alumno escoja uno de los ejercicios para contestarlo. Dé tiempo para que dos o tres alumnos compartan sus respuestas.
2. Oren para que el Señor envíe obreros a su mies.

Nehemías, un hombre visionario

Contexto: Nehemías 1:1 a 2:20
Texto básico: Nehemías 1:1-11; 2:1-8, 11-18
Versículo clave: Nehemías 2:18
Verdad central: Nehemías fue el hombre visionario que Dios usó para seguir adelante con la reedificación, tanto de los aspectos materiales de la ciudad, como de los aspectos espirituales de la vida de su pueblo.
Metas de enseñanza-aprendizaje: Que el alumno demuestre su: (1) conocimiento de cómo Dios usó la vida de Nehemías para bendecir a su pueblo, material y espiritualmente, (2) actitud de esforzarse para hacer el bien material y espiritualmente.

Estudio panorámico del contexto

A. Fondo histórico:

Nehemías, el visionario. Nehemías, hijo de Hacalías, tuvo un hermano llamado Hanani. Nehemías amaba a Jehovah de todo corazón. De entre las personas llevadas al cautiverio, el rey Artajerjes le escogió para servirle como copero. Su servicio leal al rey le brindó la oportunidad de ayudar a los repatriados judíos en Jerusalén. Al oír de la triste condición en Jerusalén, buscó el momento propicio para compartir con el rey su visión sobre Judá. El rey le permitió iniciar un proyecto de reconstrucción e inclusive le brindó ayuda. Nehemías tuvo una visión de lo que podía realizarse material y espiritualmente en Jerusalén. Una vez concretada la visión y habiendo dado los pasos consecuentes, reedificó las murallas de la ciudad, restauró la dignidad de los habitantes y fomentó un avivamiento espiritual. No solamente era visionario, sino también líder, administrador y reformador que logró convertir su visión en realidad.

El oficio de copero. El copero servía el vino al príncipe o al rey. A él le correspondía probarlo antes de dárselo al rey, a fin de asegurarse de que no estaba envenenado. La vida del copero siempre estaba en peligro.

La costumbre de dar cartas de recomendación. En aquel tiempo los monarcas acostumbraban enviar cartas de recomendación por conducto de mensajeros a autoridades en otras partes del imperio. El rey dio una carta de este tipo a Nehemías a fin de facilitarle la realización de las metas que se había propuesto.

La región de Más Allá del Río. Se denomina con este nombre a la serie de provincias de Persia situadas al sudoeste del río Eufrates. En este tiempo Judá era una de las provincias de Persia. Darío constituyó sobre Persia ciento veinte sátrapas que gobernaban en todo el reino, y sobre ellos puso a tres gobernadores, siendo Daniel uno de ellos (Dan. 6:1-3).

B. Enfasis:

Hanani, portador de noticias tristes, 1:1-3. Hanani informó a su hermano Nehemías: "El remanente, los que han quedado de la cautividad allí... está en gran dificultad y afrenta. La muralla de Jerusalén está derribada, y sus puertas quemadas a fuego."

Nehemías reacciona ante las noticias, 1:4-11. Al escuchar las palabras de Hanani, Nehemías lloró durante algunos días, confesó sus pecados personales y los de sus hermanos los judíos, e imploró a Jehovah su misericordia. Concluyó su oración así: "Prospera, por favor, a tu siervo hoy, y concédele gracia ante aquel hombre", es decir Artajerjes.

Artajerjes dialoga con Nehemías, 2:1-8. El cariño de Artajerjes por su copero se nota cuando le pregunta: "¿Qué es lo que pides?" Nehemías respondió: "Si le agrada al rey y si tu servidor es acepto delante de ti, envíame a Judá, a la ciudad de los sepulcros de mis padres, para que yo la reedifique." Artajerjes accedió a la petición de Nehemías, le proveyó protección militar en el camino y le dio cartas de recomendación para que las presentara a los gobernadores de Más Allá del Río.

Reacción de los enemigos, 2:9, 10. Dice Nehemías: "Cuando lo oyeron Sanbalat el horonita y Tobías el siervo amonita, se disgustaron en extremo de que alguien viniese a procurar el bien de los hijos de Israel."

Nehemías inspecciona la ciudad, 2:11-20. Cosa importante, puesto que sin la reedificación de las murallas de Jerusalén no podría defenderse.

Estudio del texto básico

1 Nehemías intercede por su pueblo, Nehemías 1:1-11.

Vv. 1-4. No sabemos a cuál de las tribus pertenecía Nehemías, ni si era de linaje sacerdotal, pero anhelaba la restauración de su pueblo. Era uno de los judíos en el cautiverio y servía al rey de Persia como copero. Siempre tuvo interés manifiesto en el bienestar de los judíos. Indagó acerca del estado de los que vivían en Judá y respecto de la condición de Jerusalén. Recibió informes como los siguientes: *El remanente, los que han quedado de la cautividad allí en la provincia [Judá], está en gran dificultad y afrenta. La muralla de Jerusalén está derribada, y sus puertas quemadas a fuego.* Estas noticias rompieron el corazón de Nehemías. El v. 4 revela el amor que tenía por sus hermanos, por Jehovah, y la preocupación que tuvo por Jerusalén, la santa ciudad: *Cuando escuché estas palabras, me senté, lloré e hice duelo por algunos días. Ayuné y oré delante del Dios de los cielos.*

Vv. 5-11. Esta sección trata de la oración de Nehemías a favor de Judá y de Jerusalén. Nehemías dijo que oró y ayunó algunos días. Estos "días" abarcaron cuatro meses. El mes de Quislev (1:1) es aproximadamente noviembre y Nisán (2:1) corresponde a marzo-abril. Durante unos cuatro meses estuvo orando, intercediendo por sus hermanos judíos y por la restauración de Judá. En esta oración descubrimos los elementos de la intercesión eficaz: 1). Nehemías se postra humildemente ante el Dios soberano, justo y misericordioso para con los que le aman y guardan sus mandamientos (v. 5). 2). Al confesar los pecados de los hijos de Israel, se incluye él (v. 7). 3). Recuerda a Jehovah que ha prometido recibir a su pueblo cuando se vuelvan a él (v. 9). 4). Recuerda a Jehovah que una vez redimió a Israel con mano poderosa y confía en que lo hará una vez más (v. 10). 5). Pide perdón por los siervos que quieren reverenciar el nombre de Dios. 6) Y, por último, pide que Dios le dé favor con Artajerjes.

2 Nehemías recibe el apoyo del rey, Nehemías 2:1-8.

Vv. 1, 2. Estos eventos sucedieron en el mes de Nisán (marzo-abril) en el año 20 del rey Artajerjes. El invierno había pasado. Era el tiempo propicio para reedificar las murallas de Jerusalén. Como copero del rey, Nehemías probó el vino de la copa del rey y se lo dio. Esta vez el rey notó un cambio en el espíritu de su siervo y le preguntó: —*¿Por qué está triste tu rostro, ya que tú no estás enfermo? Esto no es otra cosa que quebranto de corazón.* El rey reconoció que el problema de Nehemías no era el resultado de una enfermedad, sino la expresión de la congoja de su corazón.

Vv. 3-8. Nehemías respondió al rey respetuosamente y exclamó: —*Viva el rey para siempre. ¿Cómo no estará triste mi rostro, cuando la ciudad donde están los sepulcros de mis padres está destruida, y sus puertas están consumidas por el fuego? El rey me preguntó: —¿Qué es lo que pides?* Allí estaba el momento propicio, la puerta abierta por Dios. Nehemías dice: *Entonces oré al Dios de los cielos.* Este fue otro paso en la intercesión de Nehemías por Israel. Pidió que Dios le ayudara y luego suplicó a Artajerjes: —*Si le agrada al rey y si tu servidor es acepto delante de ti, envíame a Judá, a la ciudad de los sepulcros de mis padres, para que yo la reedifique.*

La pregunta del rey a su siervo demuestra el cariño que tenía por él. El rey le preguntó: —*¿Hasta cuándo durará tu viaje, y cuándo volverás?* El rey apreciaba la fidelidad de Nehemías que arriesgaba su vida por él día tras día. Además, no quería prescindir del servicio de su copero por demasiado tiempo.

No sabemos cuánto tiempo pidió Nehemías, pero al final de cuentas gobernó 12 años sobre Judá (5:14). Nehemías pidió al rey lo siguiente: *Cartas para los gobernadores de la región de Más Allá del Río, para que me dejen pasar hasta que yo llegue a Judá; y otra carta para Asaf, guarda de los bosques del rey, para que me dé madera.* Además, el rey envió con Nehemías *jefes del ejército y jinetes* para su protección. Nehemías supo que todo lo que el rey le había concedido fue porque *la bondadosa mano de Dios estaba* con él.

3 Nehemías el visionario, Nehemías 2:11-18.

V. 11. Al llegar Nehemías a Jerusalén descansó *tres días*. El descanso fue relativo. En realidad tuvo que pasar un buen tiempo antes de decidir lo que iba a hacer. Si todas las decisiones que tomamos las hiciéramos después de un período de meditación las cosas nos saldrían mejor. Es muy común tomar decisiones al calor de la euforia, la depresión o cualquier otra circunstancia. Nehemías hizo muy bien en descansar antes de seguir adelante dada la importancia de su misión.

Vv. 12-15. En los ataques que la ciudad había sufrido con anterioridad algunos segmentos de la muralla fueron derribados, de esa manera los judíos sufrieron afrenta de parte de sus enemigos. El siervo de Dios tenía plena conciencia de que su tarea estaba inspirada por Dios mismo: *sin declarar a nadie lo que mi Dios había puesto en mi corazón que hiciese por Jerusalén.* Nehemías inspeccionó las murallas de Jerusalén durante la noche. Sólo él iba montando una cabalgadura. Los montones de escombro de la muralla evitaban que el animal se acercara a la base de los muros. Salieron *por la Puerta del Valle* y volvieron por la misma puerta.

Vv. 16-18. Los oficiales de Jerusalén ignoraban el asunto de la inspección de las murallas. Pero ahora, estando debidamente informado, Nehemías convoca a los sacerdotes, los nobles, los oficiales y a los que *habían de hacer la obra* (v. 16). Les recuerda del precario estado en que vivían, sin protección del enemigo. Les dijo: *Jerusalén está destruida, y sus puertas están consumidas por el fuego. ¡Venid, reedifiquemos la muralla de Jerusalén, y no seamos más una afrenta!* Entonces les relata cómo Jehovah le había abierto puertas, y cómo Artajerjes le comisionó y prometió su apoyo. El pueblo respondió: *¡Levantémonos y edifiquemos!* Con esta victoria Nehemías logró el primer paso en una visión que le mantuvo ocupado en Judá alrededor de 12 años.

Aplicaciones del estudio

1. Cuando Dios llama a un siervo lo equipa para que cumpla la misión encomendada. Nehemías era un hombre visionario. Tenía la capacidad de ver la condición de su ciudad y al mismo tiempo hacer planes para su restauración. Sin duda que Dios le dio a este siervo esa capacidad. El puede hacer lo mismo con nosotros hoy en día.

2. Un buen líder toma en cuenta a las personas que están bajo su liderazgo. Nehemías, una vez que hubo inspeccionado la condición de la ciudad, se comunicó con sus ayudantes y los animó a participar en la empresa de reconstruir los muros. En la iglesia hay muchos elementos que pueden participar en proyectos ambiciosos si sólo son invitados a hacerlo.

3. Debemos establecer nuestras prioridades en el servicio a Dios. Nehemías tenía un lugar privilegiado en la corte del rey. Ante la necesidad de su pueblo él tenía la opción de permanecer indiferente o pretextar que tenía compromisos que le impedían hacer la tarea. Sin embargo, respondió al llamado.

La oración eficaz de un lego
Nehemías 1:4-11

Introducción: Nehemías no era un clérigo, sino lego, copero del rey. Pero esa condición no le impidió realizar su visión en bien de su pueblo. El estuvo dispuesto a servir como líder, y el Señor facilitó todas las cosas para que pudiera cumplir su sueño. Dios no hace acepción de personas; responde a todos los que oran como oró Nehemías.

I. La oración eficaz no consiste en rezos, sino en compartir con Dios los más profundos sentimientos del corazón (v. 4).
A. demostrando el amor por los demás.
B. Confiando en que Dios puede usar su vida para bendición de otros.

II. La oración eficaz es la que se hace con humildad y reverencia (v. 5).
A. Nehemías no se dirigió a Dios por los méritos de ser el copero del rey.
B. Se dirigió a Dios con sencillez, humildad y disposición.

III. La oración eficaz es la que se hace con perseverancia hasta recibir la respuesta (v. 6a).
A. Nehemías no pidió inmediatamente permiso al rey.
B. Una vez que obtuvo el permiso tuvo que persistir en su meta a pesar de ver las condiciones en que se encontraba Jerusalén.

IV. La oración eficaz incluye la confesión de pecados (vv. 6, 7).
A. De los pecados personales.
B. De los pecados ajenos.

V. La oración eficaz nos recuerda que Dios castiga a los que desobedecen sus leyes y perdona a los que se arrepienten (vv. 8-10).

VI. La oración eficaz cree que Dios puede influir en otros para que cedan a nuestras peticiones (v. 11).

Conclusión: "La ferviente oración del justo, obrando eficazmente, puede mucho" (Stg. 5:16). No es necesario ser profeta, sacerdote o clérigo para ser poderoso en la oración. Nehemías, por su compasión, consagración y fe, realizó la visión que Dios le dio.

Lecturas bíblicas para el siguiente estudio

Lunes: Nehemías 3:1-14
Martes: Nehemías 3:15-19
Miércoles: Nehemías 3:20-32
Jueves: Nehemías 4:1-7
Viernes: Nehemías 4:8-15
Sábado: Nehemías 4:16-23

AGENDA DE CLASE

Antes de la clase
1. Lea los primeros dos capítulos de Nehemías. **2.** Lea con cuidado la parte introductoria en el libro del maestro y en el de alumnos. Si tiene una Biblia de estudio lea la introducción a los libros de Esdras y Nehemías para ver la relación entre estos dos libros y los eventos que relatan. **3.** Haga un cartelón titulado "Nehemías, hombre visionario". Abajo, ponga a la izquierda "Oración" y a la derecha "Acción". En la clase apuntarán evidencias de estos dos conceptos en la vida de Nehemías. **4.** Busque en el periódico fotografías de ciudades en ruinas, o los escombros de una casa quemada o destruida por un terremoto. Reflexione sobre lo que sería reconstruir uno de estos lugares. ¿Qué se necesitaría? ¿Cómo tendría que ser la persona que lo hiciera?

Comprobación de respuestas
JOVENES: **1.** Le entristeció conocer la lamentable condición en que se encontraba la ciudad (o algo parecido). **2.** Respuesta con base en los vv. 7, 8. **3.** Probar el vino que había de tomar el rey y luego servírselo.
ADULTOS: **1.** a. Se sentó (meditó); b. lloró; c. hizo duelo; d. ayunó y e. oró. **2.** Copero del rey. **3.** Se veía muy triste, tenía algún pesar. **4.** Que le permitiera ir a Jerusalén y dirigir la obra de reconstrucción de los muros. **5.** a. No declaró sus planes de inmediato. b. Examinó los muros (cuán dañados estaban). c. Presentó la situación y planes a los judíos. d. Les inspiró a confiar en el Señor.

Ya en la clase
DESPIERTE EL INTERES
1. Dé la bienvenida a los alumnos y dígales que hoy empezamos cinco estudios del libro de Nehemías, un hombre visionario, que juntamente con Esdras fue usado por Dios para restaurar el servicio en el templo reedificado, y para reconstruir las murallas de la ciudad. Asimismo Nehemías fue instrumento de Dios para dirigir al pueblo que había regresado a Israel hacia un avivamiento espiritual. **2.** Ya hemos estudiado el libro de Esdras y hemos visto su labor. Hoy conoceremos a Nehemías, el copero del rey, a quien Dios usó para reconstruir las murallas de la ciudad y ayudar a los habitantes de Jerusalén a experimentar un avivamiento espiritual. **3.** Muestre las fotografías de una ciudad en ruinas y pregunte: ¿Qué tipo de persona se necesitaría para reconstruir esta ciudad? Dé tiempo para que el grupo reflexione sobre la importancia de una persona visionaria y dispuesta a trabajar arduamente en la preparación de la reconstrucción y en efectuarla.

ESTUDIO PANORAMICO DEL CONTEXTO

1. Divida la clase en dos grupos y asígneles la tarea de investigar quién era Nehemías. Después de unos cinco minutos reúna a la clase y que un representante de cada grupo dé un informe. **2.** Vuelvan a separarse en los mismos grupos y que cada grupo redacte una carta. Un grupo redacta la carta para los gobernadores de la región de Más Allá del Río; el otro grupo redacta una carta para Asaf, el guardabosques. Una vez que hayan terminado su redacción, los respectivos grupos comentarán las cartas. **3.** Explique a qué se le llama la región de Más Allá del Río.

ESTUDIO DEL TEXTO BASICO

Dé tiempo para que completen los ejercicios de la sección: *Lea su Biblia y Responda.* Compruebe las respuestas.

Lean Nehemías 1:1-11. Muestre el cartelón "Nehemías, hombre visionario" y diga: "Vamos a buscar cosas que aprendemos de Nehemías de su intercesión por su pueblo." Lea los vv. 5-11. Apunte en el cartelón lo que los alumnos ven en la vida de oración de este líder.

Lean Nehemías 2:1-8. Llame la atención al cartelón y a la segunda faceta de "Nehemías, hombre visionario". Diga a sus alumnos que busquen las evidencias de su liderazgo como hombre de acción. Lea el pasaje y vaya apuntando en el cartelón estas evidencias en la vida de Nehemías. Noten que pudo hablar con el rey para pedir su apoyo para este proyecto y pudo buscar los materiales para la reconstrucción.

Lean Nehemías 2:11-18. Sigan notando características que demuestran la acción de Nehemías como líder con visión y determinación. Analice la información en el cartelón para comprobar que Nehemías era el hombre preciso para llevar a cabo esta tarea: un hombre visionario que combinaba la oración con la acción. Después de examinar la condición de los muros y su análisis de lo que se tenía que hacer, llama a la gente a reedificar la muralla. La respuesta de los aludidos fue: "¡Levantémonos y edifiquemos!"

APLICACIONES DEL ESTUDIO

Lean y discutan las aplicaciones. Pida a los alumnos que digan lo que les servirá más de este estudio para su vida. ¿Qué aprendemos de la relación de un hombre visionario con su vida de oración? ¿Hubiera sido posible alcanzar lo que hizo Nehemías sin ser un hombre visionario y un hombre de oración?

PRUEBA

Divida al grupo en dos para que cada uno complete uno de los ejercicios. Que cada grupo comparta sus respuestas.

Unidad 2

Comienza la construcción de los muros

Contexto: Nehemías 3:1 a 4:23
Texto básico: Nehemías 4:1-23
Versículo clave: Nehemías 4:6
Verdad central: Nehemías inició la obra de reconstrucción de los muros con una actitud de dependencia de Dios en cada uno de los pasos que dio.
Metas de enseñanza-aprendizaje: Que el alumno demuestre su: (1) conocimiento de los acontecimientos que rodearon el comienzo de la reconstrucción de los muros, (2) actitud de dependencia de Dios en todas las cosas que haga.

Estudio panorámico del contexto

A. Fondo histórico:

Métodos para la construcción en los días de Jeremías. El proyecto inicial de Nehemías fue la reedificación de las murallas de Jerusalén. Estas servían principalmente para protección. No todas las murallas eran iguales. Por ejemplo, las murallas de Jericó consistían en dos hileras de piedra con tierra entre las dos, formando una muralla tan ancha que se edificaban casas encima de ellas. Las murallas a las que nos referiremos en este estudio son las de Jerusalén que Nabucodonosor destruyó en 587 a. de J.C. cuando tomó la ciudad y se llevó a gran parte del pueblo en cautiverio. Algunos datos que Nehemías nos da en este estudio, y en el anterior, indican que la muralla no había sido totalmente derrumbada, sino algunos tramos de ella, y que algunas puertas en la muralla habían sido destruidas con fuego. Los montones de escombro que Nehemías describe consistían mayormente en piedras de tamaño tal que un hombre las podría levantar. En este caso la reedificación consistía en limpiar el terreno, reacomodar las piedras, y emparejarlas con mezcla.

Rivalidad entre los judíos y los samaritanos. La palabra Samaria llegó a usarse cuando Omri, rey de Israel, compró Semer, una colina de unos 200 metros de altura, sitio para la capital de Israel (las diez tribus que se rebelaron contra Roboam). Esta ciudad se llamaba Samaria "según el nombre de Semer, el dueño del monte" (1 Rey. 16:24). Esta ciudad llegó a ser el centro de la adoración a Baal. Con el tiempo muchos israelitas se convirtieron en adoradores de Baal y de otros ídolos. 2 Reyes 17 nos relata que Dios entregó a los israelitas en manos de los asirios. Los vv. 24ss. nos narran la historia del pueblo llamado samaritano. El rey de Asiria trasladó a Samaria colonos para que sustituyeran a los judíos que él había llevado a Asiria. Los colonos eran paganos. Cuando los leones mataban a algunos de ellos, le decían al rey: "Las matan [a las gentes] porque no conocen la costumbre del dios del país" (v. 26). El rey les mandó un sacerdote judío del cautiverio quien les enseñó cómo debían reverenciar a Jehovah (v. 28). Resultó finalmente que temían a Jehovah, pero servían a sus dioses.

Esta gente llegó a conocer el Pentateuco, pero seguía practicando la idolatría. No es de sorprender que Esdras llamara a los samaritanos que quisieron participar en la reedificación de los muros "enemigos de Judá y de Benjamín" (Esd. 4:1). La enemistad entre judíos y samaritanos todavía existía en tiempos de Jesús.

B. Enfasis:

Tramos restaurados de la muralla, 3:1-32. Los repatriados en Judá se dedicaron a reedificar los tramos de la muralla de Jerusalén que Nabucodonosor había dañado al tomar la ciudad. Sacerdotes, levitas, servidores del templo y jefes de familia aceptaron la responsabilidad de reedificar los tramos dañados. Muy pocos tenían experiencia en el uso de las herramientas de construcción, pero todos se involucraron en la obra con entusiasmo.

Burlas de los enemigos, 4:1-3. Líderes de la oposición a Judá fueron Sanbalat, horonita y Tobías, amonita. Parece que Sanbalat era gobernador y jefe del ejército de Samaria. Los dos se burlaron de Judá y de su esfuerzo por restaurar Jerusalén. Prepararon al ejército de Samaria para confrontar a los judíos.

Avance significativo de la obra, 4:4-6. Las burlas y las amenazas no intimidaron a los judíos. Al contrario, éstos se animaron a completar la obra tan pronto como fuera posible. "El pueblo tuvo ánimo para trabajar."

Conspiración contra Jerusalén, 4:7-11. Sanbalat, Tobías, los árabes, los amonitas y los de Asdod (filisteos) "conspiraron todos juntos para venir a combatir contra Jerusalén y causarle daño" (v. 8).

Reacción del pueblo, 4:12-23. Las familias reconstruyeron los tramos dañados. Mientras algunos trabajaban, otros formaban guardias para protegerlos. Oraban a Dios, confiaban en él, ponían su vida en peligro, y Dios estaba con ellos.

Estudio del texto básico

1 Oposición a la obra, Nehemías 4:1-3.

Vv. 1-3. Los tres líderes de la oposición a Judá fueron: Sanbalat, Tobías y Gesem. Nehemías llama a Sanbalat "el horonita". Por esto algunos creen que nació en Horonaim en Moab. Otros creen que era de Bet-jorón en Samaria. De todos modos, era un hombre que tenía poder político. Parece que era el sátrapa (gobernador) de Samaria y tenía bajo su mando al ejército de Samaria (v.

2). Tobías es llamado "el amonita". Sanbalat *se encolerizó muchísimo, e hizo burla de los judíos.* Reunió a sus colegas, oficiales y comandantes del ejército, a fin de incitar la oposición contra los judíos. En realidad no se oponían al culto hebreo en el templo edificado por Esdras y sus colegas. Los temores, más bien, eran en el sentido de posibles ambiciones de carácter político que pusieran en riesgo al Imperio. Si completaban el plan de reedificación podrían defenderse y posiblemente armar una rebelión.

Pero es claro que su desprecio por los judíos era la verdadera causa de la oposición. Hacen burla de los judíos, los menosprecian y los insultan. Sanbalat llegó a decir: *¿Qué hacen estos miserables judíos? ¿La han de dejar restaurada para sí? ¿Han de volver a ofrecer sacrificios? ¿Han de hacer revivir las piedras de entre los montones de escombros, estando éstas quemadas?* En efecto lo que estaba diciendo era: Estos judíos, ¿quiénes piensan que son? Son un pueblo sujeto a Persia, un pueblo diezmado, pero sueñan con llegar a ser los rivales del Imperio.

La burla y el desprecio de Sanbalat encontró eco en las palabras de Tobías: *Lo que ellos edifican, si sube una zorra, derribará su muro de piedra* (v. 3). Se sabe que las murallas de Jerusalén no eran tan gruesas como las de Jericó. Unas excavaciones de las murallas de Jerusalén realizadas por la arqueóloga Kenyon reveló que son de 2.75 m de grueso. Vemos enseguida el efecto de la burla de Sanbalat y Tobías sobre los judíos.

2 Nehemías recurre a Dios, Nehemías 4:4-6.

Vv. 4-6. La noticia de la reunión de Sanbalat y sus colegas, y de sus burlas y desprecio, trajo una respuesta inmediata de Nehemías. No fue dirigida a Sanbalat, sino a Jehovah. He aquí su oración: *¡Escucha, oh Dios nuestro, porque somos objeto de desprecio! Devuelve su afrenta sobre sus cabezas y entrégalos como presa en una tierra de cautividad. No cubras su iniquidad, ni su pecado sea borrado de delante de ti, porque provocaron a los que edificaban.* Si parece que las palabras de Nehemías son fuertes, hay que recordar que Nehemías consideraba que el desprecio del enemigo era una afrenta contra Dios. Despreciaron al pueblo de Dios. Su pecado e iniquidad también fue contra Jehovah. De modo que merecían el castigo de parte de Dios. La oposición estimuló una dedicación acelerada a la reedificación del muro. *¡Fueron unidos todos los tramos de la muralla hasta la mitad de su altura; porque el pueblo tuvo ánimo para trabajar!* (v. 6).

3 Arrecia la oposición, Nehemías 4:7, 8.

Vv. 7, 8. *Sucedió que cuando Sanbalat, Tobías, los árabes, los amonitas y los de Asdod oyeron que proseguía la reconstrucción de los muros de Jerusalén y que las brechas habían comenzado a ser cerradas, se encolerizaron mucho.* Cuando su guerra sicológica contra los judíos no dio resultado, los líderes samaritanos, amonitas, árabes y filisteos formaron una alianza para combatir contra Jerusalén y causarle daño. No querían ver el renacimiento de una nueva Judá poderosa como la que los babilonios conquistaron.

4 El pueblo sigue adelante, Nehemías 4:9-23.

V. 9. Los judíos, bajo el liderazgo de Nehemías, se entregaron a la oración, pero a la vez vigilaron y trabajaron de día y de noche.

V. 10-12. Los reconstructores reconocían sus limitaciones, se dieron cuenta de que los que habían acarreado piedras de los escombros se habían debilitado; la obra fue completada hasta la mitad, pero había demasiados escombros. Sin la ayuda de Dios y de todos los israelitas sería imposible terminar el muro pronto.

También se dieron cuenta de los peligros que enfrentaban. Los enemigos pensaron atacar y matar a los obreros en el momento menos esperado. Algunos judíos que habitaban entre el pueblo enemigo oyeron los planes de hacer cesar la reedificación del muro.

Vv. 13-20. Nehemías organiza al pueblo para defenderse y edificar simultáneamente. Distribuyó al pueblo por familias detrás de la muralla armados con espadas, lanzas y flechas (v. 13). Nehemías inspeccionó para asegurarse de que todos estuvieran en su lugar y dijo a los oficiales y al resto del pueblo: *¡No temáis delante de ellos! Acordaos del Señor grande y temible, y combatid por vuestros hermanos, por vuestros hijos, por vuestras hijas, por vuestras mujeres y por vuestras casas* (v. 14).

Vv. 21-23. Parece que el enemigo, al saber que Dios había desintegrado su plan, no atacó (v. 15). Los judíos siguieron trabajando con las armas a su lado. Empezaban a trabajar *desde la aurora hasta la aparición de las estrellas.* Pasaron la noche tras las murallas, pero de noche había centinelas haciendo guardia. Nehemías comentó: *Ninguno de nosotros nos quitamos nuestra ropa; y cada uno tenía su jabalina a su derecha* (v. 23). No se quitaban la ropa excepto para lavarla.

Aplicaciones del estudio

1. Cuando no tenemos ánimo para trabajar en la obra del Señor ponemos pretextos y obstáculos. La Biblia dice que los muros fueron levantados hasta la mitad poruqe el pueblo tuvo ánimo para trabajar. Cuando estamos unánimes tenemos voluntad para trabajar, ponemos manos a la obra, y es relativamente fácil terminar cualquier proyecto.

2. El ánimo del pueblo es determinante para avanzar la obra. Se pueden invertir muchos recursos, metodología, publicidad, etc., para tratar de realizar un proyecto. Sin embargo, el factor humano es determinante. Una vez que el hombre se decide a actuar se podrá lograr la meta.

3. Cuando estamos ocupados en la obra no tenemos tiempo ni interés para escuchar las críticas negativas. Nos haría mucho bien reconsiderar la actitud de Nehemías ante las adversidades para ver cómo él siguió adelante. Una persona o una iglesia que trabaja siempre recibirá críticas.

4. Podemos cumplir nuestras responsabilidades seculares, pero sin descuidar nuestra vida devocional. El pueblo de Dios estaba construyendo y a la vez vigilando.

Cómo alcanzar el éxito
Nehemías 4:9, 15, 21-23

Introducción: ¿En qué consistió el éxito de Nehemías y del pueblo en alcanzar la meta que se habían propuesto? ¿Fue acaso la capacidad de liderazgo de Nehemías? ¿Sería la experiencia que tenían los obreros en la construcción? ¿Fueron los recursos que se proveyeron para el efecto? Sin duda cada elemento tiene su lugar, pero fue la oración, el trabajo arduo, la actitud de colaboración y la dependencia de Dios lo que hizo posible el éxito de la empresa.

I. Por medio de la oración.
- A. Nehemías oró confesando el pecado del pueblo. Adoptó una posición de sacerdote. El sabía que la oración del justo obrando eficazmente puede mucho.
- B. Oró buscando la dirección de Dios.
- C. Pidió al pueblo que orara.

II. Por medio del trabajo arduo.
- A. Nehemías inspiró al pueblo a hacer una tarea que parecía imposible.
- B. Muy pocas personas tenía experiencia en el arte de la construcción, sin embargo, estuvieron dispuestos a hacer su mejor esfuerzo.

III. Por medio de la cooperación.
- A. Había trabajadores con diferentes especialidades.
- B. El trabajo se organizó por grupos.
- C. Otros vigilaban mientras los demás trabajaban.

IV. Por medio de la vigilancia.
- A. El pueblo reconoció su peligro.
- B. El pueblo se enfrentó con valor y se mantuvo alerta.
- C. El pueblo siguió trabajando hasta lograr la meta.

Conclusión: El éxito en la obra del Señor se alcanza por medio de la oración, trabajo arduo, colaboración y vigilancia.

Nota. Parte de este bosquejo lo elaboró el profesor Alfredo Lerín para el Expositor Bíblico.

Lecturas bíblicas para el siguiente estudio

Lunes: Nehemías 5:1-13
Martes: Nehemías 5:14-19
Miércoles: Nehemías 6:1-7
Jueves: Nehemías 6:8-14
Viernes: Nehemías 6:15-19
Sábado: Nehemías 7:1-4

AGENDA DE CLASE

Antes de la clase

1. Lea los capítulos 3 y 4 de Nehemías y el material en el libro del maestro y en el de los alumnos. Note que el cap. 3 resume la organización hecha por Nehemías en el pueblo para edificar las murallas. **2.** Lleve a la clase el Himnario Bautista para cantar o leer "Ten Fe en Dios", himno 366. **3.** Ore por los alumnos para que el ejemplo de Nehemías de la combinación de dependencia en Dios y acción concertada sea de inspiración y ayuda para sus propias vidas. **4.** Escriba en un cartelón el título "Evidencias de fe y acción". Debajo de esto escriba 1. Reedificamos la muralla, porque el pueblo tuvo ánimo para trabajar (v. 6). 2. Oramos y pusimos guardia (v. 9). 3. Acordaos del Señor, combatid por vuestras familias (v. 14). 4. Reunámonos y nuestro Dios combatirá por nosotros (v. 20).

Comprobación de respuestas

JOVENES: **1.** Las respuestas pueden variar. Una posible respuesta es que los opositores no conocían de la fe y seguridad que tenían en el Señor. Otra posibilidad es el deseo de ofenderlos para que no siguieran adelante. **2.** Respuesta personal. **3.** De lucha y ánimo. Vigilaban y al mismo tiempo trabajaban.

ADULTOS: **1.** Se burlaron y trataron de desanimarlos por medio de palabras ofensivas, etc. **2.** Oraba a Dios. **3.** Falso. **4.** Organizó a la gente en dos grupos: unos trabajaban, otros vigilaban.

Ya en la clase

DESPIERTE EL INTERES

1. Dé la bienvenida al grupo. **2.** Diga que hoy veremos cómo Nehemías fue usado por Dios como líder del pueblo en la reconstrucción de la muralla de Jerusalén. Un himno que hubieran podido cantar sería "Ten Fe en Dios". Lean o canten las primeras dos estrofas y coro de este himno. Comenten cómo se hubieran sentido si hubieran estado frente a la tarea de reconstruir la muralla.

ESTUDIO PANORAMICO DEL CONTEXTO

Diga que Nehemías era un excelente administrador. Asignó a cada grupo una responsabilidad. El capítulo 3 detalla esta organización. Noten que se menciona cada sección de los muros y cómo cada grupo trabajaba lado a lado. Otro grupo trabajaba en su sección. Esta lista precisa demuestra los detalles y el progreso de la obra. Todos participaron, haciendo la parte que les habían asignado. Sin la visión y los dones administrativos de Nehemías, habrían tardado muchos más años en reconstruir la muralla y posiblemente los enemigos que querían evitar su reconstrucción habrían logrado su plan.

ESTUDIO DEL TEXTO BASICO

Dé tiempo para que los alumnos completen la sección *Lea su Biblia y responda.* Comprueben las respuestas.

Lean Nehemías 4:1-3. Diga que tal como en la construcción del templo, hubo oposición frente al plan de reconstruir la muralla. Identifiquen a Sanbalat y Tobías y sus reacciones a esta obra. Pregunte cuál fue la táctica de cada uno para estorbar la obra.

Lean los versículos 4-6. El recurso que Nehemías tenía a su disposición era la oración. El sabía que sin el poder de Dios no iban a poder hacer nada. Su oración fue del tipo "imprecatorio" o sea que pidió a Dios que castigara fuertemente a los que querían estorbar la labor. Note que el v. 6 habla del logro de haber edificado la muralla "hasta la mitad de su altura", "porque el pueblo tuvo ánimo para trabajar". Llame la atención a esta frase en el cartelón. Hablen de la importancia de esta actitud y acción del pueblo. Nehemías, el hombre visionario, había podido inspirarlos, y su larga labor estaba realizándose.

Lean los versículos 7, 8. La oposición aumentó con el adelanto de la construcción. La reacción de sus oponentes fue de cólera. ¿Por qué tenían tanto deseo de evitar la construcción de la muralla? ¿Qué plan iban a implementar para estorbar la construcción?

Lean los versículos 9-14. Otra vez Nehemías dependió de dos cosas: la oración y sus dones administrativos. Nehemías organizó al grupo para resistir la oposición. Su consejo consistió de tres cosas: no temer, acordarse de Dios, y combatir por sus familias. Llame la atención a la segunda y tercera frases en el cartelón. Lean los versículos 15-23. Fue necesario trabajar día y noche para terminar la muralla antes de que los enemigos llevaran a cabo su plan contra ellos. Hablen de las distintas maneras en que Nehemías demostró su don de administrador, aun en los detalles mínimos. Llame la atención al cartelón y a la cuarta cita. Nehemías siguió confiando en Dios y en la visión que él le había dado de edificar las murallas de Jerusalén. Pregunte: ¿Cuál es la clave del éxito de Nehemías que aprendemos de estas citas? ¿Es posible hoy? ¿En mi vida?

APLICACIONES DEL ESTUDIO

Lean las aplicaciones y divida al grupo en parejas. Que cada pareja escoja una que se aplica especialmente a sus vidas. Oren juntos pidiendo al Señor para que esta aplicación sea una realidad en su vida.

PRUEBA

1. Continuando con la misma pareja que cada una complete uno de los ejercicios. **2.** Terminen cantando la primera y la última estrofas del himno "Ten Fe en Dios".

Exito a pesar de la oposición

Contexto: Nehemías 5:1 a 7:4
Texto básico: Nehemías 6:1-19
Versículos clave: Nehemías 6:15, 16
Verdad central: El pueblo terminó la obra de reconstrucción a pesar de la constante oposición, y quedó demostrado que nadie puede oponerse con éxito a la obra de Dios.
Metas de enseñanza-aprendizaje: Que el alumno demuestre su: (1) conocimiento de la culminación de la obra de reconstrucción de los muros de Jerusalén, (2) actitud de fidelidad en la obra del Señor a pesar de la oposición.

Estudio panorámico del contexto

A. Fondo histórico:

El problema de la usura. La usura es el interés que se cobra por una cantidad de dinero que se presta a alguien. El significado popular de la palabra llegó a ser el interés excesivo que se exige por el dinero prestado. Según la ley de Moisés estaba prohibido a los israelitas cobrar interés a sus hermanos. No debían exigir sino el monto de lo que prestaban, ya fuera dinero, alimentos, u otros bienes (Lev. 25:36, 37; Deut. 23:19, 20). Los judíos prestaban principalmente a los pobres. La ley levítica no prohibía cobrar intereses a los gentiles. En el tiempo de Nehemías había judíos que obraban con ventaja sobre sus hermanos pobres y necesitados al punto de exigir que los hijos, hijas, u otros familiares cercanos fueran entregados para servir al acreedor hasta que se pagara la deuda.

Cantores, porteros y levitas. Los cantores se dedicaban a la promoción de todo lo relacionado con la música en la adoración. Llegaron a tener prominencia durante el reinado de David, quien era salmista y arpista. Formaban parte del personal de la corte en el caso del reinado de David, pero en el tiempo que ahora nos ocupa, ellos estaban al servicio de quienes administraban los asuntos del culto público. El portero es uno que, como su nombre lo indica, atiende las puertas. El rey David tuvo cuatro mil porteros que guardaban las puertas del tabernáculo sirviendo por turnos de una semana, a partir de los sábados. En el tiempo de Nehemías los porteros atendían y guardaban las puertas del templo y las de Jerusalén. Además, servían como atalayas. Los levitas cuidaban el templo, y uno de sus deberes era dirigir a los que atendían las puertas.

B. Enfasis:

Nehemías anula la usura, 5:1-11. Algunos judíos ricos tomaban ventaja de sus hermanos pobres. Les prestaban grano, y cuando no podían pagar la deuda, exigían como pago sus casas y que sus hijos e hijas trabajaran para ellos como esclavos. Nehemías convocó a una gran asamblea para tratar el problema de la usura. Les mostró que era una verdadera injusticia contra los pobres y una afrenta contra Dios.

Respuesta de los implicados, 5:12, 13. El pueblo respondió a Nehemías: "Haremos como tú dices." Nehemías sacudió su ropa y dijo: "—Así sacuda Dios de su casa y de su propiedad a todo hombre que no cumpla esta promesa, y que se quede sacudido y vacío. Y toda la congregación respondió: —¡Amén!"

Nehemías renuncia a sus privilegios, 5:14-19. Según la costumbre de aquel tiempo, el rey proporcionaba al gobernador la alimentación. Pero Nehemías escogió proveerse su propia alimentación, así como la de sus oficiales y sus siervos. Tampoco demandó los 40 ciclos de plata al pueblo que eran parte de sus privilegios, además de pan y vino. Tampoco compró campos. El y sus siervos trabajaron de día y de noche en el muro.

Nehemías vence la intimidación, 6:1-14. Sanbalat invitó a Nehemías a una conferencia en una aldea. A esta invitación el aludido contestó: "Estoy realizando una gran obra. No puedo ir, porque cesaría el trabajo..." Sanbalat lo acusó de querer convertirse en rey de Jerusalén, cosa que Nehemías negó. Semaías, profeta local, hizo alianza con el enemigo para informar a Nehemías que iba a ser atacado durante la noche. Trató de persuadirlo de que buscara refugio en el templo. Con determinación respondió: ¡No entraré!

Conclusión de la muralla, 6:15-19. Sanbalat y Tobías no pudieron intimidar ni a Nehemías ni a los judíos. Por lo tanto: "La muralla fue terminada el 25 de mes de Elul, en cincuenta y dos días."

Estudio del texto básico

1 Complot contra Nehemías, 6:1-7.

El cap. 5 interrumpió el relato de la reedificación de las murallas. En 4:6 leemos: "Así reedificamos la muralla, y fueron unidos todos los tramos de la muralla hasta la mitad de su altura; porque el pueblo tuvo ánimo para trabajar." Ahora entramos en un tiempo donde sólo faltaba arreglar las puertas.

Vv. 1, 2. Al resumir la narración tocante a la muralla, Nehemías dice: *...yo había reedificado la muralla y ...no quedaban más brechas en ella (aunque hasta aquel tiempo no había colocado las hojas de las puertas).*

Cuando los enemigos de Judá oyeron que la muralla estaba casi completa, se dieron cuenta de que sus amenazas no habían logrado que la obra cesara. Tuvieron que echar mano de otra estrategia: planearon matar a Nehemías. Sanbalat, gobernador de Samaria y Gesem, su escriba, enviaron una invitación a Nehemías: *Ven y reunámonos en alguna de las aldeas, en el valle de Ono.* Ono estaba a una distancia aproximada de 30 km. al norte de Jerusalén. Quizá consideraron que Ono estaba en territorio neutral, puesto que algunos de los judíos habitaban en aquella región.

Vv. 3, 4. Nehemías les envió una respuesta por medio de un mensajero: *Estoy realizando una gran obra. No puedo ir, porque cesaría el trabajo si yo lo abandonase para ir a vosotros.* Nehemías recibió cuatro invitaciones, pero no las aceptó porque su meta en la vida en ese momento era la culminación de la obra de reconstrucción.

Vv. 5-7. Por quinta vez, Sanbalat envió su mensajero a Nehemías, no con la invitación original, sino con una amenaza. En la comunicación mencionaba rumores con respecto a Nehemías y a Judá. Esto con la intención de que llegaran a oídos del rey Darío. En realidad mencionaba dos rumores: 1) *Tú y los judíos pensáis rebelaros, y ...por eso ...reedificas la muralla.* 2) *Y has puesto profetas que te proclamen en Jerusalén, diciendo: "¡Hay rey en Judá!"* El mensaje termina con una amenaza: *Ahora bien, tales palabras han de ser oídas por el rey. Ven, por tanto, y tomemos consejo juntos.*

2 Nehemías confía en Dios, Nehemías 6:8-14.

Vv. 8-14. Nehemías respondió a Sanbalat con un mensaje: "*No han sucedido esas cosas que tú dices, sino que tú las inventas en tu corazón.*" Nehemías nunca fue engañado ni por un momento. Siempre supo que esta maniobra era otro intento de intimidación a fin de hacerlo desistir de la obra que habían comenzado. Como de costumbre, Nehemías llevó delante de Dios su problema diciendo: *¡Pero, oh Dios, fortalece mis manos!*

Ya hemos notado que el pueblo tuvo ánimo para trabajar. Pero también hubo de entre los judíos quienes colaboraron con el enemigo. Uno de ellos fue Semaías que vivía en Jerusalén y quien pretendía ser profeta. Nehemías fue a la casa de él; no sabemos el motivo. El texto dice: Porque él estaba encerrado allí. Quizá Semaías fingió que temía un inminente ataque del enemigo. De todos modos dijo a Nehemías: *Reunámonos en la casa de Dios, dentro del templo y cerremos las puertas del templo, porque vendrán para matarte. ¡Sí, a la noche vendrán para matarte!* Nehemías entendió que Dios no había enviado a Semaías; en realidad éste estaba obrando en relación con el pacto que hizo con Tobías y Sanbalat. Trataron de desacreditarlo. Nehemías se dirige a Dios otra vez; ahora con el fin de que Dios haga con Tobías, Sanbalat y los profetas falsos conforme a sus obras.

3 Conclusión de la muralla, Nehemías 6:15-19.

V. 15. *La muralla fue terminada el 25 del mes de Elul, en cincuenta y dos días.* Elul corresponde a nuestro agosto-septiembre. Puesto que Nabucodonosor, rey de Babilonia, no había destruido totalmente la muralla que rodeaba la ciudad, eso explica que los judíos la hayan restaurado en menos de ocho semanas. Tal vez si los judíos no hubieran enfrentado la oposición no hubieran trabajado con el ahínco y empeño con que lo hicieron.

V. 16. En este v. Nehemías afirma que no solamente los judíos, sino inclusive sus enemigos, atribuyeron esta victoria a la intervención milagrosa de

Jehovah. *Y sucedió que cuando nuestros enemigos oyeron esto, y lo vieron todos los pueblos de nuestros alrededores, se sintieron muy humillados ante sus propios ojos.* Ya no intentaron siquiera seguir estorbando los planes de Dios para su pueblo. Reconocieron que los judíos no estaban trabajando solos. *Se dieron cuenta de que esta obra había sido llevada a cabo por nuestro Dios,* es decir, por la poderosa mano del Dios de Nehemías, de Esdras y de Zorobabel.

Vv. 17-19. En estos vv. Nehemías revela un gran problema que tenía que ser resuelto durante el proyecto de reedificación de la muralla. Entre los nobles había judíos que colaboraban con el enemigo. *En aquellos días iban muchas cartas de los principales de Judá a Tobías, y las de Tobías venían a ellos.* Note que fueron varias cartas las que circulaban entre los judíos traicioneros y Tobías. Tobías era amonita; adoraba a dioses paganos. ¿Cómo entonces estableció relaciones con el pueblo de Jehovah? En realidad esta relación era el resultado de los matrimonios mixtos (v. 18). Tanto Tobías como su hijo Johanán tenían lazos con familias de las que trabajaban en el proyecto de reconstrucción (3:4, 29, 30). Nehemías consideraba que esos familiares eran los que informaban al enemigo de los planes, minando así los esfuerzos del pueblo. *Ellos contaban delante de mí las buenas obras de él, y le referían mis palabras.*

La información que Tobías recababa sobre la muralla, sus problemas y las dificultades del proyecto, le permitían enviar cartas para intimidar a Nehemías. A pesar de los espías en el campo, la muralla fue terminada en cincuenta y dos días.

Aplicaciones del estudio

1. El verdadero líder participa directamente en los trabajos que dirige. No trata de sacar ventaja de las personas que están bajo su liderazgo sino que él mismo da ejemplo de cómo se hacen las tareas y demuestra objetivamente lo que se espera de los demás.

2. El verdadero líder no se deja distraer de su verdadera misión. Nehemías no respondió a la invitación de Sanbalat, que en realidad era una trampa para terminar de una vez por todas con su vida. Tenía una clara conciencia de la importancia de su tarea inmediata. La iglesia cristiana avanzaría más rápidamente si no dedicara tanto tiempo a un activismo superficial y dedicara sus recursos a tareas que cumplan con lo más importante.

3. El verdadero líder debe desarrollar la capacidad de discernir cuándo una persona que aparenta adhesión, en realidad está con el adversario. Nehemías no se dejó engañar por Semaías, quien pretendía ser profeta, pero en realidad estaba del lado del enemigo.

4. El verdadero cristiano no se arredra ante la oposición. Nehemías transformó las amenazas y peligros en un acicate para trabajar con más ahínco en la obra que se propuso realizar. Al creyente en Cristo, los obstáculos lo hacen redoblar sus esfuerzos en la obra del Señor.

¡Triunfo a pesar de todo!
Nehemías 4:1-8; 6:1-15

Introducción. Nehemías logró terminar la reedificación de la muralla de Jerusalén a pesar de la oposición externa del enemigo, y aun de la oposición interna de algunos "amigos". Los obreros cristianos en la mayoría de los casos enfrentan al enemigo de Dios, que tratará por todos los medios posibles de estorbar el avance de la obra. Veamos la experiencia de Nehemías y del pueblo de Dios para considerar cuál fue su actitud ante las adversidades.

I. Estrategias, maniobras y trampas del enemigo, 4:1-6; 6:1-8.
- A. Las autoridadades civiles a veces se constituyen en enemigos de la obra. Sanbalat, gobernador de Samaria, incitó al pueblo, inclusive al ejército, contra los judíos (4:2a).
- B. Los falsos testimonios son una de las armas preferidas de Satanás. Sanabalat habló con desprecio de los judíos y trató de desalentarlos (4:2b).
- C. Tobías se burló de los judíos y de su obra (4:3).
- D. Sanbalat, Tobías y colegas conspiraron contra Jerusalén para causarle daño (4:8).
- E. Sanbalat invitó a Nehemías a abandonar la obra para consultar con él en el valle de Ono (6:2).
- F. Sanbalat hizo circular rumores alegando que los judíos pensaban rebelarse y de que Nehemías se proponía llegar a ser rey (6:6, 7).
- G. Sanbalat trató de intimidar a Nehemías (6:9-12).

II. Algunos judíos colaboraron con el enemigo, 6:17-19.
- A. Semaías, falso profeta que vivía en Jerusalén (6:10-12).
- B. La profetisa Noadía y otros profetas (6:14).
- C. Algunos judíos principales compartían información a Tobías por medio de cartas (6:17-19).

III. La muralla terminada en corto tiempo (6:15).
La síntesis de la actitud del pueblo y su líder ante los obstáculos es: "La muralla quedó terminada hasta la mitad, porque el pueblo tuvo ánimo para trabajar."

Conclusión: La obra triunfó, a pesar de la oposición, porque Dios fortaleció las manos y los corazones de obreros fieles (6:9).

Lecturas bíblicas para el siguiente estudio

Lunes: Nehemías 7:5-42
Martes: Nehemías 7:43-73
Miércoles: Nehemías 8:1-18
Jueves: Nehemías 9:1-38
Viernes: Nehemías 10:1 a 11:36
Sábado: Nehemías 12:1 a 13:3

AGENDA DE CLASE

Antes de la clase

1. Lea con cuidado los pasajes del texto y el material de los libros del maestro y de los alumnos. **2.** Este estudio provee oportunidades para enfatizar la persistencia y la determinación de completar la tarea que Dios le haya dado a cada uno. **3.** Haga un cartelón titulado "Meta: reedificar la muralla"; debajo ponga a la izquierda "oposición interna" y a la derecha "oposición externa". **4.** Ore por cada alumno por nombre para que este estudio sea de significado especial para ayudarle a ser más persistente en las cosas que tiene que hacer, sea en relación con su familia, la iglesia, el trabajo o la comunidad.

Comprobación de respuestas

JOVENES: **1.** a. F; b. F; c. F; d. V; e. V; f. V. **2.** Respuesta personal. ADULTOS: **1.** Colocar las puertas de la ciudad. **2.** Engaño o traición. **3.** c: (Ambos). **4.** Cincuenta y dos días. **5.** Que él quería ser el rey de los judíos.

Ya en la clase

DESPIERTE EL INTERES

1. Dé la bienvenida a todos y tenga una oración. **2.** Hable de algún proyecto que han podido completar en su comunidad (iglesia, nación) a pesar de oposición o inconvenientes, y que con la persistencia y determinación de los líderes y sus compañeros de trabajo está funcionando. Resalte la fe y tenacidad de las personas que participaron en este esfuerzo. Pregunte: ¿Qué hubiera pasado sin la determinación de estas personas? Mencionen bendiciones que no habrían ocurrido sin la persistencia del grupo. **3.** Diga: Sin el liderazgo de Nehemías y su determinación de reedificar el muro de Jerusalén, éste habría quedado destruido y la ciudad expuesta a toda clase de problemas.

ESTUDIO PANORAMICO DEL CONTEXTO

1. Organice la clase en dos equipos. Estos entablarán un debate. Un grupo hará una lista de factores positivos en el sistema de compras a crédito. El otro equipo hará una lista de los factores negativos. En síntesis este ejercicio debe subrayar que Dios prohíbe que una entidad se aproveche de la necesidad de otra. **2.** Organice tres grupos. Cada equipo representará a uno de los siguientes grupos: cantores, porteros y levitas. Después de cinco minutos presentarán un informe describiendo cuáles serían las funciones equivalentes en la actualidad. (Coristas y todas las personas relacionadas con el ministerio de la música. Ujieres, guardatemplo, miembros del comité de mejoras materiales. Líderes de los diferentes ministerios). Compararán las actitudes de estas personas en el tiempo de Nehemías y las de la actualidad.

ESTUDIO DEL TEXTO BASICO

Dé tiempo para que sus alumnos completen la sección: *Lea su Biblia y responda* y comprueben las respuestas.

Lea Nehemías 6:1-7. Al ver que sus planes no daban resultado, los enemigos decidieron convencer a Nehemías para que se reuniera con ellos en una aldea lejana seguramente con el fin de matarlo. Lea de nuevo la respuesta de Nehemías en el v. 3. ¿Cuántas veces los enemigos procuraron llevar a cabo este plan? La quinta vez intentaron chantajearlo, amenazando con decir a Artajerjes que Nehemías quería convertirse en el rey de Jerusalén. ¡Si ellos no podían matarlo, Artajerjes lo haría, si lo hacían creer que Nehemías quería rebelarse contra él.

Lean los vv. 8 y 9 y noten la doble respuesta de Nehemías. Resalte su oración y su dependencia en Dios. Lean los vv. 10-13. Aquí vemos personas en Jerusalén que estuvieron dispuestas a intimidar a Nehemías diciéndole que huyera para evitar que sus enemigos lo mataran. Lea otra vez la respuesta de Nehemías en el v. 11 y resalte la confianza de este gran hombre, además de su fidelidad y su disposición de cumplir la tarea que Dios le había dado.

Lean el v. 14 y hablen de la sabiduría de Nehemías. El dejó en manos de Dios a los enemigos que querían eliminarlo en lugar de procurar resolver la situación él mismo. Sin la íntima relación de Nehemías con Dios, él no hubiera podido tener esta confianza frente a tanta oposición.

Lean Nehemías 6:15-19. Hablen del tiempo tan corto que les llevó para terminar el muro. Resalte las cualidades de Nehemías vistas anteriormente como administrador y hombre de oración. ¿A quién da crédito Nehemías para este logro? ¿Cómo se sentían los enemigos?

Noten en los vv. 17-19 que los enemigos eran de dentro y de fuera. Parece ser que aun con el éxito de haber terminado la muralla no dejó de haber oposición. Hable de cómo Dios ayudó a su pueblo a alcanzar su meta, a pesar de las oposiciones internas y externas.

En 7:1-4 se muestra el cuidado que Nehemías tuvo de continuar los planes para que Jerusalén y su templo funcionaran de la mejor manera.

APLICACIONES DEL ESTUDIO

Lea con cuidado las aplicaciones. Pregunte: ¿Qué hubiera hecho usted frente a tanta oposición como la que tuvo que enfrentar Nehemías? ¿Qué podemos aprender de este siervo del Señor?

PRUEBA

Divida al grupo en dos y pida que cada uno complete uno de los ejercicios. Compartan sus respuestas. Terminen con una oración pidiendo que puedan ser fieles y persistentes para cumplir la tarea que Dios les ha dado.

Reconstrucción y avivamiento

Contexto: Nehemías 7:5 a 13:3
Texto básico: Nehemías 8:1-8; 10:28-39; 12:27-43
Versículos clave: Nehemías 8:5, 6
Verdad central: Lo que se había iniciado como una obra de reconstrucción física de la ciudad trascendió hasta llegar a convertirse en un avivamiento espiritual para el pueblo de Dios.
Metas de enseñanza-aprendizaje: Que el alumno demuestre su: (1) conocimiento de los factores que llevaron al pueblo de Dios a experimentar un avivamiento espiritual, (2) actitud consagración a la obra del Señor buscando siempre un avivamiento espiritual.

Estudio panorámico del contexto

A. Fondo histórico:

Los escribas. Algunos de estos personajes fungían como secretarios o copistas de manuscritos. En el tiempo de Esdras la función del escriba era conocer a fondo las leyes de Dios y enseñarlas al pueblo. Se consideraba que los primeros cinco libros de la Biblia contenían las leyes de Dios; los hebreos solían llamar a estos libros la *Torah.* Esdras era escriba y sacerdote. A veces el sacerdote servía como escriba, profesión que merecía la estima de la gente. En los días de Jesucristo la palabra para escriba era *nomodidáskalos* que significaba "maestro de la ley". Otro título que hacía referencia a los escribas era rabí. Jesús muchas veces fue llamado rabí, puesto que enseñaba las leyes de Dios. En una ocasión se le llamó "raboni", o sea, apreciable maestro. El punto focal de este estudio trata de Esdras como maestro de las leyes de Dios.

La fiesta de los Tabernáculos. Esta fiesta conmemoraba la liberación de los hebreos de la esclavitud en Egipto, y los días cuando Israel era un pueblo nómada que moraba en tiendas o cabañas fabricadas de ramas de árboles. Conmemoraba también el gozo que tenían al ofrecer las primicias de su primera cosecha al Señor. Los israelitas debían celebrar esta fiesta cada séptimo año (Deut. 31:10-12). Durante su cautiverio en Babilonia los judíos no celebraban esta fiesta. Esdras, al enseñar la ley de Dios al pueblo (Neh. 8:13-18) le instruyó acerca de esta celebración y la fiesta fue reinstituida.

Coros e instrumentos. Desde el tiempo del rey David la música ha jugado un papel muy importante en la celebración de los cultos y las fiestas religiosas.

Los Salmos 145-150 en particular se usaban como himnos por coros o grupos de personas en la celebración de eventos religiosos. Cuando los fieles se acercaban a Jerusalén para celebrar una fiesta solían cantar salmos apropiados. Durante la dedicación de las murallas de Jerusalén dos coros entraron a la ciudad por diferentes puertas y se juntaron en la casa de Jehovah. Los cantores dirigían el canto y los músicos tocaban címbalos, liras y arpas (Neh. 12:27-43).

B. Enfasis:

Los que volvieron con Zorobabel, 7:5-69. Estos datos son los mismos que constan en Esdras 2:1-70. Sirvieron bien a Nehemías cuando convocó al pueblo "para que fuesen registrados según su linaje" (7:5).

Ofrendas para la obra, 7:70-73. Estos versículos registran las ofrendas levantadas cuando Zorobabel trajo una congregación de unas 42.360 personas a Jerusalén. Si solamente algunos de los jefes de las casas paternas ofrendaban en tiempo de Zorobabel, muy pocos lo hacían en el tiempo de Nehemías. El profeta Malaquías, contemporáneo de Nehemías, dijo a los judíos: "Malditos sois con maldición; porque vosotros, la nación entera, me habéis robado" (Mal. 3:9).

Esdras lee la ley ante el pueblo, 8:1-12. Esdras, siendo escriba, maestro de la ley, durante una semana estuvo enseñando las leyes de Dios al pueblo. Este evento fue el primer paso en un avivamiento espiritual.

La fiesta de los Tabernáculos, 8:13-18. Ver el fondo histórico. Durante su cautiverio los judíos habían dejado de celebrar esta fiesta. Esdras expuso al pueblo el significado de la misma e instituyó su observancia de nuevo en Judá.

Confesión de los pecados del pueblo, 9:1-37. Todo este capítulo tiene que ver con los pecados de los hebreos desde los tiempos de Abraham hasta el cautiverio. Esdras leyó de la Ley durante una cuarta parte del día. Durante otra cuarta parte del día el pueblo confesó su pecado y alabó a Jehovah. Terminaron confesando: "He aquí que hoy nosotros somos esclavos... y estamos en gran angustia" (vv. 36, 37).

Compromiso de guardar la ley, 9:38; 10:1-39. Porque Judá estaba pecando como lo hicieron sus antecesores, los magistrados, los levitas y los sacerdotes firmaron un compromiso. Todos los demás también juraron guardar la ley, en particular lo que correspondía a los matrimonios mixtos, las ofrendas para el sostenimiento de la casa de Dios, y el asunto de los diezmos.

Medidas para repoblar Jerusalén, 11:1-36. Se calcula que la población de Jerusalén y territorios aledaños no superaba en mucho los 50.000. Los judíos habían terminado las murallas de Jerusalén y restaurado las puertas. Pero el número de habitantes viviendo dentro de las murallas fue insuficiente para defender la ciudad. El pueblo hizo un sorteo, por medio del cual una de cada diez personas debería vivir en Jerusalén. También se hizo hincapié en repoblar 27 ciudades y aldeas (vv. 25-36).

Sacerdotes y levitas, 12:1-26. Se da la lista de los nombres de los sacerdotes y levitas, desde Zorobabel hasta Nehemías.

Dedicación de los muros, 12:27 a 13:3.

1 Esdras lee la Ley, Nehemías 8:1-8.

Vv. 1-4. Esdras era escriba; en el año 458 a. de J.C. Artajerjes Longimano lo comisionó para ir a Jerusalén y enseñar la ley de Moisés a los judíos, se le dio autoridad para exigir obediencia tanto a las leyes del imperio (persa) como a las leyes de Jehovah. El libro de Esdras no menciona su nombre antes del cap. 7. Al llegar a Jerusalén Esdras enfrentó el problema de los matrimonios mixtos (estudio 5). La demanda de deshacerse de esposas extranjeras provocó dos problemas: 1) Se minimizó la popularidad de Esdras, y 2) los extranjeros de la región resintieron la inferencia de que formaban una raza inferior. Cuando Nehemías llegó como gobernador de Judá, Esdras tuvo la oportunidad de enseñar a todo el pueblo las leyes de Dios y las implicaciones de cambios en el aspecto moral, civil y religioso.

Esdras se llama a sí mismo *escriba* (v. 1) y luego *sacerdote* (v. 2). En realidad ostentaba ambos cargos. Era la persona ideal para enseñar al pueblo la Palabra de Dios. Además, esa posición le daba la autoridad para pedir a sus oyentes obediencia a los preceptos divinos.

Vv. 5, 6. Cuando Esdras abrió el libro *todo el pueblo se puso de pie. Entonces Esdras bendijo a Jehovah, el gran Dios; y todo el pueblo, alzando las manos, respondió: ¡Amén! ¡Amén!* Entonces *se inclinaron y adoraron a Jehovah con el rostro a tierra.*

Vv. 7, 8. Aquí tenemos quizá el primer ejemplo de predicación expositiva. Ocho levitas, sentados en la plataforma, por turnos leían *la Ley de Dios, explicando y aclarando el sentido, de modo que entendiesen la lectura.* La lectura de la Ley continuó por siete días. Cuando leyeron acerca de la fiesta de los Tabernáculos establecieron de nuevo su celebración. Otro día el pueblo se reunió para ayunar. Durante una cuarta parte del día, Esdras leyó el libro de la Ley ante el pueblo, y durante la otra cuarta parte del día el pueblo confesó los pecados de sus padres y de sí mismos.

2 Compromiso del pueblo, Nehemías 10:28-39.

Vv. 28, 29. Al oír la ley y descubrir su propia pecaminosidad el pueblo acordó hacer un compromiso ante Dios y lo escribieron (9:38). Luego el gobernador Nehemías y ciertos sacerdotes y levitas firmaron el compromiso (10:1-27).

Vv. 30-39. He aquí las cosas en particular que prometieron hacer: 1) No realizar más matrimonios mixtos. 2) No permitir la entrada de vendedores a Jerusalén los sábados. 3) No cultivar la tierra en el séptimo año, y perdonar toda deuda. 4) Contribuir con la tercera parte de un siclo (11,4 gramos de plata) anualmente para la obra de la casa de Dios. 5) Proveer las cosas necesarias para la manutención del templo. 6) Traer las primicias de la tierra, de árboles, de hijos, ganado y ovejas a la casa de Dios. 7) Traer el diezmo de la tierra a los levitas para su sostenimiento. 8) Los levitas aportarían la décima parte del diezmo a las cámaras del tesoro. En resumen, como dijo Nehemías: *Nos comprometimos a no abandonar la casa de nuestro Dios.* Nos conviene preguntarnos hoy en día si algunos de estos compromisos no deben ser, en principio, nuestros.

3 Dedicación de la muralla, Nehemías 12:27-43.

Vv. 27-29. En Nehemías 6:15 habíamos considerado que la muralla fue terminada en 52 días, pero en 7:1 dice que no habían colocado las puertas todavía. No se sabe cuánto tiempo pasó antes de celebrar la dedicación, pero fue un evento memorable. Todos los preparativos para la gran celebración costaron tiempo y esfuerzo. Buscaron a los levitas que vivían en varios lugares, a fin de traerlos a Jerusalén para celebrar la dedicación. También buscaron a los cantores que vivían en las inmediaciones a fin de que prepararan a los músicos para su participación en la gran fiesta.

V. 30. Los sacerdotes y levitas cumplieron las funciones propias de su cargo. Se purificaron, purificaron al pueblo y aun las puertas y la muralla. La purificación representaba la intención de dedicar para el uso exclusivo de los intereses del reino los objetos y personas sometidos a ese rito.

Vv. 31-39. Nehemías hizo subir sobre las murallas a los principales de Judá y dos coros, con los músicos. El primer coro marchaba *hacia el sur,* cantando himnos de acción de gracias. El segundo coro marchaba *hacia el norte,* cantando la misma clase de himnos.

Vv. 40-43. Las dos partes del desfile se unieron en la casa de Dios. Dieciséis sacerdotes tocaban trompetas y los cantores entonaban su canto. *Aquel día ofrecieron muchos sacrificios y se regocijaron, porque Dios les había dado gran alegría... y el regocijo de Jerusalén se oía desde lejos.* Jehovah es el defensor de su pueblo y el objeto de su fe.

Aplicaciones del estudio

1. La falta de lectura de la Biblia trae como consecuencia la ignorancia acerca de la voluntad de Dios. El pueblo no sabía cuáles eran sus responsabilidades y privilegios simplemente porque no estaban acostumbrados a leer las leyes. ¿Es esa realidad parte de la vida de la iglesia cristiana?

2. La ignorancia de la voluntad de Dios trae decadencia moral y espiritual. Una de las consecuencias más graves de desconocer la voluntad de Dios es la expresión: "Erráis (pecáis) ignorando las Escrituras..." Si el hombre es un ser espiritual, entonces su mayor interés debe remitirse a los asuntos de carácter espiritual.

3. La infidelidad en asistir a las reuniones en el templo revela falta de compromiso. El cristianismo moderno, en muchas partes, más bien parece ser una parte de la cultura. Así, encontramos miles de personas que se dicen cristianas, pero no están comprometidas con la iglesia. Asisten los domingos por la mañana al templo y después se olvidan de las demás actividades.

4. Dios tiene un plan financiero para su obra. Cada miembro de la iglesia debe contribuir con sus diezmos y ofrendas para el sostenimiento del culto.

La muralla: un tipo de la redención y protección de Dios
Nehemías 12:27-43

Introducción: Podemos comparar la muralla de Jerusalén con la protección que Jehovah da a su pueblo. El templo, situado dentro de la muralla, puede representar la redención que Dios provee a quienes le buscan para confesar su pecado y pedir el perdón y la restauración.

I. El pueblo de Dios necesita ser restaurado.

A. Dios provee el liderazgo para llevar a cabo la restauración necesaria. Jehovah llamó a Nehemías a restaurar los muros de Jerusalén (1:1-3; 2:1-8).

a. Porque estaban en ruinas.

b. Ponían en riesgo la seguridad del pueblo.

B. Así, la iglesia necesita ser restaurada. Dios está llamando a obreros que quieran dedicar su vida al ministerio de la predicación y las misiones.

II. El pueblo de Dios debe ser receptivo al llamado que Dios hace a través de sus líderes.

A. Los repatriados aceptaron el reto de Nehemías (2:17, 18).

B. El pueblo cumplió su compromiso.

III. El pueblo de Dios que obedece su plan recibe bendición.

A. Dios prospera su trabajo.

B. Dios premia la fidelidad.

C. El reino se beneficia.

IV. El pueblo de Dios tiene motivos para gozarse.

A. Los judíos celebraron con júbilo la protección y el perdón de Jehovah (12:27-43). La iglesia tiene una buena razón para llegar a ser una comunidad de personas que tengan el gozo como una de sus características sobresalientes.

C. Hicieron un desfile sobre los muros con grandes coros e instrumentos musicales (vv. 31-42).

D. Ofrecieron sacrificios a Jehovah con júbilo (v. 43).

Conclusión: Dios provee protección y perdón para su pueblo. La parte del pueblo es responder con gratitud y consagración.

Lecturas bíblicas para el siguiente estudio

Lunes: Nehemías 13:4-7
Martes: Nehemías 13:8-12
Miércoles: Nehemías 13:13-15
Jueves: Nehemías 13:16-21
Viernes: Nehemías 13:22-27
Sábado: Nehemías 13:28-31

AGENDA DE CLASE

Antes de la clase

1. Lea con cuidado el pasaje bíblico y el material de los libros del maestro y de los alumnos. **2.** Consiga fotografías o recortes de fiestas y celebraciones para mostrar y reflexionar sobre cómo podemos celebrar eventos importantes. **3.** Escriba en una cartulina "La Ley —El Pentateuco", y debajo escriba los nombres de los primeros cinco libros de la Biblia. **4.** Lleve a la clase el Himnario Bautista para cantar "Santa Biblia, para Mí" (Himno No. 146) y "Santo, Santo, Santo", (Himno No. 1). **5.** Traiga una tarjeta en blanco para cada persona. En ella cada uno escribirá: "Mi compromiso", en el momento indicado en el estudio.

Comprobación de respuestas

JOVENES: **1.** Enseñar al pueblo la ley dada a Moisés. **2.** Respuesta de acuerdo con el v. 14. **3.** Siete días. **4.** a. Andar en la ley de Dios; b. No permitir que sus hijas se casaran con extranjeros; c. Guardar el sábado. **5.** Entregar sus primicias y sus diezmos.

ADULTOS: **1.** Por lo menos seis horas. **2.** Explicaban a la gente lo que se estaba leyendo. **3.** a. Obedecer la Ley; b. guardar los mandamientos; c. no casarse con los de otras razas; d. observar el sábado; e. observar el año sabático. **4.** Proveer todo lo necesario para el culto en el templo, y cuidar de los levitas y sacerdotes. **5.** a. Alabanza; b. muchos sacrificios.

Ya en la clase

DESPIERTE EL INTERES

1. Dé la bienvenida al grupo. **2.** Pregunte: ¿Qué es lo que más les gusta de las celebraciones y de las fiestas? ¿Cómo las celebran? **3.** Muestre sus recortes o fotografías de celebraciones y pregunte: ¿Cuál es el mayor efecto de una celebración? Después de algunos comentarios breves diga que hoy veremos la culminación de los esfuerzos de Nehemías, Esdras, Zorobabel, y muchos otros judíos que trabajaron arduamente para reedificar el templo y los muros de la ciudad. Había que celebrar, pero también, al oír la Palabra de Dios, se dieron cuenta de la necesidad de realizar grandes cambios en su vida. La celebración no era suficiente, había que hacer reformas.

ESTUDIO PANORAMICO DEL CONTEXTO

Los capítulos 7 al 10 son como un paréntesis entre la construcción del templo y su dedicación. Se unen los ministerios de Esdras y Nehemías en la preparación del pueblo para vivir en Jerusalén y en las aldeas de alrededor. Esdras guió al pueblo a restaurar la ley y poner en marcha las reformas necesarias para cumplirla. En Esdras

13:1-3 se presenta la reforma más difícil: la de excluir a los extranjeros de la ciudad. El capítulo 11 relata el plan para poblar, tanto la ciudad de Jerusalén, como las aldeas.

ESTUDIO DEL TEXTO BASICO

Dé tiempo para que completen la sección *Lea su Biblia y responda.* Compruebe las respuestas.

Lean Nehemías 8:1-8. Muestre la cartulina "La Ley" y dé una explicación sobre ello. Resalte la atención que prestaron a la lectura de la Biblia durante seis horas. Note que los levitas se mezclaron entre el pueblo y probablemente tradujeron el hebreo al arameo para que los que no conocían el hebreo pudieran entender. Es importante no solamente oír la Palabra sino entenderla. (Lea de nuevo el v. 8.) Dé gracias a Dios por su Palabra y por los que la enseñan y aclaran su significado. Lea la primera y la tercera estrofas de "Santa Biblia, para Mí". Hablen del significado del mensaje de estas dos estrofas. ¿Reflejan la situación en Jerusalén? ¿Reflejan nuestra situación?

Lean Nehemías 10:28-39 y subrayen que este compromiso es el resultado de la lectura de la Palabra de Dios. Diga que había judíos y gentiles convertidos que también hicieron un compromiso solemne y noten las cosas a las cuales se comprometieron, especialmente en los vv. 29b-31. Hubo un cambio en sus prácticas religiosas y en su cuidado de la casa de Dios (vea especialmente vv. 32-39).

Lean Nehemías 12:27-43. Comente que en este momento el pueblo formaba dos grandes coros de acción de gracias: en uno Esdras iba al frente; en el otro por Nehemías iba atrás. Todos participaron. Fueron momentos de regocijo y acción de gracias. Canten juntos "Santo, Santo, Santo" y hablen de los sentimientos que hubieran tenido de haber estado en esta fiesta especial para celebrar la dedicación de la muralla.

APLICACIONES DEL ESTUDIO

1. Lean las aplicaciones y comenten sobre cada una. **2.** Hablen de la importancia de hacer compromisos con el Señor. Dé a cada alumno una tarjeta en blanco e invíteles a anotar un compromiso que quieren hacer con Dios como resultado de este estudio. **3.** Al completar esta actividad tenga una oración de dedicación y pida al Señor su ayuda para que cada uno pueda cumplir su compromiso fielmente.

PRUEBA

1. Pida que seleccionen uno de los ejercicios para completar y compartan sus respuestas con otra persona. **2.** Pida a sus alumnos que cumplan sus lecturas bíblicas para el próximo estudio.

Nuevas reformas

Contexto: Nehemías 13:4-31
Texto básico: Nehemías 13:4-31
Versículo clave: Nehemías 13:11
Verdad central: Las reformas que hizo Nehemías en cuanto al culto, la ley, la cultura y el liderazgo confirmaron su celo por mantener al pueblo de Dios en la senda de la fidelidad.
Metas de enseñanza-aprendizaje: Que el alumno demuestre su: (1) conocimiento de la necesidad de que los miembros de la iglesia estén unidos en un mismo sentir, (2) actitud de disposición a someter su manera de sentir al señorío de Cristo.

Estudio panorámico del contexto

A. Fondo histórico:

Ofrendas asignadas a los levitas, cantores y porteros. Después de la dedicación de las murallas Nehemías encargó a algunos hombres el cuidado de las cámaras de los tesoros en el templo. De las ofrendas y diezmos se daba una remuneración económica a: los cantores, porteros y levitas. Asimismo los cantores y porteros dedicaban una porción de sus ingresos a los levitas y, al mismo tiempo, los levitas consagraban una porción para los "hijos de Aarón", es decir, los sacerdotes.

Tobías y Eliasib. Eliasib era el sacerdote encargado de la cámara de la casa de Dios. Este había emparentado con Tobías, quien fuera acérrimo enemigo de Nehemías. Sin tomar en cuenta tal situación, Eliasib le asignó una gran cámara en el edificio del templo, aprovechando la ausencia de Nehemías (vv. 4-6).

Asdod, Moab y Amón. Algunos judíos habían tomado mujeres de Asdod, Moab y Amón. Estas mujeres eran paganas, de tal forma que sus hijos ni siquiera se interesaron por aprender el idioma de los judíos.

B. Enfasis:

Eliasib emparentó con Tobías, 13:4-9. El sumo sacerdote, habiendo emparentado con Tobías, preparó una cámara grande en el templo para él.

Injusticia con los levitas, 13:10-14. A los levitas y a los cantores que servían en el templo les fue negada una remuneración, de modo que tuvieron que abandonar sus funciones regresando al campo para poder ganarse la vida.

La ley del sábado quebrantada, 13:15-22. Durante los sábados llegaban a

Jerusalén comerciantes para vender su mercadería, quebrantando así la ley que decía que el sábado era para dedicarlo a cultivar la vida espiritual de los hijos de Dios.

Matrimonios con extranjeros, 13:23-27. Varones judíos tomaban mujeres extranjeras para formar nuevas familias, contraviniendo las ordenanzas que prohibían los matrimonios mixtos. Al casarse con mujeres paganas en vez de tratar de ganarlas para su fe, ellos accedían a adorar a los dioses de ellas. Esto amenazaba la estabilidad y la pureza religiosa de Judá.

Corrupción en el sacerdocio, 13:28-31. El nieto de uno de los sacerdotes se casó con una hija de Sanbalat, gobernador de Samaria. Nehemías despidió al sacerdote Eliasib para purgar el sacerdocio y proteger a Judá de sus enemigos.

Estudio del texto básico

1 Reformas en el culto, Nehemías 13:4-14.

Vv. 4, 5. El contexto indica que después de dedicadas las murallas de Jerusalén, Nehemías regresó a la corte del rey Artajerjes en Babilonia. Poco después oyó que su labor en Judá había sido minada y pidió permiso al rey para volver a Jerusalén.

El motivo del segundo viaje de Nehemías a Jerusalén fue una grave violación de las leyes de Dios, empezando con el sumo sacerdote. *Eliasib, siendo encargado de la cámara de nuestro Dios, había emparentado con Tobías.* No hay que olvidar que Tobías, junto con Sanbalat, fueron dos de los más acérrimos enemigos de Judá durante la administración de Nehemías. Nehemías se enteró de que posiblemente Eliasib era una de aquellas personas que simpatizaban con el enemigo y le proveían información privilegiada. Tobías "era yerno de Secanías hijo de Ara, y su hijo Johanán había tomado por mujer a la hija de Mesulam, hijo de Berequías" (6:18). Eliasib le preparó a Tobías una gran cámara en el local del templo donde antes se guardaban las ofrendas y los diezmos *—que estaban asignados a los levitas, a los cantores y a los porteros—, y la ofrenda para los sacerdotes* (v. 5). Este hecho de parte de Eliasib era un abierto abuso de su oficio y un grave pecado contra su propio pueblo.

Vv. 6, 7. Estos vv. confirman que Nehemías había viajado a Susa y por qué volvió a Jerusalén comisionado por el rey Artajerjes. Nehemías dice: *Después de un tiempo pedí permiso de él, y cuando llegué a Jerusalén comprendí el mal que había hecho Eliasib en atención a Tobías.*

Vv. 8, 9. Vemos cómo el mal de Eliasib afectó a Nehemías: *Esto me desagradó muchísimo.* ¡Y con justa razón! Nehemías había dedicado 12 años de su vida a la restauración de los muros de Jerusalén e iniciado reformas espirituales. Ahora ve que en breve tiempo su obra ha sido minada por una coalición entre el sumo sacerdote y sus clásicos enemigos. Abiertamente rechazan las reformas del escriba-sacerdote Esdras. ¿Qué hizo Nehemías ante esta lamentable situación? 1) Desalojó la cámara que habían preparado para Tobías. Al hacer este desalojo, prácticamente estaba echando fuera a Tobías. 2) Ordenó una limpieza en la cámara. Había sido profanado el lugar de adoración a Dios y tenía que ser restaurado a su condición original. Una limpieza simbolizaría esta realidad. 3) Devolvió las cosas que habían sacado de allí.

Vv. 10, 11. Estos vv. explican lo que se hizo para restaurar el culto a Jehovah. Los cantores y los levitas habían sido despojados injustamente de sus ingresos devengados por servir en el templo, de tal suerte que tuvieron que ir a los campos a trabajar "secularmente". Nehemías reunió a los responsables de la administración del templo y les preguntó: "*¿Por qué está abandonada la casa de Dios?*" Luego reunió a los levitas y a los cantores y los restauró en sus respectivos puestos.

Vv. 12, 13. Para que marchase bien esta fase del culto era necesario llenar de nuevo los almacenes del templo. La colaboración del pueblo fue decisiva. Todo Judá trajo a los almacenes el diezmo del grano, del vino y del aceite. Para salvaguardar esta parte de la administración, Nehemías puso como responsable *al sacerdote Selemías, al escriba Sadoc y a Pedaías, uno de los levitas. Al servicio de ellos estaba Hanán, hijo de Zacur, hijo de Matanías, pues ellos eran tenidos por fieles.* Estaban a cargo del reparto a sus hermanos.

V. 14. Para Nehemías el orar era una cosa natural, parte de su experiencia cotidiana; era como el hecho mismo de respirar. Una vez que terminó la tarea de administración, elevó esta plegaria: *¡Acuérdate de mí, oh Dios mío, con respecto a esto, y no borres las bondades que hice por la casa de mi Dios y por sus servicios!* Si Nehemías nunca tuvo prole, naturalmente quiso que Dios se acordara de que él cumplió con fidelidad lo que interpretó como su responsabilidad.

2 Reformas en cuanto al sábado, Nehemías 13:15-22.

Vv. 15, 16. Estos vv. exponen la magnitud de las violaciones de la ley del sábado. Había judíos que trabajaban en el día del Señor, como si se tratara de cualquier otro día. *Pisaban los lagares, acarreaban gavillas, las cargaban sobre sus asnos... y los llevaban a Jerusalén en día de sábado.* Nehemías también intervino decididamente en este asunto. Jehovah había consagrado este día para descansar de las rutinas y para dedicarse al culto a su nombre. El v. 16 trata de un problema que también nosotros padecemos en la actualidad: el mercantilismo que hace del día del Señor su mejor día de ventas.

Vv. 17, 18. Nehemías reprendió a los judíos principales que permitían el comercio en el día sábado. Definía esta situación como una cosa mala, una profanación del día del Señor. *¡Vosotros estáis añadiendo ira sobre Israel, al profanar el sábado!*

Vv. 19-22. Estos vv. tratan de las medidas que adoptó Nehemías para poner fin al asunto de la profanación del día de reposo. 1) Ordenó cerrar las puertas de la ciudad cuando cayera la noche del viernes y asignó guardias que impidieran el ingreso de vendedores ambulantes antes de la puesta del sol del sábado. En más de una ocasión los vendedores pasaron la noche en las afueras de la ciudad, al lado de los muros, a fin de entrar el sábado por la mañana. 2)

Amenazó a los vendedores con apresarlos si insistían en su posición de querer vender sus mercaderías a como diera lugar. 3) Pidió a los levitas *que se purificasen y fuesen a guardar las puertas, para santificar el día de sábado.* Una vez resuelto este problema, Nehemías oró diciendo: *También por esto acuérdate de mí, oh Dios, y perdóname según la grandeza de tu misericordia.* Nehemías comprendía la doctrina de la gracia. Dios perdona, no por lo que el penitente pueda hacer, sino porque él es misericordioso por naturaleza. "No por obras para que nadie se gloríe."

3 Reformas culturales, Nehemías 13:23-27.

Vv. 23-27. El pueblo hizo caso omiso de las reformas de Esdras en relación con los matrimonios mixtos. Muchos judíos tomaban mujeres para casarse de entre las de Asdod, Amón y Moab. Una clara señal del peligro de una reincidencia en este particular fue el hecho que los hijos nacidos de estos matrimonios ni siquiera estaban dispuestos a aprender la lengua de los hijos de Dios. Nehemías se llenó de ira en contra de los infractores. Era tanta su ira que llegó al grado de golpear a algunos, arrancarles los cabellos a otros, haciéndoles jurar que no volverían a dar sus hijas o sus hijos en casamiento a personas paganas. Les ayudó a comprender el error que este tipo de alianzas representaba, recordándoles el pecado de Salomón al tomar mujeres de naciones paganas. Fue contundente al decir que esa práctica era una abierta afrenta contra Dios.

4 Reformas en el liderazgo, Nehemías 13:28-31.

Vv. 28-31. Al principio de este estudio notamos que el sumo sacerdote había instalado a su pariente Tobías, enemigo de Judá, en el templo. Ahora vemos que el mismo sumo sacerdote Eliasib emparentó con Sanbalat. El historiador judío Josefo dice que Eliasib permitió a su nieto Manasés casarse con Nicaso, hija de Sanbalat. Este fue el otro gran enemigo de Judá. Eliasib no solamente profanó la casa de Dios, sino también emparentó con el otro enemigo de Dios. Por lo tanto Nehemías lo expulsó de Jerusalén. Oró por los sacerdotes y levitas porque habían quebrantado su pacto con Dios: *Los purifiqué pues, de todo lo extranjero y asigné deberes a los sacerdotes y a los levitas, cada uno en su tarea.* El libro de Nehemías termina con otra oración: *¡Acuérdate de mí, oh Dios mío, para bien!*

Aplicaciones del estudio

1. El líder de la iglesia debe vigilar que la casa de Dios se dedique para el propósito exclusivo para el cual se edificó. Eliasib le asignó una habitación del templo a Tobías por el simple hecho de ser su pariente.

2. La iglesia debe proveer recursos para sostener sus diferentes ministerios. Nehemías restauró a su oficio a los cantores y levitas asignándoles una remuneración por su trabajo.

3. No debemos caer en la trampa del mercantilismo. El pueblo judío había caído en la profanación del día de sábado comerciando y permitiendo que otros comerciaran. Se hacen muchos negocios en el día del Señor y nosotros participamos consciente o inconscientemente de ellos.

Ayuda homilética

Cuatro varones que Dios usó
Resumen de Esdras y Nehemías

Introducción: A través de la historia Dios ha tenido a bien usar a varones que de alguna manera son especiales. En este caso usó a Ciro, un rey pagano, a Zorobabel, a Esdras escriba y sacerdote y a Nehemías.

I. Ciro, escogido para promover la rehabilitación de Judá.
- A. Dios le comisionó para que edificara un templo (Esd. 1:2).
- B. Dios puso en su corazón el deseo de liberar a los judíos (Esd. 1:2-4).

II. Zorobabel, caudillo de la repatriación (Esd. 2:2).
- A. Junto con el sacerdote Jesúa, Zorobabel restableció el culto a Jehovah (Esd. 3:2, 3).
- B. Dirigió la reedificación del templo en Jerusalén (Esd. 3:8-11).

III. Esdras, escriba y sacerdote (Esd. 7:6-8).
- A. Se propuso enseñar la ley de Dios al pueblo (Esd. 7:10).
- B. Hizo frente al problema de los matrimonios mixtos (Esd. 9:1-15).
- C. Leyó la ley de Dios al pueblo e instituyó de nuevo la fiesta de los Tabernáculos invitando al pueblo al arrepentimiento (Neh. 8 a 9).

IV. Nehemías, gobernador y reformador en Judá (Neh. 5:14).
- A. Fue comisionado por Artajerjes, rey de Persia (Neh. 2:1-8).
- B. Reedificó la muralla de Jerusalén a pesar de la oposición (Neh. 4).
- C. Realizó un segundo viaje a Jerusalén (Neh. 13:4-31).
    1. Para limpiar el templo (Neh. 13:7, 8).
    2. Reinstalar en sus puestos a los levitas y cantores (Neh. 13:10-14).
    3. Poner fin a la profanación del sábado (13:15-22).
    4. Tratar de poner fin a la práctica de matrimonios mixtos (13:23-27).
    5. Destituyó y desterró a Eliasib, sacerdote que estaba profanando su oficio (13:28-31).

Conclusión: Así como Dios usó a estos personajes, puede usar nuestra vida para cumplir sus planes eternos.

Lecturas bíblicas para el siguiente estudio

Lunes: Ester 1:1-9
Martes: Ester 1:10-22
Miércoles: Ester 2:1-7
Jueves: Ester 2:8-14
Viernes: Ester 2:15-18
Sábado: Ester 2:19-23

AGENDA DE CLASE

Antes de la clase

1. Escoja a 5 personas de su grupo y asígneles las siguientes tareas: Persona 1 desalojará muebles que se pondrán de antemano en el aula de clase. (Procuren que los muebles ya estén colocados antes que lleguen los alumnos.) Persona 2, se presentará con una caja conteniendo cosas para vender en el templo el día domingo. Personas 3 y 4 dramatizarán en un contexto actual el maltrato de Nehemías a uno de los sacerdotes por emparentar con personas no creyentes (13:25). **2.** Prepare un breve resumen de las reformas de Esdras y Nehemías para reforzar el aprendizaje de estos diez estudios.

Comprobación de respuestas

JOVENES: **1.** Que las porciones para ellos no se les estaban entregando, obligándolos a ir a trabajar secularmente. **2.** Trabajaban en el día de reposo, y permitían que vinieran extranjeros a comerciar en Jerusalén. **3.** a. Ahuyentó al yerno de Sanbalat; b. purificó a los sacerdotes y levitas y les asignó deberes; c. dispuso lo necesario para las ofrendas.

ADULTOS: **1.** No les había provisto lo necesario para subsistir. **2.** Vendiendo y comprando (comerciando). **3.** Cerró las puertas de la ciudad y puso una guardia. **4.** Se estaban casando con los gentiles. **5.** Había emparentado con los enemigos de Israel; su nieto había hecho lo mismo (mal ejemplo).

Ya en la clase

DESPIERTE EL INTERES

1. Dé la bienvenida a los alumnos. Dígales que hoy vamos a estudiar sobre un problema que es frecuente: el de tener que reconocer el fracaso de nuestras reformas o promesas. **2.** Presente el testimonio que ha preparado (usted u otra persona) en cuanto a esta realidad. **3.** Oren pidiendo que Dios les ayude a captar el mensaje.

ESTUDIO PANORAMICO DEL CONTEXTO

1. Pida a los alumnos asignados que sin previó aviso hagan su respectiva representación. (Es importante que se siga el orden mencionado en la sección: *Antes de la clase).* **2.** Después de las representaciones dirija una discusión libre de lo que han observado. Pregunte cómo interpretan cada representación en su propio contexto. Establezcan una relación con lo sucedido en el tiempo de Nehemías.

ESTUDIO DE TEXTO BASICO

Dé tiempo para que completen la sección *Lea su Biblia y responda* y compruebe las respuestas.

Lean Nehemías 13:4-14. Explique que Nehemías había vuelto a Babilonia, pero pidió permiso al rey para regresar de nuevo a Jerusalén. Hable de lo que encontró y lo que hizo al respecto. Lea los vv. 10-14 enfatizando la pregunta en el v. 11. Analicen las causas de la reacción de Nehemías al volver a Jerusalén. (Analicen sólo la parte correspondiente al desalojo de Tobías.) Aproveche la oportunidad para señalar la importancia de no dar tratos privilegiados a personas en particular en menoscabo de los demás. El desalojo de Tobías por parte de Nehemías refleja la seriedad y compromiso del siervo de Dios.

Lean Nehemías 13:15-22. Hable de la situación que Nehemías encontró al regresar a Jerusalén. Lean Levítico 23:1-3 para recordar la enseñanza de la Biblia en cuanto a la observancia del sábado. Resalte las preguntas en los vv. 17b y 18 y hablen de la mezcla de tristeza y enojo de Nehemías.

Lean Nehemías 13:23-27 y retomen el tema de la dramatización en la que Nehemías maltrató a un sacerdote (v. 25). Pregunte: ¿Se justifica la reacción de Nehemías? Discutan la pregunta brevemente y aplíquenla al tiempo actual. Hablen brevemente acerca del relajamiento que a veces se da a nivel del liderazgo y que afecta a la iglesia. Se pueden mencionar casos como la ordenación de ministros homosexuales u otros casos semejantes.

Lean Nehemías 13:28-31 e indique cómo Nehemías combina la administración con la oración. Pida que 4 alumnos lean las oraciones en los vv. 14, 22, 29, y 31. Hablen de la importancia de la oración en la labor de Nehemías. Noten que en cada caso Nehemías ora específicamente por la situación en que se encuentra. Dirija el siguiente caso de estudio: La Biblia enseña que el creyente no debe unirse en yugo desigual con una persona no creyente. Usted es el pastor o encargado de una iglesia y tiene en la congregación una señorita que está haciendo planes de casarse con un joven no creyente. ¿Qué le aconsejaría? (Trate con prudencia este asunto.)

APLICACIONES DEL ESTUDIO

Lea las aplicaciones, tanto las de su libro como las de los libros de los alumnos, y decida cuáles tienen mayor relevancia para completar esta sección.

PRUEBA

Divida al grupo en dos para que cada uno complete uno de los ejercicios y pida que cada grupo informe de sus respuestas. Que mencionen cosas importantes que han aprendido del estudio de Esdras y Nehemías. Termine con una oración de gratitud por lo aprendido en el estudio de estos dos libros.

Unidad 3

Ester llega a ser reina

Contexto: Ester 1:1 a 2:23
Texto básico: Ester 1:10-22; 2:1-4; 2:15-18
Versículo clave: Ester 2:17
Verdad central: La asención de Ester al trono de Persia fue providencial, lo cual resultó en grandes beneficios para el pueblo de Dios. Esto nos demuestra que Dios mueve los hilos de la historia para llevar adelante su plan de redención.
Metas de enseñanza-aprendizaje: Que el alumno demuestre su: (1) conocimiento de los elementos que se conjugaron para que Ester llegara a ser reina en Persia, (2) actitud de valorización de la manera como Dios provee protección para sus hijos.

Estudio panorámico del contexto

A. Fondo histórico:

Fecha y escritor del libro. No se ha podido identificar quién escribió el libro de Ester. Algunos pensadores antiguos, entre ellos Clemente de Alejandría, sugirieron a Mardoqueo como el escritor, pero este argumento no tiene fundamentos válidos. Puede haber sido escrito por un testigo ocular, a juzgar por la descripción tan exacta de las costumbres persas. También pareciera que el escritor fue un judío, por lo que se percibe del profundo nacionalismo.

En cuanto a la fecha, aparentemente el libro fue escrito antes de la destrucción del Imperio Persa por los griegos. Probablemente la composición de este relato puede ubicarse alrededor del año 400 a. de J.C.

Estilo y propósito del libro. El libro destaca claramente el cuidado providencial de Dios para con su pueblo. Partiendo de los sucesos narrados en este libro, todas las generaciones debían recordar y celebrar cómo Dios preservó la identidad judía aun cuando los reyes más poderosos de la tierra quisieron destruirlos. En cuanto al estilo, el libro contiene palabras persas en su original, como asimismo algunas palabras hebreas que se usaron especialmente al final de la historia de ese pueblo.

Valor religioso. El libro de Ester siempre ha formado parte del cánon judío. De hecho su contenido es un recordatorio de la supervivencia del pueblo de Israel mediante pruebas claras de la intervención divina.

Muchos estudiosos objetan el hecho de que no se menciona el nombre de Dios en su contenido. Sin embargo, su narración encierra varias enseñanzas espirituales:

- La certeza de que Dios no va a permitir que su pueblo perezca (4:14).
- La práctica del ayuno (4:3 y 16).
- La actitud de adoración al único y verdadero Dios mostrada por Mardoqueo (3: 2, 4 y 5).

Asuero, el personaje. Asuero, más conocido en la historia por su nombre griego Jerjes, fue el sucesor del gran rey Darío de Persia. El historiador griego Herodoto lo presenta como un rey caprichoso, sensual, cruel y déspota. Aunque pudiera ser algo exagerada, esta imagen concuerda bastante con el personaje que presenta el libro de Ester.

B. Enfasis:

El banquete, 1:1-4. El rey de Persia había reunido y homenajeado a altas personalidades de su gobierno. Probablemente se proponía convencer a sus hombres clave en el gobierno de que le facilitaran el apoyo financiero necesario para una próxima campaña militar. Este banquete, junto con las demostraciones de la gloria y esplendor del reino, habría durado seis meses.

Un banquete para todo el pueblo, 1:5-9. Luego de esta campaña especial, el rey ofreció un banquete para todos los habitantes varones de Susa, la capital del reino. Es interesante notar la descripción detallada del lugar para enfatizar la riqueza de Jerjes. Algunos de los elementos mencionados han sido descubiertos en excavaciones arqueológicas, incluyendo los vasos descritos.

Vasti pierde su corona, 1:10-22. El rey decidió exhibir la belleza de su esposa Vasti ante ellos. La razón para la negativa de la reina es algo que ha intrigado a muchos estudiosos. Algunos opinan que se debió a que se le pidió que aparciera sin ropa, solamente con su corona (v. 11). Otros sostienen que Vasti podría estar embarazada para esa época. Aun otros piensan que la negativa se debió a que Vasti no quería colocarse al mismo nivel que las concubinas y otras mujeres del harén, quienes estarían participando del banquete. El v. 15 parece indicar que no había ninguna ley que tratara el tema de la desobediencia de la reina. Probablemente eso era algo que jamás se pensó que podría ocurrir. La reacción de Memucán y los demás magistrados pareciera esconder una ofensa personal, siendo ellos también esposos y jefes de familia.

Convocatoria para aspirantes al trono, 2:1-4. Pasados los efectos del vino y los festejos, el rey recuerda a Vasti y descubre que se encuentra atrapado en un laberinto legal que él mismo había originado. Los jóvenes que le rodean se apresuran a proponer que se convoque a un concurso de belleza sabiendo que esto ayudará al rey a vencer su melancolía. La idea de reunir en el palacio a las jóvenes más bellas del imperio seguramente iba a ser bien recibida por el rey.

Ester participa en el concurso, 2:5-15. El escritor pone mucha atención en presentar a Mardoqueo describiendo su árbol genealógico y la historia de cómo llegó a encontrarse en Persia. Este hombre había criado a una prima. El nombre hebreo de la joven era Hadasa, que significa "arrayán". El nombre Ester puede ser el equivalente persa de Hadasa. También puede derivar del nombre de la diosa babilónica Ishtar, o de la palabra persa "estrella". Ester es llevada al palacio, probablemente contra su voluntad, junto con otras señoritas. Durante el año que duraron los preparativos, Ester no reveló su origen judío tal como se lo había aconsejado Mardoqueo. A través de todo este relato, el lector queda con la idea de que Ester sería la ganadora del concurso. La razón se encuentra en la última frase del v. 15.

Ester llega a ser reina, 2:16-18. Ester es presentada ante el rey en el año séptimo del reinado de Jerjes. Es decir, habían pasado cuatro años desde el banquete que provocó la destitución de Vasti, la reina anterior. La coronación de Ester es ocasión para un banquete en su honor y un feriado nacional acompañado por gran profusión de regalos.

Mardoqueo salva la vida al rey, 2:19-23. Parece ser que, gracias a Ester, Mardoqueo es conocido y tiene cierta posición en la corte del rey. Esto le permite descubrir un complot contra la vida del rey. Mardoqueo comparte esa información con Ester quien, a su vez, lo hace conocer al rey destacando la lealtad de Mardoqueo al hacer conocer del plan de atentar contra la vida del rey.

Estudio del texto básico

1 Vasti pierde su posición, Ester 1:10-22.

Vv. 10, 11. Las mujeres del reino no estaban presentes cuando comienzan los sucesos de este pasaje. Cuando el banquete llegaba a su fin, y el vino estaba mostrando su efecto entre los comensales, el rey buscó otra manera de impresionar a sus homenajeados. La encontró al decidir exhibir la belleza de la reina Vasti.

V. 12. El pasaje no menciona la razón de la negativa de Vasti a comparecer ante el rey. Este hecho ha desconcertado a muchos estudiosos quienes han sugerido una amplia variedad de posibilidades. Algunos se toman de la frase "con su corona real" (v. 11) para deducir que el rey esperaba que ese fuera el único atuendo que mostrara Vasti, por lo cual ella se negó. El hecho concreto es que ella no acató la orden del rey. Según el historiador judío Josefo, las leyes de Persia prohibían a las esposas ser vistas por extraños. Vasti optó por obedecer las leyes del imperio. Esta negativa le costó, no su cabeza pero sí su corona.

Vv. 13-15. Lleno de ira ante semejante insubordinación, el rey quiere evitar que su imagen ante los hombres importantes del reino se vea afectada. Por eso decide que la actitud de la reina no puede quedar impune y busca el consejo de sus sabios en cuanto al castigo que se le debe imponer a Vasti.

Vv. 16-18. Memucán consideró que la negativa de Vasti podría acarrear un desastre nacional. Nótese la repetición de la palabra *todos* en el v. 16 para dar énfasis a los alcances de esta conducta. La actitud de Vasti presentaba una seria amenaza para todos los varones jefes de familia del reino. Si se permitía que la reina rechazara una orden del rey, las esposas del pueblo harían lo mismo con las órdenes de sus esposos. Al fin y al cabo si "la Primera Dama" lo había hecho ellas podían sentirse con el derecho de hacerlo también.

V. 19. El consejo de los sabios es que el rey incluya un decreto especial al respecto entre las leyes del Media y Persia. Hasta el día de hoy usamos la frase "ley de medos y persas" para referirnos a regulaciones imposibles de alterar o anular.

Vv. 20-22. El contenido del decreto sería doble. Por un lado informaba de la destitución de la reina Vasti y, por otro lado, ordenaba que *todo hombre fuese señor en su casa. Todas las mujeres honrarán a sus maridos.* La voluntad del rey era suprema, sin importar las consecuencias humanas que acarreara el decreto real. El v. 22 da la idea de que se tuvieron muy en cuenta los diferentes sistemas de escritura e idiomas de los pueblos bajo el dominio persa. El rey y sus ayudantes querían estar seguros de que el decreto fuera entendido y puesto en práctica hasta el último rincón del imperio. Ninguno podía excusarse diciendo que no lo había entendido.

2 En busca de una nueva reina, Ester 2:1-4.

Vv. 1-4. Cuando se aquietaron los ánimos del rey, se acordó de su esposa y de lo que había decretado contra ella. Probablemente este recuerdo le ocasionó un dejo de tristeza. O quizás empezó a sentir los efectos de la soledad ante la ausencia de su reina. Entonces sus colaboradores más cercanos le sugirieron realizar una campaña —similar a un concurso de belleza— con el propósito de encontrar una reemplazante para la defenestrada reina Vasti.

Al considerar las implicaciones de esta convocatoria, no parece un panorama muy prometedor para las jóvenes doncellas:

- Aparentemente el v. 3 infiere que las jóvenes no tenían posibilidad de rechazar su participación en la selección. La orden era traer a Susa a *todas las jóvenes vírgenes de hermosa apariencia.*
- Sólo una de estas jóvenes sería la agraciada reina. Las otras participantes verían sus vidas cambiadas para siempre, debiendo vivir de ahí en más como parte del harén del rey. Probablemente debían renunciar a sus familias, a sus planes y sueños para el futuro, con el objeto de estar disponibles para cuando el rey solicitara su presencia.

3 Ester llega a ser reina, Ester 2:15-18.

Vv. 15, 16. Ester fue seleccionada entre el grupo de bellas jóvenes que debían trasladarse al palacio y comenzar el complicado proceso de preparación para ser presentadas ante el rey. Parte de este proceso consistía en encender un fuego en una especie de hornillo al que se agregaba una variedad de esencias y perfumes. La mujer se quitaba sus ropas, se inclinaba sobre el hornillo y colocaba su ropa sobre su cabeza para formar una especie de pantalla que evitara que los vapores se esfumasen. De esta manera, la piel absorbía los vapores.

El v. 15 da a entender que la joven Ester halló gracia ante el sirviente Hegai, quien le aconsejó sobre la mejor manera de presentarse ante el rey. Probablemente su carácter dulce, su amabilidad hacia quienes la rodeaban y su obediencia a las indicaciones de su primo Mardoqueo resaltaron la diferencia entre la joven judía y el resto de las doncellas.

Así fue como, después de un año de preparativos, le llegó el turno a Ester de comparecer ante el rey. Esto ocurrió en el séptimo año del reinado de Asuero, cuatro años después del banquete que llevó a la destitución de Vasti.

Vv. 17, 18. Estos versículos parecen la descripción de un cuento de hadas. El rey se enamora inmediatamente de la joven judía. Ester es coronada reina y, para celebrarlo, se ofrece un banquete que recibe el nombre de la nueva reina. Esta ocasión feliz trae aparejados la reducción de impuestos (aunque la frase también puede entenderse como un feriado nacional) y profusión de regalos.

Aplicaciones del estudio

1. El pueblo de Dios siempre tendrá enemigos. Estos son los momentos precisos para recordar que el pueblo de Dios está llamado a la victoria.

2. Dios mueve los hilos de la historia para lograr sus propósitos eternos. En el caso de Ester, Dios la cuidó y le permitió llegar a un lugar privilegiado para proteger, por medio de ella, a su pueblo. El seguirá manteniendo el control de todo para llevar a su iglesia a la culminación de su misión.

3. Los hijos de Dios debemos obrar con sabiduría. Ester siguió los consejos de Mardoqueo y llegó a ser la reina de uno de los imperios más poderosos del mundo conocido. Cuánta falta hace que más cristianos estén en posiciones de influencia para facilitarle a la iglesia su misión redentora.

Ayuda homilética

Contrastes entre un rey humano y el Rey divino
Ester 1:1 a 2:18

Introducción: El Rey divino es infinitamente distinto a los reyes humanos. Veamos esta verdad a la luz de lo que hizo Asuero y lo que hará Cristo.

I. El rey Asuero quiso mostrar la gloria de su reino.
- A. Con un gran banquete para colegas gobernantes durante 180 días.
- B. Otro banquete para el pueblo de Susa durante 7 días.

II. El Rey de reyes celebrará las bodas del Cordero.
- A. Con la convocación de todos los redimidos.
- B. Para confirmar su gloria celestial.
- C. Para inaugurar una fiesta eterna.

Conclusión. Las obras de Dios son trascendentes y de alcances eternos. Todos los hijos de Dios participaremos en la fiesta eterna.

Lecturas bíblicas para el siguiente estudio

Lunes: Ester 3:1-15
Martes: Ester 4:1-17
Miércoles: Ester 5:1-8
Jueves: Ester 5:9-14
Viernes: Ester 6:1-14
Sábado: Ester 7:1-10

AGENDA DE CLASE

Antes de la clase

1. Lea el libro de Ester para tener la perspectiva de todo el libro, pero con especial atención los primeros dos capítulos. **2.** Busque un mapa de este período del imperio persa y su capital Susa, anotando la distancia de Israel de donde los judíos habían sido llevados cautivos en los tiempos de Nabucodonosor. **3.** Si es posible encuentre dibujos de esta época del imperio persa: el palacio, los jardines, los correos montados y los artefactos. Estos serán de ayuda para visualizar la realidad del contexto del libro. **4.** Lea en una enciclopedia del rey Jerjes, el nombre usado en la historia secular por Asuero, anotando puntos de interés para el estudio. **5.** Haga tiras de cartulina con el nombre de las siguientes personas: Asuero, Vasti, Memucán, Ester, Mardoqueo. **6.** Ore por los miembros de su clase para que estos estudios sean de beneficio especial para cada uno.

Comprobación de respuestas

JOVENES: **1.** Vasti; bella; reina; no; os sabios; no la perdonara.**2.** Asuero se acordó de Vasti y de la ley que promulgara contra ella. **3.** Más que a todas las mujeres; gracia y favor; corona real sobre su cabeza; reina (Ester 2:17).

ADULTOS: **1.** Vasti, corona real, mostrar, pueblos, gobernantes, hermosa apariencia. **2.** Estaba alegre; se indignó mucho; encendió su ira. **3.** Sabios conocedores, cumplido la orden del rey. **4.** "no venga más a la presencia del Rey Asuero, y que el rey dé su dignidad real a otra mejor que ella". **5.** Buscar a jóvenes vírgenes de hermosa apariencia y les den un tratamiento cosmético. "La joven que agrade a los ojos del rey, reine." **6.** Halló gracia, favor, proclamó, Vasti. **7.** Un gran banquete, reducción de impuestos, dio obsequios.

Ya en la clase

DESPIERTE EL INTERES

1. Dé la bienvenida al grupo y dígales que hoy es el primero de tres estudios sobre el libro de Ester, la hermosa y valiente judía que llegó a ser reina del imperio más poderoso de su día. **2.** Pregunte por las cualidades que piensan que una reina o la esposa del presidente de la nación u otro dignatario de importancia debe tener, enfatizando la posición tan alta que tiene y su influencia no solamente con su cónyuge sino con la nación. En este estudio tendremos a dos reinas y podemos mirar características de cada una de ellas.

ESTUDIO PANORAMICO DEL CONTEXTO

1. Muestre el mapa del imperio persa, su capital Susa, anotando su distancia de Israel de donde fueron traídos como prisioneros por

Nabucodonosor, el rey de Babilonia. Si tiene información del rey Asuero (Jerjes) y/o cuadros o información de su reino, compártalos brevemente ahora. **2.** ¿Puede imaginar un banquete que duró 180 días? ¿Cómo sería el rey que podría hacerlo? Leamos Ester 1:1-9 para respuestas a estas preguntas. Este rey tenía un harén donde había muchas mujeres hermosas de las distintas partes de su imperio, algunas de la nobleza, otras traídas por su hermosura excepcional, o por alianzas especiales con otras familias o países poderosos. Todas estaban allí para el placer del rey. Comenten brevemente 2:8, 9, 12-14. **3.** Usando 2:5-7 y 10, 11 hablen del hecho de ser desterrados, un pueblo despreciado, y razones para la asimilación de los judíos en el pueblo persa, incluyendo sus razones para evitar que otros se dieran cuenta de que Ester era judía.

ESTUDIO DEL TEXTO BASICO

Completen la sección *Lea su Biblia y responda.* Al terminar aclare cualquier duda de sus respuestas.

Lean Ester 1:10-22. Saque las tiras con los nombres Vasti, Asuero, Memucán y pida que escuchen cuidadosamente para descubrir las acciones de los tres al leer juntos este pasaje. Entonces discutan cómo actuaba cada uno, evaluando por qué actuaba así, y cuál de los tres le parece más noble.

Lean Ester 2:1-4 y hablen del rey, su consejeros, y Hegai, el guardián de las mujeres. Piensen en cuanto al tumulto que debe haber pasado en 127 provincias del reino a causa de este plan. Comparándolo con los concursos de belleza de nuestros tiempos, era mil veces más degradante. ¿Qué habrían pensado las señoritas? ¿Sus familias? Saque las tiras con los nombres Ester y Mardoqueo. Mencione otra vez quién era Mardoqueo.

Lean Ester 2:15-18 y hablen de las características de Ester que pueden haberle ayudado a ser seleccionada para que participara en el concurso de belleza.

¿Cuáles fueron las formas en que el rey celebró el nombramiento de Ester como reina? Resalten el hecho de que el rey era autocrático, aumentaba y reducía los impuestos y concedía favores arbitrariamente.

APLICACIONES DEL ESTUDIO

Dirija a sus alumnos a leer con cuidado las aplicaciones que aparecen en el libro y a discutir su valor para nuestra vida hoy día.

PRUEBA

Pida a los alumnos que completen los ejercicios. Al terminar compartan entre todos las respuestas.

Estudio **12**

Unidad 3

El valor de Ester

Contexto: Ester 3:1 a 7:10
Texto básico: Ester 3:12-15; 4:7-17; 7:1-10
Versículo clave: Ester 4:16
Verdad central: El valor que Ester demostró ante la posibilidad de salvar a su pueblo del exterminio, nos inspira a enfrentar con valor las circunstancias adversas en la obra del Señor.
Metas de enseñanza-aprendizaje: Que el alumno demuestre su: (1) conocimiento de la actuación de Ester frente a la amenaza de que su pueblo fuera exterminado, (2) actitud de valor para enfrentar las adversidades en la obra del Señor.

Estudio panorámico del contexto

A. Fondo histórico:

Amán, agageo. Probablemente la palabra *agageo* se refiere a que Amán era descendiente del rey amalequita Agag, de la época del rey Saúl. En 1 Samuel 15:8 la Escritura relata que Saúl "capturó vivo a Agag, rey de Amalec". Este es el único Agag que se menciona en el Antiguo Testamento.

Vestirse de cilicio y ceniza. Cilicio se refiere a una tela de material áspero, de color oscuro, generalmente fabricada con pelo de cabra. Las cenizas eran esparcidas sobre la persona, o la persona se sentaba en medio de las cenizas. Cuando ambos vocablos aparecen juntos se los usa para expresar duelo. (Ver también Jer. 6:26.)

Pur, o puru. Esta es una palabra persa que significa "suerte" y se usa en conexión con el verbo "echar" o "arrojar". El consultar a los astros y echar suertes eran elementos comunes entre los pueblos orientales para decidir en cuanto al futuro. Se ha encontrado un dado que se utilizaba para echar suertes y que data de unos cuatrocientos años antes del libro de Ester. En dos de sus caras tiene escrita la palabra "puru".

B. Enfasis:

Decreto de Amán contra los judíos, 3:1-15. Cuando Amán fue nombrado gran visir, el rey ordenó que se le rindiera homenaje. Mardoqueo se negó a hacerlo. Para vengarse no sería suficiente eliminar a Mardoqueo, sino que decidió destruir a todos los judíos. Amán no mencionó el nombre del pueblo cuando consiguió la autoridad del rey para lograr su propósito.

Ester se entera del decreto de Amán, 4:1-17. El decreto real de exterminar a los judíos produjo una situación de duelo en este pueblo. Nótense las palabras "duelo", "ayuno", "llanto", "lamentación", "cilicio", "ceniza". Mardoqueo se dio cuenta de que Ester era la única que podía evitar esa masacre. Ester también lo comprendió y decidió arriesgar su corona y su posición para salvar a su pueblo.

Ester acude ante el rey, 5:1-8. Con su vestimenta real Ester se presentó ante el rey. Esto era algo contrario a la ley, pues no le era permitido si el rey no la llamaba. En su lucha de lealtades entre la corona real y su pueblo, Ester decidió jugarse el todo por el todo. La oferta del rey de darle hasta la mitad del reino era una costumbre de la época, y Ester sabía que no debía considerarla literalmente.

Amán planea asesinar a Mardoqueo, 5:9-14. Mardoqueo se transformó en una espina para Amán. El gran visir no podía disfrutar de su gloria por culpa del "judío Mardoqueo". Al compartir esta situación con su familia, su esposa y sus amigos le aconsejaron que no debía esperar hasta la fecha establecida para eliminar al pueblo judío, incluyendo a Mardoqueo.

Amán es humillado ante Mardoqueo, 6:1-14. Todo el libro de Ester es una demostración de que Dios siempre tiene la última palabra. En este pasaje se ve la intervención divina en el insomnio del rey, en su deseo de leer las crónicas de su reinado, en su decisión de honrar al judío Mardoqueo, y en el consejo de Amán al respecto. Nótese el cambio de actitud en la esposa y los amigos de Amán quienes ahora reconocen que no se puede luchar contra un miembro del pueblo de Dios.

Ester revela su identidad judía, 7:1-6. En el banquete que Ester ofreció al rey y a su visir, ella se identificó como judía. Probablemente aquí Amán habrá descubierto con horror que ha puesto en peligro la vida de la reina. Pero su horror se transformó en terror al escuchar que Ester lo denuncia ante el rey como el autor de una próxima e injusta masacre. Nótese que el rey no parece comprender al principio la relación entre el decreto que Amán había obtenido de él, y la situación de la reina Ester y el pueblo judío.

Caída de Amán y triunfo de Mardoqueo, 7:7-10. El banquete resultó en algo que ni el rey ni su segundo hubieran imaginado. La caída de Amán fue catastrófica. Cuando el rey escuchó la acusación de Ester, salió al jardín. Quizás necesitaba evaluar mejor las implicaciones de esta situación. Mientras tanto Amán, al querer obtener clemencia de la reina, comprometió aun más su posición. El resultado fue que Amán terminó colgado en la horca que él mismo había mandado hacer para Mardoqueo.

Estudio del texto básico

1 Amán decreta la muerte de los judíos, Ester 3:12-15.

Amán había llegado a ser el segundo personaje en importancia política en toda Persia. El rey lo había elevado al rango de gran visir, es decir, estaba sobre todos los príncipes que estaban con él. Sin embargo, esta gloria se vio opacada cuando le informaron que el judío Mardoqueo se negaba a rendirle el homenaje debido. En el A.T. hay pasajes que muestran a personas inclinándose ante otras en señal de respeto (Gén. 23:7; 1 Sam. 24:8). Probablemente la negativa de Mardoqueo se debiera a la hostilidad que existía desde mucho tiempo atrás entre judíos y agageos. El odio de Amán hacia Mardoqueo era tan grande que pareció insuficiente al gran visir eliminar a éste. Usando de su influencia ante el rey, Amán consiguió que se autorizara la destrucción de todos los judíos.

V. 12. El decreto dictado por Amán, con el nombre del rey, y sellado con el anillo real fue escrito once meses antes de la fecha establecida por la suerte para su ejecución. Nuevamente hay un esfuerzo en el pasaje por dejar bien en claro que la intención era que todas las personas estuvieran enteradas y comprendieran en su propio idioma el contenido del documento.

V. 13. Nótese el énfasis que encierra la frase *destruir, matar y exterminar a todos los judíos.* Parece que se usa la repetición en los verbos para no dejar ninguna duda sobre lo que debía hacerse con el pueblo de Dios. Además de matar a los judíos, la orden incluía despojarlos de sus bienes.

V. 14. El decreto fue promulgado con tiempo suficiente para que pudiera llegar hasta el último rincón del imperio y para que pudieran hacerse los preparativos necesarios para cumplirlo.

V. 15. El pasaje termina con un contraste dramático. Por un lado, el rey y el gran visir se sientan, indiferentes, a beber. Por otro lado, los habitantes de la ciudad de Susa, judíos y no judíos, están consternados ante semejante noticia.

2 Ester está dispuesta a dar su vida por su pueblo, Ester 4:7-17.

Vv. 7-10. Mardoqueo se dio cuenta de que su prima era la única posibilidad de salvación. Lo primero que hizo fue informarse correctamente de la situación y obtener una copia del decreto de Amán. Luego hizo llegar esto a Ester mediante un mensajero y le encargó que intercediera ante el rey por la causa del pueblo judío. Mardoqueo conocía bien a Ester. El la había criado y la había educado. Ahora llegaba el momento de poner a prueba si había hecho un buen trabajo. Ester le da a Hatac una respuesta basada en la ley.

Vv. 11-14. La respuesta de Ester quería dejar bien en claro el riesgo que implicaba lo que Mardoqueo le estaba pidiendo. Salvo raras excepciones, había una sentencia de muerte firmada contra todo el que se presentaba ante el rey sin haber sido llamado. En su respuesta a Ester, Mardoqueo quiso dejar en claro varios aspectos:

- Que, de todas maneras, también había una sentencia de muerte firmada contra ella pues, siendo judía, estaba incluida en el decreto de Amán.
- Que, aunque la salvación del pueblo judío llegara por otro lado, ella iba a recibir castigo por no haber actuado como correspondía.
- Que probablemente el hecho de que ella estuviera en la posición en que estaba tenía el propósito de que fuera el instrumento para salvar a su pueblo en esta situación crítica.

Vv. 15-17. Generalmente el ayuno iba acompañado de oración. Es como si

Ester pidiera a su pueblo en Susa: "Oren por mí." Ella haría lo mismo con sus servidoras. La reina se dio cuenta de que necesitaría mucha fortaleza espiritual para enfrentar esa tan peligrosa misión. *Si perezco, que perezca.* Este es el clímax del discurso de Ester en respuesta a la petición de Mardoqueo.

3 Caída de Amán y triunfo de Mardoqueo, Ester 7:1-10.

Vv. 1-4. Los banquetes ocupan un lugar importante en todo este libro. Esta es la tercera vez que se menciona una serie de banquetes como el marco para un evento especial. El plan de Ester fue presentar su petición al rey durante dos de esos banquetes. Tanto en esta ocasión como en la que se relata en el capítulo anterior, el rey se dirige a ella como *reina Ester* adjudicándole la importancia que el título merece, y le ofrece hasta la mitad de su reino. Estas dos frases dan a entender la predisposición favorable de Asuero hacia su reina.

Al exponer su causa, Ester declaró su origen judío, cosa que ni el rey ni Amán conocían. Ella explicó al rey cómo su pueblo había sido vendido para ser exterminado, probablemente haciendo referencia al precio que Amán ofreció pagar al rey por el decreto. Es probable que en ese momento Amán comenzara a darse cuenta de las implicaciones inesperadas de su decreto. Sin saberlo, había puesto en peligro la vida de la reina Ester. Los eventos empezaban a tomar una dirección desfavorable para el visir.

Vv. 5, 6. El rey se encontró confundido. No lograba recordar que él hubiera ordenado exterminar al pueblo al cual pertenecía Ester. Tampoco veía la relación entre lo que Ester le decía y el complot tramado por Amán. Debe recordarse que éste todavía no había mencionado al rey el nombre del pueblo al que quería exterminar. Tampoco Ester había mencionado el nombre de su pueblo. La pregunta de Asuero deja vislumbrar su enojo por lo que estaba sucediendo y su deseo de hacer justicia. Ester ya se había jugado el todo por el todo y denunció al culpable con todo valor, aun cuando éste estaba allí presente y era la persona de mayor confianza del rey.

Vv. 7-10. Tan impresionante fue esta denuncia, y tan sorpresiva para el rey, que éste necesitó alejarse. El tono de la pregunta en el v. 5 pareciera dar a entender que el rey ya había tomado la decisión de castigar al culpable de semejante atrocidad. Sin embargo ahora, lleno de furia al enterarse de quién era ese culpable, necesitaba salir al jardín. Asuero se dio cuenta de cómo su visir lo había involucrado a él mismo en un complot que amenazaba a su propia reina. Quizás dejando de beber y caminando un poco al aire fresco su mente estaría más clara para tomar la decisión correcta.

Mientras tanto, Amán cometió su última torpeza. Se inclinó hacia la reina probablemente asiéndola por los pies. Recuérdese la costumbre de participar de las comidas reclinándose en una especie de divanes. En ese momento regresó el rey y lo que vio terminó de encender su ira. Antre la pregunta enfurecida del rey, los criados cubrieron la cara del malvado Amán en señal de reconocimiento de culpabilidad. El desenlace fue que, de acuerdo con la orden del rey, Amán terminó su vida colgado en la horca que él mismo había mandado preparar para Mardoqueo.

Aplicaciones del estudio

1. Dios siempre tiene la última palabra. Amán no dejó ninguna duda de que su orden era destruir, matar y exterminar a los judíos, así como despojarlos de sus bienes. Sin embargo, Dios tenía otros planes. Así sigue siendo en nuestros días. No olvidemos la historia de los pretendidos exterminios y el holocausto.

2. Debemos estar dispuestos a todo. Para que el evangelio avance hasta lo último de la tierra, debemos ir más allá de lo común y corriente. Ester dijo: "Si perezco, que perezca", y con esa frase nos dejó un reto para las generaciones de hombres y mujeres de hoy.

Ayuda homilética

Cuando Dios toma control de las cosas
Ester 3:1 a 7:10

Introducción: En la historia universal, así como en nuestra historia particular, cuando permitimos que Dios haga su voluntad convierte nuestras aparentes derrotas en grandes victorias.

I. El enemigo de Dios tiene planes concretos (3:12-15).
- A. Amán procuró la aniquilación del pueblo de Dios.
- B. Además, procuró despojarlos de sus bienes.
- C. Echó mano de todos los recursos a su alcance.

II. Dios también tiene planes concretos (4:7-17).
- A. A través de la vida de Ester.
- B. Inspirando a Ester a confiar en él.
- C. A través del ayuno e intercesión de los demás judíos.

III. Los resultados finales de ambos planes (7:1-10).
- A. El plan del enemigo: La caída de Amán.
- B. El plan de Dios: El triunfo de Mardoqueo
- C. El inicio de la salvación de los judíos.

Conclusión: Si dejamos que Dios cumpla su plan en nuestra vida seguramente que nos llevará siempre a la victoria. Asimismo, si nos oponemos a los planes de Dios tendremos que pagar las consecuencias que lógicamente serán negativas.

Lecturas bíblicas para el siguiente estudio

Lunes: Ester 8:1-6
Martes: Ester 8:7-12
Miércoles: Ester 8:13-17
Jueves: Ester 9:1-15
Viernes: Ester 9:16-22
Sábado: Ester 9:23 a 10:3

AGENDA DE CLASE

Antes de la clase

1. Lea Ester 3:1 a 7:10 anotando las acciones de Ester, Mardoqueo, Asuero y Amán. **2.** Haga un cartelón con el título del estudio "El Valor de Ester", y abajo escriba "Y si parezco, que parezca". **3.** Considere estas palabras de Ester, preguntándose si habrá dicho esto con resignación o con determinación. **4.** Lea en la Biblia (ej.: Jer. 6:26, Mat. 11:31) y en un diccionario bíblico sobre "cilicio y ceniza" para entender mejor el concepto de ayuno y duelo. **5.** Ore por los miembros de la clase, sus necesidades, y para que este estudio sea de provecho en el momento en que ellos tomen decisiones importantes en su vida. **6.** Traiga recortes o la historia de una persona que ha actuado con valor y puede ser un ejemplo, como Ester, para los miembros de su clase.

Comprobación de respuestas

JOVENES: **1.** Los escribas escribieron el decreto en el idioma de cada pueblo bajo sujeción persa/Las cartas fueron enviadas por medio de mensajeros a todas las provincias/El decreto era destruir, matar y exterminar a todos los judíos en un solo día. **2.** La liberación vendría de otra parte. **3.** ¡El enemigo y adversario es este malvado Amán!
ADULTOS; **1.** Destruir, matar y exterminar a todos los judíos. **2.** Estaban consternados. **3.** Le informa del complot contra los judíos, y le pide que interceda ante el rey por su pueblo. **4.** Que si se presenta sin ser invitada, podría ser muerta. **5.** Reunir a todos los judíos en Susa, y ayunar por ella durante tres días. **6.** Que le fuera concedida su vida y la de su pueblo. **7.** Fue colgado en la horca que él había preparado para Mardoqueo.

Ya en la clase
DESPIERTE EL INTERES

1. Dé la bienvenida a los miembros de la clase y pídales que mencionen peticiones y oren por estas. **2.** Diga que en este estudio resaltaremos el valor de Ester, pero veremos en primer lugar el valor mostrado por (cuente de la persona que ha seleccionado). **3.** Invite a los alumnos a mencionar aspectos del valor de esta persona que pueden ser un ejemplo para nosotros. **4.** Diga: "En la vida de Ester encontramos a una mujer que demostró valor para salvar a su pueblo. Veremos cómo lo hizo."

ESTUDIO PANORAMICO DEL CONTEXTO

1. Lean juntos Ester 3:1-11. **2.** Hablen de Amán y las razones de su odio hacia los judíos. ¿Cómo manipulaba al rey? **3.** Lea Ester 4:1-6 ¿Cuáles fueron las reacciones de Mardoqueo y de Ester inicialmente?

ESTUDIO DEL TEXTO BASICO

Dé tiempo para que completen la sección *Lea su Biblia y responda.* Aclare cualquier duda en las respuestas.

Lean Ester 3:12-15 y noten que el odio de Amán hacia Mardoqueo le obsesionaba. A pesar de la alta posición que el rey le había dado, no podía aceptar el hecho de que Mardoqueo no le rindiera homenaje. Llame la atención a la grandeza del imperio persa que estos versículos revelan. Amán trazó un plan que aseguraba que morirían todos los judíos en las 127 provincias del Imperio. Ordenó a los escribas que prepararan un decreto que fue enviado a todas las provincias, cada uno escrito en el idioma respectivo del pueblo. En este decreto se comunicaba la fecha precisa de la matanza que había sido decidida por medio de suertes o "pur" (3:7). Los decretos fueron enviados por mensajeros montados para que llegaran cuanto antes, y así dar tiempo a los oficiales para prepararse para este acto tan deplorable. Haga notar las acciones decretadas contra los judíos inocentes que podría llevarles a un fin tan injusto (v. 13). Tal fue el odio que obsesionaba a Amán. Resalte el contraste de la última escena de este pasaje: la ciudad aterrorizada, y Amán y Asuero bebiendo sentados, despreocupados del desastre inminente.

Lean Ester 4:7-17. Hablen del movimiento de las distintas escenas. ¿Cuáles son los puntos que finalmente convencieron a Ester de la importancia de intervenir a favor de su pueblo? Enfatice que Mardoqueo no dudó de la intervención de Dios, pero quería que Ester asumiera su responsabilidad hacia el pueblo. Lea de nuevo el v. 14. Presente la información que ha preparado sobre "cilicio y ceniza". ¿Por qué pide Ester que el pueblo ayune por ella? Muestre el cartelón "El valor de Ester" y hablen del significado de las palabras de Ester: "Si perezco, que perezca". Pida al grupo que compartan su opinión si estas palabras fueron palabras de resignación o de determinación.

Lean Ester 7:1-10. Ester preparó dos banquetes para el rey y Amán. Mientras tanto Amán planeaba la muerte de Mardoqueo en la horca que había preparado para el efecto. Hable del odio que todavía le obsesionaba. ¿Cómo podemos evaluar el valor de Ester? ¿Qué cualidades poseía Ester que son un ejemplo para nosotros?

APLICACIONES DEL ESTUDIO

Divida a los asistentes en tres grupos y asigne a cada grupo una de las aplicaciones para discutir y sacar conclusiones en cuanto al valor que éstas pueden tener para sus vidas.

PRUEBA

Haga en conjunto uno de los ejercicios para asegurarse del aprendizaje logrado. El próximo estudio terminaremos el libro de Ester.

Unidad 3

El triunfo de los judíos

Contexto: Ester 8:1 a 10:3
Texto básico: Ester 8:9-17; 9:1-4, 18-22; 10:1-3
Versículos clave: Ester 8:15, 16
Verdad central: El triunfo de los judíos por la intervención de Ester confirma la soberanía de Dios y el cuidado que siempre tiene de su pueblo.
Metas de enseñanza-aprendizaje: Que el alumno demuestre su: (1) conocimiento del triunfo de los judíos por la intervención providencial de Ester, (2) actitud de confianza en que Dios tiene su vida en sus manos.

Estudio panorámico del contexto

A. Fondo histórico:

El anillo del rey como sello de garantía. El sello hecho con el anillo real representaba lo que en el día de hoy sería la firma del decreto. Los edictos reales que llevaban el sello del anillo del rey tenían fuerza de ley. De acuerdo con la ley de los medos y los persas estos edictos no podían ser revocados.

Como ya se ha visto en el libro, a veces el rey se quitaba el anillo y lo daba a una persona de su entera confianza. El edicto que esta persona sellara con ese anillo sería considerado como proveniente del mismo rey.

El cetro extendido como señal de acceso al rey. La ley de Persia establecía que cualquiera que entrara al atrio interior del palacio —es decir, la sala que usaba el rey para gobernar— sin haber sido llamado, debía pagarlo con su vida. Sólo había una excepción: aquella persona hacia la cual el rey extendiera su cetro. Entre los persas nadie, salvo unos pocos individuos, podía acercarse al rey sin haber sido anunciado previamente.

La fiesta de Purim. Como se ha dicho anteriormente, pareciera que el propósito del libro es narrar la historia de los acontecimientos que dieron origen a la fiesta judía de Purim. Desde la época de estos eventos hasta el día de hoy los judíos han celebrado esta festividad que es la más alegre y colorida del calendario hebreo. En Israel se celebra con disfraces y desfiles. En todo el mundo los niños judíos usan túnicas y coronas para dramatizar la historia de Amán, Mardoqueo y Ester. En esta fecha se lee el *Megillah*, o rollo de Ester, y los niños participan aplaudiendo y vitoreando cada vez que se menciona a Ester o a Mardoqueo, y abucheando cuando se menciona a Amán. El día anterior a Purim es un día de ayuno en memoria del ayuno ordenado por Ester.

B. Enfasis:

Ester recibe la casa de Amán, 8:1, 2. Era costumbre de la época que la corona tenía el poder de confiscar las propiedades y bienes de los criminales que habían sido condenados. Asuero hizo uso de ese poder cuando puso a Ester como dueña de las propiedades de Amán. Enseguida Ester nombró a su primo Mardoqueo como administrador de las mismas.

Decreto a favor de los judíos, 8:3-16. Como ya se ha establecido, el decreto emitido por Amán contra los judíos no se podía revocar. Lo único que se podía hacer era redactar otro decreto, que fuera un complemento del anterior, para permitir que los judíos se defendieran cuando fueran atacados. Este fue, básicamente, el contenido de este segundo decreto. De la misma manera que se había hecho con el anterior, el escritor destaca con mucho detalle las medidas que se tomaron para dar a conocer este decreto en todos los rincones del Imperio.

La venganza de los judíos, 9:1-15. Cuando llegó el día que Amán había designado mediante la suerte, ocurrió exactamente lo contrario a lo que éste había planeado. La victoria de los judíos fue avasalladora. En vista de la popularidad de Mardoqueo los gobernantes se volcaron a favorecer a los judíos. Dos aspectos llaman la atención en este pasaje: la repetida afirmación de que los judíos no quisieron tomar del botín, y la actitud vengativa de la reina Ester.

Institución de la fiesta de Purim, 9:16-32. Aquí llega la razón de ser del libro de Ester. Por orden de Mardoqueo, los judíos debían recordar esta tremenda liberación celebrando una fiesta anual. Esta festividad se llamó Purim, plural hebreo de la palabra persa *pur* (suerte). El nombre recordaría las suertes que echó Amán y cómo sus planes fueron trastornados y el pueblo de Dios fue librado de la exterminación. Hasta el día de hoy la fiesta de Purim es celebrada por los judíos en todas partes del mundo.

La grandeza de Mardoqueo, 10:1-3. Mardoqueo recibió el título de gran visir, el mismo que el rey había conferido anteriormente a Amán. Mardoqueo se destacó por promover el bienestar de su pueblo y ser un agente de paz. Hallazgos arqueológicos demuestran que los judíos tuvieron un período de prosperidad y bienestar en la última parte del reinado de Jerjes. Se han encontrado indicaciones de que había muchos judíos ricos y otros que llegaron a puestos altos de poder en el mundo económico y social de Persia.

Estudio del texto básico

1 Respuesta del rey, Ester 8:9-17.

V. 9. Ante la solicitud de Ester pidiendo al rey la anulación del decreto de Amán para exterminar a los judíos, Asuero decidió promulgar otro decreto. Ni el mismo rey podía impedir que el decreto anterior se llevara a cabo. Los decretos sellados con el anillo real eran irrevocables. Llegaban a ser ley. Ahora fue Mardoqueo quien dictó el contenido de este decreto. El mismo iba dirigido a los judíos en toda Persia, pero también a todos los gobernadores y autoridades de las 127 provincias que conformaban el imperio. Es interesante notar que a los judíos se les escribió *según su escritura y en su idioma,* es decir que ellos, en general, no perdieron su cultura aun cuando estaban dominados por otra.

V. 10. Al igual que Amán, Mardoqueo recibió el anillo real para sellar el decreto. Es decir, que este tenía el mismo peso que el anterior. Aparentemente, esta vez los mensajeros debieron cumplir su cometido más rápidamente por lo que se les permitió usar los mejores caballos de los establos del rey.

Vv. 11-14. Dado que no se podía anular el anterior decreto, en este se permitía a los judíos organizarse para defenderse a sí mismos; es decir, actuar en defensa propia. La frase "estar a la defensiva" literalmente quiere decir "estar en pie por sus vidas". Los términos y el alcance de la acción eran los mismos que Amán había decretado en contra de los judíos. Esta es la fecha que había establecido Amán cuando echó suertes. El mes de Adar corresponde aproximadamente a nuestros meses de febrero o marzo.

V. 15. Es interesante la descripción de la ovación del pueblo al ver al nuevo gran visir saliendo del palacio pomposamente vestido con los atavíos reales. La reacción del pueblo en Susa fue totalmente opuesta a la que demostró al conocerse el decreto de Amán.

Vv. 16, 17. *Esplendor, alegría, regocijo y honra.* A estas expresiones de gozo se agregó el infaltable banquete. Los judíos estaban celebrando la victoria antes de que ocurriera la batalla. Compárese esta reacción con la expresada en 4:3. Desde la ejecución de Amán, el prestigio de los judíos aumentó tanto que llegaron a ser muy respetados y aun temidos. Muchos gentiles de Persia, por temor, se convirtieron al judaísmo. Quizás pensaban que si se oponían al Dios de ellos terminarían como Amán. Hubiera sido muy bueno que el libro de Ester finalizara aquí.

2 Vida en lugar de muerte, Ester 9:1-4.

V. 1. A través de todo este capítulo se deja ver un sentido de odio hacia los judíos y la respuesta de éstos a ese sentimiento. Probablemente el escritor de Ester se propuso mostrar cómo el odio y la actitud vengativa de Amán habían logrado crear prejuicios hacia los judíos de parte de los persas (ver vv. 1, 2, 5 y 16). Aquí tenemos dos grupos antagónicos, ambos listos para aniquilar al contrario, y ambos respaldados por un decreto real.

Vv. 2, 3. La idea de estos versículos es que los judíos no fueron los atacantes, sino los que se defendieron cuando fueron atacados por quienes querían dominar sobre ellos. Aparentemente, el arma que Dios usó fue llenar de miedo a los enemigos del pueblo de Dios. Es posible que quienes atacaron a los judíos fueran grupos organizados de antisemitas, dado que el v. 3 indica que los gobernantes se habían volcado a favorecer a los judíos.

V. 4. La razón del apoyo oficial a los judíos era el lugar que estaba ocupando la persona de Mardoqueo. Su grandeza se veía en el palacio, su fama llegaba hasta los confines del Imperio y se preveía que éstas irían en aumento.

3 La fiesta de Purim, Ester 9:18-22.

Vv. 18, 19. En Susa, la capital del Imperio, fue necesario luchar por un día más. Ya que fuera de la capital no ocurrió así, los judíos de las provincias lucharon el día 13 y festejaron la victoria el día 14. Como los judíos en Susa todavía estaban luchando el día 14, la celebración allí se realizó el día 15 (más o menos un mes antes de la Pascua). Los judíos modernos celebran su banquete de Purim al atardecer del día 14. La costumbre de compartir regalos comestibles con sus vecinos también se menciona en Nehemías 8: 10 y 12. Es de suma importancia alimentar la memoria histórica por medio de festejos tan significativos como el Purim.

Vv. 20, 21. *Estas cosas* se refiere probablemente a una breve reseña de los sucesos narrados en el libro de Ester. La frase no da base suficiente para inferir que se refiere a la redacción del libro.

En base a ese relato se enviaron cartas ordenando la celebración de la victoria de los judíos en todas las provincias del reino. Mardoqueo instituyó las dos fechas como días festivos para recordar las luchas de los judíos tanto en Susa como en el resto del territorio. La carta de Mardoqueo incluía dos aspectos: que se celebrara anualmente una fiesta, y que la misma se llevara a cabo los días 14 y 15 del mes de Adar (febrero-marzo aprox.).

V. 22. Estas palabras recuerdan las del Salmo 30:11. La frase *regalos a los necesitados* no apareció en la celebración espontánea descrita en el v. 19, pero fue parte de lo ordenado por Mardoqueo. Un comentarista dice que el acordarse de los necesitados en las ocasiones de fiesta es muy característico de los judíos.

4 Un final feliz, Ester 10:1-3.

V. 1. El libro termina como comenzó: refiriéndose a la riqueza y poderío de Asuero. No se puede ver claramente la razón para la mención del tributo. Quizás el escritor lo haya hecho para implicar que todo seguía como antes. Es decir, los pobres proveyendo mediante sus impuestos para sustentar los lujos del palacio real.

V. 2. Probablemente este *libro de las crónicas de los reyes de Media y de Persia* es el mismo que se mencionó anteriormente en 2:23 y 6:1; es decir, los anales persas oficiales. Lamentablemente no se ha encontrado un documento semejante. Por otro lado, algunos estudiosos opinan que se refiere a un libro judío que circulaba en esa época y que contenía la historia y las experiencias de los judíos durante la dominación persa.

V. 3. La importancia de Mardoqueo aquí no se basa tanto en haber alcanzado el rango de gran visir, tal como lo había logrado anteriormente Amán, sino en el hecho de que era un hombre bueno. Esta bondad se mostraba en procurar el bienestar de los demás de su pueblo, y ser un agente de paz. Esas cualidades se demostraron de varias maneras, incluyendo los consejos y la dirección que le diera a Ester. El fue un elemento valioso que Dios quiso usar para llevar a feliz término su decisión de proteger a su pueblo.

Aplicaciones del estudio

1. ¿Es justo tener un espíritu de venganza? Ester pidió a Asuero que fueran colgados en una horca los diez hijos de Amán (v. 13). Habría que ver la actitud de Ester a la luz de todo el mal que había planeado hacer Amán. ¿Es justo que un pagano pretenda aniquilar al pueblo de Dios y quede impune?

2. El valor de una fiesta. La institución de la fiesta de Purim es un ejemplo de la importancia de celebrar los grandes actos del Dios de la historia. Por ello debemos celebrar con un profundo sentido la cena del Señor y otros eventos que nos recuerdan la grandeza del plan de Dios para salvar al hombre.

Ayuda homilética

Dios tiene cuidado de su pueblo
Ester 8:1 a 9:18-22

Introducción: En medio de las pruebas más difíciles, Dios manifestó su cuidado amoroso por su pueblo escogido. Lo mismo hace hoy por la iglesia.

I. Dios demuestra su cuidado amoroso (8:1-16).
- A. Por medio de proveer para sus hijos. Dios (por medio de Asuero) entregó a Ester la casa del enemigo Amán.
- B. Bendijo a Mardoqueo dándole autoridad semejante a la del rey.
- C. Dándole a su pueblo la oportunidad de defenderse.

II. Dios demuestra su señorío y su poder (9:1-15).
- A. Dando a su pueblo una victoria avasalladora.
- B. Propiciando la gracia de los gobernantes para con su pueblo.
- C. Mostrando la calidad de pueblo que él tenía (no tomaron botín del enemigo).

III. La memoria histórica, un recuerdo del cuidado de Dios (9:18-22).
- A. La fiesta de Purim conmemora el cuidado de Dios.
- B. Ofrecer regalos en día de fiesta ilustra el cuidado de Dios.
- C. El pueblo de Dios, la iglesia, debe celebrar con júbilo las fechas que recuerdan el cuidado amoroso de Dios.

Conclusión: La conclusión de la historia de Ester es que Dios sigue manifestándose como un Padre amante que tiene cuidado de sus hijos. Ese reconocimiento debe impulsar a la iglesia a celebrar gozosamente el amor de Dios.

Lecturas bíblicas para el siguiente estudio

Lunes: Colosenses 1:1-6
Martes: Colosenses 1:7-11
Miércoles: Colosenses 1:12-17
Jueves: Colosenses 1:18-26
Viernes: Colosenses 1:27-29
Sábado: Colosenses 2:1-5

AGENDA DE CLASE

Antes de la clase

1. Lea los capítulos 8 a 10, dando atención especial a los pasajes del texto básico. **2.** Ore porque estos tres estudios puedan ayudar a sus alumnos a entender mejor el cuidado de Dios a favor de su pueblo, y cómo Dios usa a sus siervos para lograr sus propósitos. **3.** Busque información (incluyendo cuadros y fotografías) sobre una fiesta nacional de su país que celebra la liberación del pueblo en circunstancias difíciles. **4.** En un diccionario bíblico o en una enciclopedia busque información sobre la fiesta judía de Purim. **5.** En una hoja de cartulina escriba los nombres de Ester, Mardoqueo y Asuero lado a lado. Se usará para anotar cualidades personales vistas en estos tres capítulos para evaluarlos. **6.** Lea el Salmo 58:6-11 como trasfondo para apreciar el deseo humano de venganza que vemos en este estudio, pero recuerde que Dios dice: "Mía es la venganza, yo pagaré" (Deut. 32:35). Lea Mateo 5:43-48 y Romanos 12:19-21 para recordar la enseñanza de Jesús y sus seguidores sobre el odio y la venganza.

Comprobación de respuestas

JOVENES: **1.** V. 11; **2.** V. 2; **3.** V. 22; **4.** V. 3.
ADULTOS: **1.** Facultaba a los judíos a que reuniesen y estuviesen a la defensiva para destruir, matar y exterminar a todo ejército del pueblo que los asediase en el día 13 del mes de Adar. **2.** Gritaban de gozo y alegría. **3.** Tuvieron esplendor y alegría, regocijo y honra. **4.** Se defendieron, y los magistrados estaban a su lado por su miedo del poder de Mardoqueo. **5.** 14, 15, Adar, judíos, reposo. **6.** Banquete, regocijo, porciones, necesitados. **7.** Fue grande entre los judíos y querido por la mayoría, y procuraba el bienestar y la paz de su pueblo.

Ya en la clase

DESPIERTE EL INTERES

1. Dé la bienvenida a todos y oren por necesidades que se mencionen. **2.** Hablen de alguna fiesta que se base en una liberación especial en su país, usando los materiales que ha preparado. Pida a los alumnos que hablen de cosas especiales que han hecho en ese día. (¡No tome demasiado tiempo para esta actividad!) **3.** Diga que todo pueblo tiene fiestas que celebran victorias especiales y que hoy estudiaremos las circunstancias que son la base de la fiesta de Purim de los judíos.

ESTUDIO PANORAMICO DEL CONTEXTO

1. Después de la muerte de Amán, Asuero nombra a Mardoqueo como el gran visir y le da su anillo como signo de su confianza, esto le otorgaba el poder segundo después del rey. **2.** Lea Ester 8:4-6 y hablen de la manera conmovedora en que Ester pidió por su pueblo. **3.** Muestre el cartelón con los nombres de Ester, Mardoqueo y Asuero y anote las cualidades de cada uno que notamos en este pasaje. **4.** Como contraste de esto consideren la venganza de los judíos, incluyendo a Ester. La Biblia no aprueba esta acción, solamente la relata. **5.** Pregunte si a veces no hacemos lo mismo, asumiendo como propia la responsabilidad que no es nuestra. Pida que alguien lea Mateo 5:43-48 y Romanos 12:19, 21 que habla sobre la enseñanza de Jesús y sus seguidores.

ESTUDIO DE TEXTO BASICO

Dé tiempo para que resuelvan la sección *Lea su Biblia y responda.* Aclare cualquier duda en cuanto a las respuestas.

Lean Ester 8:9-17. Explique las circunstancias en medio de las cuales el rey dio permiso para que Ester y Mardoqueo hicieran un decreto para contrarrestar en lo posible el horrible decreto de Amán. Aclare las características de la ley de medos y persas (el decreto previo no podía ser abrogado). Hablen de los poderes que el nuevo decreto daba a los judíos. Sigan anotando en el cartelón algunas cualidades de Ester, Mardoqueo y Asuero que se percibe en este pasaje.

Lean al unísono Ester 9:1-4. Noten que ahora las circunstancias han cambiado. Ahora son los judíos los que son temidos. Comenten por qué los gobernantes decidieron apoyar a los judíos en relación con el decreto de Mardoqueo.

Ester 9:18-22. Aclare suficientemente los orígenes de la fiesta de Purim y su importancia en la memoria histórica del pueblo de Dios. Pregunte: ¿Cuáles hechos de nuestra historia particular podríamos celebrar con fiestas?

Lean Ester 10:1-3 y hablen de Asuero y de su poder para tomar cualquier decisión que quisiera. Era un rey autocrático. La grandeza de Mardoqueo se ve en su posición como segundo del rey; fue altamente apreciado entre los judíos "por la mayoría de sus hermanos". Resalte las razones de este aprecio. Continúe anotando en el cartelón las cualidades de Asuero y Mardoqueo apreciadas en estos versículos. (Tome nota de que no se menciona a Ester en este último capítulo.) Evalúe a los tres como personas y como líderes de su pueblo.

APLICACIONES DEL ESTUDIO

1. Lean las aplicaciones y hablen de cómo cada una de ellas pueden ser de valor para sus vidas. **2.** Hablen de lo que han aprendido del estudio de este libro.

PRUEBA

1. Divida al grupo en parejas para que cada uno desarrolle uno de los ejercicios. **2.** Pida que compartan sus conclusiones con el grupo.

PLAN DE ESTUDIOS
COLOSENSES, 1, 2 TIMOTEO, TITO

Escriba antes del número de cada estudio, la fecha en que lo usará.

Fecha **Unidad 4: Hacia una vida cristiana más sana**

_______ 14. Cristo Señor de mi vida
_______ 15. Frente a diversas enseñanzas
_______ 16. Secretos de una vida victoriosa
_______ 17. ¡Buena conducta!

Unidad 5: Exigencias de la iglesia

_______ 18. Corazón puro por pura gracia
_______ 19. Una vida tranquila y reposada
_______ 20. Requisitos para los dirigentes de una iglesia
_______ 21. Relaciones interpersonales en la iglesia
_______ 22. La piedad y la verdadera riqueza

Unidad 6: Aviva el don

_______ 23. Obrero eficaz y eficiente
_______ 24. Cumple el plan de Dios para tu vida
_______ 25. Dirigentes calificados para la iglesia
_______ 26. Evidencias de la renovación del Espíritu Santo

COLOSENSES, 1, 2 TIMOTEO, TITO
Una introducción

Colosenses

Destinatarios. Esta epístola fue enviada a Colosas (1:2), una pequeña ciudad de poca importancia del valle de Lycus. Ya habían sido establecidas iglesias en esta región (4:13). La carta menciona a Epafras como instructor de ellos y fiel consiervo del Apóstol.

Escritor. La epístola manifiesta muy claramente que el apóstol Pablo es el escritor, no solamente por la forma del saludo al comienzo, sino también por el contenido mismo de la carta (1:23) y por la conclusión (4:18). La personalidad del Apóstol se revela a través de toda esta carta. Además, por lo que sabemos de los registros históricos, nadie en el pasado ha dudado en cuanto a la autenticidad de esta epístola.

Propósito. Por este medio Pablo advierte a los colosenses del peligro de las falsas enseñanzas resultantes de un movimiento sincretista que surgió de la fusión de ciertos elementos griegos y judíos. Otro propósito era dar una serie de exhortaciones prácticas con el propósito de desarrollar en ellos una vida cristiana más sana.

1, 2 Timoteo, Tito

Ocasión y propósito. Detrás de estas tres epístolas se esconde una situación histórica específica, que no resulta fácil compaginar. En 1 Timoteo Pablo acaba de dejar a Timoteo en Efeso (1 Tim. 1:3). También había estado recientemente con Tito en Creta (Tito 1:5) y en el momento de escribir la carta pareciera que está en Nicópolis desde donde le pide a Tito que se le una (Tito 3:12). Ha de ser, con toda probabilidad, la ciudad que está en Epiro. Cuando escribió 2 Timoteo el Apóstol estaba preso y anticipaba la proximidad de su muerte. En algún momento estuvo en Roma (2 Tim. 1:17) y dejó algunas de sus pertenencias en Troas (2 Tim. 4:13). También estuvo en Mileto, donde dejó a su compañero Trófimo, que estaba enfermo (2 Tim. 4:20), mientras otro de sus colaboradores, Erasto, se quedaba en Corinto. De todo esto se deduce que poco antes de escribir estas epístolas Pablo viajó respectivamente por Asia, Creta y otras partes de Europa. Aparece nuevamente en Roma cuando escribió 2 Timoteo.

Estas epístolas que algunos han dado en llamar las Epístolas Pastorales muestran a un Pablo que está a punto de terminar su misión terrenal y decide dedicar el tiempo que le queda a dar directrices a aquellos que le han de reemplazar tanto en su posición como en sus responsabilidades.

Entre otras cosas, el Apóstol considera las exigencias que demanda la organización de la iglesia, y escribe para confirmar ciertos asuntos, principalmente lo relacionado con los cargos jerárquicos de la misma.

Hay un interesante pedido por algunos libros, pergaminos y un capote que dejó en Troas (2 Tim. 4:13). Alguien describió estas epístolas como el canto del cisne de Pablo.

Estudio **14**

Unidad 4

Cristo Señor de mi vida

Contexto: Colosenses 1:1 a 2:5
Texto básico: Colosenses 1:9-23
Versículo clave: Colosenses 1:10
Verdad central: Lo que Pablo enseña acerca de la persona de Jesucristo me motiva a confiar en Cristo como Señor de mi vida.
Metas de enseñanza-aprendizaje: Que el alumno demuestre su: (1) conocimiento de lo que Pablo enseña acerca de la persona de Jesucristo, (2) actitud de confianza en Jesucristo como el Señor de su vida.

Estudio panorámico del contexto

A. Fondo histórico:

Tres ciudades constituían una provincia romana en Asia: Laodicea, Hierápolis y Colosas. Colosas no era una ciudad muy grande ni muy importante, pero dado que las tres ciudades estaban muy cercanas la una de la otra, la comunicación e influencia entre ellas era muy significativa.

La iglesia de Colosas fue fundada por hermanos que vinieron de Efeso (Hech. 19:10). Una de las personas mencionadas es Epafras (Col. 1:7; 4:12, 13). Este hermano bien pudo ser el fundador, el primer pastor, o por lo menos una persona de mucha influencia. Fue Epafras quien informó a Pablo sobre la situación de los hermanos en Colosas. Fueron esas noticias las que animaron al Apóstol a escribir la carta que vamos a considerar.

Situación. La iglesia de Colosas estaba confrontando una doctrina contraria a las enseñanzas de Pablo. Algunos estudiantes de la Biblia encierran esas doctrinas heréticas con el nombre de "gnosticismo"; puede ser, aunque sabemos que ese sistema se desarrolló formalmente hasta el siglo II. De todos modos, veamos algunos de los elementos distintivos de esa falsa doctrina: (1) Ponía en duda la supremacía de Cristo. (2) Enseñaba una lucha constante entre el bien y el mal como coexistentes e interdependientes el uno del otro. (3) Negaba la verdadera participación de Cristo en la creación del universo. (4) Ponía en tela de duda la humanidad de Jesucristo. (5) Se suscribía a las creencias de que la vida del hombre estaba gobernada por los astros. (6) Ponía un fuerte énfasis sobre el poder de los demonios y las fuerzas de maldad así como en los ángeles a quienes consideraba intermediarios entre Dios y el hombre. (7) Era una doctrina que clasificaba a los creyentes de tal manera que unos eran "iluminados" y otros no. Los "iluminados" gozaban de ciertos privilegios que les ubicaban en un nivel superior en la escala espiritual.

B. Enfasis:

Saludo, 1:1, 2. Pablo recibió un informe, probablemente por medio de Epafras, de la situación por la cual atravesaban los hermanos colosenses. Pensó que sería bueno escribirles para darles algunas instrucciones.

Pablo se identifica a sí mismo como apóstol de Jesucristo, incluye al hermano Timoteo (de quien estudiaremos con más detalle en los estudios 5 a 11 de esta Serie).

Acción de gracias e intercesión, 1:3-14. En estos versículos Pablo (1) expresa su gratitud a Dios por la fe y el amor que los hermanos de Colosas han demostrado hacia Dios y hacia otras personas; (2) intercede por ellos para que Dios les provea la sabiduría para aplicar en su vida diaria lo que saben acerca del Señor.

La preeminencia de Cristo, 1:15-23a. Este es uno de los pasajes que junto con Filipenses 2:1-11 expone la persona de Jesucristo con toda excelsitud.

Pablo, ministro del evangelio, 1:23b a 2:5. Pablo, como un pastor interesado en que su congregación lo comprenda, le explica que el gran propósito de su vida es predicar el evangelio y ayudar a los creyentes a madurar en su fe. También les explica que tiene mucho interés por ellos.

Estudio del texto básico

1 Conocer y hacer, el desafío del creyente, Colosenses 1:9-14.

V. 9. Una de las necesidades de los hermanos de Colosas, como de la gran mayoría de nosotros hoy, es que sabían muchas verdades, principios y enseñanzas de la Biblia, pero les hacía falta ponerlas en práctica. Los falsos maestros que llegaron a Colosas enseñaban que para ser mejores cristianos se debía adquirir más y más conocimiento. Pablo ruega a Dios que permita a los colosenses ser *llenos del conocimiento de su voluntad...* Es decir conocer cómo poner en práctica, en la vida diaria, lo que le agrada a Dios.

Vv. 10, 11. *Para que andéis como es digno del Señor... de manera que produzcáis frutos.* En el lenguaje de la Biblia el término "andar" lleva la connotación de la conducta, o lo que se hace todos los días. Los creyentes tenemos una motivación suprema para portarnos bien cada día, esta es: agradar al Señor. Cuando así lo hacemos: (1) Otras personas son bendecidas por la buena obra que hacemos a su favor. (2) Crecemos en el *conocimiento de Dios;* nuestra relación con él es más profunda y personal. (3) Somos *fortalecidos* (recibimos la energía interior que provee el Espíritu que mora en nosotros) para hacer frente a las tentaciones del mal, como también para continuar la vida cristiana a pesar de las circunstancias adversas por las cuales Dios nos permita cruzar.

Vv. 12-14. *Con gozo damos gracias al Padre...* Pablo aumenta el tono de su alegría delante de Dios y expresa sus razones: (1) *Nos hizo aptos para participar de la herencia* (v. 12). Esta primera razón implica otras dos: Dios en Cristo tiene una herencia, un lugar y un contenido para nosotros. Su gracia y su amor generoso son expresados constantemente. Además, nos hizo "aptos" esto es, nos califica para poder disfrutar de esa herencia. (2) *Nos ha librado de la* *autoridad de las tinieblas* (v. 13). Los creyentes en Cristo, por la gracia de Dios, pasamos del control y dominio de la oscuridad a la luz de Cristo. (3) *Nos ha trasladado al reino de su Hijo amado* (v. 13). Dios cambia el lugar de nuestra habitación; nos mueve del dominio de Satanás al reino donde domina su Hijo amado, por lo tanto ahora somos libres del control de Satanás y estamos bajo el control de Cristo. (4) En Cristo *tenemos redención.* Pablo extiende la figura del traslado de un reino al otro, diciendo que Cristo ha pagado el rescate y por lo tanto nos ha librado o redimido. El aspecto más profundo y radical de la redención es el perdón de los pecados. Llegamos a ser esclavos de las tinieblas por causa del pecado. Por haber pecado éramos deudores, culpables, condenados, sin embargo, en Cristo los creyentes somos: calificados, liberados, trasladados, redimidos y perdonados. Pablo tenía suficientes razones para dar gracias a Dios y animar a los creyentes a andar como es digno del Señor.

2 ¿Quién es Cristo? ¿Es el Señor de mi vida?, Colosenses 1:15-20.

V. 15. Algunos atenienses del día de Pablo adoraban "al dios no conocido". Algunos creyentes que vivían en Colosas hacían lo que quizá hacen algunas personas que asisten a la misma congregación que usted. Puede ser que estén siguiendo al Cristo no conocido o cuando menos a uno distorsionado por la cultura y la tradición. Todos necesitamos revisar lo que sabemos acerca de Jesucristo a la luz de lo que enseña el Nuevo Testamento.

Cristo *es la imagen del Dios invisible.* La palabra "imagen" significa una copia exacta, una fotografía sin retoques. Efectivamente "Dios está en Cristo" como un todo. Es algo no muy fácil de comprender, pero así es: Cristo es ciento por ciento Dios como era ciento por ciento humano.

Cristo *es el primogénito de toda la creación.* El concepto "primogénito" lleva el sentido de autoridad, de ocupar el primer lugar en todo, más que de haber sido creado primero. Cristo no fue creado, no hubo ningún tiempo cuando no existiera, él es eterno.

V. 16. En Cristo *fueron creadas todas las cosas.* "Todas" es un absoluto, sin excepción. Incluye lo que existe en el cielo, en la tierra, sea visible o invisible. La mención de *tronos, dominios, principados o autoridades* puede referirse a cierto orden de autoridad que existe en toda la creación, o bien a cierta doctrina que suponía que el universo está regido y controlado por cierto orden. Parece que esos falsos maestros tenían la idea de ubicar a Cristo dentro de un cierto orden y que el propósito de Pablo es afirmar que Cristo es superior en esas escalas de valores.

Todo fue creado por medio de él y para él. Pablo de manera contundente afirma que todo fue creado por medio de Cristo. Cristo es el participante activo de la creación. La expresión "para él" coloca a Jesucristo como dueño, señor, gobernador de todo lo creado.

V. 17. *El antecede a todas las cosas.* Esta expresión reafirma la eternidad de Cristo y lo establece como la fuente de todas las cosas. Además, *en él todas las cosas subsisten.* El deísmo del Siglo XVIII afirmaba que si bien Cristo creó todas las cosas y estableció ciertas leyes, luego se alejó de la creación y ahora ella marcha regida por sus propias leyes y principios. Pero la realidad es que Cristo está presente en el diario quehacer de todas las cosas. El es superior a todas las cosas, y sin embargo, está cuidando diariamente de cada una.

V. 18. *El es la cabeza del cuerpo, que es la iglesia.* Pablo utiliza tres afirmaciones para señalar la relación de Cristo con la iglesia. (1) Cristo es Señor de la iglesia porque es su *cabeza.* El le da dirección, orden y significado. (2) *El es el principio,* esta es la segunda afirmación. Cristo es el fundador de la iglesia; quien le dio inicio. Es quien provocó o causó, quien hizo posible la existencia de la iglesia. (3) *El es el primogénito de entre los muertos.* La resurrección de Cristo garantiza el triunfo final de todos los que forman parte del cuerpo de Cristo. Como resultado él es *preeminente,* es decir, que merece toda la lealtad y el amor de todos los miembros de su cuerpo: la iglesia.

V. 19. *Agradó al Padre que en él habitase toda plenitud.* Esta afirmación de Pablo requiere una explicación. Resulta que los falsos maestros habían desarrollado un sistema de valores de menor a mayor por medio del cual los hombres iban escalando nuevas posiciones según sus conocimientos y su estilo de vida. A todo el sistema se le daba el nombre de "pleroma". La palabra "pleroma" ha sido traducida como "plenitud". Lo que Pablo dice es que Cristo es el comienzo, el fin y la totalidad del sistema por el cual los hombres pueden ser los mejores hombres porque Cristo encierra y llena todo.

V. 20. *Por medio de él reconciliar consigo mismo todas las cosas.* Por causa del pecado el hombre usa mal las cosas. En cierto modo las usa y se indispone en contra de Dios. Sin embargo, Dios, por medio de Cristo, las reconcilia, esto es, las conduce al propósito original para el cual fueron creadas. Todo esto es posible gracias a la sangre de su cruz. La muerte de Cristo en la cruz es la que hace posible todo el milagro de la paz entre Dios, los hombres y la creación.

3 Cristo, el Señor de mi iglesia, Colosenses 1:21-23.

V. 21. Pablo recuerda a todos los miembros de la iglesia quiénes éramos antes de haber sido alcanzados y reconciliados por medio de Cristo. Eramos: *apartados,* gente extraña, desconocidos. *Enemigos,* la idea es la de personas hostiles, quienes mantienen una actitud de combate, de pelea caprichosa en contra de Dios. El resultado de esta actitud: *la mente ocupada en las malas obras.* De ninguna manera deseábamos relacionarnos con Dios, pero Cristo nos buscó, nos compró y nos *ha reconciliado.*

V. 22. El versículo anterior dice de dónde nos alcanzó Cristo, ahora nos dice lo que ha hecho con nosotros *por medio de la muerte: santos, sin mancha e irreprensibles.* Cristo es Señor de nuestra iglesia porque él nos ha lavado con su sangre y nos ha restaurado a la comunión con el Padre celestial.

V. 23. Estas son las evidencias: *permanecemos firmes y fundados en la fe; sin ser removidos de la esperanza del evangelio.* Los creyentes en Cristo no estamos exentos de tentaciones y de las asechanzas de Satanás, pero permanecemos firmes gracias a la obra que Cristo ha hecho por nosotros.

Aplicaciones del estudio

1. A veces nos hace bien recordar cómo era nuestra vida antes de ser alcanzados por la gracia de Dios en Cristo. Recordemos que fue la gracia de Dios quien nos ha trasladado de las tinieblas a su luz admirable.

2. ¡Cristo es el Señor! Más que una frase bonita, más que un lema, es una confesión de fe y un reconocimiento de que todo lo que soy y lo que puedo ser está determinado por la relación personal e íntima que establezco con Cristo.

Ayuda homilética

¿Quién es el verdadero Cristo?
Colosenses 1:15-23a

Introducción: En el libro *El Otro Cristo Español* el escritor nos guía a observar cómo el crucificado que aparece en los templos se ha adaptado a los rasgos de la gente de la región. Así tenemos crucificados negros, morenos, amarillos, altos, bajos, gordos y delgados. La gran pregunta es: ¿Cuál es el verdadero Cristo? Pablo responde:

I. El Señor de la creación.
- A. Porque es el primogénito de toda la creación.
- B. Porque en él fueron creadas todas las cosas.
- C. Porque todo fue creado por medio de él y para él.
- D. Porque todas las cosas en él subsisten.

II. El Señor de la iglesia.
- A. Porque es la cabeza de la iglesia.
- B. Porque es el origen de la iglesia.
- C. Porque es la garantía de su victoria final.

III. El Señor de mi vida.
- A. Porque me reconcilió cuando yo era su enemigo.
- B. Porque me limpió de todos mis pecados y malas obras.
- C. Porque me reconcilió con él y para él.
- D. Porque sostiene mi fe y afirma mi esperanza.

Conclusión: Al contestar a la pregunta: ¿Quién es Cristo para mí? Debemos estar seguros de poder responder: ¡Cristo es el Señor de mi vida! Esa es la respuesta más importante de la vida.

Lecturas bíblicas para el siguiente estudio

Lunes: Colosenses 2:6, 7
Martes: Colosenses 2:8-10
Miércoles: Colosenses 2:11-15
Jueves: Colosenses 2:16, 17
Viernes: Colosenses 2:18, 19
Sábado: Colosenses 2:20-23

AGENDA DE CLASE

Antes de la clase

1. Dé una lectura rápida a toda la Epístola a los Colosenses. **2.** Lea la sección *Estudio panorámico del contexto* en el material de estudio en este libro del maestro y en el del alumno. **3.** Lea detenidamente 1:1 a 2:5 y vuelva a repasar el *Estudio panorámico del contexto.* Identifique: (a) al escritor, (b) fecha, (c) dónde se encontraba, (d) destinatarios de la carta, (e) características de la ciudad de Colosas, (f) origen de la iglesia en esa ciudad, (g) motivo de la carta. **4.** Confeccione un cartel con el título de la unidad como encabezamiento y los títulos de los estudios 14, 15, 16, 17 y sus citas bíblicas debajo. **5.** Consiga un mapa del mundo del N. T. **6.** Conteste las preguntas en la primera sección bajo *Estudio del texto básico* en el libro del alumno.

Comprobación de respuestas

JOVENES: **1.** Cristo es la imagen de Dios. **2.** Todo fue creado en él, por él y para él. **3.** Es la cabeza. **4.** Reconcilió consigo mismo a todas las cosas. **5.** Estaban apartados y eran enemigos de Dios. **6.** No serían removidos de la esperanza del evangelio.

ADULTOS: **1.** Que sean llenos del conocimiento de su voluntad en toda sabiduría y plena comprensión espiritual. **2.** a. Es la imagen del Dios invisible. b. Primogénito de la creación. c. Es cabeza de la iglesia. d. Antecede a todas las cosas y en él todas las cosas subsisten. e. Es el primogénito entre los muertos. **3.** Reconciliarnos con Dios por medio de Cristo.

Ya en la clase

DESPIERTE EL INTERES

1. Escriba en el pizarrón o en una cartulina: "¿Para qué me sirve esto?" Pregunte si alguna vez se hicieron esta pregunta al estudiar algo en la escuela, universidad o el trabajo. Los padres de familia pueden decir si alguna vez sus hijos preguntaron algo así al tener que estudiar alguna materia. **2.** Dé oportunidad para que respondan libremente sin aportar usted ningún comentario. **3.** Diga que es una buena pregunta, que los conocimientos siempre nos sirven de algo.

ESTUDIO PANORAMICO DEL CONTEXTO

1. Coloque el cartel con el título de la unidad y de los estudios correspondientes, en un lugar donde todos puedan verlo. Lea en voz alta el título de la unidad y diga que lo que aprenderán en los próximos cuatro estudios (lea sus títulos) servirá para algo muy importante si los encaran con seriedad: servirá para capacitarlos a vivir una vida cristiana más sana. **2.** Diga que para ello enfocarán la breve carta a los Colosenses. Comparta la información sobre el escritor, dónde se encontraba, fecha, destinatarios, algo sobre la ciudad de Colosas (señálela en el mapa) y el motivo de la carta. **3.** Lean Colosenses 1:1-8. Dé una introducción de la carta, subrayando lo que Pablo había oído.

ESTUDIO DEL TEXTO BASICO

Pida a sus alumnos que lean en silencio Colosenses 1:9-14 y encuentren por quiénes oraba Pablo y qué rogaba al Señor e identifiquen las palabras que indican "totalidad" (toda, plena) y "saber" (conocimiento, sabiduría, comprensión). Dialoguen sobre lo que encontraron. Vuelva a leer la pregunta en el pizarrón o cartel. Diga que en los vv. 10-14 encontrarán para qué sirve ese conocimiento. Un alumno lea dichos versículos en voz alta. Asigne a cinco alumnos un versículo cada uno en que deben encontrar un "para qué" que Pablo presenta.

¿Quién es Cristo? ¿Es el Señor de mi vida? Colosenses 1:15-20. Pablo quería que sus lectores comprendieran plenamente quién es Cristo y que los vv. 15-20 dan una de las mejores respuestas que la Biblia tiene para esta pregunta. Forme seis parejas o grupos pequeños y asigne un versículo a cada uno para que en él encuentren una respuesta a la pregunta: ¿Quién es Jesús? y preparen una explicación de su significación. Presenten su explicación. Cuando hayan terminado, lean todo el pasaje en voz alta a modo de recapitulación.

Cristo, el Señor de mi iglesia, Colosenses 1:21-23. Un alumno lea en voz alta los vv. 21-23 mientras los demás identifican: (a) una descripción del cambio que Cristo efectúa en uno, (b) qué acción de Cristo posibilita el cambio, (c) cuáles son las evidencias del cambio. Después de que aporten lo que identificaron, recalque que SIN Cristo no hay cambio, ni nueva vida, ni esperanza, ni iglesia, ni quien "nos presente santos, sin mancha, irreprensibles" delante de Dios y que CON Cristo es todo lo contrario. Lean al unísono el v. 27b que resume lo más maravilloso del cambio ("Cristo en vosotros, la esperanza de gloria").

APLICACIONES DEL ESTUDIO

1. En el pizarrón o cartel considere la última pregunta: "¿Quién es Cristo? ¿Es el Señor de mi vida?" Si entre los participantes hay quienes no han aceptado a Cristo como su Salvador personal, invítelos a hacerlo ahora. Si todos son creyentes, hagan una paráfrasis de Colosenses 1:23 en primera persona del singular, como una resolución personal.

PRUEBA

Lea en voz alta las preguntas en esta sección en el libro del alumno y pida que cada uno escriba las respuestas. Comparen y comprueben lo realizado.

Frente a diversas enseñanzas

Contexto: Colosenses 2:6-23
Texto básico: Colosenses 2:6-22
Versículo clave: Colosenses 2:6
Verdad central: Cuando somos confrontados con diversas enseñanzas, el consejo de Pablo es que usemos dos criterios: que reafirmemos nuestra fe en Jesucristo, y que las evaluemos a la luz de la Palabra escrita del Señor.
Metas de enseñanza-aprendizaje: Que el alumno demuestre su: (1) conocimiento de los dos criterios que un creyente debe usar al confrontarse con diversas enseñanzas, (2) actitud de evaluar y reafirmar su fe en Jesucristo.

Estudio panorámico del contexto

A. Fondo histórico:

Varios falsos maestros se dieron cita en Colosas para propagar sus enseñanzas. Una de esas enseñanzas era que es posible vivir la vida cristiana gracias a ciertos conocimientos y no solamente por medio de la fe. Otra era que la obra de Cristo en la cruz cumplía ciertos fines buenos, pero que no era suficiente para la salvación. Además, decían que para asegurar la salvación era necesario mantener cierta dieta alimenticia y cumplir con ciertos ritos y reglas.

B. Enfasis:

La vida en Cristo es suficiente, 2:2-7. Los falsos maestros insistían que un creyente en Cristo debe adquirir ciertos conocimientos a fin de ascender a niveles superiores de fidelidad. Decían que tener fe solamente en Cristo era ingenuo. Pablo advierte contra tal enseñanza y anima a los hermanos a mantener la fidelidad solamente en Cristo, pues todas las otras cosas son innecesarias.

Cristo provee todo lo que es necesario para la salvación, 2:8-15. Comprender todo lo que Cristo ha hecho y sus implicaciones no es fácil; los falsos maestros aprovechaban esa carencia de los recién convertidos para confundirlos y proponerles otros elementos para completar su fe.

Cristo provee suficiente libertad, 2:16-19. Los falsos maestros decían que para asegurar la salvación era necesario mantener un cuidadoso régimen alimenticio. También promovían la observancia de ciertos días y el culto a los ángeles. Pablo contrarresta esas enseñanzas diciendo que hacer todas esas observancias es someterse a un tipo de esclavitud que invalidaría la obra de Cristo.

La vida nueva en Cristo, 2:20-23. Los falsos maestros ponían énfasis en la importancia de ciertas reglas y ritos. Creían que de esa manera uno ascendía en la escala espiritual para estar más cerca de Dios. Pablo les recuerda a los hermanos de Colosas, y a nosotros, que Cristo nos hizo libres de tales decretos y leyes, que la fe en Cristo como Salvador y Señor es suficiente y completa para hacer efectiva nuestra salvación.

Estudio del texto básico

1 Cristo es suficiente para el camino diario, Colosenses 2:6, 7.

V. 6. Los falsos maestros ponían en tela de duda las enseñanzas que Epafras, el pastor de la congregación de Colosas les había impartido. Aseguraban que lo que Epafras les enseñaba no era suficiente, que los creyentes necesitaban ciertos conocimientos especializados para avanzar en su fe. Pablo dice que los hermanos por la fe habían recibido a Cristo Jesús como su Señor, y que ese hecho era suficiente para comenzar y caminar en la vida cristiana. *Así andad en él.* Esta expresión describe todo un estilo de vida. Cristo es el paradigma o modelo por el cual un creyente debe normar su conducta diaria.

V. 7. Consideremos las siguientes descripciones: *arraigados, sobreedificados y confirmados.* Son palabras que describen la construcción de un edificio. Sus cimientos, su construcción y sus acabados. Después de que una persona nace por medio de la fe en Cristo debe crecer por la fe. Al igual que un edificio debe seguir ciertas normas de construcción, dependiendo del uso para el cual se edifica; así los creyentes debemos edificar nuestra vida de acuerdo con lo que nos ha sido enseñado, y por medio de abundantes acciones de gracias. Quienes hemos sido redimidos por la gracia de Jesucristo tenemos muchas razones por las cuales dar gracias a Dios cada día de nuestra vida.

2 Cristo es suficiente para nuestra salvación, Colosenses 2:8-15.

V. 8. *Mirad...* es una expresión de advertencia para estar alerta a fin de que las falsas enseñanzas no nos desvíen del evangelio de Jesucristo. Además de lo maligno de las enseñanzas, quienes las enseñaban habían elaborado su razonamiento al estilo de las filosofías que les daban una apariencia de verdades profundas; pero Pablo advierte que estaban plagadas de falsas sutilezas que daban como resultado que los creyentes se alejaran de Jesucristo y llegaran a cambiar su estilo de vida conforme a los principios del mundo.

Vv. 9, 10. Pablo presenta la suficiencia de Cristo para lograr nuestra salvación. Los falsos maestros habían elaborado un complejo procedimiento en varias etapas por medio de las cuales el creyente debía avanzar hasta satisfacer todos los requisitos previos a su salvación. La tragedia era que la mayoría de los creyentes nunca podrían estar seguros en qué etapa se encontraban, ni hasta cuál nivel habían ascendido. Todo ese sistema filosófico de salvación era identificado con el nombre de *pleroma* que es la palabra traducida por "plenitud". Pablo afirma que en Cristo habita toda la plenitud, esto es, que Cristo ha cumplido la totalidad de los requisitos necesarios para que por medio de él los que creen en él sean salvos. Pablo resuelve todo el complejo sistema del *pleroma* diciendo: *Vosotros estáis completos en él, quien es la cabeza de todo principado y autoridad.* El mismo concepto podría expresarse más o menos así: Por causa de que ustedes han creído en Cristo, quien es todo lo que necesitan, han cumplido a cabalidad todos los requisitos para su salvación.

V. 11. Otro elemento en las enseñanzas de los falsos maestros era que los creyentes debían observar ciertos ritos y leyes hebreos. En el A.T. la circuncisión fue un símbolo o señal del pacto entre Dios y su pueblo Israel. Pablo asegura que los creyentes han sido circuncidados en su corazón mediante una *circuncisión* que viene de Cristo. Por medio de este acto, Cristo no solamente ha hecho una circuncisión simbólica, sino una cirugía radical por medio de la cual nos despoja del cuerpo pecaminoso. Es decir, de la naturaleza pecaminosa que todos llevamos por dentro. La fuerza del argumento de Pablo está en la afirmación de que si la circuncisión física es necesaria para la salvación entonces la obra de Jesucristo es inadecuada. ¡Nada podría ser más falso!

V. 12. *El bautismo* es sin duda una experiencia profundamente significativa para el nuevo creyente que decide obedecer al Señor. Este versículo explica, al igual que lo hace Romanos 6:4, el significado de ese acto de obediencia. El bautismo simboliza la muerte a una vieja manera de vivir, sepultura juntamente con Cristo, y resurrección a un nuevo estilo de vida. Todo esto por medio de la fe en el poder de Dios.

V. 13. Pablo describe la maravillosa obra hecha por el Señor. Antes de encontrarnos con Cristo estábamos *muertos en los delitos.* Por la gracia de Dios fuimos guiados al arrepentimiento y la fe en Jesucristo y ocurrió el milagro más maravilloso que puede experimentar persona alguna: *Dios nos dio vida... perdonándonos todos los delitos.*

V. 14. Para ilustrar el concepto del perdón Pablo utiliza una ilustración tomada de una práctica romana. Cuando los romanos crucificaban a un malhechor colocaban sobre su cabeza un rótulo o *acta* en el cual se daba una lista de todos los delitos que la persona había cometido, y por los cuales se le había condenado a muerte. Algunas veces se exigía que la persona misma escribiera esa declaración. En nuestro caso Pablo dice que la lista de nuestros delitos fue clavada en la cruz de Jesucristo. El murió por nuestros pecados. En nuestro tiempo podríamos hablar de "un certificado de deuda" vencido en contra nuestra. El acreedor ha iniciado una demanda formal que nos pondrá en la cárcel por muchos años, pues literalmente estamos sin recursos para cumplir nuestro compromiso en lo más mínimo. De repente un amigo ofrece hacerse cargo de la deuda y la paga, luego anula o destruye el documento de deuda, y con amor nos dice: "Estás libre para siempre de esa deuda."

V. 15. Sin duda que nos sentiríamos felices, pero aun estamos sin un centavo para hacer frente a nuestras necesidades. Sin embargo, el amigo nos dice que el hombre a quien nosotros le debíamos también le debía a él todo lo que poseía. Se lo ha cobrado. Eso es lo que Cristo ha hecho por nosotros, despojó a los principados y autoridades y ha triunfado sobre ellos en la cruz.

3 Cristo es suficiente para nuestro crecimiento, Colosenses 2:16-19.

Vv. 16, 17. Pablo advierte a los hermanos de Colosas y a nosotros en contra de los falsos maestros que desean robarnos la libertad que Cristo nos ha dado. Astutamente procuraban que los creyentes de nuevo observaran cierta dieta alimenticia y ciertos días del calendario. Para reforzar su enseñanza decían que la espiritualidad de una persona se echa de ver por la manera como cumple con todos los ritos y reglas. Pablo explica que esas prácticas en el A.T. eran una *sombra de lo porvenir* pero que todos esos símbolos se hacen *realidad* en *Cristo.*

Vv. 18, 19. Entre las enseñanzas falsas había una que animaba el *culto a los ángeles.* Pretendían haber visto a esos ángeles y haber recibido un conocimiento especial de ellos. Pablo dice que tales falsos maestros están descalificados y no son parte de la iglesia del Señor, pues no están firmemente vinculados, aferrados a la cabeza. Una de las señales de la enseñanza genuina y de la verdadera relación con Cristo es que *todo el cuerpo* crece con el crecimiento que da Dios, esto es un cuerpo *nutrido y unido por coyunturas y ligamentos* del amor de Cristo en el corazón de cada miembro de la iglesia. Los signos de la verdad son claros. La salud espiritual de una persona es relativamente fácil de evidenciarse.

4 Cristo es suficiente para librarnos de lo elemental del mundo, Colosenses 2:20-22.

Vv. 20-22. Los falsos maestros dieron como equivalente el cumplimiento de ciertas *ordenanzas* o ritos con la calidad y profundidad de la vida espiritual. Pablo dice que, por cuanto hemos muerto con Cristo, hemos sido separados *de los principios elementales del mundo.* La muerte juntamente *con Cristo* nos libra de la obligación de cumplir esos requisitos impuestos por el mundo. Los creyentes hemos de estar atentos a no someternos de nuevo a esa esclavitud, pues lo que Cristo ha hecho por nosotros, y la libertad que nos ha dado se verían invalidadas. Las doctrinas de hombres están condenadas a perecer *con el uso.*

Aplicaciones del estudio

Cuando somos confrontados con diversas enseñanzas, el consejo de Pablo es que usemos dos criterios.

1. Primero, que reafirmemos nuestra fe en Jesucristo. Cuando alguien pretende enseñarnos algo acerca de la fe cristiana, una doctrina, una práctica, lo primero que debemos hacer es preguntarnos es si ese concepto reafirma nuestra fe en Cristo, y por lo tanto le coloca a él en el centro de nuestra vida como Señor.

2. Segundo, que evaluemos esa enseñanza a la luz de la Palabra escrita del Señor. La pregunta que naturalmente debemos hacer es: ¿Qué dice la

Biblia acerca de este asunto? Ninguna doctrina básica se debe basar en un versículo aislado de la Biblia o versículos conectados artificialmente. Las prácticas cristianas que la Palabra de Dios enseña son siempre claras, directas y hay ejemplos y relatos completos para explicar con exactitud lo que Dios espera que sus hijos hagamos.

Ayuda homilética

Cristo es suficiente
Colosenses 2:6-20

Introducción: Como parte del pueblo de Dios confiamos en la suficiencia de Cristo para satisfacer todas nuestras necesidades. El está al tanto de nosotros y tiene los recursos necesarios para responder a todos los aspectos que tienen que ver con nuestra militancia en su reino. Nos libra de todo lo que no conviene a sus intereses y muestra con claridad su naturaleza al confirmar la obra de salvación que hizo por amor a sus hijos.

I. Es suficiente para ayudarnos a andar como él quiere.
- A. Arraigados y sobreedificados en él (v. 6).
- B. Confirmados por la fe, según nos ha enseñado (v. 7a).
- C. Abundando en acciones de gracias (v. 7b).

II. Es suficiente para librarnos de las filosofías del mundo.
- A. Porque son vanas sutilezas (8a).
- B. Porque son conforme a la tradición de los hombres (v. 8b).
- C. No son conforme a Cristo (v. 8c).

III. Cristo es suficiente para mostrar con claridad su naturaleza.
- A. En él habita toda la deidad (v. 9).
- B. El es la cabeza de todo principado y autoridad (v. 10).

IV. Cristo es suficiente para lograr nuestra salvación.
- A. Nos dio vida, perdonándonos todos nuestros delitos (v. 13).
- B. Anuló al acta de condenación que había contra nosotros (v. 14).
- C. Triunfó sobre el enemigo en la cruz del Calvario (v. 15).
- D. Todo lo que ha hecho es sólo una sombra de lo porvenir (v. 17).

Conclusión: No debemos poner atención a las vanas filosofías de los hombres que se oponen a los intereses del reino de Jesucristo. No hay nada fuera de Cristo que satisfaga como él todas nuestras necesidades. Cristo, es más que suficiente para ayudarnos a ser la clase de personas que él espera que seamos.

Lecturas bíblicas para el siguiente estudio

Lunes: Colosenses 3:1-4
Martes: Colosenses 3:5-7
Miércoles: Colosenses 3:8-11
Jueves: Colosenses 3:12, 13
Viernes: Colosenses 3:14, 15
Sábado: Colosenses 3:16, 17

AGENDA DE CLASE

Antes de la clase

1. Lea Colosenses 2:6-23. Al hacerlo note: (a) las enseñanzas falsas que representaban un peligro para la integridad doctrinal de la iglesia; y (b) figuras representativas o simbolismos que usó Pablo para combatir el error y recalcar la verdad de la suficiencia de Cristo. **2.** Estudie el comentario en este libro del maestro y en el del alumno. **3.** En una franja de cartulina haga un cartel que diga: "¿Cuándo es suficiente?" **4.** Conteste las preguntas en la primera sección bajo *Estudio del texto básico* en el libro del alumno.

Comprobación de respuestas

JOVENES: **1.** v. 16, v. 8, v. 16, v. 8, v. 18. **2.** Firmemente arraigados y sobreedificados en él. **3.** a. En él habita la plenitud de la Deidad. b. Anuló el acta que había contra nosotros. c. La realidad le pertenece.
ADULTOS: **1.** a. Andamos en él. b. Arraigados y sobreedificados en él. c. Confirmados por la fe. d. Abundamos en buenas obras. **2.** Vv. 9, 10, 14, 15, 17. **3.** a. Nos despoja del cuerpo pecaminoso carnal. b. Resucitamos con él. c. Nos da vida perdonándonos nuestros delitos, d. Anula el acta contra nosotros. e. Despoja a principados y autoridades. **4.** Filosofías, vanas sutilezas, tradiciones de hombres, reglamentos de comidas, bebidas, días de fiesta, lunas nuevas o sábados; culto a los ángeles.

Ya en la clase

DESPIERTE EL INTERES

1. Dé un breve testimonio de creencias que tenía antes de aceptar a Cristo como su Salvador personal y de empezar a leer la Biblia, o pida a una persona convertida de joven o de adulto que lo dé. **2.** Comente que aunque vivimos en una sociedad que se denomina "cristiana" (a diferencias de musulmana, hindú, budista, etc.) la mayoría no tiene un conocimiento correcto del papel de Cristo.

ESTUDIO PANORAMICO DEL CONTEXTO

1. Repasen lo que enfocaron de Cristo en el estudio pasado, agregando que esa descripción de Pablo era necesaria por los errores doctrinales que se estaban infiltrando en las iglesias cristianas del primer siglo, entre ellas, la de Colosas. **2.** Basándose en su propio estudio del comentario bajo la sección *Estudio panorámico del contexto* en este libro del maestro, explique algunas de esas falsas enseñanzas, enfatizando que eran "agregados" al evangelio que hacían los falsos maestros porque consideraban que Cristo no era suficiente.

ESTUDIO DEL TEXTO BASICO

Como encabezamiento, escriba en el pizarrón o en una cartulina: CRISTO ES SUFICIENTE. Debajo, escriba: PARA EL CAMINO DIARIO. Un alumno lea en voz alta Colosenses 2:6, 7. Pregunte qué quiere decir la frase "habéis recibido a Cristo Jesús el Señor". Pregunte qué quiere decir "andar en él", guiando de manera que comprendan que es mantenerse fieles al Señor día tras día. Diga que en el v. 7 la figura de un camino cambia y pregunte qué sugieren las palabras "arraigados, sobreedificados y confirmados". Cuando hayan contestado pida que se fijen lo que debe abundar en ese camino (agradecimiento).

Escriba en el pizarrón o cartulina, debajo del título anterior: PARA NUESTRA SALVACION. Un alumno lea en voz alta los vv. 8-10. Guíe el estudio identificando los errores doctrinales peligrosos para la iglesia y por qué Cristo es suficiente. Un alumno lea en voz alta los vv. 11-15. Los demás encuentren otras razones por las cuales Cristo es suficiente para nuestra salvación.

Escriba en el pizarrón o cartulina: PARA NUESTRO CRECIMIENTO. Mientras un alumno lee en voz alta los vv. 16-19, los demás identifiquen cosas que estorban el crecimiento espiritual. Después que las identificaron y que usted haya explicado el significado, redacten una paráfrasis del v. 16 como un consejo positivo, o sea lo que sí debían hacer los creyentes colosenses para crecer en el Señor (p. ej.: "Aférrense a Cristo, la cabeza, de quien ustedes, los creyentes que forman la iglesia son su cuerpo... etc."

Escriba en el pizarrón o cartulina: PARA LIBRARNOS DE LO ELEMENTAL DEL MUNDO. Lea los vv. 2 y 21 y explique a qué se refiere la frase "los principios elementales del mundo" y cómo es que la muerte de Cristo nos capacita para no volver a caer en ellos.

APLICACIONES DEL ESTUDIO

1. Muestre el cartel ¿Cuándo es suficiente Cristo?, y vaya formulando cada punto que escribió en el pizarrón o cartulina como una pregunta (p. ej.: ¿Cuándo es suficiente Cristo para el camino diario?). **2.** Pregunte qué papel cumple la Biblia, el estudio bíblico y la lectura constante de la Biblia en mantenernos bien encaminados y depender totalmente en la suficiencia de Cristo (en ella encontramos la verdad revelada por Dios, y toda enseñanza debe ser comparada con lo que la Biblia afirma).

PRUEBA

1. Abran sus libros del alumno en esta sección. Lea la primera pregunta y cada uno escriba su respuesta. **2.** Haga lo mismo con la segunda pregunta y luego comparen las respuestas comprobando que estén correctas.

Secretos de una vida victoriosa

Contexto: Colosenses 3:1:17
Texto básico: Colosenses 3:1-17
Versículo clave: Colosenses 3:17
Verdad central: Los secretos de una vida victoriosa son: ocupar la mente en las cosas de arriba, vivir en el poder de la resurrección de Cristo, vestirse de amor y hacer todo en el nombre de Jesús.
Metas de enseñanza-aprendizaje: Que el alumno demuestre su: (1) conocimiento de los secretos de una vida victoriosa, según el estudio, (2) actitud de poner en práctica los secretos de una vida victoriosa.

Estudio panorámico del contexto

A. Fondo histórico:

Pablo urge a los cristianos a apropiarse del poder de Cristo para vencer las tentaciones y hacer morir lo terrenal en sus miembros. También como miembros del cuerpo de Cristo se espera que practiquen cierto estilo de vida que de manera natural exprese la presencia y la obra de Cristo en ellos. Ese estilo de vida desarrolla ciertas cualidades. Entre ellas: el amor, estar en paz con nuestros semejantes, una actitud de gratitud y alabanza a Dios.

B. Enfasis:

Primer secreto de la vida victoriosa: ocupar la mente en las cosas de arriba, 3:1-4. Como cristianos hemos muerto con Cristo y por lo tanto a la esclavitud y al control de los poderes de este mundo. Esta nueva vida en Cristo conduce a ocupar la mente en las cosas de arriba. Es decir, que el creyente establece un nuevo sistema de valores y por lo tanto un nuevo orden de prioridades. Este nuevo orden se ha establecido teniendo a Cristo como el centro de la vida y se dirige hacia él. Todo esto, aunque parece imposible desde una perspectiva humana, es perfectamente posible porque ahora la vida del creyente está escondida con Cristo.

El segundo secreto de la vida victoriosa: vivir en el poder de la resurrección de Cristo, 3:5-11. ¿Qué implica vivir en el poder de la resurrección de Cristo? Ese es el secreto: un nuevo estilo de vida que: (1) busca las cosas de arriba; (2) ocupa la mente en las cosas de arriba; (3) hace morir lo terrenal en sus miembros; (4) se viste del nuevo hombre conforme a la imagen de Cristo. La gran pregunta: ¿es posible vivir la vida victoriosa? Y la respuesta es igualmente maravillosa: Sí, porque Cristo es todo y en todos.

El tercer secreto de la vida victoriosa: vestirse del amor que es el vínculo perfecto, 3:12-15. Al despojarnos del viejo hombre con sus prácticas, un creyente no se queda desnudo, tiene que adquirir un nuevo vestido el cual se renueva constantemente por la nueva vida que procede de Cristo. Como escogidos de Dios los creyentes aprendemos a perdonar a nuestro prójimo como el Señor nos perdonó a nosotros, y como resultado la paz de Cristo gobierna nuestros corazones.

El cuarto secreto de la vida victoriosa: hacer todo en el nombre del Señor Jesús, 3:16, 17. El creyente tiene todos los recursos que necesita para que todo lo que hace sea eficiente y efectivo: (1) tiene la palabra de Cristo; (2) tiene a sus hermanos con quienes puede aprender y crecer por medio de la adoración a Dios; (3) tiene una actitud de gratitud a Dios Padre por la obra que Cristo ha hecho y está haciendo en y con su vida.

Estudio del texto básico

1 Primer secreto: ocupar la mente en las cosas de arriba, Colosenses 3:1-4.

Vv. 1, 2. *Siendo, pues, que habéis resucitado con Cristo.* Una persona jamás puede ser la misma antes y después de confiar su vida a Cristo. Esta relación con la muerte y la resurrección de Cristo provee al creyente el poder para vivir una vida victoriosa. Cuando nos rendimos a Cristo nos negamos y morimos a nosotros mismos y al control de nuestra vida para que él asuma ese control. Como resultado, se inicia un proceso de modificación de los valores y prioridades de la vida. Nuestras prioridades deben cambiar. Veamos lo que debemos hacer: (1) *Buscad las cosas de arriba.* Como seres humanos no podemos, ni debemos, renunciar a nuestra participación activa; pero hemos de hacerlo teniendo a la vista una nueva escala de valores que adquiere un orden a partir de Jesucristo. (2) *Ocupad la mente en las cosas de arriba.* Pablo sabía que llegamos a ser lo que pensamos. Por medio de nuestra mente modelamos los deseos de nuestro corazón y guiamos las acciones de la voluntad. Nuestro cuerpo y mente aún están ubicados sobre la tierra, por lo tanto de manera natural vamos a pensar en las cosas terrenales, pero la relación con Cristo influye toda nuestra manera de vivir. Como alguien ha dicho: "los creyentes son ciudadanos permanentes del reino de los cielos y residentes pasajeros en la tierra". Las cosas terrenales no son necesariamente malas, pero pueden llegar a interferir con los asuntos de la vida cristiana.

Vv. 3, 4. Pablo recuerda a los colosenses que tenían dos buenas fuentes de motivación para esa nueva manera de pensar: (1) Ahora *vuestra vida está escondida en Cristo.* Los no creyentes, y a veces el cristiano mismo, no se explican de dónde vienen las fuerzas para vivir una vida cristiana tan llena de significado y profundidad. El secreto está en que esa energía no emerge del creyente mismo, sino de Cristo quien vive en el creyente. (2) *Vosotros seréis manifestados con él en gloria.* Un día se dará a conocer que lo que hizo posible nuestra vida victoriosa fue la presencia de Cristo dentro de los creyentes.

2 Segundo secreto: vivir en el poder de la resurrección de Cristo, Colosenses 3:5-11.

Vv. 5, 6. ¿Qué implica vivir en el poder de la resurrección de Cristo? Por causa de que Dios ha cambiado nuestra naturaleza y ahora Cristo vive en nosotros, Pablo dice que seremos victoriosos si vivimos en el poder de la resurrección de Cristo. Eso significa cuando menos: hacer *morir lo terrenal en sus miembros.* Literalmente significa matar con premeditación, alevosía y ventaja todas las actitudes y deseos pecaminosos que emergen de dentro de nosotros. Pablo comienza con dos pecados relacionados con el sexo: *fornicación e impureza.* El primero se relaciona con prácticas irresponsables fuera del matrimonio, y el segundo con el pensamiento y las emociones, aunque nunca se cometa el acto físicamente. Los siguientes tres: *bajas pasiones, malos deseos y la avaricia,* tienen que ver con los deseos descontrolados por las cosas materiales. Esas "cosas materiales" llegan a controlar toda nuestra vida al grado que llegamos a vivir para ellas y eso es *idolatría.* Como sabemos, la idolatría es el resultado de poner cualquier persona o cosa en primer lugar antes que a Cristo y su reino. Nos hace recordar las palabras de Jesús de que no podemos servir a Dios y a las riquezas. Aquellos que se ponen rebeldes y no desean aniquilar esos pecados de su vida recibirán el castigo de la ira de Dios.

La segunda implicación es vestirse del nuevo hombre conforme a la imagen de Cristo. Veamos el acto de desvestirse o *despojarse del viejo hombre con sus prácticas* (v. 9) como un proceso. En este aspecto tenemos que hacer tres cosas:

Vv. 7-10. (1) Tenemos que reconocer que los creyentes también anduvimos en esas prácticas y por lo tanto nuestra mente y corazón han sido afectados. (2) Debemos, de manera consciente, *dejar todas estas cosas: ira, enojo y malicia,* tres sentimientos, o afectos negativos que se apoderan de nosotros y nos hacen perder el dominio propio y el control de nuestras emociones. Luego: *malicia, blasfemia y palabras groseras,* y la mentira (9a) son actos relacionados con nuestro prójimo. Que triste: pensar mal, dudar de los motivos, hablar mal de nuestro hermano, y no decir la verdad, conducen a una tragedia que hace imposible vivir la vida victoriosa en el poder de la resurrección. (3) Debemos despojarnos del viejo hombre, y vestirnos del nuevo. Al escoger el nuevo vestido tenemos que tener ciertos criterios para que haya armonía entre lo que somos y lo que decimos ser. Hay un dicho popular que dice: "El hábito no hace al monje, pero lo identifica." Relacionamos la manera de vestir del cartero, de la enfermera, del bombero con su vocación. Los creyentes debemos vestirnos, dice Pablo: *conforme a la imagen de aquel que lo creó,* esto es: Dios por medio de Jesucristo.

V. 11. Este versículo termina con una expresión maravillosa: *Cristo es todo y en todos.* Cristo no hace acepción de personas de ninguna clase: ni por su raza, ni por el color de su piel ni por su condición social, educacional, económica o política. Además de aclarar que las bendiciones de la salvación son para todos, el Apóstol dice que Cristo es todo. Aparte de la universalidad de la obra de Cristo está la omnipotencia; él *es todo,* es absoluto.

3 Tercer secreto: vestirse del amor, Colosenses 3:12-15.

V. 12. Pablo utiliza tres palabras para referirse a los hermanos de Colosas: *escogidos, santos y amados.* Esta referencia es una manera de dar el ejemplo de cómo debemos vernos unos a otros. Todos como escogidos por el mismo Señor, no por valores personales, sino por su gracia maravillosa. Todos lavados, purificados, santificados por el mismo Señor y Salvador. Todos colocados dentro de la esfera del amor de Dios en Cristo.

Además del "nuevo vestido" hay algunos adornos que debemos llevar como algo normal en nuestro carácter: *compasión,* interés y preocupación por el necesitado; *benignidad,* acciones que ayuden a resolver las carencias de otra persona; *humildad,* un concepto adecuado de nosotros mismos; *mansedumbre,* una actitud de consideración y disposición de reconocer los valores de otra persona; y *paciencia* que es el autocontrol o disciplina para aceptar los errores que otra persona pueda cometer hacia nosotros o hacia otros. ¡Cinco virtudes cristianas! Cada una de ellas nos conducirá a crear relaciones armoniosas entre los miembros de la comunidad cristiana.

V. 13. Otra virtud cristiana es perdonar *de la manera que el Señor* nos perdonó a nosotros. Esta es la única actitud que hará posible mantener unidos a los miembros del cuerpo de Cristo.

V. 14. *Pero sobre todo,* dice Pablo, *vestíos de amor, que es el vínculo perfecto.* Todas nuestras diferencias: culturales, educacionales, raciales, idiomáticas y políticas pueden ser adecuadamente manejadas si las sumergimos en el amor del Señor.

V. 15. *La paz de Cristo.* Esta no es una virtud que emerge naturalmente de nosotros, es otro de los regalos dados por Cristo para que podamos vivir en armonía con otras personas, pero especialmente con los miembros de la iglesia.

4 Cuarto secreto: hacer todo en el nombre de Jesús, Colosenses 3:16, 17.

El creyente tiene todos los recursos que necesita para que todo lo que hace sea eficiente y efectivo. El secreto es el mismo tanto para el creyente como una persona como para la iglesia como cuerpo de Cristo.

Vv. 16, 17. (1) Tiene la palabra de Cristo. Su responsabilidad es la de permitir que esa "palabra" habite o modele todos los actos de la vida. (2) Tiene a sus hermanos con quienes puede aprender y crecer por medio de la adoración a Dios. La enseñanza, la amonestación y la adoración congregacional son elementos que contribuyen a hacer posible que un creyente sea victorioso. (3) Tiene la oportunidad de que todo lo que haga de palabra o de hecho sea en el nombre de Jesús. Esto significa que todo lo que una persona o una iglesia hace debe hacerlo en una actitud de reconocimiento de la presencia de Dios; que reconoce que Cristo es Señor de su vida; y que su conducta refleja su relación de amor hacia Cristo. (4) Finalmente, tiene una actitud de gratitud a Dios Padre por la obra que Cristo ha hecho y está haciendo en y con su vida.

Aplicaciones del estudio

1. El bautismo es un símbolo del cambio de estilo de vida. Morimos al pecado, somos sepultados con Cristo y resucitamos para una nueva vida.

2. El amor ejercido con humildad, mansedumbre y paciencia nos permite relacionarnos mejor con todo los miembros de nuestra iglesia.

Ayuda homilética

Secretos de la vida victoriosa
Colosenses 3:1-17

Introducción: Tener una vida victoriosa no es fácil. Puede ser que alguien piense que es como seguir un procedimiento o una receta, sin embargo, es más que eso pues significa un estilo de vida centrado en Jesucristo. Pablo nos anima a descubrir los secretos de una vida victoriosa.

I. Primer secreto: ocupar la mente en las cosas de arriba, 3:1-4.
- A. Estableciendo un nuevo sistema de valores y un nuevo orden de prioridades.
- B. Estableciendo a Cristo como el centro de la vida.
- C. Reconociendo que nuestra vida está escondida con Cristo.

II. Segundo secreto: vivir en el poder de la resurrección de Cristo, 3:5-11.
- A. Buscando y ocupando la mente en las cosas de arriba.
- B. Haciendo morir lo terrenal en nuestros miembros.
- C. Vistiéndonos del nuevo hombre conforme a la imagen de Cristo.

III. Tercer secreto: vestirse del amor que es el vínculo perfecto, 3:12-15.
- A. Vistiéndonos con la nueva vida que procede de Cristo.
- B. Perdonando al prójimo como Dios nos perdonó a nosotros.
- C. Dejando que la paz de Cristo gobierne nuestros corazones.

IV. Cuarto secreto: hacer todo en el nombre de Jesús (3:16, 17).
- A. Reconociendo la presencia de Dios en todo lo que hacemos.
- B. Reconociendo que Cristo es Señor de nuestra vida.
- C. Reconociendo que debemos reflejar nuestra relación con Cristo.

Conclusión: La nueva vida en Cristo tiene su razón de ser para nosotros como individuos, pero también como instrumentos para facilitar la salvación de otras personas.

Lecturas bíblicas para el siguiente estudio

Lunes: Colosenses 3:18 a 4:1
Martes: Colosenses 4:2-4
Miércoles: Colosenses 4:5, 6
Jueves: Colosenses 4:7-9
Viernes: Colosenses 4:10-14
Sábado: Colosenses 4:15-18

AGENDA DE CLASE

Antes de la clase

1. Lea Colosenses 3:1-17. Subraye con lápiz negro todas las cosas de las que se deben "despojar" los lectores y, con una lápiz de color, todas las cosas de las que se deben "vestir". **2.** Estudie el comentario sobre este capítulo en este libro del maestro y en el del alumno. **3.** Si decide formar grupos para desarrollar el estudio, escriba en tarjetas o en hojas de papel, el pasaje asignado a cada grupo y lo que deben encontrar en él para presentar a toda la clase (vea lo que se sugiere más adelante bajo la sección *Estudio del texto básico*). **4.** Asegúrese de que el cartel con el título de la unidad esté en su lugar. **5.** Pida a un alumno que ha tenido éxito en alguna disciplina que se prepare para explicar brevemente cómo haberse CONCENTRADO en esa disciplina contribuyó a lograr ese éxito, o prepárese usted para contar una experiencia propia o de alguna otra persona. **6.** Conteste las preguntas en la primera sección bajo *Estudio del texto básico.*

Comprobación de respuestas

JOVENES: **1.** En las cosas de arriba. **2.** En las cosas de arriba. **3.** Lo terrenal: fornicación, impureza, bajas pasiones, malos deseos y avaricia. **4.** Compasión, benignidad, humildad, mansedumbre, paciencia y, sobre todo, amor. **5.** Coteje su respuesta con la Biblia.

ADULTOS: **1.** a. Busca las cosas de arriba. b. Ocupa la mente en las cosas de arriba. c. Ha muerto al yo. d. Vida escondida en Cristo. e. Será manifestada en gloria en Cristo. **2.** Respuestas personales.

Ya en la clase

DESPIERTE EL INTERES

1. Diga que para lograr el éxito en cualquier disciplina un requisito indispensable es concentrarse. Escriba "concentrarse" en el pizarrón o en una cartulina. **2.** Pida al alumno que se preparó para explicar cómo concentrarse contribuyó a su éxito que lo haga ahora, o relate lo que usted preparó. **3.** Termine diciendo que en este estudio verán en qué cosas tenemos que concentrarnos para tener una vida cristiana victoriosa.

ESTUDIO PANORAMICO DEL CONTEXTO

1. Llame la atención al cartel con el título de la unidad. **2.** Pida a los presentes que se fijen en los títulos de los dos estudios anteriores. Comente que avanzar hacia una vida cristiana más sana es, en primer lugar, concentrarnos en que Cristo es Señor de nuestra vida y en que es suficiente para todo. **3.** Presente un repaso de Colosenses 2 enfatizando que es importante concentrarnos en mantener la pureza de las doctrinas reveladas en la Biblia. **4.** Agregue que en este estudio Pablo sigue describiendo cosas en que tenemos que concentrarnos si queremos vivir cada día una vida más sana y victoriosa. Podríamos expresarlo diciendo que son cuatro secretos de una vida victoriosa.

ESTUDIO DEL TEXTO BASICO

Forme cuatro grupos de estudio asignando a cada uno lo siguiente: Grupo 1, *Primer secreto... Colosenses 3:1-4.* Encuentren y expliquen (1) algo en que los creyentes colosenses debían concentrarse, (2) por qué, (3) un suceso que demuestra su victoria.

Grupo 2, Segundo secreto... Colosenses 3:5-11. Encuentren y expliquen (1) las cosas en que debían concentrarse los creyentes colosenses para "hacerlas morir" y "dejarlas" y "despojarse de ellas", (2) por qué, (3) tres cosas positivas en qué concentrarse según los vv. 10, 11.

Grupo 3, Tercer secreto... Colosenses 3:12-15. Encuentren y expliquen (1) las cualidades en que debían concentrarse los creyentes colosenses a fin de cultivarlas, (2) por qué y (3) qué relación tiene el amor de Dios en nosotros con las cualidades mencionadas.

Grupo 4, Cuarto secreto... Colosenses 3:16, 17. Encontrar y explicar cosas en que los creyentes colosenses debían concentrarse, (2) qué debía "habitar abundantemente" en ellos, v. 16 y (3) cómo debían "hacer todo" y qué significa eso, v. 17.

Cuando los grupos presenten su informe, guíe el estudio aportando percepciones obtenidas de su propio estudio y "concentrándose" en enfatizar que cada una de esas victorias es posible por el PODER de Dios a disposición de cada creyente.

Si a su clase no le agrada trabajar en grupos, forme sectores adjudicando a cada participante un número del 1 al 4. Todos los que tienen el número 1 deben responder a preguntas sobre el "Primer secreto", todos los que tienen el número 2 a preguntas sobre el "Segundo secreto" y así sucesivamente hasta terminar.

APLICACIONES DEL ESTUDIO

1. Pida que cada uno que quiera ser cada día un creyente más victorioso, levante la mano y forme una V con el dedo índice y el del medio. **2.** Los que deseen hacerlo, compartan una decisión de "concentrarse" en una acción específica en su propia vida para ser más sanos y victoriosos. **3.** Concéntrense en memorizar los cuatro secretos.

PRUEBA

1. Forme parejas para escribir la respuesta al inciso 1 en sus libros del alumno. Compruebe las respuestas. **2.** Lea en voz alta la pregunta del inciso 2 y pida que cada uno escriba su respuesta en silencio. Después, los que deseen hacerlo, compartan lo que escribieron si se proponen concentrarse para lograrlo.

Unidad 4

¡Buena conducta!

Contexto: Colosenses 3:18 a 4:18
Texto básico: Colosenses 3:18 a 4:6
Versículos clave: Colosenses 3:23, 24
Verdad central: En breves declaraciones Pablo enseña cuáles son las condiciones para recibir la calificación de "Buena conducta" de parte del Señor.
Metas de enseñanza-aprendizaje: Que el alumno demuestre su: (1) conocimiento de la "buena conducta" que el Señor espera de sus discípulos, (2) actitud de comportarse de tal manera que reciba la aprobación del Señor por su "buena conducta".

Estudio panorámico del contexto

A. Fondo histórico:

En los días de Pablo, como en los nuestros, se levantó el tema relacionado con los asuntos éticos. Pablo aborda el tema de una manera muy práctica basado cuando menos en dos principios centrales: (1) La ética cristiana otorga derechos y obligaciones a los participantes. Por ejemplo, en la relación esposo-esposa, la mujer debe estar sujeta a su marido, pero el hombre debe amar a su mujer. En la relación hijos-padres, el hijo debe obedecer, pero los padres no deben irritarlos. En la relación obrero-patronal, el siervo debe obedecer en todo, pero el amo debe hacer lo que es justo y equitativo. (2) La ética cristiana hace girar todas las relaciones alrededor de Cristo. En las relaciones conyugales, como conviene en el Señor. En las relaciones paternales, esto es agradable en el Señor. En las relaciones laborales, de parte de los siervos: haciéndolo todo como para el Señor; para los patrones o amos: sabiendo que también vosotros tenéis un amo en los cielos.

B. Enfasis:

Buena conducta en la familia, 3:18-21. El mejor comentario de este pasaje lo encontramos en las otras referencias del N.T. Por ejemplo en Efesios 5:1-31 se nos dice que debemos dar gracias a Dios el Padre por todo, en el nombre del Señor Jesús (vv. 20, 21). Debemos dar gracias por el esposo o esposa con quien nos hemos comprometido en matrimonio. El otro pasaje es 1 Corintios 7. Aquí Pablo expone la mutualidad del matrimonio: cada hombre tenga su propia esposa y cada mujer su propio marido (7:2). Esto significa que el matrimonio es una responsabilidad compartida: las esposas deben estar sujetas a sus esposos y los maridos deben amar a sus esposas. Luego habla de las responsabilidades hijos-padres. Dice a los hijos: obedeced a vuestros padres; y a los padres: no irritéis a vuestros hijos.

Buena conducta en el trabajo, 3:22 a 4:1. En esta sección Pablo trata primero de las relaciones que debemos tener como empleados hacia nuestros patrones y hacia nuestro trabajo. Los trabajadores cristianos debemos distinguirnos por nuestra honestidad e integridad. Hemos de cumplir nuestras tareas como si lo hiciéramos para el Señor (3:23). No tenemos otro propósito en la vida que agradar al Señor.

Pablo tiene una palabra de instrucción para los empleadores: deben hacer lo que es justo y equitativo (4:1). Imaginemos todos los problemas económicos y laborales que se resolverían si los empleadores aplicaran en su trabajo estos consejos de Pablo. ¿Cómo serían las relaciones si actuáramos con justicia y equidad?

Buena conducta en la iglesia, 4:2-6. Pablo anima a todos los hermanos de la congregación a mantener una actitud de oración, velando en ella con acciones de gracias (4:2). Les pide que también oren por él y sus compañeros a fin de que el Señor les abra una puerta para comunicar el misterio de Cristo. También los anima a mantener un testimonio sabio y digno, que usen bien el tiempo, que sean cuidadosos en su manera de hablar con cada persona (4:6).

La misión de Tíquico y Onésimo, 4:7-9. Pablo decidió enviar esta carta usando los servicios de Tíquico y Onésimo (ver Fil. 10). La misión de estos dos obreros era: informar a los hermanos acerca de la situación de Pablo y también animar a los creyentes de Colosas (4:8).

Saludos e instrucciones finales, 4:10-18. Pablo, como todo un caballero cristiano, aprovecha las palabras finales de su carta para compartir los saludos de amigos y hermanos que estaban con él. Entre otros menciona a Aristarco, Marcos, Justo, Epafras, Lucas el médico amado y un tal Demas. También envía saludos personales a los miembros de la iglesia en Colosas y en Laodicea. Insta a que ambas iglesias lean e intercambien sus respectivas cartas. (Por alguna razón, pareció bien al Espíritu del Señor que nosotros no conozcamos la carta a Laodicea. Algunos estudiantes del N.T. suponen que pudo haber sido muy semejante a la carta a los Efesios.)

Estudio del texto básico

1 Buena conducta en la familia, Colosenses 3:18-21.

V. 18. *Esposas estad sujetas...* La misma palabra se usa en Efesios 5. Significa: ponerse bajo el liderazgo o dirección de otro. Pablo dice que todos debemos tener esa actitud. Sin embargo, aquí habla específicamente a la esposa. La razón sin duda es porque la esposa y madre es quien puede comunicar mejor ese concepto a toda la familia. Por otro lado, es una estrategia para conseguir las más grandes victorias en la vida matrimonial. Esta actitud evitará la destructora lucha por el poder que se da en muchos hogares. A la misma vez, es un reconocimiento de que la familia necesita un líder que esté a cargo de ella. El concepto bíblico es que Cristo es el Señor, y el esposo es la cabeza de su familia. En la familia el concepto de "es mejor dos cabezas que una" conduce a un verdadero desastre. Por supuesto, un verdadero líder es sensible a los intereses y necesidades de las personas a quienes guía y las conduce a alcanzar sus propias metas. Por todo esto *conviene en el Señor* que la esposa se sujete a su marido.

V. 19. *Esposos amad a vuestras esposas y no os amarguéis contra ellas.* La calidad del amor por la esposa puede requerir la renuncia a ciertos intereses personales y posiblemente el sacrificio. Solamente con una actitud de tal calidad un matrimonio será verdaderamente lo que Dios se propuso que fuera. Esa calidad de relación también hará posible que el hombre no se amargue contra su mujer. El esposo no hará sentir a su esposa como descalificada o de poca importancia en sus papeles del hogar.

V. 20. *Hijos, obedeced a vuestros padres.* Los padres y los hijos, en una familia cristiana, se relacionan entre sí por medio de Jesucristo (vea 3:17). La obediencia es la clave de la relación correcta aun con el Padre celestial. Pablo dice: *porque esto es agradable en el Señor.* La experiencia nos dice que cuando obedecemos la voluntad de los padres, aunque a veces no estemos totalmente de acuerdo con ellos, siempre recibimos el gozo y la satisfacción que tal conducta trae.

V. 21. Los padres por su parte no deben irritar a sus hijos *para que no se desanimen.* La palabra también podría ser traducida: "descorazonar, quebrar el corazón, o perder la esperanza del alma". La conducta que los padres tengan hacia sus hijos los va condicionando para el éxito o el fracaso más adelante en su juventud y en la edad adulta. La autoestima y toda la potencialidad de un niño se pone en juego por el trato que sus padres le den en su primera infancia. Recordemos que la desobediencia de los hijos hacia sus padres generalmente es el resultado de la falta de amor de los padres hacia sus hijos.

2 Buena conducta en el trabajo, Colosenses 3:22 a 4:1.

V. 22. *Siervos... amos...* son los términos equivalentes a obreros y patrones. Las ideas de Pablo sin duda tienen una aplicación pertinente a los modernos problemas laborales. Conducen también, a ambas partes, a darse cuenta de su mutua responsabilidad. La comprensión entre ambos sin duda conduce a la solución de los graves problemas por los cuales atraviesan nuestros países.

V. 23. *Como para el Señor y no para los hombres.* Esta afirmación nos lleva a pensar en los motivos por los cuales trabajamos. Generalmente lo hacemos por la remuneración, por la competencia y la compulsión y muchas veces por un falso orgullo. Necesitamos preguntarnos: "¿Por qué estoy haciendo lo que hago?" Es un hecho que nunca encontraremos un significado en nuestro trabajo, sino que daremos significado a lo que hacemos. Cuando Cristo es nuestro motivo podemos trabajar creativa e innovadoramente y darle a él toda la alabanza. Es indudable que hay situaciones en las cuales es difícil trabajar para personas cuyos propósitos y metas, al igual que sus normas y prácticas, son contrarias a nuestras convicciones. Muchas veces nuestras oraciones nos guiarán a cambiar de trabajo, por no antes de haber hecho nuestros mejores esfuerzos para compartir a Jesucristo y lo que él significa para aquellos para quienes trabajamos. Dios nos pone siempre en el lugar donde necesita un testigo suyo. No perdamos nuestra oportunidad.

V. 24. *¡A Cristo el Señor servís!* Los obreros debemos recordar que un día Dios mismo ajustará las cuentas y dará a cada uno según le corresponda. Dios tiene una herencia como recompensa para aquellos que sirven con fidelidad y buen ánimo.

V. 25. Este versículo bien podría aplicarse tanto a los obreros como a sus supervisores: *el que comete injusticia recibirá la injusticia que haga.* Tanto el empleado como el empleador deben cuidarse de no cometer abusos e injusticias contra su prójimo.

4:1. *Amos haced lo que es justo y equitativo.* Los supervisores y administradores cristianos debemos recordar que también tenemos a un Señor en los cielos a quien vamos a dar razón de nuestra conducta. Alguien dijo que la doctrina cristiana del trabajo es que el patrón y el obrero trabajan igualmente para Dios y que, por lo tanto, la recompensa real del trabajo no se calcula en moneda nacional, sino en moneda celestial al tipo de cambio que Dios establezca.

3 Buena conducta en la iglesia, Colosenses 4:2-6.

Vv. 2-6 Ahora el apóstol Pablo enfoca su atención sobre algunas prácticas que todos los cristianos miembros de la iglesia de Colosas, como de aquella de la cual usted y yo somos miembros debemos hacer nuestras. (1) Debemos perseverar en la oración, no solamente pidiendo la misericordia de Dios, sino también *con acción de gracias.* (2) Debemos orar por los comunicadores del evangelio *a fin de que el Señor... abra una puerta para la palabra.* Pablo mismo se daba cuenta de la necesidad de presentar lo que él llama el misterio de Cristo con claridad. (3) Todos los miembros de la iglesia debemos mantener una conducta adecuada, sabia para con los de afuera, pues nuestro testimonio puede acercarlos al conocimiento de Jesucristo como Señor y Salvador de su vida. (4) Debemos usar sabiamente ("aprovechando", dicen otras versiones) el tiempo. Cuántas veces nuestras iglesias celebran muchas reuniones y actividades sin mayor trascendencia. Los miembros debemos preguntarnos sobre la validez y pertinencia de lo que hacemos. (5) Finalmente, Pablo dice que los miembros de la iglesia debemos tener cuidado con la manera como hablamos y con lo que decimos. Debemos asegurarnos de que nuestra *palabra sea siempre agradable, sazonada con sal.*

Aplicaciones del estudio

1. Debemos cuidar nuestra conducta en la familia. La familia es la escuela donde nosotros y nuestros hijos aprendemos a poner en prácticas virtudes cristianas del amor, la obediencia y el respeto mutuos.

2. Debemos cuidar nuestra conducta en el trabajo. En el trabajo comunicamos nuestra fe por medio de la manera como cumplimos con nuestras tareas.

3. Debemos cuidar nuestra conducta en la iglesia. En la iglesia hacemos posible el extendimiento del reino de Dios en la tierra por medio de la comunicación del misterio de Cristo.

Ayuda homilética

Buena conducta
Colosenses 3: 18 a 4:6

Introducción. Muchas personas son expertas en los campos de la ciencia y de la cultura. Muchas ocupan altas posiciones en la gerencia del país o de sus empresas, sin embargo, su conducta deja mucho que desear. La raíz de su mala conducta se encuentra en que no tuvieron los tres campos de entrenamiento adecuados: la familia, el trabajo y la iglesia.

I. La familia enseña la buena conducta, 3:18-21.
- A. Cuando el esposo y la esposa dan gracias a Dios por el compañero(a) que él les dio.
- B. Cuando la mujer se sujeta a su esposo.
- C. Cuando el esposo ama y se sacrifica por su esposa.
- D. Cuando el esposo y la esposa aman y disciplinan a sus hijos.
- E. Cuando los hijos obedecen a sus padres.

II. La buena conducta se desarrolla en el trabajo, 3:22 a 4:1.
- A. Cuando hacemos el trabajo con honestidad e integridad.
- B. Cuando el trabajo es hecho como para el Señor.
- C. Cuando los supervisores o empleadores actúan con justicia y equidad.

III. La buena conducta se desarrolla en la iglesia, 4:2-6.
- A. Cuando todos oramos con acciones de gracias al Señor.
- B. Cuando oramos por los comunicadores de la Palabra.
- C. Cuando mantenemos un testimonio sabio y digno.
- D. Cuando usamos bien el tiempo
- E. Cuando somos cuidadosos con nuestra manera de hablar.

Conclusión. La ética cristiana hace girar todas las relaciones alrededor de Cristo. En las relaciones familiares: como conviene en el Señor. En las relaciones laborales: esto es agradable en el Señor. En las relaciones eclesiásticas: Perseverad siempre en la oración, vigilando en ella con acción de gracias.

Lecturas bíblicas para el siguiente estudio

Lunes: 1 Timoteo 1:1, 2
Martes: 1 Timoteo 1:3-7
Miércoles: 1 Timoteo 1:8-11
Jueves: 1 Timoteo 1:12-17
Viernes: 1 Timoteo 1:18, 19a
Sábado: 1 Timoteo 1:19b, 20

AGENDA DE CLASE

Antes de la clase

1. Lea Colosenses 3:18 al 4:18 y estudie la lección en su libro del maestro y en el del alumno respectivamente. En primer lugar, note que hasta Colosenses 3:18 Pablo ha enfocado mayormente las características personales que deben tener los creyentes en su propia vida y que, salvo unas pocas excepciones, no enfocó conductas sociales específicas. Esto cambia a partir de Colosenses 3:18 ya que ahora enfoca conductas en las relaciones de familia, del medio laboral y de la iglesia. **2.** Cuando estudie Colosenses 3:18 a 4:1, lea también Efesios 5:22 a 6:9 donde Pablo desarrolla más los temas. **3.** Asegúrese de que el cartel con el título de la unidad está en su lugar. **4.** Esté atento a las noticias de la prensa, la radio y la televisión y anote casos de: esposas golpeadas, abuso sexual o abandono de los hijos, problemas laborales, desfalcos, etc. **5.** Escriba en franjas de cartulina los títulos de las divisiones del texto básico. **6.** Conteste las preguntas en la primera sección bajo *Estudio del texto básico* en el libro del alumno. Comprueben si las respuestas están correctas.

Comprobación de respuestas

JOVENES: **1.** a. Sujetarse a él. b. Con amor. c. Porque esto agrada al Señor. **2.** a. A Cristo el Señor. b. Lo que es justo y equitativo. **3.** a. Todo el tiempo. b. Oraran por él para que el Señor les abriera una puerta para poder testificar y presentar el evangelio con claridad. c. Sabiamente, aprovechando el tiempo.
ADULTOS: **1.** a. Esposos. b. Padres e hijos. c. Amos y siervos, d. Miembros de la iglesia. **2.** Hacer todo como para el Señor y no para los hombres. **3.** Coteje con la Biblia.

Ya en la clase
DESPIERTE EL INTERES

1. Cuente lo que hizo durante la semana: Anotar los casos de maltrato a esposas, hijos, problemas laborales, etc. Lea su lista, comentando sobre los casos más impresionantes. **2.** Agregue que todos los casos indican una sociedad de MALA CONDUCTA que desconoce, mal interpreta o hace caso omiso a lo que el Señor enseña en su Palabra.

ESTUDIO PANORAMICO DEL CONTEXTO

1. Llame la atención al cartel con el título de la unidad. **2.** Repase los puntos principales estudiados ya en Colosenses destacando los que hubieran servido para prevenir las noticias que acaba de mencionar al iniciar el estudio. **3.** Diga que antes de pasar a los saludos para terminar su carta a los Colosenses, Pablo enfoca principios cuya aplicación da como resultado una ¡BUENA CONDUCTA! social.

ESTUDIO DEL TEXTO BASICO

Fije en una pared, a la vista de todos, la franja con el título: Buena conducta en la familia, Colosenses 3:18-21. Lean el v. 19. Mencione que en su carta a los Efesios Pablo describió cómo debe ser ese amor. Un alumno lea en voz alta Efesios 5:25-33. Los demás, escuchen para encontrar cómo debe ser ese amor. Después que hayan comentado sobre estas descripciones, busquen en Colosenses 3:12-14 el tipo de amor del que está hablando Pablo. Comente que los vv. 12, 13, 15 contienen maneras como se manifiesta el amor (compasión, benignidad, etc.). Apliquen esas maneras a la relación conyugal. Comente que a una esposa no le resultará nada difícil cumplir su parte si tiene un esposo cristiano que la ama de estas maneras. Lea en voz alta el v. 18 y Efesios 5:22, 23, 33. No se trata de una sujeción a alguien que la considera inferior, que la maltrata, golpea, insulta y trata como un objeto. Es una sujeción que nace del amor y respeto mutuos. Un alumno lea en voz alta el v. 21 y, en Efesios 6:4, vean una ampliación del concepto. Al dialogar sobre las responsabilidades de los padres, enfatice que éstas deben ser cumplidas con el amor que ya describieron. Diga que siendo así, a los hijos no les será difícil cumplir su parte. Encuentren la parte de los hijos en 3:20 y Efesios 6:1.

Fije en la pared la franja con el título: Buena conducta en el trabajo, Colosenses 3:22 a 4:1. Un alumno lea en voz alta 3:22-24 agregando a la palabra "siervos": obreros y empleados. Y, donde dice "amos" agregar: jefes, supervisores, patrones. Luego comparen este pasaje con Efesios 6:5-8 encontrando lo que está repetido y conceptos nuevos. A medida que los encuentren dialoguen sobre ellos enfatizando que todo trabajo en que está el cristiano es "trabajo cristiano" y que las actitudes y conductas son las que busca cualquier jefe, supervisor o patrón en las personas que le toca dirigir. Lean Colosenses 3:25 al 4:1 y comparen con lo que dice Efesios 6:9.

Fije en la pared la franja con el título: Buena conducta en la iglesia, Colosenses 4:2-6. Pida que noten la primera palabra de los vv. 2, 4, 5. Escríbalas en el pizarrón o en una cartulina. Pida que encuentren en el pasaje cosas en que deben perseverar en la iglesia. Haga lo mismo con "Orad" y "Andad".

APLICACIONES DEL ESTUDIO

Tome las tres palabras que escribió en el pizarrón o cartulina y guíe a los presentes a determinar cómo se aplican en la actualidad cada una a: (1) las relaciones conyugales, (2) las relaciones entre padres e hijos, (3) las relaciones laborales y (4) las relaciones del creyente dentro y fuera de la iglesia.

PRUEBA

Guíe a sus alumnos a completar esta parte del estudio.

Estudio **18**

Unidad 5

Corazón puro por pura gracia

Contexto: 1 Timoteo 1:1-20
Texto básico: 1 Timoteo 1:3-17
Versículo clave: 1 Timoteo 1:5
Verdad central: Cuando las personas tienen un corazón puro, como resultado de la gracia de Dios, están en condiciones de rechazar las falsas enseñanzas con amor, y a la vez proclamar el evangelio de Jesucristo.
Metas de enseñanza-aprendizaje: Que el alumno demuestre su: (1) conocimiento de las falsas enseñanzas, del propósito de la ley y cómo obra la gracia de Dios, (2) actitud hacia su necesidad de salvación o la renovación de su relación con Dios por medio de Jesucristo.

Estudio panorámico del contexto

A. Fondo histórico:

En Efeso se daba una amalgama de filosofías, religiones, culturas provenientes tanto del Oriente como del Occidente. La magia y otras ciencias ocultas habían encontrado un mercado próspero entre los efesios.

También existía una comunidad judía significativa. Entre los judíos había desde quienes eran legalistas a ultranza tanto como quienes con corazón sincero deseaban una relación nueva con el Dios de Israel. Efeso en su momento, llegó a ser la ciudad principal en la cual se promovía la adoración del emperador. Este movimiento fue un esfuerzo para mantener unido al imperio romano. Así era Efeso cuando Pablo llegó en su segundo viaje misionero para proclamar el evangelio.

Cuando Pablo se trasladó a Macedonia dejó a Timoteo en Efeso con varios propósitos específicos: (1) Que prohibiera a algunos que enseñaran doctrinas extrañas (v. 3). (2) Que alertara a los hermanos para que no prestaran atención a las fábulas, genealogías y especulaciones acerca del plan de Dios (v. 4). (3) Que con claridad y fuerza anunciara que el propósito de la ley es el amor (v. 5). (4) Algunos deseaban enseñar acerca de la ley pero sin comprender lo que hablaban ni lo que afirmaban (vv. 6, 7).

Pablo también pidió a Timoteo que proveyera la dirección que la iglesia de Efeso necesitaba para organizarse. Por supuesto, la adoración fue un aspecto que debía ser debidamente orientado. También se necesitaban los criterios para el nombramiento y el ministerio de los pastores y diáconos. Sin duda que fue una tarea desafiante para cualquier pastor, por lo tanto Pablo le escribe a Timoteo las dos cartas que hoy conocemos con el nombre de este joven pastor.

B. Enfasis:

A Timoteo verdadero hijo en la fe, 1:1, 2. Pablo declara que su relación con Timoteo es como la de un padre con su hijo. Esa relación comenzó cuando Pablo condujo a Timoteo a su encuentro con Cristo (Fil. 2:20). Más tarde lo ordenó al ministerio (2 Tim. 1:6). Con las palabras "gracia, misericordia y paz" Pablo expresa su triple deseo de bendición para su compañero.

Alerta contra las falsas enseñanzas, 1:3-7. Timoteo deseaba salir de Efeso para acompañar al maestro y amigo Pablo. Pablo lo sabía bien, pero ruega a Timoteo que siga en Efeso pues su presencia es todavía indispensable por causa de los falsos maestros y sus perniciosas enseñanzas que son especulaciones vacías (4-6) y exigen un estricto apego al legalismo (7-11).

El propósito de la ley, 1:8-11. El cristiano de origen judío, tanto como el creyente que no es judío, sabe que el Antiguo Pacto es parte de la revelación que Dios hace de sí mismo (2 Tim. 3:15-17; Rom. 7:12, 26); sin embargo, debe usarse "conforme a la Ley", esto es "legítimamente".

Acción de gracias por el ministerio, 1:12-17. Pablo no puede menos que recordar el milagro de su vida y prorrumpe en un canto de alabanza que emerge de su corazón agradecido a Dios. En el v. 16 dice: "recibí misericordia", es decir, que la gracia de Dios actuó en él generosamente. Termina esta sección diciendo: *Por lo tanto... a Dios sean la honra y la gloria por los siglos de los siglos. Amén.*

Este mandamiento te encargo, 1:18-20. Pablo basa su petición a Timoteo en el evento de su ordenación al ministerio (1 Tim. 4:14). Es este sentir de herencia espiritual el que sostiene a los obreros del Señor en su diaria lucha contra el mal y la edificación de los creyentes. Pablo cita dos de las armas de ataque y defensa del cristiano: "la fe y la buena conciencia". También menciona la dura disciplina a la cual ha tenido que someterlos a fin de que aprendan a no cometer nuevas faltas.

Estudio del texto básico

1 Alerta contra las falsas enseñanzas, 1 Timoteo 1:3-7.

Vv. 3, 4. Cuando Pablo tuvo que dejar Efeso para ir a *Macedonia,* al noreste de Grecia, le rogó a Timoteo que se quedara para que requiriera *a algunos que no enseñen doctrinas extrañas, y* a los hermanos en general a *que no presten atención a fábulas e interminables genealogías.* Como recurso para facilitar la enseñanza de verdades y principios, el uso de fábulas es excelente. Sin embargo, puede ser que fácilmente se confunda una fábula con la realidad. Ciertos rabinos o maestros tomaban la genealogía de alguien y elaboraban complicadas historias. Ambos elementos, las fábulas y las genealogías, fácilmente se prestaban a especulaciones acerca del *plan de Dios, que es por la fe.*

V. 5. Otra razón por la cual Pablo pidió a Timoteo que continuara en Efeso era para que ayudara a los hermanos a comprender que *el propósito del mandamiento es el amor.* A veces cuando hablamos de la ley, tanto la ley de Dios como las leyes civiles, pensamos en algo para restringir, limitar o usar como instrumento contra alguien. Pablo dice que la ley tiene el propósito de crear un vínculo de relación estrecha y profunda entre las personas. Pero para que tal cosa ocurra se requieren tres cualidades: (1) *Un corazón puro,* (2) *una buena conciencia,* y (3) *una fe no fingida.*

Vv. 6, 7. Algunos miembros de la iglesia de Efeso *habiéndose desviado, se apartaron.* Siempre que descuidamos los tres principios mencionados en el versículo anterior: un corazón puro, una buena conciencia y una fe no fingida caemos en discusiones sobre palabras y argumentos que no sirven para nada. Los falsos maestros proyectaban una imagen de personas calificadas para enseñar. Sin embargo, Pablo los desenmascara diciendo que no entienden *lo que hablan ni lo que afirman con tanta seguridad.* Es trágico que muchas veces las falsas enseñanzas cuentan con convincentes expositores.

2 Propósito de la ley, 1 Timoteo 1:8-11.

V. 8. La ley como tal es neutra, no es buena ni mala, quien la usa es quien determina su propósito y naturalmente el resultado. La ley es como una medida para conocer cuán cerca o lejos se encuentra una persona de Dios y nos anima a acercarnos más a su gracia salvadora.

Vv. 9, 10. Quienes se han acogido a la gracia de Dios por medio de la fe, han llegado a ser *justos* o "justificados", por lo tanto no necesitan la ley, pues el Espíritu de Dios que mora en ellos les guía a la verdad. Para todas las otras personas, que no se han acogido a la gracia de Dios por medio de la fe, la ley les muestra cuán lejos están de él.

Los rebeldes e insubordinados son personas que no ignoran la existencia de la ley, pero que intencional y obstinadamente deciden transgredirla. *Los impíos y pecadores* son aquellos que piensan, meditan y planean cómo hacer lo malo, luego van y lo hacen en abierta oposición a la ley. *Los irreverentes y profanos* no tienen ningún temor de Dios y se burlan de sus mandamientos.

Los *parricidas y matricidas* quebrantan el quinto mandamiento (Exo. 20). Los *homicidas* violan el sexto mandamiento. Los *fornicarios* violan el séptimo mandamiento con alguien del sexo opuesto; mientras que los *homosexuales* lo hacen con alguien de su mismo sexo. Los *secuestradores* toman cautivo a alguien con el propósito de exigir dinero a cambio de su libertad. Los *mentirosos y los perjuros* transgreden el noveno mandamiento. En vista del tremendo legalismo de los falsos maestros Pablo se protege con la frase: *y para cuanto haya contrario a la sana doctrina.*

V. 11. *El evangelio de la gloria de Dios* es el criterio por el cual cualquier enseñanza o práctica debe ser juzgada.

3 Acción de gracias por el ministerio, 1 Timoteo 1:12-17.

V. 12. Aquí hay varios conceptos importantes. (1) Cristo tomó la iniciativa de escoger a Pablo para el ministerio. Jesucristo es Señor, por lo tanto soberano para escoger a quien a él le parezca. (2) La base para ser escogido no fue un mérito personal de Pablo sino la amorosa elección del Señor. (3) Es un privilegio ser un siervo de Jesucristo y proclamar su evangelio. (4) Es una bendición ser sostenidos en el ministerio por el poder del Señor.

V. 13. Pablo nunca pudo olvidar quién era antes de que Cristo lo encontrara en el camino a Damasco. De manera desafiante había intentado burlarse del Señor Jesús y había perseguido a sus discípulos. Su única explicación es que era *ignorante* y lo hizo en *incredulidad.* Según su propio testimonio en Hechos 26:9 Pablo había actuado pensando que estaba haciendo lo correcto.

V. 14. La *gracia* de Dios, en Cristo Jesús, cuando es derramada sobre una persona produce *la fe y el amor.* La "fe" es la respuesta del corazón y el "amor" la expresión de aceptación de la misericordia del Señor. Alguien ha dijo que: "La gracia ha sido descrita como la raíz, la fe como el tronco del árbol, y las buenas obras como el fruto de la salvación."

V. 15. En este versículo encontramos uno de los mejores resúmenes del evangelio: *Cristo Jesús vino al mundo para salvar a los pecadores.* Es esta afirmación la que es *fiel* y *digna de toda aceptación.* La expresión: *de los cuales yo soy el primero* no es una frase jactanciosa, sino de reconocimiento que él también era un pecador. Es interesante que cuando una persona se rinde a Cristo y tiene una experiencia personal con Dios se da cuenta de donde lo ha traído el Señor por su gracia admirable.

V. 16. *No obstante* ser el pecador que era, *recibí misericordia.* En consecuencia el caso de Pablo, un pecador que se arrepiente y busca al Señor, es válido para ilustrar o servir de "ejemplo" de lo que ocurre con todos los que creen en Cristo para *vida eterna.* Es decir que es el testimonio de una persona que ha tenido la experiencia de encontrarse con Cristo y ha visto los resultados maravillosos en su vida, por lo tanto anima a otros a responder con fe al evangelio de Jesucristo.

V. 17. *Por tanto,* Pablo expresa una maravillosa doxología de alabanza a Dios mencionando varias de sus cualidades: *Rey de los siglos.* Literalmente, el Señor de la historia y de todas las personas que vivan a lo largo y ancho de ella. *Inmortal,* significa que no muere, no se deteriora o destruye. Dios trasciende el tiempo y el espacio. *Invisible,* siendo que Dios es espíritu, el ojo humano no puede percibirlo, la única manera es hacerlo por medio de Jesucristo quien es "la imagen del Dios invisible" (Col. 1:15). Dios es *el único Dios.* No puede, ni debe ser comparado con nada ni nadie. Por todas estas calificaciones Dios merece toda *la honra y la gloria* por siempre.

Aplicaciones del estudio

1. Debemos velar por la sana doctrina en la iglesia. Idealmente el pastor de la iglesia debe cumplir esta función, sin embargo, todos los miembros deben usar la Palabra escrita como el criterio de la verdad. Para ello se requiere que los creyentes sepan usar la Biblia adecuadamente.

2. El poder del testimonio personal influye decisivamente sobre quienes lo escuchan. Pablo da testimonio de los maravillosos resultados de su experiencia con Cristo. Si usted ha tenido un cambio maravilloso en su vida como resultado de su encuentro con Cristo, compártalo con alguien.

Cómo compartir su testimonio
1 Timoteo 1:13-16

Introducción: Compartir nuestro testimonio con otras personas requiere cierto orden y secuencia lógica y natural. Pablo en 1 Timoteo 1:13-16 nos ofrece un modelo que podemos hacer nuestro.

I. Primero, expresemos cómo era nuestra vida antes de encontrarnos con Cristo como Señor y Salvador, v. 13.

A. Pablo dice que él fue "blasfemo, perseguidor e insolente". El estilo de vida que muchos habían conocido y que podía fácilmente ser verificado.

B. Pablo comparte sus emociones internas: "ignorancia" e "incredulidad".

C. Nuestro testimonio debe ser verdadero a fin de que tenga el poder de convencer. No tenemos que exagerar ni inventar historias a fin de impresionar. Digamos con sencillez quienes éramos antes de encontrarnos con Cristo.

II. Segundo, expresemos lo que la gracia de Dios hizo por nosotros, vv. 14, 15.

A. Pablo dice que su salvación fue un acto de "misericordia" y "clemencia" del Señor. Todo fue un acto de la gracia de Dios.

B. Pablo dice que fue salvado cuando era un pecador. No había un mérito personal sino que fue un acto del amor de Dios.

C. Proclamemos con entusiasmo que "Cristo Jesús vino al mundo para salvar a los pecadores".

III. Tercero, expresemos lo que ha pasado en nuestra vida como resultado de nuestra experiencia con Jesucristo.

A. Pablo da testimonio que ahora su vida tiene significado gracias a la "clemencia" con la cual Dios lo ha amado.

B. También dice que ahora él es un ejemplo vivo de lo que Dios es capaz de hacer por un pecador.

C. Expresemos los cambios más significativos que Dios ha hecho en nuestra vida a partir del día cuando creímos en Cristo.

Conclusión: Dios es quien salva al pecador por medio de Jesucristo, sin embargo, él espera que nosotros demos testimonio de su obra en nuestra vida.

Lecturas bíblicas para el siguiente estudio

Lunes: 1 Timoteo 2:1, 2
Martes: 1 Timoteo 2:3, 4
Miércoles: 1 Timoteo 2:5-7
Jueves: 1 Timoteo 2:8
Viernes: 1 Timoteo 2:9, 10
Sábado: 1 Timoteo 2:11-15

AGENDA DE CLASE

Antes de la clase

1. Consulte un diccionario y comentarios bíblicos para averiguar todo lo posible sobre Efeso y Timoteo. Usando una concordancia, busque en la Biblia las referencias a Timoteo. Lea Hechos 19 que contiene el inicio de la obra cristiana en Efeso. **2.** Lea 1 Timoteo de corrido, que apenas ocupa cuatro páginas en la Biblia, para tener una idea general del contenido. Estudie el comentario en este libro y en el del alumno. **3.** Confeccione un cartel con el título de esta nueva unidad que abarca cinco estudios. **4.** Tenga a mano un mapa del mundo del Nuevo Testamento. **5.** Conteste las preguntas en la primera sección bajo *Estudio del texto básico* en el libro del alumno.

Comprobación de respuestas

JOVENES: **1.** F. **2.** V. **3.** V. **4.** V. **5.** F. **6.** V.
ADULTOS: **1.** Las respuestas dependen del lector. **2.** Cuando se usa legítimamente. **3.** a: v. 13. b: v. 15. c: v. 12. d: v. 15.

Ya en la clase

DESPIERTE EL INTERES

1. Escriba en el pizarrón o en una cartulina: HIJO ESPIRITUAL. **2.** Conversen sobre lo que significa y dé oportunidad para que los que deseen hacerlo, digan de quién se consideran "hijos espirituales" o si consideran que tienen "hijos espirituales" y los mencionen.

ESTUDIO PANORAMICO DEL CONTEXTO

1. Diga que en este estudio comenzarán a enfocar la primera carta de Pablo a Timoteo. **2.** Continúe, dando los antecedentes de Timoteo, dónde estaba y en qué se estaba ocupando cuando Pablo le escribió su primera carta. Al mencionar Efeso, señale la ciudad en el mapa, diga algo de su importancia, del culto a la diosa Diana y dé un resumen de Hechos 19. **3.** Muestre el cartel con el título de la unidad y llame la atención al título del estudio como la primera "exigencia" que enfocarán, y pida a los participantes que lean en sus libros del alumno la *Verdad central* y hagan la relación entre: (1) un corazón puro y la gracia de Dios, (2) las falsas enseñanzas y el amor y (3) la proclamación del evangelio y el amor.

ESTUDIO DEL TEXTO BASICO

Alerta contra las falsas enseñanzas, 1 Timoteo 1:3-7. Divida la clase en dos sectores (por ejemplo: uno desde el centro a la derecha y otro del centro a la izquierda, o uno formado por la primera fila y otro por la segunda fila). Al leer un alumno en voz alta este pasaje, los de un sector deben encontrar exigencias sobre cosas que la iglesia NO

DEBE ACEPTAR (doctrinas extrañas, fábulas, genealogías, vanas palabrerías). El otro sector debe identificar lo que la iglesia SI debe aceptar (el plan de Dios por fe, amor que procede de un corazón puro, de una buena conciencia y de una fe no fingida). Cuando los integrantes de los dos sectores aporten sus respuestas, explique la significación de cada exigencia.

El propósito de la ley, 1 Timoteo 1:8-11. Llame la atención a este subtítulo. Pregunte quiénes le tienen miedo a la ley y con razón (los que no la obedecen, por ejemplo: si uno no es ladrón no tiene miedo que lo descubran robando). Pida que, pensando en esto, escuchen la lectura de los vv. 8-11. Lea en voz alta estos versículos. Determinen cuáles de los Diez Mandamientos no guardaban los "rebeldes e insubordinados" listados en los vv. 9 y 10. Diga que cuando cumplimos las leyes no nos tienen que estar siempre recordándolas. Es cuando no las cumplimos que necesitamos que nos las recuerden. Ese es el propósito de la ley de Dios: recordársela a los que no la cumplen.

Acción de gracias por el ministerio, 1 Timoteo 1:12-17. Comente que después de dar su lista de transgresores (vv. 9, 10), Pablo se incluye a sí mismo en esa lista. Vean en los vv. 13 y 15 la confesión de cómo había sido en el pasado y, luego, cómo fue que toda su manera de ser cambió. Un sector encuentre en los vv. 12-14 cómo fue que pudo cambiar. El otro sector encuentre lo mismo en los vv. 15, 16. Al dialogar sobre lo que encontraron, aproveche la oportunidad para instar a los participantes que no son salvos a considerar su necesidad de cambiar y a explicarles cómo lograr el cambio.

APLICACIONES DEL ESTUDIO

1. Pregunte: ¿Qué doctrinas extrañas hay a nuestro alrededor? (Por ejemplo: La mariolatría, astrología, purgatorio, reencarnación, espiritismo, panteísmo, ateísmo, etc.). **2.** Presente dos o tres casos de estar con alguien que expresa una doctrina extraña y determinen entre todos la mejor manera de responder. Por ejemplo: Un profesor o jefe en el trabajo dice que Dios no existe, ¿cómo podemos responder en el amor de Cristo? Una compañera está contenta porque su horóscopo le dice que hoy hay romance para ella, ¿cómo podemos responder en el amor de Cristo? Usen como ejemplo a Pablo que en los vv. 12-17 dio su testimonio.

PRUEBA

1. Forme parejas para que hagan lo que pide el inciso 1 de esta sección en el libro del alumno y escriban en él sus respuestas. **2.** Conteste cada uno individualmente la pregunta del inciso 2 y, a modo de testimonio, compartan con su pareja lo que contestaron.

Unidad 5

Una vida tranquila y reposada

Contexto: 1 Timoteo 2:1-15
Texto básico: 1 Timoteo 2:1-15
Versículo clave: 1 Timoteo 2:5
Verdad central: Pablo enseña que es posible tener una vida tranquila y reposada en toda piedad y dignidad por medio de Jesucristo.
Metas de enseñanza-aprendizaje: Que el alumno demuestre su: (1) conocimiento de los factores que contribuyen a obtener una vida tranquila y reposada en toda piedad y dignidad, (2) actitud de incorporar a su vida a Jesucristo, la oración y la buena conducta.

Estudio panorámico del contexto

A. Fondo histórico:

En el capítulo dos, Pablo le enseña a Timoteo los factores para llevar una vida tranquila y reposada en medio de las tormentas doctrinales y de las batallas propias de la vida diaria de un creyente en Jesucristo. Los tres factores son: la oración que surge de una vida limpia que agrada a Dios; la aceptación y proclamación de Jesucristo como el único mediador entre Dios y los hombres; y vivir de tal manera que nuestra conducta exprese fe, amor y santidad.

B. Enfasis:

El primer factor es la oración, 2:1, 2. Pablo anima a Timoteo y a los hermanos para que oren por todos los hombres incluyendo a las autoridades del gobierno (2:1, 2). Con cuatro palabras Pablo describe los varios aspectos de la oración: súplicas, oraciones, intercesiones y acciones de gracias.

Las oraciones que Dios escucha y responde, 2:3, 4, 8. Para que las oraciones sean aceptables delante de Dios se requiere que quien ora: (1) acepte la salvación por medio de Jesucristo (v. 4), viva vida limpia (v. 8) y busque siempre agradar a Dios en todo lo que hace (v. 3).

Un solo mediador entre Dios y los hombres, 2:5-7. El otro factor importante es aceptar para sí mismo y proclamar a favor de otros que Jesucristo es el único mediador entre Dios y los hombres (5-7).

Fe, amor y santidad 2:8-15. El tercer factor es vivir un estilo de vida que demuestra buena conducta. De los hombres se espera piedad, paciencia (sin ira) y bondad (sin discusión) (v. 8). De las mujeres se espera decoro, reverencia a Dios, fe, amor y santidad (vv. 9-15).

1 Oración para tener una vida tranquila y reposada, 1 Timoteo 2:1-4.

V. 1. Pablo acaba de terminar lo que hoy conocemos como el primer capítulo de su carta a Timoteo. En él le ha expuesto a su discípulo la importancia de enseñar a los miembros de la iglesia acerca de las enseñanzas que algunos falsos maestros querían filtrar dentro del cuerpo de doctrina ya establecido. También le ha animado a proclamar que solamente en Jesucristo hay salvación y por lo tanto debe mantenerse firme a pesar de los detractores y de que algunos como Himeneo y Alejandro hasta expresen horrendas blasfemias.

Por esto, en vista de la tremenda responsabilidad y los múltiples desafíos de guiar a una iglesia, tanto como las implicaciones de vivir en un mundo lleno de maldad, Pablo exhorta, aconseja y anima la práctica de la oración. Utiliza cuatro palabras que describen varios aspectos de la oración, estas son: *súplicas, oraciones, intercesiones y acciones de gracias.*

Súplicas, es lo que una persona hace cuando se da cuenta de que tiene una necesidad, y, que a menos que alguien le provea ayuda, no podrá suplirla. Cuando sentimos dentro de nuestro ser el desamparo y la impotencia para resolver las demandas que tenemos por delante debemos correr delante de Dios y él como buen Padre amante suplirá todo lo que nos falte.

Oraciones, las oraciones legítimas, genuinas, son aquellas en las cuales experimentamos una relación personal y única con Dios como Señor de nuestra vida. Desafortunadamente no siempre que inclinamos la cabeza y elevamos nuestras oraciones, tenemos ese tipo de experiencia; la culpa es nuestra pues no anhelamos profundamente esa relación.

Intercesiones, son aquellas ocasiones cuando nos acercamos al Señor para suplicarle a favor de otras personas. Hablamos a Dios en nombre de, o a favor de otros.

Finalmente, *las acciones de gracias.* Un corazón que ha recibido respuesta a su súplica, que ha experimentado la presencia de Dios, que se ha interesado por el bienestar de su prójimo, se da cuenta de que Dios responde y por lo tanto prorrumpe en acciones de gracias. Puede ser que no ve con sus ojos la respuesta, pero con los ojos de la fe, con la certeza del que cree que para Dios todo es posible, comienza a alabar y agradecer la generosidad del Señor.

V. 2. Qué hermoso es suplicar, orar, interceder y dar gracias por nosotros y también por todos los hombres, incluyendo a *los reyes y por todos los que están en eminencia.* Los reyes son las personas nombradas para gobernar a los pueblos; en nuestro caso: presidentes, gobernadores, alcaldes, jefes de la policía y otras autoridades civiles. En Romanos 13, Pablo nos dice que todos ellos son puestos por Dios y que por lo tanto les debemos respeto; aquí agrega que debemos orar por ellos. Los que están en eminencia, pueden ser los que ocupan cargos de responsabilidad en las distintas organizaciones de la comunidad o de nuestra congregación. El resultado de esta actitud de oración es *que llevemos una vida tranquila y reposada en toda piedad y dignidad.*

V. 3. Cuando oramos así, las oraciones son aceptables *delante de Dios*. Es decir, que Dios las oye, les da la debida atención y las responde de acuerdo con su gracia y su soberana voluntad.

V. 4. La razón por la cual Dios da respuesta a las oraciones de la persona que ora a él, es porque Dios desea *que todos los hombres sean salvos y lleguen al conocimiento de la verdad*. El Señor no defrauda a sus hijos, no los hace quedar mal; al contrario, los confirma en su fe por causa de su gran amor que desea y busca salvar del pecado y la condenación eterna.

2 Relación con Jesucristo para una vida tranquila y reposada, 1 Timoteo 2:5-7.

V. 5. *Porque hay un solo Dios y un solo mediador entre Dios y los hombres, Jesucristo hombre*. El otro factor importante para conseguir una vida tranquila y reposada es aceptar para sí mismo y proclamar a favor de otros que Cristo es el único que puede mediar entre Dios y los hombres.

Un solo Dios. En medio de un mundo que busca la salvación de su vida por departamentos o áreas y por lo tanto busca a un dios para cada una de esas áreas, el evangelio ofrece una salvación total, completa por medio de un solo Dios.

Un solo mediador. El mediador es la persona que se pone de pie en medio de dos personas que se han alejado y han dejado de comunicarse. En este caso se trata de dos personas muy diferentes: *Dios y los hombres*. Cada una con personalidades distintas y capacidades sin posible comparación. En tales condiciones solamente es posible establecer la comunicación y la relación por medio de un mediador: Jesucristo.

Jesucristo, por haberse hecho hombre comprende nuestra naturaleza y tendencias humanas. Pero a la vez, siendo Dios, nos ama, perdona y acepta completa y totalmente. Siendo Jesucristo verdadero hombre y verdadero Dios está plenamente calificado para mediar entre el Dios santo y los hombres pecadores.

Vv. 6, 7. *Quien se dio a sí mismo en rescate por todos*. La palabra *rescate* se refiere al dinero o pago entregado en sustitución o el lugar de un esclavo o un prisionero. Jesucristo mismo se entregó en sustitución por nosotros. El ocupó nuestro lugar. Pablo afirma que de todo esto se dio testimonio a su debido tiempo.

Pablo parece decir, "y aquí es donde entro yo en escena". En sus propias palabras: *Para esto yo fui constituido predicador, apóstol y maestro*. Como predicador o heraldo anunciaba un mensaje con plena autoridad. Era un mensaje que había recibido de Jesucristo mismo. Como apóstol era un enviado en representación de Cristo llevando en su cuerpo las marcas y las credenciales de su autoridad. Como maestro tenía el privilegio de ayudar a crecer en todas las áreas de su vida a aquellos que con corazón sencillo responden a la invitación de ser salvos por la fe en Jesucristo. Quienes pretendan llegar a tener una vida tranquila y reposada deben comenzar por relacionarse adecuadamente con Jesucristo, pues no hay otra manera. Todos los demás esfuerzos para lograr tal fin serán en vano.

3 Actitud correcta para una vida tranquila y reposada, 1 Timoteo 2:8-15.

Cuando hablamos de las actitudes entramos al campo del estilo de vida que es normado por las emociones, los afectos y los valores que forman la base de nuestra conducta diaria. Pablo se refiere primero a la conducta de los hombres (v. 8), y luego a la conducta de las mujeres (vv. 9-15).

V. 8. *Que los hombres oren en todo lugar.* Esta expresión puede tener una doble referencia. La original, que solamente los hombres podían orar en público cuando se congregaba la iglesia. La actual, que los hombres sean los guías espirituales de su familia y la conduzcan a encuentros significativos con Dios en todo lugar. La alusión a levantar las manos, tiene también una doble alusión. (1) A la práctica hebrea de levantar las manos en acción de entregar una ofrenda a Dios. (2) A la integridad, honestidad y consistencia entre la vida diaria y la vida religiosa. En todo caso, Pablo no está promoviendo una postura física para orar sino llamando la atención a la importancia de tener una vida piadosa, sin ira (paciencia) ni discusión (bondad).

Vv. 9, 10. De las mujeres se espera que su vidas profesen reverencia a Dios. Estos versículos y los que siguen deben ser interpretados a la luz de la posición de las mujeres en Efeso y desde la perspectiva hebrea tanto como griega. La posición griega disfrutaba del hecho que muchas mujeres se dedicaran a la prostitución en el templo de Diana, la diosa favorita de los Efesios, durante el día; y por las noches anduvieran en las calles ofreciendo sus servicios personales al mejor postor. Aquellas mujeres se vestían con vestidos, peinados, joyas y adornos que llamaran la atención de sus posibles clientes. Pablo no deseaba que las hermanas de la iglesia fueran confundidas o vistas, en ningún momento, como aquellas vendedoras de su cuerpo. Pablo les anima para que, como resultado de su experiencia con Cristo, actúen y se conduzcan como mujeres que profesan reverencia a Dios.

Vv. 11-14. De acuerdo con la cultura hebrea, la mujer era considerada como propiedad de su padre o de su esposo. Aquellas mujeres que no tenían una actitud sumisa con su padre o su esposo eran vistas como rebeldes y consideradas con poca o ninguna dignidad, pues por su conducta rebajaban la dignidad del hombre al cual pertenecían. Pablo da dos razones para que la mujer no ejerza dominio sobre el hombre (v. 12). Una es que Dios creó primero al hombre; y dos, que la mujer fue engañada y por medio de ella su marido.

V. 15. *Sin embargo, se salvará teniendo hijos.* Sin duda este es uno de los versículos difíciles de comprender en los escritos de Pablo. Su interpretación se facilita cuando uno se da cuenta de que en toda la Biblia no se habla de dos maneras o planes de salvación. Dios salva a los hombres solamente por medio de la fe en Jesucristo y no por tener hijos. Es más, Pablo añade que la mujer debe permanecer *en fe, amor y santidad con prudencia.* Esto significa que cuando una mujer establece su relación con Cristo es salva, y que por causa de ese hecho debe cuidar de su marido, de sus hijos en los aspectos espirituales (en fe), de su formación emocional (amor) y dar un buen ejemplo digno de imitar (santidad con prudencia).

Aplicaciones del estudio

1. Los creyentes que desean tener una vida tranquila deben orar por todos los hombres incluyendo a las autoridades de gobierno (vv. 1-3).

2. Siendo que Jesucristo es el único mediador entre Dios y los hombres, nosotros tenemos la responsabilidad de darlo a conocer (vv. 5, 6).

3. Tanto los hombres como las mujeres tenemos la responsabilidad de vivir vidas consecuentes con nuestra profesión de fe en Jesucristo.

Ayuda homilética

Cómo tener una vida tranquila
1 Timoteo 2:1-15

Introducción: En medio del ajetreo de nuestros días y de las tensiones que nos toca manejar necesitamos aprender cómo tener una vida tranquila. Sí es posible tener una vida tranquila.

I. Suplicando, orando, intercediendo, y agradeciendo, 2:1, 2.
- A. Súplicas, pida a Dios por sus necesidades más profundas.
- B. Oraciones, busque experiencias personales y únicas con Dios.
- C. Intercesiones, hable con Dios acerca de otros.
- D. Acciones de gracias por las respuestas que él dará.

II. Confesando y pidiendo perdón a Dios por sus pecados, 2:3-6.
- A. Dios quiere que usted sea salvo. Por eso envió a Jesucristo.
- B. Jesucristo es el único mediador entre Dios y los hombres.
- C. Jesucristo se dio en rescate por todos. Por usted también.

III. Viviendo piadosamente, con fe, amor y santidad, 2:8-15.
- A. Piadosa, significa que somete todas las decisiones que tiene que hacer a la soberanía del Señor.
- B. De fe, que espera en el poder milagroso y favorable de Dios en todas las cosas que emprende.
- C. Amor, que busca el mayor bien de las personas que le rodean.
- D. Santidad, con toda limpieza de mente, de corazón y sirve con motivos dignos.

Conclusión: Sí es posible vivir una vida tranquila; depende de usted y de la manera en que ponga en práctica los "secretos" que le hemos presentado. ¡Pruébelos!

Lecturas bíblicas para el siguiente estudio

Lunes: 1 Timoteo 3:1-7
Martes: 1 Timoteo 3:8-13
Miércoles: 1 Timoteo 3:14-16
Jueves: 1 Timoteo 4:1-5
Viernes: 1 Timoteo 4:6-10
Sábado: 1 Timoteo 4:11-16

AGENDA DE CLASE

Antes de la clase

1. Lea en su Biblia 1 Timoteo 2. Estudie el comentario en este libro del maestro y en el del alumno. **2.** Cerciórese de que el cartel con el título de la unidad esté en su lugar. **3.** En los días anteriores al estudio sea un observador de lo que ocurre a su alrededor: en casa, en la calle, en la universidad y el trabajo, en su patria y en todo el mundo. Tome nota de los indicios de tensiones y estrés y de todo lo opuesto a "una vida tranquila y reposada". **4.** Tenga escrito en el pizarrón o en una cartulina el título del estudio. **5.** Conteste las preguntas en la primera sección bajo *Estudio del texto básico* en el libro del alumno.

Comprobación de respuestas

JOVENES: **1.** Por todos los hombres y los gobernantes. **2.** Que oremos por otros. **3.** Que todos sean salvos. **4.** Dios y nosotros. **5.** Buenas obras.

ADULTOS: **1.** a. Llevemos una vida tranquila y reposada en toda piedad y dignidad. b. que todos los hombres sean salvos y que lleguen al conocimiento de la verdad. **2.** Hay un solo mediador entre Dios y los hombres, Jesucristo hombre. **3.** a. Respuestas correctas: sin ira, sin discusión. b. con decoro, con modestia, con prudencia, con buenas obras.

Ya en la clase

DESPIERTE EL INTERES

1. Llame la atención al título del estudio que escribió en el pizarrón o una cartulina. **2.** Cuente lo que hizo los días anteriores y los indicios a su alrededor de todo lo opuesto a "una vida tranquila y reposada". Comente que estamos rodeados de intranquilidad y conflictos.

ESTUDIO PANORAMICO DEL CONTEXTO

1. Diga que la intranquilidad y los conflictos muchas veces se infiltran en la iglesia. **2.** Pida a los presentes que abran sus Biblias en 1 Timoteo y se fijen en el capítulo 1 que enfocaron en el estudio anterior y noten indicios de intranquilidad y conflictos en la iglesia en Efeso (1:3, 4, 6, 7, 10, 19, 20). Mencione también la intranquilidad y conflicto por los cuales Pablo tuvo que prácticamente huir de Efeso. **3.** Agregue que la iglesia siempre está bajo el ataque de Satanás, el promotor de la intranquilidad, los conflictos, las tensiones y el estrés, que se manifiesta de diversas maneras. Verán cómo vencerlo al estudiar ahora 1 Timoteo 2.

ESTUDIO DEL TEXTO BASICO

Oración para tener una vida tranquila y reposada, 1 Timoteo 2:1-4. Diga que en vista de todo lo expresado por Pablo en el capítulo 1, veamos qué soluciones sugiere en el capítulo 2. Lean 1 Timoteo 2:1 en silencio y note que la primera solución es la oración. Continúe diciendo que aplicando los estilos de oración mencionados en este versículo a la situación de la iglesia en Efeso ¿cuáles serían los contenidos de las súplicas, oraciones, intercesiones y acciones de gracias? Dé amplia oportunidad para que respondan. Lean en silencio el v. 2. Noten en el v. 1 y en éste, por quiénes debían orar. Lean en silencio los vv. 3, 4. Si no incluyeron en el contenido de las oraciones la intercesión por su salvación (v. 5) destáquelo como una oración que siempre está dentro de la voluntad del Señor. Pregunte: ¿Qué conflictos quedarían resueltos en la iglesia en Efeso al contestar Dios las oraciones que expresaran la voluntad de Dios? Dialoguen las respuestas.

Relación con Jesucristo para una vida tranquila y reposada, 1 Timoteo 2:5-7. Diga que los vv. 5-7 declaran claramente la verdad a la cual Pablo se refiere en el v. 4. Pregunte: ¿Qué relación tiene esta verdad con "una vida tranquila y reposada"? Comente que podríamos interpretar que Pablo le decía a Timoteo que la iglesia en Efeso podía quedarse "tranquila y reposada" con los brazos cruzados si no fuera por lo que dice el v. 7. Después de leerlo en voz alta destaque que la verdad que Pablo acaba de declarar tiene que ser predicada (predicador), vivida (apóstol) y enseñada (maestro).

Actitud correcta para una vida tranquila y reposada, 1 Timoteo 2:8-15. Forme dos grupos. Un grupo identifique en este pasaje el mensaje para los hombres en cuanto a las actitudes que NO deben tener y las que SI deben tener. El otro grupo identifique lo mismo pero en relación con las mujeres. Usen sus libros del alumno para ver más sobre el tema y prepararse para informar. Después que los grupos informen, guíe un diálogo en base a la pregunta: ¿Cómo estas actitudes de hombres y mujeres contribuirían a una vida tranquila y reposada en la iglesia en Efeso?

APLICACIONES DEL ESTUDIO

1. Llame la atención al título de la unidad y pregunte en qué sentido lo estudiado puede considerarse "exigencias de la iglesia". **2.** Dirija una discusión de mesa redonda en base a las siguientes tres preguntas: (1) Pensando en nuestra propia iglesia, ¿qué debemos orar por nuestros gobernantes a fin de tener una vida tranquila y reposada? (2) ¿Cómo contribuye nuestra relación con Jesucristo a una vida tranquila y reposada? (3) ¿Qué actitudes debemos tener para una vida tranquila y reposada como hijos de Dios?

PRUEBA

1. Cada uno escriba en su libro del alumno las respuestas a las preguntas bajo esta sección en el libro del alumno. **2.** Compruebe las respuestas dialogando sobre ellas entre todos.

Estudio **20**

Unidad 5

Requisitos para los dirigentes de una iglesia

Contexto: 1 Timoteo 3:1 a 4:16
Texto básico: 1 Timoteo 3:1-13; 4:12-16
Versículo clave: 1 Timoteo 4:16
Verdad central: Pablo expone cuáles son los requisitos o cualidades que califican a una persona que sirve como dirigente de una iglesia.
Metas de enseñanza-aprendizaje: Que el alumno demuestre su: (1) conocimiento de los requisitos que deben llenar quienes dirigen una iglesia, (2) actitud de aprecio y apoyo hacia aquellos que sirven como dirigentes calificados en su iglesia.

Estudio panorámico del contexto

A. Fondo histórico:

Siendo que la iglesia de Efeso había sido invadida por predicadores y maestros falsos, que con cierta habilidad estaban confundiendo a los creyentes, Pablo ve la necesidad de exponer los criterios por los cuales se puede distinguir a los verdaderos dirigentes de los falsos. Entre esos criterios hay de diferentes tipos: espiritual, emocional, de conducta y administración familiar, y cuando menos uno intelectual.

¿Cómo la iglesia puede seleccionar a sus dirigentes? ¿Con qué criterios? Esa es la pregunta básica que cubre el estudio de hoy. Es interesante que Pablo no dice cuál debe ser el procedimiento de selección o cómo se deben instalar o declarar electos para el ejercicio. Sí nos dice algo acerca de sus funciones y tareas, y con toda claridad nos exige ejercer mucho cuidado en la selección de las personas que deben ocupar posiciones de liderazgo o dirección.

B. Enfasis:

Requisitos para ser obispo, 3:1-7. La palabra griega que se traduce "obispo" describía a una persona que tenía la responsabilidad de supervisar a quienes hacían el trabajo de construcción. Era la persona responsable de ver que los constructores hicieran el trabajo de acuerdo con los planos y las medidas dadas.

Esta palabra también aparece en Los Hechos 20:17 y 28. En el uso del N.T. se refiere a la persona que tiene la responsabilidad de supervisar y dar dirección sobre la vida espiritual de los miembros de una congregación. Por eso las normas o requisitos para dicha persona son de los más altos y estrictos.

Requisitos para ser diácono, 3:8-13. La palabra diácono es una transliteración de la misma palabra en el idioma griego. Originalmente se refería a aquellos que "limpiaban el polvo" y administraban los asuntos domésticos. Posteriormente adquirió una sentido de posición elevada hasta el punto que se relacionó con la palabra "ministro" que llegó a adquirir la connotación de un servidor público de alta jerarquía encargado de aspectos específicos del gobierno de un país. Por la naturaleza del servicio que los diáconos deben prestar a la congregación también deben cumplir ciertos requisitos o criterios bastante estrictos.

Verdades centrales del evangelio, 3:14-16. La expresión: "Sepas cómo te conviene conducirte en la casa (o la familia) de Dios", es sin duda la razón por la cual Pablo escribió a Timoteo. Describe la conducta y la manera como Timoteo, y cualquier otro obrero cristiano, debe relacionarse con otras personas. Esta conducta es vista a la luz del hecho que es la iglesia del Dios viva, columna y fundamento de la verdad. El mensaje de la iglesia es de tal naturaleza que exige que quienes lo exponen sean consecuentes con él. Luego Pablo presenta un hermoso himno o canto que expresa las verdades centrales del evangelio. Cada línea es una afirmación de quién es Jesucristo el Señor de la iglesia.

Contra la apostasía, 4:1-5. La palabra "apostasía" describe las actividades y la actitud de una persona que antes servía con todo su corazón y sus fuerzas a Dios, pero que después se apartó de la fe y como resultado ahora sirve con todas sus fuerzas e interés en contra de Dios. Puede ser que sea bien intencionada y sincera, pero está equivocada. Pablo advierte contra esa triste experiencia y anima a todos a tener mucho cuidado.

El buen ministro de Jesucristo, 4:6-16. El buen obrero de Jesucristo es aquel que se nutre con la Palabra de Dios y la buena doctrina (v. 6); luego manda y enseña. La palabra "manda" puede traducirse como: aconseja, asesora, provee ideas de cómo hacer bien algo. Y la palabra "enseña" habla del ministerio docente por medio del cual un obrero cristiano nutre, alimenta y cuida de su congregación.

Estudio del texto básico

1 Requisitos para ser obispo, 1 Timoteo 3:1-7.

V. 1. Cualquier persona, miembro de la iglesia, que anhela o desea ser un obispo, tiene un deseo válido y digno. Pablo dice que desea *buena obra.* No hay nada indebido en desear una posición como la de un obispo con tal que llene los requisitos pertinentes a esa posición.

La palabra obispado se refiere al oficio o tarea de un obispo, es decir la supervisión o vigilancia del trabajo para asegurar el bien de otras personas. En los escritos de Pablo encontramos junto con la palabra obispo, las palabras "pastor" y "anciano" (ejemplo Hech. 20:17, 28; 1 Tim. 5:17 y Fil. 1:1). Evidentemente las tres palabras describen la misma posición o las funciones que desempeña la persona que ocupa esa posición. Algunas personas han visto cierta jerarquía, pero eso es imponer sobre las palabras una connotación que sencillamente no contienen.

V. 2. Aquí se nos ofrecen cinco criterios o requisitos que debe satisfacer la persona que desea servir a su iglesia en la posición de supervisor o administrador, de pastor o de maestro (que sería una implicación natural a la palabra "anciano". Alguien que por su edad y experiencia podía enseñar a los más jóvenes o principiantes).

Irreprensible. La naturaleza del ministerio de la iglesia y las condiciones del mundo que le rodean exigen que quien la dirige no sea objeto de la crítica por su mal testimonio personal fuera de la iglesia.

Marido de una sola mujer. Esta frase ha dado mucho qué decir. Algunos la citan para decir que un pastor debe ser casado. Otros dicen que un pastor no debe volverse a casar si su primera esposa muere. Esta posición está en contra de otras claras enseñanzas como la que encontramos en (1 Cor. 7:39). Pablo está enseñando que un pastor debe ser fiel a su esposa. Sin duda la fuerza de la instrucción radica en el hecho de que un pastor debe ser un buen ejemplo en todo, incluyendo su vida conyugal.

Calificaciones necesarias emocionales o afectivas:

Sobrio, una persona que mantiene bajo control sus emociones, alguien que no se deja gobernar por sus pasiones o personales intereses.

Prudente, una persona que no se mete en asuntos que no le incumben.

Decoroso, alguien que mantiene una buena conducta.

Hospitalario, alguien que está dispuesto a abrir las puertas de su casa a los que en un momento dado lo necesiten.

Apto para enseñar. Este es el único requisito intelectual que se exige a los pastores. La palabra apto quiere decir que tiene la voluntad, el deseo y la disposición, pero también que dedica el tiempo a prepararse.

V. 3. *No dado al vino.* Sin duda la mejor manera de no tomar riesgos es no tomar ninguna bebida embriagante.

No violento, sino amable. Debe ser tolerante y dispuesto a perdonar.

No contencioso ni amante del dinero. Un pastor debe confiar en que Dios proveerá para sus necesidades igual que para las de los miembros de la iglesia.

Vv. 4, 5. Estos versículos implican que si un pastor está casado y tiene hijos debe educarlos bien para que no tenga nada de que avergonzarse, ni traer críticas sobre la iglesia.

V. 6. A veces los recién convertidos desean servir al Señor como pastores, y como hemos dicho, es un buen deseo; sin embargo, es preferible que esperen hasta adquirir más madurez espiritual.

V. 7. Finalmente, también debe tener *buen testimonio.* El buen nombre, o lo que dicen del pastor las personas que no son miembros de la iglesia es un asunto importante. A veces Las críticas serán muy duras y mentirosas y por lo tanto el pastor puede desanimarse y abandonar su posición. Por otra parte si son ciertas van a traer descrédito a la obra de la iglesia.

2 Requisitos para ser diácono, 1 Timoteo 3:8-13.

V. 8-10. Los diáconos deben ser dignos de respeto. *No dados a mucho vino. Ni amantes de ganancias deshonestas.* Una de las tareas de los diáconos se relaciona con la administración de los haberes de la congregación, y por lo tanto, se espera que no sea un amante del dinero al punto que se cuestione su integridad.

Que mantengan el misterio de la fe. Esta exigencia impone que el diácono viva en armonía con lo que enseña o predica del evangelio.

Que sean probados primero... Algunos maestros de la Biblia sugieren que debe darse al candidato al diaconado un examen sobre sus doctrinas y creencias para establecer si están en armonía con la fe.

V. 11. *Las mujeres...* este versículo levanta la pregunta si Pablo habla de las esposas de los diáconos o de las mujeres que en un momento dado pueden servir como diaconisas. Los que ven aquí una alusión a las diaconisas dicen que es por implicación que los requisitos dados a los hombres son igualmente válidos para las mujeres. Podríamos pensar que si bien Pablo no está creando un tercer grupo de oficiales, sí está refiriéndose a aquellas mujeres que prestan un servicio a la iglesia, sean o no esposas de diáconos. De ellas se requiere que sean dignas de respeto, no calumniadoras, sobrias y fieles en todo.

Vv. 12, 13. Otros requisitos tienen que ver con la vida familiar del diácono. Un buen diácono mantiene una perspectiva correcta de lo que es su ministerio y llega a ser reconocido por su *buena reputación.*

3 El buen ministro de Jesucristo, 1 Timoteo 4:12-16.

V. 12. *Sé ejemplo para los creyentes.* Comparado con los hermanos mayores de la iglesia, Timoteo, un hombre de unos 35 años, podía parecer un joven y por lo tanto recibir algún trato despectivo. Pablo le anima a no dar lugar al desánimo, por el contrario a ser un ejemplo para todos. Debe ser ejemplo en: *palabra,* se refiere a manera de hablar, cómo lo dice y lo que dice, en su conversación pública y privada. En *conducta,* se refiere a la manera en la cual vive. En *amor,* habla de sus relaciones para con otras personas. En *fe,* se refiere a alguien que demuestra dependencia del Señor. En *pureza,* indudablemente alude a la conducta moral, los motivos que guían a la persona a actuar.

V. 13. Aquí hay un resumen de las tareas básicas de un pastor u obrero cristiano. *Ocúpate en la lectura.* Un obrero cristiano necesita dedicar tiempo para la lectura de la Palabra de Dios. La lectura pública y privada de las Escrituras jamás debe dejar de hacerse. *En la exhortación.* Esto es en la tarea de advertir en contra del error y al que ha caído ayudarlo a salir de su pecado. El ministerio cariñoso de la restauración hecho por medio de la predicación o el trabajo personal. *Y en la enseñanza.* Esta función es el esfuerzo intencionado de guiar a los hermanos en el conocimiento de la Palabra de Dios.

Vv. 14, 15. Timoteo había sido capacitado por el Señor con los tres dones arriba mencionados: la capacidad de dar lectura e interpretar las Sagradas Escrituras, con el don de exhortar por medio de la predicación y el don de la enseñanza. Por medio de la iglesia y su acto de imposición de las manos

Timoteo es responsable directamente al Señor y no solamente a Pablo como su maestro en el servicio cristiano.

V. 16. Timoteo debe mantenerse atento cuidadoso de su conducta y de la doctrina. Cuando esos dos hechos están en armonía el testimonio se hace tan poderoso que invita a que otras personas deseen la salvación en Cristo Jesús.

Aplicaciones del estudio

1. Solamente los hermanos espiritualmente maduros debieran ocupar las posiciones de liderazgo en la iglesia, 3:6.

2. Los dirigentes de la iglesia deben desarrollar hogares cristianos, 3:4, 5, 11, 12. Es muy difícil, si no prácticamente imposible, que un obrero cristiano pueda desempeñar adecuadamente su servicio sin el respaldo de su esposa o esposo y de sus hijos.

3. Dios provee los dones que los dirigentes necesitan, 4:14. La enseñanza del N.T. es que Dios provee a la iglesia con los dones espirituales necesarios para la edificación de todos (1 Cor. 12: 4-11; Rom. 12:1-6; Ef. 4:11).

Ayuda homilética

Los deberes de un dirigente de la iglesia
1 Timoteo 4:10-16

Introducción: Muchas veces los dirigentes de la iglesia son evaluados por los hermanos; pero un ministro debe evaluarse constantemente a sí mismo. Estas son algunas normas por las cuales puede hacerlo.

I. ¿Mantengo una renovada relación con el Señor? (v. 10).
II. ¿Trabajo arduamente para cumplir bien con la tarea? (v. 11).
III. ¿Soy ejemplo de los creyentes en palabra, en conducta, en amor, en fe y en pureza? (v. 12).
IV. ¿Me ocupo en la lectura, la exhortación y la enseñanza? (v. 13).
V. ¿Me dedico a mejorar los dones que Dios me dio? (vv. 14, 15).
VI. ¿Cuido de mí mismo de tal manera que mi enseñanza de la doctrina sea consecuente y conduzca a otros a la salvación? (v. 16).

Conclusión: "Si alguien anhela obispado, desea buena obra" (3:1). Si es esto lo que deseas y a lo cual te ha llamado el Señor, es bueno. Aquí están los requisitos. ¡Anímate! ¡Vale la penal!

Lecturas bíblicas para el siguiente estudio

Lunes: 1 Timoteo 5:1, 2
Martes: 1 Timoteo 5:3-8
Miércoles: 1 Timoteo 5:9-16
Jueves: 1 Timoteo 5:17-21
Viernes: 1 Timoteo 5:22-25
Sábado: 1 Timoteo 6:1, 2

AGENDA DE CLASE

Antes de la clase

1. Lea 1 Timoteo 3:1 a 4:16. Estudie el comentario en este libro y en el del alumno. **2.** Prepare un cartel que diga simplemente: IRREPRENSIBLE. **3.** En tiritas de papel, escriba los requisitos para los obispos, diáconos y mujeres servidoras en la iglesia. Colóquelas en una cajita. **4.** Asegúrese de que el cartel con el título de la unidad está en su lugar. **5.** Considere la posibilidad de contar con la presencia y colaboración del pastor, un diácono o una diaconisa (si su iglesia las tiene) o una mujer líder en la iglesia, pidiéndole que haga lo que se detalla bajo *Despierte el interés.* **6.** Conteste las preguntas en la primera sección bajo *Estudio del texto básico* en el libro del alumno.

Comprobación de respuestas

JOVENES: **1.** P D. **2.** D. **3.** P D. **4.** P. **5.** D. **6.** P. **7.** P D. **8.** P. **9.** P D. ADULTOS: **1.** Compruebe sus respuestas cotejándolas con su Biblia. **2.** Cotejar con la Biblia. **3.** Coteje su respuesta con 1 Timoteo 4:12-16.

Ya en la clase

DESPIERTE EL INTERES

1. Si consiguió la colaboración del pastor, un diácono o diaconisa (o una hermana líder) preséntelo a la clase. Con anterioridad, le habrá pedido que venga a la clase y cuente brevemente cómo fue que la iglesia lo nombró al puesto que ocupa, por qué aceptó y algo que ha aprendido como resultado del servicio que presta a la congregación. **2.** Después de que la persona invitada haya dado su testimonio, si en su clase hay otros diáconos, diaconisas o hermanas líderes, reconózcalos. Si no pudo conseguir la colaboración de alguien fuera de la clase, haga las preguntas al dirigente que tenga en la clase.

ESTUDIO PANORAMICO DEL CONTEXTO

1. Llame la atención al cartel con el título de la unidad. Repasen las exigencias enfocadas hasta ahora. **2.** Recalque que para que una iglesia pueda cumplir lo que el Señor exige de ella, tiene que contar con los líderes apropiados y que, por eso, Pablo describe en su primera carta a Timoteo, los requisitos y las cualidades de las personas que sirven como sus oficiales y líderes en la iglesia. Dedique unos minutos a conisderar la pregunta: ¿Cuáles de estas cualdades o requisitos tengo yo? Pida que personas voluntariamente compartan con los dás la respuesta a la pregunta. **3.** Explique el significado del vocablo "obispo" en la Biblia. **4.** Diga que en el pasaje a estudiar Pablo enfoca específicamente a "obispos" (3:1-7), "diáconos" (3:8-10, 12, 13) y "mujeres" (3:11).

ESTUDIO DEL TEXTO BASICO

Requisitos para ser obispo, 1 Timoteo 3:1-7. Pida que abran sus Biblias en este pasaje y se fijen en el v. 1. Explique a qué función se refiere la palabra "obispado". Lea en voz alta el v. 2a. Coloque en un lugar visible para todos, el cartel con la palabra IRREPRENSIBLE y déjelo allí para usarlo en la próxima clase. Forme seis parejas o grupos y asigne a cada uno un versículo del 2 al 7 de 1 Timoteo 3. Deben hacer una lista de los requisitos o cualidades que hacen al pastor "irreprensible" y preparar un breve comentario sobre ellos. Pueden consultar su libro del alumno. Después de unos diez minutos, cada pareja lea el versículo que le tocó y presente su comentario.

Requisitos para ser diácono, 1 Timoteo 3:8-13. Haga notar en el v. 10 la palabra **irreprensible** que Pablo vuelve a usar. Ahora se aplica a los diáconos y las mujeres servidoras en la iglesia. Asigne a las mismas seis parejas o grupitos un versículo del 8 al 13. Los que tienen los versículos 8 al 12 hagan lo mismo que hicieron con los requisitos para el obispo o pastor. En los casos donde son los mismos requisitos que éste, pídales que agreguen otros conceptos que se apliquen a esa área. A la pareja que le toca el v. 13, pídales que se explayen en los resultados o recompensas de servir bien como diáconos. Cuando cada pareja o grupito informe, aporte aclaraciones o agregue información según lo considere oportuno.

El buen ministro de Jesucristo, 1 Timoteo 4:12-16. Comente que en este pasaje Pablo le ofrece a Timoteo directivas para su propio ministerio. Asigne a una pareja el v. 12a ("Nadie tenga en poco tu juventud") y a otra el v. 12b. A las demás parejas (o grupitos) asigne un versículo del 13 al 16. Pídales que analicen su versículo en base a los verbos, den su opinión sobre cómo debía proceder Timoteo para ser IRREPRENSIBLE en el área que les toca enfocar. Al informar agregue datos obtenidos de su propio estudio.

APLICACIONES DEL ESTUDIO

1. Pase la cajita con las tiritas en que escribió un requisito y cualidad. Cada participante tome una. Cada uno lea en voz alta lo que le tocó y piense en un líder de su iglesia a quien se aplica siendo IRREPRENSIBLE en ese sentido. **2.** Dirija un período de oración conversacional pidiendo la bendición y protección de Dios sobre cada líder mencionado y dando gracias al Señor por él.

PRUEBA

1. Compruebe si los participantes alcanzaron las metas de enseñanza-aprendizaje haciendo que cada uno realice las actividades que aparecen en esta sección del libro del alumno. **2.** Lea en voz alta lo que cada inciso pide y verifique cómo respondieron.

Unidad 5

Relaciones interpersonales en la iglesia

Contexto: 1 Timoteo 5:1 a 6:2
Texto básico: 1 Timoteo 5:1-21
Versículo clave: 1 Timoteo 5:8
Verdad central: Las relaciones interpersonales en la iglesia deben tomar en cuenta los principios expresados por el apóstol Pablo.
Metas de enseñanza-aprendizaje: Que el alumno demuestre su: (1) conocimiento de los consejos que Pablo ofrece a Timoteo acerca de cómo deben ser las relaciones interpersonales entre los miembros de la iglesia, (2) actitud de relacionarse con los miembros de su congregación con respeto e interés genuinos.

Estudio panorámico del contexto

A. Fondo histórico:

En este capítulo Pablo guía a Timoteo a considerar cómo deben ser las relaciones interpersonales en la iglesia. Menciona las relaciones con cinco grupos o segmentos que formaban la congregación de Efeso. Pablo solo menciona a estos grupos para ilustrar cómo deben ser las relaciones entre los miembros de la iglesia. Estos mismos principios se pueden aplicar a cualquier otro grupo que pueda haber en nuestras congregaciones el día de hoy.

El espacio que Pablo dedica al tema de las viudas nos obliga a pensar en algunas instrucciones que la Biblia contiene acerca de este grupo de personas. (1) En Deuteronomio 14:18, 29, Dios ordena que una parte de los diezmos debía usarse para proveer para las necesidades de las viudas. (2) Deuteronomio 24:19-21 da instrucciones acerca de dejar en el campo algunos frutos como las gavillas, olivos y uvas para que las recojan los necesitados incluyendo las viudas. (3) Jeremías 7:6, 7 y 22:3, 4, dice que Dios bendice a quienes ayudan y honran a las viudas. (4) En Los Hechos 6:1-6 nos damos cuenta que la iglesia cristiana primitiva se organizó para dar un mejor servicio a las viudas. (5) Santiago 1:27 declara que la religión genuina y pura se demuestra por el cuidado que se da a las viudas.

B. Enfasis:

Cómo relacionarse con las personas que son de mayor edad. 5:1a, 2a. El primer grupo está formado por aquellos que son de mayor edad que Timoteo; a estos hermanos debe tratarlos como si fueran sus propios padres.

Cómo relacionarse con las personas que son de nuestra misma edad, 5:1b,

2b. El segundo grupo está integrado por aquellos que son de su misma edad; a ellos debe tratarlos como si fueran sus propios hermanos.

Cómo relacionarse con las viudas mayores de 60 años, 5:3-10. El tercer grupo lo forman las hermanas viudas, y para atenderlas debidamente Pablo las coloca en dos grupos: las viudas menores y las mayores de 60 años de edad. Dice que a las mayores de 60 años se les debe incluir en una lista para apoyarlas y sostenerlas económicamente.

Cómo relacionarse con las viudas jóvenes, 5:11-16. A las viudas jóvenes las anima a que se vuelvan a casar, críen hijos y no den oportunidad al adversario.

Cómo relacionarse con los pastores y ancianos, 5:17-21. El cuarto grupo lo integran los obreros de la iglesia: ancianos y pastores; a ellos se les trata con dignidad y cuando alguno es acusado de algo indebido se debe tener el testimonio de dos o tres personas.

Consejos personales de Pablo a Timoteo, 5:22-25. Pablo abre un paréntesis para dar a Timoteo unos consejos personales.

Cómo relacionarse con los amos o patrones, 6:1, 2. Menciona al quinto grupo: los siervos o esclavos. Estos deben relacionarse y trabajar para sus amos de tal manera que no desacrediten el nombre de Dios, ni la doctrina.

Estudio del texto básico

1 Cómo relacionarse con personas mayores de edad, 1 Timoteo 5:1a, 2a.

Vv. 1a, 2a. El primer grupo está formado por aquellos que son de mayor edad que Timoteo; a estos hermanos debe tratarlos como si fueran sus propios padres. El consejo es *no reprendas con dureza al anciano, sino exhórtale como a padre.* Por otro lado, en el v. 2 también se menciona el trato con las mujeres mayores de edad. Deben ser tratadas *como a madres.* El respeto y humildad que los hijos debemos a nuestros padres debe ser la norma con la cual un obrero cristiano debe tratar a los ancianos y ancianas. Esa actitud evitará el abuso verbal o el trato indebido.

2 Cómo relacionarse con personas jóvenes, 1 Timoteo 5:1b, 2b.

Vv. 1b, 2b. El segundo grupo está integrado por aquellos que son de la misma edad a quienes un obrero cristiano debe ministrar. A los hombres que son de su misma edad o adultos ligeramente mayores que él en edad debe tratarlos como si fueran sus propios *hermanos.* El amor filial tiene la cualidad de dar afecto, atención e interés, pero también espera recibir lo mismo.

A las mujeres de su misma edad debe tratarlas *como a hermanas, con toda pureza.* Evidentemente se incluye la pureza sexual. La idea es que cuando un obrero trata a las mujeres como a sus propias hermanas se mantendrá dentro de los límites adecuados para ministrarlas y servirles en el nombre del Señor.

3 Cómo relacionarse con viudas mayores de 60 años, 1 Timoteo 5:3-10.

V. 3. El tercer grupo lo forman las hermanas *viudas.* Para atenderlas debidamente Pablo las coloca en dos grupos: las viudas menores y las mayores de 60 años de edad. La primera instrucción es la de dar honra a las viudas *que realmente sean viudas.* Son mujeres que nadie cuida de ellas (v. 5).

V. 4. Hay un segundo grupo de viudas. Las que perdieron a su marido, pero que tienen a sus *hijos* o a sus *nietos.* Timoteo, como pastor de la iglesia, deberá enseñarlos a tener cuidado de atender y cuidar a sus padres, porque esto es aceptable delante de Dios.

Vv. 5, 6. Algunas de estas viudas ponen toda su esperanza en Dios para su sostenimiento y cuidado por lo tanto se dedican a suplicar la provisión del Señor de noche y de día. Otro grupo de viudas, en contraste, se entrega a los placeres. Tal clase de viuda aunque parece estar viviendo está muerta.

Vv. 7, 8. Es impresionante la fuerza del argumento de Pablo a favor del imperativo que los hijos y nietos tienen de sostener a sus padres mayores. Lo que dice es que cuando uno no cumple esta responsabilidad contradice su fe en Cristo. No se puede ser creyente y no cuidar de sus padres ancianos.

Vv. 9, 10. Aquí se definen las calificaciones de una mujer considerada como una viuda que debe ser sostenida económicamente por la iglesia. (1) No debe ser menor de *sesenta años* de edad. La razón es práctica. Generalmente a esta edad tendrá dificultades para trabajar y quizá ya no tenga mucho interés en casarse de nuevo. (2) *Que haya sido mujer de un solo marido.* (3) Que haga *buenas obras.* Pablo incluye una lista de algunas de esas prácticas deseables en una mujer viuda.

4 Cómo relacionarse con viudas jóvenes, 1 Timoteo 5:11-16.

V. 11. Las *viudas jóvenes* no califican para ser incluidas en la lista de mujeres que deben recibir la ayuda social permanente de la iglesia. Puede ser que temporalmente habrá que ayudarlas. Esta ayuda es solamente mientras pueden resolver de manera permanente su situación. Es interesante cómo Pablo elabora su pensamiento. Dice que puede ocurrir que: (1) la viuda joven vuelva a casarse; (2) puede ser que se case con un hombre no creyente en Cristo y entonces tendrá la tentación de apartarse del cuerpo de creyentes.

Vv. 12, 13. *Estando bajo juicio por haber abandonado su primer compromiso.* Es una referencia al hecho de que cuando se murió el esposo expresaron su deseo de dedicarse solamente a Cristo y a su iglesia, pero andando el tiempo sienten la necesidad de relacionarse con alguien y abandonan su compromiso de fe. Efectivamente la traducción literal es: abandonan su primera fe. Pablo también advierte que algunas de esas viudas usarán su tiempo hablando cosas que no convienen.

Vv. 14-15. A las viudas jóvenes, las anima a que se vuelvan a casar, *críen hijos y no den oportunidad al adversario,* esto es a Satanás.

V. 16. Los creyentes tienen la responsabilidad de cuidar sus *viudas* y así evitar llegar a ser una carga para la iglesia.

5 Cómo relacionarse con los pastores y ancianos, 1 Timoteo 5:17-21.

V. 17. El cuarto grupo lo integran los obreros de la iglesia: *ancianos* y pastores; a ellos se les debe tratar con dignidad a causa de su posición de liderazgo. Definitivamente, no puede desempeñarse un ministerio adecuadamente cuando un líder no cuenta con el respeto que necesita. Cuando algún líder es acusado de alguna conducta indebida se debe tener el testimonio de *dos o tres* personas. Una lectura de Tito 1:5, 7; Hechos 20:17, 28 y 1 Timoteo 5:1, nos da base para saber que los términos "pastor", "anciano" y "obispo" son intercambiables.

V. 18. *"El obrero es digno de su salario".* Pablo cita las palabras de Deuteronomio 25:4 para argumentar sobre el trato y reconocimiento adecuados para quienes sirven como dirigentes de la iglesia. En Gálatas 6:6 encontramos un buen comentario a este versículo. El aspecto económico es muy delicado para que el pastor tenga que estar negociando para recibir su salario a tiempo. Este aspecto se debe cuidar debidamente para dar un testimonio positivo delante de los que no conocen al Señor.

V. 19. Los miembros también deben cuidar la reputación de sus dirigentes. Si reciben alguna crítica deben exigir el testimonio de *dos o tres testigos.* Esta protección es la misma que podía recibir cualquier miembro de la comunidad hebrea (vea Deut. 17:6; 19:15). Por lo tanto cada miembro de la iglesia también debe recibir la misma protección (2 Cor. 13:1).

Vv. 20, 21. *No haciendo nada con parcialidad.* Es el consejo de Pablo a fin de mantener la justicia para con todos. Si un dirigente de la iglesia peca obstinadamente ya sea en el aspecto moral o doctrinal y después de ser exhortado no se arrepiente debe ser corregido públicamente a fin de sentar un precedente para los demás.

Aplicaciones del estudio

Los principios bien pueden aplicarse en cada situación de nuestra vida.

1. Debemos relacionarnos con otras personas con amor de hermanos. Esto es el amor filial. Es esa clase de amor que se conduce con reciprocidad. Afecto que da cariño de quien recibe cariño, ama a quien lo ama; busca el bien de la otra persona porque sabe que más adelante él quizá requiera lo mismo.

2. Debemos relacionarnos con otras personas con amor celestial. Esto es el amor ágape. Esa clase de amor que ama sin esperar ser correspondido. Afecto que da cariño sabiendo que la persona amada quizá nunca pueda corresponder. Se ama por quien es la persona sin importar que nunca pueda ni siquiera agradecerlo.

3. Debemos relacionarnos con otras personas con la debida dignidad y respeto. Esto es el amor que ofrece cariño y afecto a otra persona por el solo hecho de que es un ser humano. No importa que nuestra relación con esa persona sea permanente o temporal. Es un ser humano y requiere nuestra dignidad y respeto.

4. Debemos relacionarnos con otras personas de tal manera que el nombre de Cristo sea glorificado. Que nada empañe la pureza ni desvíe la intención de relacionarnos con alguien al grado de deshonrar al Señor. Es en comunión con Cristo que nuestras relaciones con otras personas cobran sentido y significado.

Ayuda homilética

Calificaciones para un obrero de la iglesia
1 Timoteo 5:17-21

Introducción: Cada cierto tiempo la iglesia tiene la oportunidad de considerar el nombramiento de quienes la dirigen. A veces se forma un comité de nombramientos que presenta una lista a la congregación y en una reunión administrativa se toma la decisión. La simpatía y el "carisma" o "ángel" de alguien puede atraer los votos, pero lo más importante son sus calificaciones basadas en los dones que el Espíritu Santo da a los miembros de la iglesia. ¿Quiénes tienen una buena calificación para servir en el cuerpo de Cristo?

I. Los que dirigen bien, 5:17.
- A. Porque trabajan arduamente en la palabra.
- B. Se preparan adecuadamente para enseñar.
- C. Obreros que conocen la Biblia y la explican adecuadamente a la congregación.

II. Califican los que mantienen buen testimonio.
- A. Delante de Dios.
- B. Delante de los hermanos.
- C. La fuerza del testimonio personal es trascendental en la labor de cada dirigente de la iglesia.

III. Califican los que siguen las instrucciones de la Palabra acerca de las relaciones humanas, 5:21.
- A. Los que no tienen prejuicios y actúan con imparcialidad.
- B. Los obreros cristianos deben esforzarse por ser objetivos y justos en su actuación.

Conclusión: Dichosa la iglesia que encuentre obreros con estas calificaciones y tome los dones y las calificaciones espirituales para llamar a sus obreros. La pregunta más importante es: ¿Califica usted?

Lecturas bíblicas para el siguiente estudio

Lunes: 1 Timoteo 6:3-5
Martes: 1 Timoteo 6:6-10
Miércoles: 1 Timoteo 6:11-14
Jueves: 1 Timoteo 6:15, 16
Viernes: 1 Timoteo 6:17-19
Sábado: 1 Timoteo 6:20, 21

AGENDA DE CLASE

Antes de la clase

1. Lea 1 Timoteo 5 al 6:2 y estudie los comentarios en este libro del maestro y en el del alumno reflexionando en cómo los consejos de Pablo a Timoteo sobre relaciones dentro de la iglesia denotan el sincero respeto e interés que debe ser la consigna. **2.** A menos que ya lo sepa, averigüe el nombre y la edad de la personita más joven que asiste al templo (probablemente un bebé traído por sus padres) y de la más anciana y algunos datos interesantes sobre cada uno. **3.** Asegúrese de que el cartel con el título de la unidad y el que dice IRREPRENSIBLE estén en su lugar. **4.** Conteste las preguntas en la primera sección bajo *Estudio del texto básico* en el libro del alumno.

Comprobación de respuestas

JOVENES: **1.** No reprenderlos con dureza. **2.** Tratarlos como hermanos. **3.** Lista de caridad. **4.** Que se casen y críen hijos. **5.** Tratarlos con dignidad.

ADULTOS: **1.** La respuesta depende del lector. **2.** El obrero es digno de su salario. **3.** Respuesta personal.

Ya en la clase

DESPIERTE EL INTERES

1. Pregunte si saben quién es la persona más joven que asiste al templo. Si mencionan el mismo que usted identificó, cuente los datos interesantes que averiguó. Haga lo mismo con la persona más anciana que asiste al templo. **2.** Pregunte: Entre ese bebé y ese anciano ¿gente de qué edad asiste? (Probablemente de todas las edades.) Comente que es como una familia en que, habiendo personas de distintas edades y condiciones, las relaciones personales pueden ser delicadas y uno tiene que reflexionar y determinar cómo es la mejor manera de relacionarse con ellas.

ESTUDIO PANORAMICO DEL CONTEXTO

1. Diga que Pablo dio a Timoteo sabios consejos pastorales sobre las relaciones de él como pastor con distintos grupos y de la iglesia en general; por ejemplo: con lo que podríamos llamar "el grupo de viudas". **2.** Basándose en el material que aparece bajo *Fondo histórico* en el comentario en este libro del maestro, dé los antecedentes de la relación del pueblo de Dios con las viudas, que databa de los tiempos de Moisés. **3.** Llame la atención al cartel con el título de la unidad y diga que en este estudio enfocarán lo que podríamos considerar como exigencias en cuanto a las relaciones del pastor con los miembros de la iglesia y de los miembros de la iglesia entre sí.

ESTUDIO DEL TEXTO BASICO

Cómo relacionarse con las personas mayores de edad, 1 Timoteo 5:1a, 2a. Abran sus Biblias y lean en silencio los vv. 1, 2. Pregunte qué consejos contiene en cuanto al trato con ancianos y ancianas. Comente que a veces a los ancianos se les hace a un lado y se les resta importancia en la obra del Señor. Piensen en el trato a los ancianos en su propia iglesia y cómo puede mejorar. Pregunte: ¿De qué manera podemos manifestar respeto e interés sincero por los ancianos en nuestra iglesia?

Cómo relacionarse con personas jóvenes, 1 Timoteo 5:1b, 2b. Vuelvan a leer en silencio los vv. 1, 2 y pida que comenten cómo debe ser la exhortación a los de nuestra misma edad. Haga notar que ha de ser una relación fraternal. ¿Qué frase sugiere IRREPRENSIBLE? ("con toda pureza"). Comente que "irreprensible" es también la palabra clave para las relaciones fraternales.

Cómo relacionarse con viudas mayores de 60 años, 1 Timoteo 5:3-10. Un alumno lea en voz alta este pasaje y luego explíquelo basándose en la información obtenida de su propio estudio y dentro del contexto que ya se presentó acerca de las viudas. Destaque en los vv. 4 y 8 las obligaciones de hijos y nietos hacia sus madres y abuelas viudas. Asegúrese de que entiendan que "la lista" (v. 9) se refiere a una lista de viudas que recibían ayuda de la iglesia para poder sostenerse

Cómo relacionarse con viudas jóvenes, 1 Timoteo 5:11-16. Proceda de la misma manera que con el punto anterior, al enfocar a las viudas jóvenes en el contexto de la iglesia en Efeso. ¿Qué consejo hay para ellas para ayudarles a ser irreprensibles?

Cómo relacionarse con los pastores y ancianos, 1 Timoteo 5:17-21. Cerciórese de que todos comprendan que "ancianos" aquí se refiere a pastores. Para terminar el estudio del texto básico, lean todos en voz alta el v. 21. Guíe un diálogo en base a la pregunta: ¿Cómo el hecho de cumplir con lo que manda este versículo resulta en relaciones irreprensibles en la iglesia?

APLICACIONES DEL ESTUDIO

1. Mencione distintos grupos en la iglesia y pida a los presentes que digan cómo es la manera irreprensible y respetuosa de relacionarse con ellos. (Niños, adolescentes, jóvenes, adultos, ancianos, pobres, ricos, simpatizantes, etc.). **2.** Otra alternativa es formar dos grupos y asignar a cada uno una aplicación para que les agreguen ejemplos de cómo practicarlas en su propia iglesia.

PRUEBA

1. Hagan individualmente las actividades sugeridas en esta sección en el libro del alumno. **2.** Guíe una oración pidiendo a Dios que ayude a los miembros de la iglesia a relacionarse de acuerdo con lo estudiado.

La piedad y la verdadera riqueza

Contexto: 1 Timoteo 6:3-21
Texto básico: 1 Timoteo 6:6-19
Versículo clave: 1 Timoteo 6:10
Verdad central: Pablo instruye a Timoteo acerca de cómo examinar su actitud hacia las posesiones materiales. Nuestros recursos materiales deben ser usados para honrar al Señor.
Metas de enseñanza-aprendizaje: Que el alumno demuestre su: (1) conocimiento de su responsabilidad hacia las posesiones materiales, (2) actitud de honrar al Señor con el uso de sus recursos materiales.

Estudio panorámico del contexto

A. Fondo histórico:

En varias ocasiones Pablo regresa a uno de los temas principales de su carta a Timoteo: advertirle en contra de los falsos maestros y enseñarle cómo tratar con ellos. Ahora, cuando Pablo va a tratar algunos asuntos relacionados con las actitudes que deben tener los creyentes hacia la piedad y las riquezas, advierte que también los falsos maestros abordan el tema pero con el propósito de adquirir ganancias personales; como consecuencia se producen controversias y contiendas entre los hermanos (vv. 3-6).

La actitud cristiana se resume en la expresión: grande ganancia es la piedad con contentamiento (v. 7). Timoteo es invitado a seguir en la buena batalla de la fe y se le dice cómo pelearla (vv. 11-16). Pablo retoma el tema de las riquezas y aconseja a Timoteo que instruya a los ricos de la iglesia sobre varios asuntos específicos (vv. 17-19). Pablo concluye su carta con unos consejos personales a Timoteo diciéndole que ponga en práctica lo que ha aprendido acerca del Señor y que evite las discusiones innecesarias con los falsos maestros (vv. 20, 21). En síntesis, que mantenga su lugar como predicador y maestro de la fe en Cristo Jesús.

B. Enfasis:

Los falsos maestros tienen la piedad como fuente de ganancia, 6:3-5. Algunas personas se han dedicado a la predicación y la enseñanza con una motivación diferente a la obediencia de la Gran Comisión dada por el Señor en Mateo 28:19, 20. Ven el ejercicio de sus funciones como una fuente de ganancia personal y contabilizan los resultados de su ministerio en términos financieros. Algunos utilizan el tiempo dedicado a la enseñanza y la predicación para promover sus programas, sus actividades y a sí mismos. Pablo advierte que eso no está de acuerdo con las sanas palabras de nuestro Señor Jesucristo. Más bien producen controversias, envidias, discordias y sospechas perversas entre los creyentes. Pablo afirma que esa actitud hacia las riquezas y la piedad debe ser valientemente señalada, evitada y condenada por quienes profesan el ministerio de la predicación y la enseñanza.

La piedad con contentamiento, 6:6-10. Pablo ofrece excelentes razones por las cuales los creyentes debemos aprender a estar contentos con lo que Dios nos da: (1) que nada podremos sacar cuando salgamos de este mundo (v. 7); (2) podemos perder la felicidad de la vida por la ansiedad y preocupación hacia los bienes materiales (v. 8); (3) porque podemos ser guiados a la tentación que conduce a la ruina y la perdición(v. 9); y (4) porque puede descarriarnos de la fe (v. 10). Debe ser muy claro que las riquezas en sí mismas no son buenas ni malas, el problema surge cuando la persona ama el dinero. Pablo declara: Porque el amor al dinero es la raíz de todos los males (v. 10).

La buena batalla de la fe, 6:11-16. Esa batalla implica: seguir la justicia, la piedad, la fe, el amor, la perseverancia y la mansedumbre. Todo esto es posible si se mantiene firme en la fe que confesó en Cristo delante de muchos testigos (vv. 11, 12). Timoteo tiene un modelo digno de seguir: Cristo Jesús. Este modelo debe ser continuado hasta que el Señor vuelva otra vez (v. 13, 14). Los vv. 15 y 16 se vuelven una doxología que exalta la majestad y la gloria del Señor quien debe recibir la honra y el dominio eterno.

Consejos para los ricos, 6:17-19. Que no sean altivos, ni pongan su esperanza en las riquezas sino en Dios (v. 17). Que hagan el bien y sean generosos (v. 18). Que administren sus riquezas en función de la vida verdadera (v. 19).

Conclusión, 6:20-21. Pablo termina su carta con una formal apelación para que Timoteo guarde lo que se le ha encomendado. Dibuja el cuadro de un soldado que vigila sobre el tesoro que se ha puesto a su cuidado. En este caso a Timoteo se le ha encomendado la proclamación y la enseñanza del evangelio de Jesucristo. Por supuesto, habrá que luchar contra los argumentos de la falsamente llamada ciencia.

Estudio del texto básico

1 La piedad con contentamiento, 1 Timoteo 6:6-10.

V. 6. *Grande ganancia es la piedad con contentamiento.* Esta frase resume lo que debiera ser la actitud y la práctica de los creyentes en Cristo Jesús hacia los bienes materiales. Algunas personas leen la palabra piedad como "pobreza", pero sin duda son asuntos totalmente diferentes. Una persona piadosa es aquella que, rica o pobre, mantiene una relación constante y creativa con Dios por medio de Jesucristo y se ocupa de expresar a otras personas el amor de Dios en formas concretas y prácticas. Es una persona que practica actos piadosos. La piedad no es un misticismo romántico, ni una quietud expectante que no hace nada por su prójimo. Al contrario, es una expresión objetiva de la relación con el Señor. Pablo ofrece excelentes razones por las cuales los creyentes debemos aprender a estar contentos con lo que Dios nos da:

V. 7. La primera razón es que *nada podremos sacar* cuando salgamos de este mundo. La base de esta razón es sencilla: nada trajimos a este mundo. Es una falta de sabiduría pasar toda la vida buscando y acumulando riquezas materiales. Uno de los mayores problemas que tienen las familias es cuando se trata de repartir los bienes de alguien que ha fallecido.

V. 8. La segunda razón es que la vida se vive en toda su expresión cuando uno aprende a disfrutar lo poco o mucho que tiene. Pretender que la paz interior y la felicidad provengan de los bienes materiales es insensato. Muchas personas pierden el día preocupadas y ansiosas por lo que no tienen y no disfrutan lo que sí poseen.

V. 9. La tercera razón es que podemos ser guiados a la tentación que conduce a la *ruina y la perdición.* La manera como está redactada esta instrucción señala no solamente a quienes ya son ricos, sino a aquellos que desean enriquecerse. El énfasis no cae en lo que uno posee, sino en lo que uno desea. ¿Cuál es la tentación? Sin duda es a buscar la fuente de la riqueza fuera de Dios. Es olvidar que Dios es el proveedor de nuestra vida y sus bienes para ir en busca de otras opciones, algunas de ellas contrarias a la voluntad del Señor. Por supuesto, caer en esa tentación conduce a la ruina y a la perdición.

V. 10. La cuarta razón, que bien puede ser una extensión de la anterior, es que desear ser ricos puede descarriarnos de la fe. Debe ser muy claro que las riquezas en sí mismas no son buenas ni malas, el problema surge cuando la persona ama el dinero. Pablo declara: *Porque el amor al dinero es la raíz de todos los males.* Es interesante que algunas versiones usan el artículo indefinido "una raíz" en lugar de "la raíz" lo cual parece razonable, pues el dinero no es la única raíz que produce males, también lo es el amor hacia otras cosas como el sexo, el alcohol, las drogas, la violencia, y muchas más. Por eso un creyente constantemente tiene que revisar sus valores más profundos y asegurarse bien en dónde está el primer amor de su vida.

2 La buena batalla de la fe, 1 Timoteo 6:11-16.

V. 11. El hombre de Dios tiene dos normas de conducta para orientarlo en su batalla por la fe. La primera es huir *de estas cosas.* Es impresionante cuántas veces en la Biblia se insta a los hijos del Señor a huir del peligro. Hasta se considera una virtud positiva el acto de huir. La segunda norma es actuar positivamente sobre seis virtudes o cualidades de un hombre de Dios: seguir *la justicia,* significa actuar adecuadamente en su relación con otras personas; *la piedad,* es la actitud de obediencia al Señor en todos los actos de su vida; *la fe,* es la confianza en que Dios cumplirá su palabra y actuará consecuentemente; *el amor,* es señalado entre una de las virtudes más altas en la vida del creyente (lea 1 Cor. 13); *la perseverancia,* también traducida en otras versiones como "paciencia" es la capacidad de seguir en el camino del Señor a pesar de las circunstancias adversas que puedan darse; y *la mansedumbre,* que describe a la persona que sabe cómo perdonar las ofensas que otras personas le han hecho.

V. 12. *Pelea la buena batalla de la fe.* Pablo echa mano de una figura militar. La misión de Timoteo era establecer el testimonio y la iglesia cristiana en Efeso. Había un alto precio que cumplir, no es una batalla que se puede ganar fácilmente. Requiere echar *mano de la vida eterna, a la cual fuiste llamado.* Esto es mantener delante la razón para la pelea y el premio que se otorga a quienes terminan la pelea victoriosamente. Otro pasaje que describe la armadura del cristiano está en Efesios 6:10-18.

Vv. 13, 14. Timoteo tiene un modelo digno que seguir: Cristo Jesús. Este modelo debe ser continuado hasta que el Señor vuelva otra vez. El modelo incluye a la persona de Jesucristo, su estilo de vida y sus enseñanzas.

Vv. 15, 16. La mención de Jesucristo y su segunda venida conduce a Pablo a expresar una doxología que exalta la majestad y la gloria del Señor quien debe recibir la honra y el dominio eterno. Pablo utiliza varias palabras para describir la majestad del Señor. Entre ellos: *Bienaventurado, Poderoso, Rey de reyes, y Señor de señores.* Solamente Jesucristo posee la inmortalidad, esto es la vida eterna. Por su naturaleza habita en luz inaccesible y por eso no puede ser conocido plena y totalmente por ningún ser humano. Tal Señor es digno de toda honra y adoración.

3 Consejos para los ricos, 1 Timoteo 6:17-19.

V. 17. Pablo señala los dos grandes peligros que pueden enfrentar los ricos: uno es que sean altivos. Es decir que se vean a sí mismos como superiores a los pobres; y por lo tanto piensen que son mejores que los menos afortunados. Cualquier cristiano puede tener la tentación del orgullo, pero quien posee riquezas parece estar más expuesto. El segundo peligro es poner la esperanza en las riquezas abandonando su confianza en Dios quien nos provee todas las cosas en abundancia para que las disfrutemos. Estos dos peligros pueden expresarse en forma positiva: el primero es que a pesar de su riqueza deben ver a su prójimo como seres humanos que merecen ser tratados con igualdad. La segunda es que siempre deben recordar que Dios es quien nos provee todas las cosas para nuestro bien.

Vv. 18, 19. Cuando el rico tiene la actitud correcta hacia Dios y hacia las riquezas que él le ha proporcionado entonces puede hacer el bien, ser generoso y estar dispuesto a compartir. En última instancia, los cristianos debemos desarrollar la idea de que las riquezas o los bienes materiales que el Señor nos permite obtener deben ser para apoyar el adelanto del Reino aquí sobre la tierra, así como para aliviar las cargas de los que son menos afortunados que nosotros. La mejor manera de utilizar lo que Dios nos provee, poco o mucho, es utilizándolo para el bien de otras personas. Lo que uno invierte en otros no está perdido, es un inversión para el porvenir y para estar accesibles a la vida venidera. Es decir, que el creyente administra sus bienes materiales en función de la vida verdadera. Se hacen tesoros en el cielo para cuando llegue el tiempo de partir allá. No olvidemos las palabras de nuestro Maestro cuando dijo: "Haceos tesoros en los cielos..."

Aplicaciones del estudio

1. La verdadera felicidad y contentamiento no se encuentra en los bienes materiales sino en Dios (vv. 7, 8). Los creyentes debemos reconocer que Dios nos provee todo lo que necesitamos para nuestra vida y para tener qué compartir con los menos afortunados. Es la abundante relación con Dios la que provee el genuino contentamiento en la vida.

2. Constantemente debemos examinar nuestra actitud hacia lo que Dios nos ha dado (vv. 9, 10). El peligro radica en "amar más" las cosas dadas que al Dador. En el momento en que nos sentimos ansiosos o preocupados por algo más o aparte del Señor es el momento de revisar nuestras prioridades en la vida y reorientar nuestros intereses y esfuerzos.

Ayuda homilética

La piedad y las riquezas
1 Timoteo 6:6-10; 17-19

Introducción: La piedad y las riquezas no son conceptos opuestos. Más bien la piedad conduce a la sabia y adecuada administración de las riquezas en armonía con el propósito de Dios. Los creyentes debemos aplicar los principios de la piedad al uso de los bienes materiales. La piedad nos recuerda:

I. Que las riquezas no son símbolo de posición, 6:6-10.
   A. En la sociedad de consumo en que vivimos el dinero y los bienes que uno posee proveen la posición económica.
   B. La posición económica no provee el contentamiento. La verdadera felicidad viene de reconocer a Dios como Señor de todo.

II. La razón de nuestra vida es honrar a Dios con lo que somos y tenemos, 6:17-19.
   A. Tenemos que recordar que Dios es quien nos ha proporcionado todo lo que tenemos para que los disfrutemos.
   B. El segundo gran propósito de Dios al proveernos es que tengamos para compartir con las personas menos afortunadas. Es cuando actuamos así que honramos al Señor.

Conclusión: La manera como procedemos con los bienes materiales demuestra nuestra piedad, es decir disposición de obediencia a Dios como Señor de nuestra vida.

Lecturas bíblicas para el siguiente estudio

Lunes: 2 Timoteo 1:1, 2
Martes: 2 Timoteo 1:3-14
Miércoles: 2 Timoteo 1:15-18
Jueves: 2 Timoteo 2:1-7
Viernes: 2 Timoteo 2:8-13
Sábado: 2 Timoteo 2:14-26

AGENDA DE CLASE

Antes de la clase

1. Lea 1 Timoteo 6 y estudie el comentario en este libro del maestro y en el del alumno. Note que Pablo vuelve a tratar el asunto de los falsos maestros, tema recurrente en todas sus epístolas pues era uno de los problemas más graves. Note también que ahora enfoca el hecho de que los falsos maestros no sólo enseñan el error, sino que cobran por enseñar y lo hacen con fines de lucro. Esto lleva a Pablo a presentar los conceptos correctos sobre el dinero y las posesiones, y los peligros que acarreaba la abundancia material. **2.** Repase los puntos principales de los estudios anteriores de esta unidad. **3.** Asegúrese de que el cartel con el título de la unidad esté en su lugar. Confeccione un cartel o escriba en el pizarrón antes de la clase, el título de este estudio y los títulos de las divisiones. Cúbralo con franjas de papel que irá quitando a medida que desarrolla la lección. **4.** Conteste las preguntas en la primera sección bajo *Estudio del texto básico* en el libro del alumno.

Comprobación de respuestas

JOVENES: **1.** a. F. b. V. c. F. d. V. **2.** a. Que hagan el bien. b. Que sean ricos en buenas obras. c. Que sean generosos. d. Que estén dispuestos a compartir.

ADULTOS. **1.** Respuesta personal. **2.** El amor al dinero; explicación personal. **3.** Respuesta de acuerdo con 1 Timoteo 6:17, 18.

Ya en la clase

DESPIERTE EL INTERES

1. Pregunte qué enseñanzas bíblicas recuerdan acerca de las riquezas (p. ej. Mat. 6:24; Prov. 11:28; Prov. 19:14; Mat. 19:16-30; Luc. 12:13, etc.). **2.** Conversen sobre ellas destacando que la prosperidad o las riquezas, posesiones, bienes materiales en sí no son malos, que lo malo radica en las actitudes equivocadas que tantas veces generan.

ESTUDIO PANORAMICO DEL CONTEXTO

1. Llame la atención al cartel con el título de la unidad. Repasen las exigencias enfocadas hasta ahora en 1 Timoteo. Mencione que en este estudio enfocarán el último capítulo en que el anciano apóstol ofrece al joven pastor consejos sobre los peligros que representan las ganancias materiales. **2.** Relate la situación de los falsos maestros en relación con el dinero que pretendían recibir por impartir sus enseñanzas. **3.** Destape el título de la lección que escribió en el cartel o pizarrón. Diga que el estudio de hoy da claras perspectivas de la actitud correcta del cristiano hacia los bienes materiales.

ESTUDIO DEL TEXTO BASICO

La piedad con contentamiento, 1 Timoteo 6:6-10. Destape el título de esta sección. Divida la clase en tres sectores. Un alumno lea en voz alta los vv. 3-5. El primer sector identificará características de los que predican una falsa piedad (orgullosos, no saben nada, v. 4; con mentes corrompidas y privados de la verdad, v. 5). El segundo sector identifique los frutos de la actividad de los falsos maestros (envidia, discordia, calumnias, sospechas perversas, necias rencillas). Los del tercer sector encuentran la razón de su pretendida piedad (tienen la piedad como fuente de ganancia, v. 5). Diga que después de presentar este cuadro tan feo, Pablo describe en los vv. 6-8 cómo se expresa la piedad sincera. Diga que en estos versículos Pablo ofrece cuatro razones por las cuales el cristiano debe estar contento con lo que Dios le da. Vaya leyendo versículo por versículo, dando las explicaciones que aparecen en el comentario en este libro del maestro.

La buena batalla de la fe, 1 Timoteo 6:11-16. Destape este título. Comente que lograr "la piedad con contentamiento" es una batalla constante y que en los versículos que leerán verán lo que le dice Pablo a Timoteo sobre cómo pelear esa buena batalla. Lean el pasaje y luego guíe un diálogo versículo por versículo. Haga preguntas como las siguientes: ¿De qué debía huir Timoteo? ¿Qué debía seguir? ¿Pueden dar una definición de cada cosa que debía seguir (v.11)? ¿Qué debía guardar y hasta cuándo?

Consejos para los ricos, 1 Timoteo 6:17-19. Destape este título y diga que aquí Pablo cambia un poco más de tema en el sentido de que no está pensando en los que se aprovechan de la religión para ganar dinero, sino que parece acordarse de los miembros de la iglesia que disfrutaban de una buena posición económica. Le indica a Timoteo qué debe enseñarles en cuanto a sus actitudes hacia sus posesiones materiales. Diga que aunque está pensando en los ricos, son buenas enseñanzas para todos. Lean el pasaje en silencio y cada uno elija uno de los consejos para seguirlo.

APLICACIONES DEL ESTUDIO

Los que deseen hacerlo compartan el consejo que eligieron y expliquen qué relación tiene con ser espiritualmente ricos. JOVENES: Forme dos grupos y asigne a cada uno uno de los incisos bajo esta sección, en el libro del alumno, para que les agreguen sus propios comentarios y opiniones.

PRUEBA

1. Completen esta sección en el libro del alumno. **2.** Compruebe lo realizado pidiendo que pretendan ser Pablo que le está dando directivas a Timoteo (usted). Haga preguntas y comentarios como si fuera Timoteo para que los participantes reaccionen a ellos.

Obrero eficaz y eficiente

Contexto: 2 Timoteo 1:1 a 2:26
Texto básico: 2 Timoteo 1:1-7; 2:14-16, 20-26
Versículo clave: 2 Timoteo 2:15
Verdad central: Pablo desarrolla una lista de cualidades y de acciones que Timoteo tiene que tomar en cuenta para llegar a ser un obrero eficaz y eficiente. Esos mismos elementos nos sirven de guía para poder saber qué se espera de un obrero en la iglesia.
Metas de enseñanza-aprendizaje: Que el alumno demuestre su: (1) conocimiento del proceso por medio de cual puede demostrar su eficiencia en el servicio al Señor, (2) actitud de servir al Señor productivamente.

Estudio panorámico del contexto

A. Fondo histórico:

Pablo se daba cuenta de que estaba llegando al final de su jornada terrenal. Estaba prisionero por causa del evangelio de Jesucristo, enfrentaba el abandono de algunos de los hermanos a quienes les parecía demasiado alto el costo de ser discípulos. En medio de aquella soledad Pablo decide escribir una segunda carta a su muy amado hijo en la fe, Timoteo. Pablo comienza la segunda carta recordándole su gran afecto por él y reconociendo su fidelidad al Señor y su clara disposición de sufrir por Cristo si es necesario. Todo el primer capítulo es una declaración de aprecio por la dedicación y fidelidad de Timoteo. En el segundo capítulo Pablo le da una serie de consejos y exhortaciones. Todo esto lo basa en el llamamiento que Timoteo recibió del Señor para ser un siervo del evangelio y en los dones que ha recibido para el desempeño de ese ministerio.

B. Enfasis:

Timoteo, amado hijo, 1:1, 2. Pablo recuerda que él es un apóstol por la voluntad de Dios y con esas calificaciones desea a su hijo en la fe toda la gracia, la misericordia y la paz que solamente el Señor puede dar.

No te avergüences de testificar, 1:3-14. Pablo no pasa por alto que un obrero de Jesucristo tiene que encarar problemas y enemistades por causa de su ministerio, pero igual debe ser fiel a su llamamiento.

Ten presente el modelo, 1:15-18. Timoteo es animado por Pablo a seguir su ejemplo de conducta, disciplina y fidelidad al Señor.

Sé buen soldado de Jesucristo, 2:1-7. Utilizando las figuras del soldado, el atleta y el labrador, Pablo describe los resultados de los obreros que son eficientes y eficaces en su ministerio al Señor.

Ten presente a Jesucristo, 2:8-13. El poder que resucitó a Cristo de entre los muertos después de haber sufrido la cruz, es el mismo poder que sostiene hoy y siempre a los fieles obreros del Señor. El argumento es sencillo: si somos fieles, reinaremos con él; si le negamos, él también nos negará.

Procura ser obrero aprobado, 2:14-26. En vista de la proliferación de los falsos maestros, Pablo anima a Timoteo a resistirlos y a aconsejar a los hermanos para que no sean atrapados por sus argumentos llenos de "vanas palabrerías". Debe corregir con mansedumbre, pero con firmeza.

Estudio del texto básico

1 Aviva el don que está en ti, 2 Timoteo 1:1-7.

Vv. 1, 2. Los primeros versículos nos dan la información clásica de la literatura epistolar. El remitente, el destinatario y los saludos.

V. 3. Dos paralelos sostienen la vida de buen obrero de Señor: una *limpia conciencia* y *oraciones de noche y de día.* Cuando hacemos lo que Dios nos ha instruido que hagamos y somos fieles hasta terminar la labor siguiendo las reglas o instrucciones que él mismo nos ha dado, entonces podemos sentir el gozo de una limpia conciencia. La otra fuente de fortaleza para el servicio es la oración. La única manera de saber lo que tenemos que hacer en cada alternativa del ministerio es consultando con el Señor que es sabio y da a conocer sin reservas su voluntad.

V. 4. Pablo recordaba las lágrimas de Timoteo cuando se habían separado y abre su corazón a su consiervo e hijo espiritual diciéndole que desea verle. El hecho de encontrarse de nuevo traerá gozo al corazón de Pablo. Es muy importante cultivar las relaciones entre consiervos en el ministerio.

V. 5. Pablo está orgulloso de *la fe no fingida* de Timoteo. Es decir una fe que surge de las convicciones profundas y no algo fingido e hipócrita para impresionar a alguien. Esa fe es de la misma calidad de fe que expresaron su *madre* y su *abuela;* quienes eran judías, aunque probablemente la madre de Timoteo estaba casada con un hombre griego (Hech. 16:1), habían enseñado bien a su hijo y nieto respectivamente.

V. 6. *Por esta razón,* es una frase que sirve de puente entre la fe genuina, legítima y buena que tiene Timoteo y los encargos o recomendaciones que ahora el hermano Pablo hará al hijo, amigo y compañero en el ministerio. La primera recomendación es: *que avives el don de Dios que está en ti.* Frente a las fuertes olas de doctrinas falsas, los ejércitos de falsos maestros que iban por todas partes proclamando las novedades religiosas del día y la confusión natural entre los creyentes, Pablo urge a Timoteo a avivar con fuerza la llama de la fe. Timoteo sin duda tenía los dones de la predicación, la enseñanza, la consejería pastoral y la administración. Pablo hace una alusión al momento de *la imposición de* sus *manos.* Recordemos que en 1 Timoteo 4:14 citó a un "concilio de ancianos". Sin duda es una forma literaria de recordar el evento en el cual los ancianos, juntamente con Pablo, hicieron el acto de reconocimiento del llamamiento de Timoteo al ministerio de la predicación y el pastorado.

V. 7. La segunda recomendación a Timoteo es que no sea un cobarde. Dios lo ha capacitado con tres virtudes espirituales: *poder, amor y dominio propio.* Timoteo bien podía sentir temor por varias razones: era un poco tímido por naturaleza (1 Cor. 16:10); era relativamente joven (1 Tim. 4:12); los falsos maestros eran como fieras agresivas (1 Tim. 1:2-7). La fuerza del Señor es la única que puede dar poder a los obreros en tiempos de dificultad. La segunda virtud es el *amor.* Este sentimiento Dios lo provee en varias direcciones: una es amor hacia Dios mismo; amor hacia los hermanos de la iglesia; el amor hacia ellos nos hace olvidar sus debilidades y los servimos porque son nuestros hermanos. La tercera dirección: es el amor hacia los enemigos; no deseamos que nuestros enemigos se mueran sino que trabajamos para que "quizás Dios les conceda que se arrepientan para comprender la verdad" (2:25). La tercera virtud es el *dominio propio.* Es esa gracia para dominar nuestros propios deseos y aplicarnos con disciplina, dedicación y empeño al servicio de Dios.

2 Prepárate para ser obrero aprobado, 2 Timoteo 2:14-16.

V. 14. Pablo exhorta a Timoteo a que requiera a los hermanos que *no contiendan sobre palabras.* Una señal de que "algo está mal" en los movimientos contemporáneos que dividen a nuestras iglesias evangélicas es su fuerte énfasis sobre el nuevo significado de ciertas palabras. Todos hemos oído algo sobre "la nueva unción", "la nueva bendición", "la risa del Señor" y "los dolores de parto" variedades de palabras con las cuales se contiende en nuestros días. Sin embargo, el resultado es el mismo que en los días de Timoteo: *para nada aprovechan sino que llevan a la ruina a los que oyen.*

V. 15. Timoteo no debía sentir vergüenza si no podía encontrar los argumentos y las palabras más elocuentes para derrotar a los falsos maestros; pero sí tenía que presentarse *a Dios aprobado.* Esa calificación vendría como resultado de estudiar, prepararse adecuadamente para *trazar bien la palabra de verdad.* La palabra "trazar" significa dividir o cortar derecho. Hoy día se puede aplicar al arquitecto o al ingeniero lo mismo que a la modista o sastre que trazan y cortan los planos para hacer su trabajo con precisión y exactitud. Otros pasajes que nos animan en el mismo sentido y que le sugerimos leer cuidadosamente son Juan 5:39 y 1 Pedro 3:15.

V. 16. Pablo ha dicho a Timoteo lo que sí debe hacer (v. 15). Ahora le dice lo que no debe hacer. Lo que debe evitar: *profanas y vanas palabrerías.* Sin duda que aquí nos encontramos con un serio llamado a tener cuidado con lo que hablamos y el tono de nuestras conversaciones especialmente con quienes están luchando por distinguir entre la verdad y el error como paso previo para tomar su decisión de creer o no en Jesucristo como su Señor y Salvador personal. Recordemos también que Jesús nos enseña que somos responsables de todas las palabras que salen de nuestra boca: "Yo os digo que en el día del juicio los hombres darán cuenta de toda palabra ociosa que hablen. Porque por tus palabras serás justificado, y por tus palabras serás condenado" (Mat. 12:36, 37).

3 Trabaja inteligentemente para ser obrero aprobado, 2 Timoteo 2:20-26.

Vv. 20, 21. Pablo utiliza la metáfora: de los *vasos de oro, plata, madera y barro* que hay en una casa. Cada vaso fue hecho o adquirido para un servicio o uso particular; el valor de cada vaso no radica en el material con el cual fue fabricado, sino en el cumplimiento de la tarea que le fue designada. Trasladando la figura al terreno de la iglesia, Dios ha traído a la congregación a cada persona según a él le ha parecido, y le ha asignado algún trabajo específico. Algunos vienen con muchos dones, talentos y capacidades, otros con menos, pero todos con una tarea que cumplir. El secreto para recibir la honra del Señor está en cumplir esa tarea asignada.

Vv. 22, 23. Tres palabras dominan la redacción de estos dos versículos: una es *huye* y la otra es *evita* y la palabra positiva: *sigue.* Huir *de las pasiones juveniles* es un llamado o advertencia a las tentaciones que vienen a toda persona en cualquier momento de su vida. Cuántas veces los adultos hemos sido tentados a actuar indebidamente, motivados por una pasión juvenil, es decir falta de madurez. Evitar las *discusiones necias,* es una orden. Nunca una discusión ha guiado a una persona a creer en Jesucristo, pero siempre las discusiones engendran contiendas y divisiones entre los participantes. Lo positivo y útil es: seguir *la justicia, la fe, el amor y la paz con los que de corazón puro invocan al Señor.*

Vv. 24-26. En estos dos versículos nos enseña cómo debe ser y trabajar el siervo del Señor. *No debe ser contencioso,* significa que no es un buscapleitos. Por supuesto, no quiere decir que será una persona que no da importancia ni dice nada cuando ocurre o se enseña algo que va contra la sana doctrina y las prácticas cristianas. Muchas veces el error tiene que ser señalado, puesto en evidencia, y deben sugerirse maneras de erradicarlo, pero tiene que ser hecho con la debida cortesía y bondad.

El obrero del Señor debe ser *amable para con todos;* con aquellos que son obedientes a la enseñanza y la labor pastoral, tanto como con aquellos que se comportan como "ovejas descarriadas" ya sea en doctrina o en conducta.

El obrero del Señor debe ser *apto para enseñar* es casi el único requisito intelectual que se exige de los obreros cristianos. Sin embargo, es una condición que se requiere de todos los obreros independientemente de la posición que ocupen en el ministerio de la iglesia. *Sufrido* es una palabra que significa "probado por el fuego" como el hierro que ha sido templado al rojo vivo. Un obrero del Señor debe aprender a soportar las aflicciones propias del ministerio. *Corrige con mansedumbre,* no como juez o como policía que ha sorprendido a su hermano en una falta y está listo para hacerle pagar por ello. Al contrario, debe tener una motivación espiritual: darles la oportunidad de arrepentirse, comprender y hacer la verdad para que *se escapen de la trampa del diablo, quien los tiene cautivos a su voluntad.*

Aplicaciones del estudio

1. Debemos ejemplificar y enseñar a las nuevas generaciones las verdades de la Biblia. Los adultos tenemos la oportunidad y el privilegio de contribuir a la vida de nuestros hijos y de los niños y jóvenes que nos rodean.

2. Todos los discípulos de Jesucristo tenemos que estudiar nuestra Biblia, poner en práctica sus enseñanzas y trazar bien la Palabra de verdad. Este es el gran desafío que todos tenemos frente a nosotros. Dios nos ha provisto todas las herramientas que necesitamos para hacer bien nuestro discipulado hoy.

Ayuda homilética

Siervos eficientes y eficaces del Señor
2 Timoteo 1:1 a 2:2

Introducción: Generalmente se dice que la palabra "eficiente" tiene que ver con la precisión y exactitud con la cual se hace un trabajo o tarea; en tanto la palabra "eficaz" describe los resultados del trabajo o tarea. Muchas veces se puede ser eficiente sin ser eficaz, pero sin duda no se puede ser eficaz sin ser eficiente. De los obreros del Señor se requieren ambas calificaciones.

I. El siervo eficiente y eficaz sirve de modelo vivo a otros.
- A. Pablo dice a Timoteo que se mantenga en la "fe no fingida" que aprendió de su abuela y de su madre (2 Tim. 1:5).
- B. Pablo dice a Timoteo que siga el modelo que él le ha presentado en conducta y enseñanzas delante otros hermanos (2 Tim. 2:2a).

II. El siervo eficiente y eficaz enseña a otros cómo hacer el trabajo.
- A. Pablo dice a Timoteo que así como él le ha enseñado con demostraciones y con palabras, a su vez él debe hacer lo mismo con otras personas que sean idóneas.
- B. Que anime, estimule y facilite a esas personas idóneas para que ellas enseñen también a otros (2 Tim. 2:2b).

Conclusión: Ser un obrero eficiente y eficaz requiere madurez, tiempo, disciplina y mucha dedicación al Señor que nos llamó a la tarea. El pastor, los maestros, los líderes y todos los creyentes en general debemos buscar "presentarnos a Dios como obreros aprobados".

Lecturas bíblicas para el siguiente estudio

Lunes: 2 Timoteo 3:1-9
Martes: 2 Timoteo 3:10-17
Miércoles: 2 Timoteo 4:1-5
Jueves: 2 Timoteo 4:6-8
Viernes: 2 Timoteo 4:9-18
Sábado: 2 Timoteo 4:19-22

AGENDA DE CLASE

Antes de la clase

1. Lea 2 Timoteo de principio a fin para conocer panorámicamente el contenido de esta carta tan llena de acertados consejos y sabiduría. Al leerla, un dato interesante para tener en cuenta es que, de todas las cartas de Pablo que contiene el Nuevo Testamento, ésta fue la última que escribió. **2.** Estudie los comentarios sobre este estudio en este libro del maestro y en el del alumno. **3.** Pida a un alumno que se prepare para presentar el material del *Estudio panorámico del contexto* en base al contenido de esa sección en el libro del alumno y en el del maestro. **4.** Confeccione un cartel con el título de esta nueva unidad.

Comprobación de respuestas

JOVENES: **1.** Su abuela Loida y su madre Eunice. **2.** honra, útil, buena obra, huye, justicia, fe, amor, necias, ignorantes, contencioso, amable, apto, sufrido, mansedumbre.

ADULTOS: **1.** a. Apóstol de Cristo Jesús. b. Porque era su hijo espiritual. c. Respuesta de acuerdo con el v. 7. **2.** Respuesta personal. **3.** Respuestas personales, de acuerdo con 2 Timoteo 2:20-26.

Ya en la clase

DESPIERTE EL INTERES

1. Muestre el cartel con el título de la nueva unidad. **2.** a Guíe una "lluvia de ideas" sobre lo primero que les viene a la mente cuando leen la frase "Aviva el don". Use preguntas como: ¿En qué pensamos cuando vemos la palabra avivar? ¿Qué hacemos para avivar un fuego, una relación, un sueño? ¿Cuándo es que uno necesita avivar algo? ¿Qué es un don? ¿Qué dones tenemos que necesitan ser avivados?

ESTUDIO PANORAMICO DEL CONTEXTO

1. Diga que la segunda carta de Pablo a Timoteo ofrece excelentes pautas para avivar el don que Dios había dado a Timoteo. **2.** El alumno que se preparó para desarrollar esta parte del estudio haga ahora su presentación. Si no pudo asignar esta parte a un alumno, proceda a dar un resumen del contenido de esta sección en este libro del maestro y en el del alumno.

ESTUDIO DEL TEXTO BASICO

Aviva el don que hay en ti, 2 Timoteo 1:1-7. Forme dos grupos de estudio. El primer grupo debe encontrar en estos pasajes los buenos recuerdos que Pablo menciona y las frases que muestran su sentimiento hacia Timoteo y los sentimientos de Timoteo hacia Pablo. El segundo grupo debe encontrar frases que sugieren los motivos de preocupación que expresa Pablo. Pueden consultar sus libros del alumno para realizar la tarea. Cuando la hayan completado, un alumno lea en voz alta el pasaje y cada grupo informe. Comente luego que, en suma, Timoteo tenía una base excelente para realizar su cometido pero parece haber estado pasando por un momento de timidez, desaliento o cobardía. Necesitaba avivar "el don de Dios" en él.

Prepárate para ser obrero aprobado, 2 Timoteo 2:14-16. Diga que Timoteo era, indudablemente, un obrero cristiano capaz. De otra manera Pablo no lo hubiera dejado a cargo de la iglesia en Efeso pero que, como todos nosotros, tenía cosas que aprender y necesitaba el aliento y apoyo de cristianos más maduros. Vuelvan a trabajar en dos grupos para enfocar 2 Timoteo 2:14-16. El primer grupo encuentre y explique lo que Pablo aconseja que Timoteo le requiera a la congregación y cómo él mismo debe ser ejemplo de eso que debe requerir. El segundo grupo encuentre y explique lo que Timoteo debía procurar con diligencia. Antes de informar, una alumno lea en voz alta estos versículos. Después de que informen y den su explicación del pasaje, presente un resumen de los versículos 17-19.

Trabaja inteligentemente para ser obrero aprobado, 2 Timoteo 2:20-26. Haga notar en el título de esta división la frase "trabaja inteligentemente". Pregunte qué les sugiere esa frase (por ejemplo: no impulsivamente, hacerlo reflexivamente, reconocer de qué cosas es uno capaz y de que cosas no es capaz, trabajar sabiendo lo que se quiere lograr, etc.). Sigan trabajando en dos grupos. Ahora ambos grupos deben encontrar y explicar los consejos de Pablo que tienen relación con "trabajar inteligentemente". Antes de informar, un alumno lea en voz alta el pasaje. Cuando informen, comparen las respuestas similares y vean las cosas que difieren.

Una opción es dividir a los presentes en dos sectores asignando a cada uno que identifique distintos elementos ya sugeridos para los grupos. De esta manera, logrará una participación más activa de los presentes lo que resultará en un aprendizaje más dinámico.

APLICACIONES DEL ESTUDIO

1. Lean en voz alta y al unísono 1 Timoteo 2:15 en primera persona como si fuera una respuesta de Timoteo a Pablo: "Procuraré con diligencia presentarme a Dios... etc." **2.** Dé tiempo para considerar las aplicaciones en el libro del alumno.

PRUEBA

1. Lea en voz alta el inciso 1 de esta sección en libro del alumno. Cada uno escriba individualmente su respuesta. Coméntenlas luego entre todos a modo de comprobación. **2.** Procedan de la misma manera con el inciso 2. **3.** Termine desafiando a cada uno a avivar su don y ser un obrero productivo, eficaz y eficiente en la viña del Señor.

Estudio **24**

Unidad 6

Cumple el plan de Dios para tu vida

Contexto: 2 Timoteo 3:1 a 4:22
Texto básico: 2 Timoteo 3:10-17; 4:1-8
Versículo clave: 2 Timoteo 4:2
Verdad central: Pablo urge a Timoteo a proveer estímulos para motivar a los creyentes a que sean fieles en cumplir el plan que Dios tiene para su vida.
Metas de enseñanza-aprendizaje: Que el alumno demuestre su: (1) conocimiento de la enseñanza de Pablo acerca de cumplir con el plan de Dios para nuestra vida, (2) actitud de cumplir con el plan que Dios tiene para su vida.

Estudio panorámico del contexto

A. Fondo histórico:

Después de tratar el asunto de los falsos maestros y sus perniciosas enseñanzas, y de los estragos que esas doctrinas harán en la vida de los miembros de la iglesia, Pablo habla sobre una fuerte ola de inmoralidad que confundirá los valores "buenos" y los "malos" creando un desquiciamiento a tal grado que algunos no sabrán distinguir cuándo están actuando de una manera buena o mala delante del Señor.

En nuestros días encaramos una situación semejante. Dentro de la iglesia evangélica estamos luchando entre nosotros por demostrar quiénes "son los más bendecidos". Fuera de la iglesia nuestros hijos y jóvenes no pueden distinguir entre lo bueno y lo malo pues han crecido en una generación que proclama una ética situacional, el relativismo de los valores, y que no existe una verdad absoluta, universal y constante. Es aquí y ahora cuando el consejo de Pablo a Timoteo se vuelve pertinente e ineludible. El mayor enemigo de la iglesia no está fuera de ella, sino dentro.

B. Enfasis:

Evita a los falsos piadosos, 2 Timoteo 3:1-9. Los falsos maestros habían descubierto una nueva modalidad para engañar a los creyentes, hablaban de santidad y de piedad, pero su conducta moral era un desastre y por lo tanto su vida un verdadero fracaso. Pablo insiste en que Timoteo debe evitarlos (vv. 2-5). Luego hace una descripción de algunos de ellos y de quiénes son las personas más propensas a seguirlos (vv. 6-8). Pablo no puede dejar de mencionar cuál será el final de los malhechores (v. 9).

Persiste en lo que has aprendido, 2 Timoteo 3:10-17. Pablo recuerda a Timoteo (1) que él mismo le ha compartido sus enseñanzas, su conducta, su perseverancia por medio del ejemplo; (2) que el poder del Señor es suficiente para librarnos del los hombres malignos; (3) el ejemplo de su abuela, de su madre y de otros fieles creyentes; (4) que no olvide lo que dicen las Sagradas Escrituras, las cuales ha aprendido desde su niñez.

Cumple tu ministerio, 2 Timoteo 4:1-5. Pablo hace un fuerte encargo a su hijo en la fe para que cumpla con el ministerio de predicación, consejería pastoral y enseñanza sin dejar de hacer la obra de evangelista.

Ama su venida, 2 Timoteo 4:6-8. Pablo se da cuenta de que el tiempo de su vida y ministerio está llegando al final y por lo tanto expresa un cierto sentido de victoria y de expectación por el galardón que Dios, como juez justo otorgará a todos los que han amado su venida.

Procura venir pronto y trae a Marcos porque me es útil, 2 Timoteo 4:9-18. Urge a Timoteo para que venga a verlo ya que ha sido abandonado por algunos hermanos, a Tíquico lo envió a Efeso y otros le han estado dando problemas; también le pide que traiga consigo a Marcos por que le es útil. Finalmente le pide que le traiga algunos libros y su manto.

El Señor Jesucristo sea con tu espíritu, 2 Timoteo 4:19-22. Pablo pide que Timoteo entregue sus saludos a ciertos hermanos. Hay una maravillosa bendición con la cual cualquier creyente debiera animarse a seguir adelante: "El Señor Jesucristo sea con tu espíritu. La gracia sea con vosotros." ¡Cuánta riqueza tenemos al andar en los caminos del Señor!

Estudio del texto básico

1 Persiste en lo que has aprendido, 2 Timoteo 3:10-17.

Vv. 10, 11. Pablo presenta a Timoteo algunas razones por las cuales él debe ser fiel y constante en cumplir el plan que Dios tiene para su vida. La primera razón es el ejemplo que él mismo le ha dado. Pablo usa nueve palabras para describir su ejemplo y por lo tanto su ministerio: *Enseñanza,* que no era un invento personal, sino lo que había recibido del Señor Jesús como el evangelio y por lo tanto lo había traducido en su *conducta.* A la vez, su conducta tenía un *propósito* claro y definido: agradar a quien lo tomó por predicador y apóstol. Vivir y actuar de esa manera ha requerido: *fe* en el poder del Señor, *paciencia* para sobrellevar las adversidades, y mucho *amor* hacia los creyentes. También ha requerido *perseverancia* frente a las *persecuciones* y las *aflicciones.*

Vv. 12, 13. La segunda razón es que *todos los que quieren vivir piadosamente en Cristo Jesús serán perseguidos.* Una de las evidencias de que las relaciones están bien con Dios es que pueden aparecer divergencias con quienes nos rodean y causarnos problemas. Cuando todos lo que están al lado nuestro contemporizan con nuestra conducta, puede ser un síntoma serio de que nuestra relación con el Señor está en peligro. Quienes no actúan piadosamente *irán de mal en peor, engañando y siendo engañados.*

Vv. 14, 15. Una tercera razón son las verdades que Timoteo ha aprendido de personas muy amadas como su abuela, su madre, Pablo y otros fieles hermanos. Estas verdades son las raíces que sostienen el árbol que se ve azotado por los fuertes vientos huracanados. Los adultos debemos aprovechar todas y cada una de las oportunidades que nuestros hijos, o los jóvenes y las señoritas nos provean. Hemos de enseñarles con nuestro ejemplo vivo, con la conducta, y también con la palabra clara, oportuna y buena.

Vv. 16, 17. Una cuarta razón es el propósito por el cual Dios inspiró las Sagradas Escrituras: *a fin de que el hombre de Dios sea perfecto, enteramente capacitado para toda buena obra.* La Palabra de Dios no solamente nos conduce a la salvación, también nos provee los recursos necesarios para crecer y madurar en nuestra fe y en nuestro carácter. Es impresionante que este es el único lugar en el N.T. en que se usa la afirmación es *inspirada por Dios.* Literalmente quiere decir que "Dios sopló sobre ella". Eso significa que le transmitió su carácter, la esencia de su ser. Puesto que Dios mismo la inspiró la Escritura es buena para cuatro propósitos: primero, *útil para la enseñanza.* Segundo, *útil para la reprensión.* Esta palabra quiere decir "examinar con cuidado para quitar lo impuro o malo". La Biblia contiene los criterios de verdad absoluta, universal y constante. Tercero, *útil para la corrección,* el creyente no solamente necesita conocer lo que ha hecho mal, también necesita conocer cómo puede mejorar y actuar en armonía con las Sagradas Escrituras. Eso es lo que significa la palabra corrección: ayudar a enderezar lo torcido. Cuarto, útil para la *instrucción en justicia.* Además de enseñar, señalar lo que está mal y ayudar a enderezar, la Biblia nos muestra la disciplina que nos conducirá a una vida de verdadero éxito: *a fin de que el hombre de Dios sea perfecto, enteramente capacitado para toda buena obra.* La versión RVA nos da varias palabras para explicar la expresión "perfecto" y dice: "O sea completo, capaz, apto o maduro." No quiere decir que los creyentes en Cristo no tengan imperfecciones, pero quiere decir que están completos y son capaces para hacer la tarea que Dios les ha asignado.

2 Cumple tu ministerio, 2 Timoteo 4:1-5.

V. 1. Pablo pasa de los incentivos espirituales a una realidad incuestionable y final: Dios en Cristo *va a juzgar a los vivos y a los muertos.* Todos tendremos que presentarnos delante del Señor para dar cuenta de la manera y los motivos por los cuales hicimos lo que hicimos mientras tuvimos nuestra oportunidad. Los dos criterios que serán usados en el juicio son: *su manifestación,* es decir, cómo aceptamos e hicimos nuestros los eventos en los cuales Jesucristo se hizo presente en y por medio de nosotros y le dimos a él toda la gloria y el honor. El otro criterio es *su reino.* Si lo que hicimos adelantó o atrasó el reino de Dios.

V. 2. Dada la realidad del juicio final Pablo encarga o entrega a Timoteo el cumplimiento de cinco órdenes: *Predica la palabra.* Predicar tiene el significado de nuestra palabra "comunicar" por cualquier medio disponible a una sola persona o a un grupo. *La palabra* es el evangelio de Jesucristo. Las cuatro órdenes que siguen en cierto modo son modalidades de la primera: *manténte dispuesto a tiempo y fuera de tiempo* quiere decir estar siempre listo para predicar. *Convence,* sugiere usar un camino lógico, adecuado para guiar a la persona a comprender el mensaje de Jesús. *Reprende,* a veces será necesario señalar lo malo que la persona está haciendo como el punto de partida para guiarla a Jesucristo. *Exhorta,* es decir aconseja, guía, sugiere y presenta a Jesucristo como la única respuesta. Con *paciencia* y *enseñanza,* usando los mejores recursos para que la persona comprenda, y decida ser discípula de Cristo.

Vv. 3, 4. Algunas personas se apartarán de la sana doctrina y de una conducta cristiana consecuente y por lo tanto van a buscar *maestros conforme a sus propias pasiones;* maestros que no van a señalar el pecado, que nos les harán acusaciones fuertes, ni exigirán cambios radicales. Les contarán *fábulas* (cuentos en los cuales el narrador hace hablar a los animales, a las plantas o a las cosas), los harán sentirse cómodos con su manera desordenada de vivir.

V. 5. Pablo, da otros cuatro mandamientos a su amado Timoteo: *Sé sobrio en todo,* a pesar de las persecuciones, a pesar de los falsos maestros, a pesar de toda la confusión de los valores morales, no pierdas el control de ti mismo. ¡Mantente firme! *Soporta las aflicciones,* es una repetición del concepto que ser fiel al Señor implica que vendrá sufrimiento e incomprensión por parte de muchos dentro y fuera de la iglesia. *Haz obra de evangelista,* esta no es una nueva tarea, es el denominador común que debe acompañar toda la obra de un obrero cristiano. *Cumple tu ministerio,* cumple a cabalidad el plan que Dios trazó para tu vida y que es la única razón de tu existencia.

3 Ama su venida, 2 Timoteo 4:6-8.

V. 6. *A punto de ser ofrecido en sacrificio,* nos recuerda la ofrenda (animal o vegetal) que el creyente llevaba al templo para testimoniar su gratitud y adoración a Dios. Dispuesto para un acto de obediencia y amor. *El tiempo de mi partida ha llegado,* como cuando el barco estaba a punto de salir del puerto hacia su destino y todos los seres queridos están en la playa moviendo sus manos en lo que puede ser "un último adiós".

V. 7. *He peleado la buena batalla; he acabado la carrera; he guardado la fe,* son tres figuras tomadas del lenguaje deportivo. Pablo peleó una batalla dura, difícil. *Carrera* es la palabra que usamos para referirnos a nuestra vocación, oficio y modo de invertir nuestra vida. Pablo tenía la "carrera" de anunciar a Jesucristo como la razón de su vida; se da cuenta de que esa carrera ha terminado. En un análisis, al final de esa caminata dice: *He guardado la fe.* Ha mantenido la sana doctrina y la ha comunicado adecuadamente a otros; ha sido fiel al Señor a pesar de las dificultades gracias a que mantuvo su fe en Jesucristo.

V. 8. Pablo describe el galardón que recibirá del Señor, el Juez Justo, como una *corona de justicia.* Sin duda es una hermosa figura para decir: "Dios me dará exactamente lo que mi servicio a él merece". Esta recompensa no es solamente para Pablo, *sino también a todos los que han amado su venida.* Es decir que Dios va a dar a cada persona exactamente lo que su fiel servicio merece por haberlo hecho mientras esperaba la segunda venida de Jesucristo.

Aplicaciones del estudio

1. Los creyentes en Cristo debemos vivir de tal manera que seamos un buen ejemplo.

2. Aun estamos a tiempo de terminar nuestra carrera con gozo y recibir nuestra "corona de justicia". El final de nuestra vida no tiene que ser una tragedia sino una experiencia llena de bendición y de testimonio.

Ayuda homilética

Ayude a un hermano mayor
2 Timoteo 4:9, 12, 13, 17, 21

Introducción: A veces nos preguntamos cómo podemos ayudar a una persona de la "tercera edad" o como dicen las ancianas de la iglesia: "ya estamos en la última juventud". En las peticiones de Pablo a Timoteo tenemos unas ideas.

I. Ayude a un hermano mayor siendo su amigo.
- A. Dos veces Pablo pide a Timoteo que venga a verlo (4:9, 21).
- B. La persona mayor necesita pocos, pero buenos amigos.

II. Ayude a un hermano mayor manteniendo su mente ocupada.
- A. Pablo tenía interés en volver a leer sus libros (4:13).
- B. Algunos ancianos quizá prefieran hacer cosas manuales, o ayudar en tareas de su experiencia.

III. Ayude a un hermano mayor a que se sienta cómodo físicamente.
- A. Pablo comenzaba a sentir los vientos fríos del invierno y le hacía falta una cobija gruesa para sobrevivir (4:13).
- B. Generalmente los ancianos tienen algunas carencias que fácilmente usted con la ayuda de otros hermanos podrían suplir.

IV. Ayude a un hermano mayor afirmándole la presencia y el cuidado del Señor.
- A. Pablo tenía necesidad de afirmación por parte de un hermano y amigo como Timoteo (2 Tim. 4:17).
- B. Los ancianos, necesitan escuchar palabras de afirmación de la presencia y el cuidado del Señor.

Conclusión: Puedo dar testimonio de haber escuchado a mi anciana madre de 89 años, orar y dar gracias a Dios por las personas que se interesaban por ella, le mostraban su amistad y la hacían sentir importante llevándole flores y dulces.

Lecturas bíblicas para el siguiente estudio

Lunes: Tito 1:1-4
Martes: Tito 1:5, 6
Miércoles: Tito 1:7-9
Jueves: Tito 1:10-14
Viernes: Tito 1:15
Sábado: Tito 1:16

AGENDA DE CLASE

Antes de la clase

1. Lea 2 Timoteo 3 y 4 en su totalidad. Estudie el comentario sobre estos capítulos en este libro del maestro y en el del alumno. **2.** Prepárese para presentar un resumen de 2 Timoteo 3:1-10 que expone la primera parte de una comparación entre el modo de actuar de los falsos cristianos y Timoteo. También prepárese para presentar 2 Timoteo 4:9-22 en que Pablo se despide y da los nombres de seguidores fieles y de seguidores que se desviaron. **3.** Conteste las preguntas en la primera sección bajo *Estudio del texto básico* en el libro del alumno.

Comprobación de respuestas

JOVENES: **1.** Vv. 10, 11. **2.** Persecuciones y aflicciones. **3.** La enseñanza, la reprensión, la corrección, la instrucción en justicia. **4.** Coteje su respuesta con la Biblia. **5.** La corona de la vida.

ADULTOS: **1.** a. Enseñanza, conducta, propósito, fe, paciencia, amor, etc.; b. Respuesta personal de acuerdo con 2 Timoteo 3:16, 17. **2.** a. Que predique la palabra, que se mantenga dispuesto a tiempo y fuera de tiempo, que reprenda, que exhorte. b. Buscarán maestros que les enseñen lo que quieren oír (o algo semejante). **3.** Relacionar primer cuadro de la izquierda con el segundo de derecha; el segundo de la izquierda con el tercero de la derecha; el tercero de la izquierda con el primero de la derecha.

Ya en la clase

DESPIERTE EL INTERES

1. Relate su testimonio personal en relación con lo que usted considera el plan, la misión, la voluntad de Dios para su vida. **2.** Cuente de algunos factores que le favorecen a fin de ir cumpliendo ese plan y los que, por el contrario, son tropiezos que tiene que vencer, y cómo el ejemplo o consejo de alguien le ha ayudado a permanecer fiel y constante al Señor.

ESTUDIO PANORAMICO DEL CONTEXTO

1. Guíe un breve repaso de la relación entre Pablo y Timoteo, y de los consejos y pautas que Pablo ha ofrecido a su hijo espiritual en lo que va de estos estudios. Conversen sobre cómo estos consejos y pautas han de haber apuntalado la fe y el ministerio de Timoteo. **2.** Pida a los presentes que abran sus Biblias en 2 Timoteo 3. Mencione que en los vv. 1-9 presenta la primera parte de una comparación, que contiene algo de profecía, entre los cristianos infieles y Timoteo. Relate lo que preparó sobre estos versículos. Diga que al final de la carta, en 2 Timoteo 4:19-22, Pablo menciona nombres de cristianos fieles y de algunos que se habían desviado. Forme parejas y asigne a cada una, dos o tres versículos (dependiendo de cuántas parejas forme) y pídales que vean si mencionan nombres, en caso afirmativo cuáles y si se trata de personas que permanecieron fieles y constantes o que se desviaron del evangelio, y si menciona acciones específicas de ellos. Dediquen dos o tres minutos a esta actividad. Cuando cada pareja informe, escriba los nombres que van mencionando, bajo una de dos columnas que tendrá en el pizarrón o una cartulina, con el título FIEL o INFIEL.

ESTUDIO DEL TEXTO BASICO

Persiste en lo que has aprendido, 3:10-17. Destaque que lo que van a enfocar es lo que Pablo escribe sabiendo que su muerte está próxima. Un alumno lea en voz alta 2 Timoteo 3:10-13. Pida a la mitad de la clase que identifique características propias que Pablo menciona que fueron un ejemplo que Timoteo tuvo en cuenta. La otra mitad encuentre grandes estorbos que podían haber desanimado y desviado a Pablo en su ministerio. Un alumno lea en voz alta los vv. 14-17. La mitad de los presentes identifique una cosa que Pablo insiste que Timoteo haga. La otra mitad encuentre la función de las Sagradas Escrituras en la vida del cristiano que quiere cumplir con el plan de Dios para su vida.

Cumple tu ministerio, 4:1-5. Comente que en 2 Timoteo 4:1-5 los consejos de Pablo a Timoteo adquieren un tono de urgencia. Asigne a tres participantes que, por turno, lean una sección de este pasaje: (1) 2 Timoteo 4:1, 2; (2) 4:3, 4; (3) 4:5. Cada uno debe comentar los versículos que leyó. Llame la atención a los "pero" de 3:10, 14 y 4:5 preguntando qué expresión sinónima cabría allí (por ejemplo: a pesar de). Comente que Timoteo enfrentaba en ese momento, y que enfrentaría en el futuro, obstáculos en su ministerio y que Pablo le insta fuertemente a cumplir su llamamiento sin desmayar.

Ama su venida, 4:6-8. Recalque que un motivo de la urgencia de los consejos de Pablo eran los obstáculos que estaba enfrentando y enfrentaría. Necesitaba desarrollar firmeza si iba a triunfar. Lean en silencio el v. 7 y pida que identifiquen las frases que indican que (1) persistió en cumplir su llamamiento, (2) ya llega al final de su carrera y (3) no se había desviado de la verdad. Lean al unísono el v. 8 para ver la gran esperanza de Pablo que lo había mantenido firme.

APLICACIONES DEL ESTUDIO

Comenten las aplicaciones que crea más útiles para el estudio de hoy.

PRUEBA

1. Lea en voz alta la pregunta (o preguntas) bajo el inciso 1 en esta sección del libro del alumno y cada uno escriba sus respuestas. **2.** Hagan lo mismo con el inciso 2.

Unidad 6

Dirigentes calificados para la iglesia

Contexto: Tito 1:1-16
Texto básico: Tito 1:1-16
Versículos clave: Tito 1:7, 8
Verdad central: La carta de Pablo a Tito nos recuerda que la iglesia necesita personas calificadas para guiarla en medio de las circunstancias en las cuales debe cumplir su misión.
Metas de enseñanza-aprendizaje: Que el alumno demuestre su: (1) conocimiento de las calificaciones que deben tener los dirigentes de la iglesia según Pablo, (2) actitud de interés por buscar la voluntad de Dios para servir en lo que su iglesia le solicite.

Estudio panorámico del contexto

A. Fondo histórico:

Pablo escribió la carta a Tito con dos propósitos básicos en mente: primero, para instruirlo sobre cómo organizar mejor la iglesia en Creta. Segundo, para animarlo a defender a la iglesia de los falsos maestros. Una lectura rápida de la carta nos informa que el mayor interés del escritor eran las calificaciones de los dirigentes, líderes, supervisores, u obreros de la iglesia aquí denominados "ancianos" u "obispos".

Gracias al libro de Los Hechos sabemos que Pablo llevó con él a Tito en su segundo viaje misionero. También, que Tito era un gentil con un carácter cristiano firme y capaz de tomar sus propias decisiones. Evidentemente Tito no se circuncidó y esa condición lo hacía ser un gentil apto para ministrar a los gentiles. Pablo le envió como un consejero cuando surgieron problemas en las iglesias en Corinto (2 Cor. 8:6; 12:18), en Creta (el caso que nos ocupa), en la iglesia de Dalmacia (en la costa de lo que hoy es Yugoslavia) (Rom. 15:19; 2 Tim. 4:10).

B. Enfasis:

Pablo a Tito verdadero hijo según la fe, Tito 1:1-4. Como Pablo acostumbra en sus cartas envía un saludo cariñoso a un hijo en la fe y compañero en el ministerio. Pablo está prisionero en Roma, y Tito está en Creta donde Pablo lo había dejado para que ayudara a la iglesia que estaba pasando por un tiempo difícil. Había allí cierta confusión y presiones externas.

Requisitos para los ancianos y obispos, Tito 1:5-9. En este pasaje encontramos el propósito principal por el cual Pablo le escribe a Tito: darle instrucciones sobre cómo escoger a los obreros de la iglesia, específicamente a los "ancianos" y "obispos". Hace un fuerte énfasis sobre cómo debe ser el carácter de esos obreros. Debían tener la capacidad de proclamar el mensaje de Jesucristo, la aptitud para enseñar a los creyentes y, si era necesario, dar corrección o ejercer disciplina.

Contra los falsos maestros, ¿qué se puede hacer? Tito 1:10-16. Aunque este es un tema secundario en la carta, es evidente que Pablo estaba preocupado con los estragos que podían hacer los falsos maestros. Por lo tanto, de manera sencilla y práctica le aconseja que "se les debe tapar la boca". Es decir, cerrarles la oportunidades para que participen en las reuniones de la congregación y aprovechen para hablar de "sus vanidades y engaños".

Estudio del texto básico

1 Verdadero hijo según la fe, Tito 1:1-4.

V. 1. Pablo comienza su carta declarando que él es un *siervo de Dios.* Los siervos llegaban a serlo por compra o por decisión personal. Pablo declara que él lo era en ambos sentidos. Fue comprado, rescatado, redimido por Cristo y por el otro lado su placer más grande era ser siervo del Señor. Su servicio lo ejerció como *apóstol.* El no fue uno de los doce apóstoles originales, pero consideraba su apostolado en igualdad de posición (1 Cor. 15:1-10; Gál. 1:11-17). *Según la fe de los elegidos* sin duda es una alusión a dos hechos: uno es que él ha tenido que poner su fe en Cristo, igual que cualquier otra persona, para ser salvo del pecado y la condenación; el otro es que lo que su fe en Cristo le ha dado no es diferente de lo que recibe cualquier otro creyente.

V. 2. La conducta del cristiano, que es la piedad, se basa en *la fe y en la esperanza de la vida eterna.* La esperanza es la confianza, la seguridad, de que Dios cumplirá sus promesas como siempre lo ha hecho. "La vida eterna" en el Nuevo Testamento siempre debe ser entendida en dos dimensiones: una es la dimensión presente, actual. Es una calidad de vida, un estilo de vida que expresa la experiencia con Cristo. La otra dimensión de la vida eterna es la que ve al futuro de manera permanente e ilimitada con Cristo en las moradas celestiales. Estas realidades son así porque "el Dios que no miente" lo ha prometido.

V. 3. La predicación del evangelio no es una tarea que alguien decide hacer por sí mismo, al contrario tiene que sentir *el mandato de Dios nuestro Salvador.* En el caso de Pablo él iba a Damasco con una misión diferente; fue Dios quien lo interceptó en el camino, le cambió el rumbo y le señaló una nueva misión. Pastores y predicadores debemos dar testimonio de que Dios nos ha llamado y nos ha mandado a proclamar a Jesucristo.

V. 4. Pablo considera a Tito como *verdadero hijo* ya que ha tenido la misma experiencia con Cristo. Recordemos que Tito era gentil y que Pablo era judío, sin embargo esa *fe común* permitía a Pablo dar una bendición especial a Tito deseándole la *gracia y paz de Dios.* Es maravilloso descubrir que en Cristo unos y otros recibimos el mismo favor inmerecido, y gozamos de la misma aceptación de parte de Dios Padre y de Cristo Jesús nuestro Salvador.

2 Requisitos para los ancianos, Tito 1:5-9.

V. 5. El rápido crecimiento de las iglesias y el corto tiempo que Pablo tenía para estar en cada una de ellas hizo que el Apóstol pidiera a Tito que *pusiera en orden lo que faltase,* es decir, terminara con la tarea de afirmar a los hermanos en la doctrina, los enseñara a vivir como corresponde y estableciera una estructura básica. Una manera de hacer estas cosas era nombrando *ancianos en cada ciudad.* Debemos comprender que está hablando de nombrar ancianos en cada una de las iglesias en cada ciudad.

V. 6. Una lectura de Hechos 20:17-32 nos ayuda a comprender que los títulos anciano, obispo y pastor se usan como si fueran intercambiables. Así, la palabra anciano habla más de la labor de enseñanza; la palabra obispo alude a las tareas de administración y supervisión; en tanto que la palabra pastor se refiere a la tarea de alimentar al rebaño del Señor.

Pablo insiste en que los obreros de la iglesia deben ser *irreprensibles,* es decir, que su conducta sea de tal dignidad que nadie pueda acusarlos de algo indebido. *Marido de una sola mujer* un requisito muy alto en medio de una cultura que toleraba que un hombre tuviera más de una mujer. Los hijos deben dar buen testimonio cristiano a la congregación y a la comunidad, no debe ser *libertinos o rebeldes.*

V. 7. Pablo describe al obrero de la iglesia como *mayordomo de Dios.* Es decir que la iglesia es de Dios y él es su dueño, pero a él le ha parecido bien nombrar al obrero como su mayordomo.

Pablo da a Tito una lista de cinco actitudes que un obrero cristiano **no** debe tener: no debe ser *arrogante,* es decir que no debe verse a sí mismo como el que todo lo sabe y superior a sus hermanos en Cristo. No debe ser *de mal genio,* cuando una persona se enoja, fácilmente pierde la objetividad con la cual debe tratar los asuntos y trata injustamente a alguien. No debe ser *dado al vino,* es decir un borracho. No *pendenciero,* significa una persona que no responde con violencia o resuelve los asuntos por la fuerza. En quinto lugar, no debe ser *ávido de ganancias deshonestas;* no busca su beneficio personal por medios ilícitos.

V. 8. Pablo propone siete actitudes que **sí** debe tener un obrero de la iglesia: *Hospitalario,* que está dispuesto a abrir las puertas de su casa para ayudar al necesitado. *Amante de lo bueno,* que piensa y busca lo mejor para el bienestar de otros. *Prudente,* sensible a los deseos y emociones de otros y los respeta. *Justo,* trata a todos con imparcialidad buscando el mayor bien de los participantes. *Santo,* cuya vida sigue el ejemplo de Dios quien es santo. *Dueño de sí mismo,* que siempre mantiene bajo control sus emociones y sus pensamientos. Estas actitudes exigen que los obreros de la iglesia sean personas bien equilibradas física, mental y emocionalmente.

V. 9. La séptima actitud que Pablo menciona es que *sepa retener la palabra fiel conforme a la doctrina.* Esta condición nos habla de la integridad doctrinal del obrero. Significa dos cosas: que enseña lo que vive y vive lo que enseña; no hay contradicciones entre lo que dice y lo que hace, es una persona honesta, consecuente, fiel.

3 ¿Qué hacer contra los falsos maestros?, Tito 1:10-16.

Vv. 10, 11. Por las palabras de Pablo es evidente que Tito se encontraba en medio de iglesias con serios problemas. Por un lado, estaba un grupo aquí identificado como *los de la circuncisión,* probablemente personas judías o prosélitos que se habían convertido al cristianismo, pero que deseaban continuar con los ritos y prácticas hebreas especialmente con la exigencia de que todos los miembros de la iglesia, fueran judíos o gentiles, debían circuncidarse. Su motivación era obtener alguna *ganancia* mientras enseñaban *lo que no es debido.* Pablo dice que *a ellos es preciso tapar la boca,* sin duda es una manera de expresar que no se les debe permitir hablar ni enseñar en las reuniones de la congregación.

Vv. 12-14. Otro grupo que bien podríamos identificar como los *cretenses.* Algunos estudiantes de la Biblia piensan que son el mismo grupo de los versículos anteriores y que Pablo solamente está ampliando la descripción de ellos; sin embargo, bien puede ser un grupo bien identificado como *siempre mentirosos, malas bestias, glotones perezosos.* Recordemos que Creta llegó a ser reconocida como una isla de gente mentirosa y perezosa al punto que se acuñó el término "cretino" para describir a uno que es necio, o falto de talento. Los que así actuaban justificaban su conducta o racionalizaban su inmoralidad echando mano de ciertas *fábulas judaicas* o de *mandamientos de hombres.* Siempre hay alguien que da una excusa para su mala actuación. A estos, Tito debía *reprenderlos severamente para que sean sanos en la fe.* La palabra "reprender" significa "enderezar lo torcido" o "hacer derecho". El obrero cristiano no puede quedarse con la boca callada frente a conductas inmorales, sin embargo, al hacer el duro y difícil trabajo de "enderezar lo torcido" debe echar mano de las siete actitudes propias de un obrero que fueron mencionadas anteriormente.

Vv. 15, 16. En estos dos versículos Pablo se refiere a ambos grupos: a *los de la circuncisión* y a *los cretenses.* Establece cómo ambos han perdido el camino correcto por causa de la contradicción que se da entre lo que dicen que profesan y su conducta diaria. *Para los puros, todas las cosas son puras,* no quiere decir que algo deja de ser es impuro porque alguien no piensa que no lo es; quiere decir que quienes han sido purificados con la sangre de Cristo tienen la capacidad de distinguir entre lo que es puro y lo que no lo es y con determinación firme y decidida se alejan de lo que no es puro.

Ese es el dilema ético de quienes no son fieles a Jesucristo, *sus mentes y sus conciencias están corrompidas,* por lo tanto han perdido la capacidad de distinguir entre lo bueno y lo malo. Hacen lo malo y no tienen conciencia de ello; dejan de hacer lo bueno y no tienen ningún sentimiento de culpa. Esa contradicción moral no es la causa del mal sino la consecuencia, el verdadero problema está en que dicen conocer o *profesan conocer a Dios, pero con sus hechos lo niegan.* Estas personas hacen una elaboración intelectual de su relación con Dios, pero su alma está vacía y por lo tanto su conducta es pecaminosa lo cual los descalifica para obrar bien.

Aplicaciones del estudio

1. La iglesia necesita obreros calificados para cumplir con su misión en el mundo, 1:5-9.

2. Todos los obreros de la iglesia y los miembros deben preocuparse por guiar a sus familias a ser genuinos ejemplos cristianos.

3. Tenemos que estar alertas al surgimiento de los falsos maestros.

Ayuda homilética

Una lista de cotejo necesaria
Tito 1:5-9

Introducción: Cuando una empresa emplea a alguien, primero elabora un "perfil" para comparar las cualidades o requisitos que debe tener la persona que va a llenar la posición disponible. Las dos listas que Pablo dio a Tito bien podrían servirnos como listas de cotejo para guiarnos en el nombramiento de todos los obreros de nuestra iglesia.

I. Los obreros de nuestra iglesia NO deben ser...

A. arrogantes, presumidos, que creen que todo lo saben.
B. de mal genio, que se enojan fácilmente y por cualquier cosa.
C. dados al vino, borrachos, que se dejan llevar por su adicción.
D. pendencieros, peleoneros, violentos ante la menor ofensa.
E. ávidos de ganancias deshonestas.

II. Los obreros de nuestra iglesia SI deben ser...

A. hospitalarios, abren su casa a quien tiene necesidad.
B. amante de lo bueno, buscan lo mejor en personas y eventos.
C. prudentes, sensibles a los sentimientos de las otras personas.
D. justos, siempre buscan el mayor bien para todos.
E. santos, norman su conducta por el carácter santo de nuestro Dios.
F. dueños de sí mismos. Mantienen bajo control sus pensamientos, sus emociones y actúan solamente cuando se sienten guiados por Dios a hacerlo.

Conclusión: Un buen ejercicio que usted puede hacer como pastor o maestro sería comparar su vida con estas listas. Quizá descubra algunos aspectos que debe dejar y otros que debe adquirir. Antes de ver "la paja que está en el ojo" de nuestro hermano debemos quitar el tronco que está en el nuestro.

Lecturas bíblicas para el siguiente estudio

Lunes: Tito 2:1-5
Martes: Tito 2:6-8
Miércoles: Tito 2:9, 10
Jueves: Tito 2:11-15
Viernes: Tito 3:1-8a
Sábado: Tito 3:8b-15

AGENDA DE CLASE

Antes de la clase

1. Lea de corrido la carta de Pablo a Tito y marque los pasajes que se parecen a lo que Pablo escribiera a Timoteo en cuanto a las características de los líderes de la iglesia, la importancia de la sana doctrina y las advertencias contra los falsos maestros. **2.** Estudie el comentario de la lección en este libro del maestro y en el del alumno. **3.** Aliste a un alumno para que presente el *Estudio panorámico del contexto* como un monólogo (vea el monólogo más adelante) o prepárese usted para presentarlo. **4.** Conteste las preguntas en la primera sección bajo *Estudio del texto básico* en el libro del alumno.

Comprobación de respuestas

JOVENES: **1.** Siervo de Dios, apóstol de Jesucristo. **2.** Su hijo según la fe. **3.** Coteje sus respuestas con Tito 1:6-9. **4.** Coteje sus respuestas con Tito 1:10-16.

ADULTOS: **1.** Siervo de Dios y apóstol de Jesucristo. **2.** Coteje sus respuestas con Tito 1:5-9. **3.** Rebeldes, habladores de vanidades y engañadores, enseñan lo que no es debido. Discutían el tema de la circuncisión.

Ya en la clase

DESPIERTE EL INTERES

1. Relate lo ocurrido en 1997 con una secta llamada Puerta del Cielo. Sus integrantes se reunieron en una mansión en California y se suicidaron sin ruido ni grandiosas declaraciones. Con ellos, se suicidó también su líder, Marshall Applewhite, quien les había convencido de que una especie de nave espacial celestial escondida detrás de la cola del cometa Hale-Bopp, los esperaba para recogerlos cuando murieran. **2.** Comente que de cuando en cuando ocurren casos extremos en que líderes religiosos convencen a los incautos que crean aberraciones como las de Applewhite. Muchos pretenden ser mensajeros de Dios y presentan sus falsas doctrinas en formas sutiles y engañan a muchos.

ESTUDIO PANORAMICO DEL CONTEXTO

(Presentar el siguiente monólogo de Pablo sentado a una mesa con papel y pluma para escribir.)

MONOLOGO: Desde que yo, Pablo, partí de la isla de Creta, no he podido sacarme de la mente a todos los hermanos de allí. Creta, la que llaman "la isla de las cien ciudades", tiene ahora en sus ciudades a creyentes que se reúnen como iglesias. ¡Ay! Esas iglesias tan nuevas ¡cuánta orientación necesitan! ¡Cuánto peligro para ellas si los que las dirigen no son todo lo que deben ser! Sí, dejé allí a Tito, mi gran compañero en la obra, para que se hiciera cargo de todo lo que todavía queda por hacer. El suyo es un trabajo duro, pero Tito ya ha dado evidencias de ser capaz, firme, y de contar con una sabiduría muy especial. Fue Tito, junto con Bernabé, quien me acompañó a Jerusalén cuando tuvo que defenderme ante los dirigentes de la iglesia que dudaban de que yo realmente me hubiera convertido. En otra oportunidad, cuando tuve que escribirle una carta muy severa a la iglesia en Corinto cuya conducta y doctrina dejaban mucho que desear, él llevó la carta y manejó todo con valentía y perspicacia. ¡Ah! ¡Casi me olvidaba! Fue Tito en quien pude confiar para organizar la ofrenda para los creyentes que pasaban penurias en Jerusalén y Judea. Sí, Tito, mi hijo en la fe, es una persona muy especial. Quiero escribirle un carta para dejar asentadas las cosas que tiene que tomar en cuenta si la obra del Señor ha de seguir creciendo en Creta.

ESTUDIO DEL TEXTO BASICO

Pida a los participantes que abran sus Biblias en Tito.

Verdadero hijo según la fe, 1:1-4. La persona que presentó el monólogo lea estos versículos, simulando que está escribiendo. Luego, los participantes encuentren las distintas personas mencionadas.

Requisitos para los ancianos, 1:5-9. El primer tema que toca Pablo en su carta es: las cualidades de su pastor. Escriba en el pizarrón o cartulina: SU VIDA DE FAMILIA - SU PERSONALIDAD - SUS CREENCIAS. Mientras un alumno lee en voz alta este pasaje, los demás encuentren las cualidades relacionadas con estas tres áreas. Al mencionar el v. 6 bajo "vida de familia", lea 1 Timoteo 3:4, 5 para ampliar el concepto de una vida familiar irreprensible. Al mencionar su personalidad enfoquen primero todo lo que NO debe ser. Proceda de la misma manera con las que SI debe, preguntando qué beneficio representa para la iglesia el que su pastor tenga las distintas cualidades. En cuanto a sus CREENCIAS, ¿qué encontraron en el v. 9? No sólo debían saber la verdad del evangelio y enseñarla, sino que debían combatir los errores doctrinales refutando a los que los enseñaban.

¿Qué hacer contra los falsos maestros?, 1:10-16. Lean en silencio los vv. 10-14 y tomen nota de los problemas y díganlos. Pregunte qué dos cosas debía hacerse con los falsos maestros (v. 11, v. 13).

APLICACIONES DEL ESTUDIO

¿Qué podemos aplicar a nuestra iglesia de lo que estudiamos?

PRUEBA

1. Escriban individualmente en sus libros la respuesta al primer inciso.
2. Para enfocar el inciso 2, guíe una discusión de mesa redonda sobre las necesidades que los integrantes de la clase pueden ayudar a suplir.
3. Oren pidiendo al Señor sabiduría para fortalecer su vida espiritual.

Estudio **26**

Unidad 6

Evidencias de la renovación del Espíritu Santo

Contexto: Tito 2:1 a 3:15
Texto básico: Tito 2:1-8, 11-14; 3:3-7
Versículos clave: Tito 3:5, 6
Verdad central: Dios por su bondad, su amor y su misericordia nos salvó, luego por medio de la renovación del Espíritu Santo nos conduce a tener las evidencias de que somos sus hijos.
Metas de enseñanza-aprendizaje: Que el alumno demuestre su: (1) conocimiento de que hemos llegado a ser hijos de Dios por la bondad, el amor y la misericordia de Dios, (2) actitud de demostrar con su vida las evidencias de la renovación del Espíritu Santo.

Estudio panorámico del contexto

A. Fondo histórico:

Pablo, en el primer capítulo de su carta a Tito, le dio instrucciones acerca de cómo nombrar a los ancianos u obispos en las iglesias de Creta. También le dio unas ideas acerca de cómo tratar a los falsos maestros. En estos dos capítulos finales, el Apóstol ayuda a Tito a trazar un estilo de vida que agrada a Dios, reconociendo que los miembros de las iglesias de Creta están sumergidos en un ambiente plagado de inmoralidades. Le presenta de manera viva y descriptiva las razones por las cuales los cristianos deben dar evidencias de que han sido renovados por el Espíritu Santo.

B. Enfasis:

La armonía necesaria entre la sana doctrina y la vida diaria, 2:1-10. Pablo selecciona a cinco grupos de personas en la iglesia para ilustrar la armonía necesaria entre la sana doctrina y la conducta en la vida diaria. Aunque las condiciones de cada grupo son diferentes, hay un denominador común: los cristianos deben actuar con justicia en todas sus relaciones. Siendo que Tito era relativamente un joven, Pablo lo incluye (vv. 7, 8) proponiéndole que él mismo se presente como ejemplo.

La manifestación de la gracia de Dios, 2:11-15. Este pasaje presenta con luz clara el hecho de que llegamos a ser salvos por "la gracia salvadora de Dios", y que la vida cristiana solamente es posible vivirla cuando tenemos "la esperanza bienaventurada, la manifestación de la gloria del gran Dios y Salvador nuestro Jesucristo".

La conducta cristiana frente a la sociedad y el gobierno, 3:1, 2. Los cristianos tenemos obligaciones hacia el pueblo de Dios, pero también hacia los gobernantes y las autoridades establecidas. Debemos ser considerados hacia toda persona sin importar su sexo, raza, educación o posición social.

Evidencias de la renovación del Espíritu Santo, 3:3-7. Pablo comienza esta sección con la expresión comparativa: "Porque en otro tiempo nosotros también éramos..." y describe la tragedia de nuestra vida sin Cristo. Como un canto de victoria cambia a un tono mayor cuando dice: "Pero cuando se manifestó la bondad de Dios... fuimos hechos herederos..."

Conclusión e instrucciones finales, 3:8-15. Pablo insiste en que Tito debe hablar con firmeza de la armonía entre la doctrina y la vida cristiana por dos razones: para que los creyentes las pongan en práctica porque estas cosas son "buenas y útiles." También le dice que debe evitar las controversias y que después de haber amonestado a alguien un par de veces se aleje de él. Termina la carta con unas instrucciones: que procure venir a verlo a Nicópolis donde piensa pasar el invierno; que ayude a Zenas y a Apolos y que todos se dediquen a hacer buenas obras a fin de llevar fruto de tal manera que sirva de ejemplo para los hermanos; cierra con un saludo amoroso.

Estudio del texto básico

1 Armonía entre la doctrina y estilo de vida, Tito 2:1-8.

V. 1. *Pero tú habla lo que está de acuerdo con la sana doctrina.* En medio de un ambiente hostil, de una sociedad corrupta y desintegrada como la de las ciudades de Creta, Tito debe hacer su labor de comunicar el mensaje de la verdad que es Jesucristo.

V. 2. Aquí Pablo toma a cinco grupos para ilustrar la relación de una armonía necesaria entre la sana doctrina y la vida diaria: (1) Los *hombres mayores* deben ser *sobrios,* controlar su mente y sus emociones; *serios,* que ganen el respeto y dignidad que les corresponde como hombres; *prudentes,* sensibles y respetuosos de lo sentimientos de otras personas. *Sanos en la fe, en el amor y en la perseverancia.* La palabra "sanos" debe ser el denominador común de estas tres grandes virtudes en la vida del creyente.

Vv. 3, 4. (2) *Las mujeres mayores* es el segundo grupo. Deben ser: *reverentes en conducta,* frente a su esposo, a sus hijos y sus nietos. No deben ser *calumniadoras* o sea darse cuenta de los errores de alguna persona y divulgarlos. Otro peligro es llegar a ser *esclavas del vino.* Por el contrario, harían bien en usar esta nueva etapa de su vida para enseñar a otros *lo bueno.* Ya que tienen experiencia de la vida, y se han encontrado con Cristo, estas mujeres mayores son las más indicadas para *encaminar a las mujeres jóvenes a que amen a sus maridos y a sus hijos.* Puesto que en la cultura de los días de Pablo la mujer no escogía por amor a su esposo su filosofía podía ser: "tienes mi cuerpo y mis servicios, pero jamás mi corazón y mi amor". Así que además de aprender a hacer todos los quehaceres del hogar era recomendable aprender a amar al marido y a los hijos.

V. 5. Aunque la redacción de Pablo coloca las palabras de este versículo como tareas de enseñanza que las mujeres mayores deben cumplir con las mujeres jóvenes; es natural pensar que aquí tenemos una descripción del estilo de conducta que se espera de la mujeres jóvenes. Además de que amen a sus maridos y a sus hijos deben ser *prudentes y castas,* es decir, cuidadosas con los sentimientos que pueden estimular en el sexo opuesto por su manera de comportarse, de hablar o de vestir. *Que sean buenas amas de casa,* buenas administradoras de los recursos de la familia y *sujetas a sus propios maridos.* La frase: *para que la palabra de Dios no sea desacreditada* bien puede servir como conclusión lógica o corolario de la razón por la cual es necesaria la armonía entre la fe que profesamos y nuestra conducta diaria.

V. 6. *Exhorta,* es una palabra muy fuerte con la cual Pablo comienza sus consejos hacia los jóvenes. Los hombres jóvenes a veces pueden ser poco sensibles a los sentimientos de los niños o de los mayores, de ahí la recomendación de que aprendan a ser *prudentes.*

Vv. 7, 8. De manera sumamente inteligente y hábil Pablo inserta a Tito en el grupo de los hombres jóvenes. Ese detalle le da una fuerza tremenda al argumento, lo personaliza y le dice a Tito lo que quiere decirles a todos los de su grupo. Recomienda que sean *ejemplo de buenas obras,* demuestren *integridad* entre la fe que profesan y la conducta cotidiana; *seriedad y palabra sana e irreprensible* señalan el cuidado que debemos tener en el uso de nuestras palabras en el trato diario.

Ha habido un poco de discusión entre algunos estudiantes de la Biblia acerca del significado de lo que Pablo quería decir o a quién quería señalar cuando dice: *para que el que se nos oponga...* Se ha sugerido una alusión a "los de la circuncisión", o a los "cretenses" y a Satanás. Sin embargo, a pesar de la ambigüedad, el mensaje, la inspiración es la misma: que esa persona *no tenga nada malo que decir de ninguno de nosotros* los cristianos.

2 La manifestación de la gracia de Dios, Tito 2:11-14.

V. 11. Todo este pasaje (11-14) nos provee formidables razones por las cuales los creyentes debemos ser fieles a Jesucristo y vivir vidas puras, limpias, honestas y sencillas en la sociedad en la cual vivimos. Otra manera de enfocar este pasaje es respondiendo a la pregunta: ¿Cómo opera, actúa o se manifiesta la gracia de Dios en mi vida?

Antes de continuar las razones de nuestra fideidad debemos darnos cuenta de que la palabra *gracia* quiere decir algo que se da o se recibe sin que haya mérito alguno para que ocurra. *La gracia salvadora de Dios* indica que él tomó la iniciativa de salvarnos, pero además, que lo hizo porque le pareció bien hacerlo y no porque alguien se lo ordenara o él obtuviera algún beneficio. Y algo más, se propone hacer lo mismo *para todos los hombres.* Eso no significa que la salvación de alguien es algo automático o independiente de su voluntad de creer en Jesucristo. Lo que sí quiere decir es que todos, absolutamente todos los hombres y las mujeres sobre el planeta están incluidos en la misericordia, el amor y la gracia de Dios.

V. 12. Tan pronto como la gracia de Dios nos salva, nos enseña a *vivir de manera prudente, justa y piadosa.* Aquí se nos mencionan los primeros pasos de la vida de un nuevo creyente: Lo primero que debe dejar es la *impiedad,* dejar de pensar en cosas malas; segundo, renuncia a las *pasiones mundanas* generalmente vinculadas con las pasiones sexuales fuera del matrimonio.

V. 13. Pero no todo es negativo, también está asegurada *la esperanza... la manifestación del gran Dios y Salvador nuestro Jesucristo* en todas las áreas de nuestra vida. Esta esperanza no es la expectación de un evento que ciertamente ocurrirá en la segunda venida de Cristo, sino la acción diaria, constante de la obra limpiadora, restauradora perdonadora del poder de Cristo en nosotros.

V. 14. Pablo dice que esa fue la razón por la cual Cristo murió por nosotros en la cruz. Esa acción se expresa en dos hechos: (1) para redimirnos, esto es librarnos de la cautividad del pecado; y (2) para integrarnos a su propio pueblo, *habiéndonos purificado* para que ahora podamos agradarle con nuestras buenas obras.

3 Evidencias de la renovación del Espíritu Santo, Tito 3:3-7.

V. 3. Este versículo hace un sumario de nuestra situación antes de haber sido salvados por la gracia, la misericordia y el amor de Dios. Esa situación era trágica y con razón Pablo en otros pasajes se refiere a ella como que *estábamos muertos.* Comienza diciendo que éramos: *insensatos* no alcanzábamos a comprender que Dios nos amaba y que Cristo había muerto por nosotros; *desobedientes,* hacíamos caso omiso de la Palabra de Dios y *extraviados,* cuando pretendíamos buscar el camino tanto más nos alejábamos de él. La otra palabra dominante para describir nuestra situación sin Cristo es que éramos *esclavos* de nuestras pasiones sexuales, los placeres, la malicia y de los deseos insatisfechos. Como si eso fuera poco, también nos habíamos hecho aborrecibles y como represalia odiábamos a todo el mundo.

Vv. 4, 5. *Pero* cuando estábamos en ese estado de calamidad y tragedia, Dios *manifestó su bondad... su amor... su misericordia* y nos salvó. Aquí nos encontramos con la acción que domina el milagro más grande que nos puede ocurrir en toda nuestra vida: *él nos salvó.* Dios tomó la iniciativa, Dios hizo lo que era necesario hacer, Dios nos movió al arrepentimiento, Dios nos dio *el lavamiento de la regeneración* y Dios nos da la renovación del Espíritu Santo. Todo lo ha hecho él por su bondad, su amor y su misericordia. Cuando todos estos eventos impacten nuestra vida nunca jamás podremos volver a ser iguales, ahora somos una nueva criatura en Cristo.

V. 6. El Espíritu Santo es *derramado* sobre nosotros abundantemente por medio de Jesucristo nuestro Salvador. Cuando aceptamos la acción salvadora de Dios él nos provee de su misma presencia para sostenernos y guiarnos en nuestra nueva vida como hijos de Dios.

V. 7. Otras dos grandes bendiciones ocurren en nuestra vida en el momento cuando Dios nos salva: somos *justificados por su gracia,* esto significa que Dios nos declara sin culpa, sin deudas que pagar, sin castigo que cumplir, todo por su gracia. Además, somos *hechos herederos* esto es que Dios nos incorpora a su familia y Jesucristo llega a ser nuestro hermano mayor. Todos los que experimentamos la gracia salvadora de Dios recibimos la misma calidad de hijos, de herederos y la misma *esperanza de la vida eterna.* Anteriormente hemos explicado que la vida eterna tiene una doble connotación: es una nueva calidad de vida durante el resto de nuestra peregrinación terrenal; y es una vida constante e ilimitada en la presencia de Aquel que tuvo por nosotros tanta gracia, tanto amor y tanta misericordia. ¡Gracias Señor Jesús por haberme salvado!

Aplicaciones del estudio

1. Los creyentes en Cristo tenemos el poder del Señor para ayudarnos a mantener la armonía entre nuestra profesión de fe y la vida diaria.

2. La gracia, el amor y la misericordia de Dios pueden cambiar al más perdido pecador. Tenemos que recordar que la vida cristiana comienza por la iniciativa de Dios y solamente la podemos continuar sostenidos por el poder de Jesucristo.

Ayuda homilética

La gracia salvadora de Dios
Tito 2:3-6

Introducción: El pasaje de Tito 3:3-7 contiene tres acciones maravillosas de la gracia salvadora de Dios en mi vida. Es una verdad de la Biblia que Dios quiere hacer lo mismo para usted.

I. La gracia salvadora de Dios me salvó cuando yo era un esclavo de mis pasiones, aborrecido de todos y lleno de odio, v. 3.

II. La gracia salvadora de Dios me salvó, me regeneró y me está renovando, vv. 4, 5.

III. La gracia salvadora de Dios me ha declarado sin culpa, me ha perdonado y me ha hecho heredero de la vida eterna, v. 6.

Conclusión: Un canto cristiano dice: "Que Cristo me haya salvado, tan malo como yo fui, me deja maravillado." Una sola explicación: "Tan grande amor el de Cristo para mí."

Lecturas bíblicas para el siguiente estudio

Lunes: Joel 1:1-7
Martes: Joel 1:8-12
Miércoles: Joel 1:13-20
Jueves: Joel 2:1-11
Viernes: Joel 2:12-17
Sábado: Joel 2:18-27

AGENDA DE CLASE

Apreciable maestro(a) recuerde que hoy se termina una serie de estudios. A partir de la siguiente semana comenzaremos a estudiar una serie sobre profetas del A.T.

Antes de la clase
1. Lea Tito 2 y 3. Piense en qué consejos específicos hay para quienes integran su clase. **2.** Estudie el comentario de la lección en este libro del maestro y en el del alumno. **3.** Pida a un alumno que se prepare para que presente el monólogo que aparece más adelante o prepárese usted para presentarlo. **4.** Conteste las preguntas en la primera sección bajo *Estudio del texto básico* en el libro del alumno.

Comprobación de respuestas
JOVENES: **1.** Para que la palabra de Dios no sea desacreditada. Para que los opositores se avergüencen, no teniendo nada que decir de los cristianos. **2.** La respuesta depende del lector. **3.** a. renovación, justicia, nosotros, regeneración, misericordia, lavamiento. b. Coteje su respuesta con la Biblia.
ADULTOS: **1.** a. Sobrios, serios, prudentes, sanos en la fe. b. Reverentes en conducta, no calumniadoras. c. Que amen a sus maridos y a sus hijos, prudentes, castas. d. Prudentes, íntegros, serios. e. No respondones, que no defrauden, que demuestren la fe. **2.** Respuesta de acuerdo con Tito 2:11-14. **3.** Respuesta de acuerdo con Tito 3:3-7.

Ya en la clase
DESPIERTE EL INTERES
1. Escriba en el pizarrón o en una cartulina la palabra SUPERACION y pida que los que deseen hacerlo, den una definición. **2.** Subraye los distintos aspectos en que podemos superarnos (en los estudios, en el trabajo, en ciertas habilidades, etc.). Diga: "para superarnos tenemos que apuntar a una meta". Para algunos, su meta puede ser ganar lo suficiente ese día para que su familia tenga qué comer, para otros puede ser terminar su carrera universitaria, obtener su doctorado, etc.

ESTUDIO PANORAMICO DEL CONTEXTO
(El siguiente monólogo simula ser Tito hablando.)
Sí, yo, Tito, siempre he sido un hombre decidido y valiente como colaborador de Pablo, mi padre espiritual, con quien he compartido tantas experiencias al sembrar el evangelio. Pero ahora Pablo me ha dejado solo en Creta para dirigir la obra y encaminar a los creyentes en esta isla tan linda pero con unos habitantes que... en fin... dejan mucho que desear. Francamente, la tarea que me dejó es demasiado para mí... eso es lo que pensaba antes de recibir la acertada carta de

Pablo que me ha hecho ver las cosas desde otra perspectiva. Sí, yo quería que cada creyente se superara, pero no estaba lográndolo porque me faltaba tener en cuenta el ingrediente esencial para ir logrando esa superación. ¿Qué superación?, se preguntarán ustedes. Manténganse atentos que ya la verán en la última parte de este estudio.

ESTUDIO DEL TEXTO BASICO

Armonía entre doctrina y estilo de vida, 2:1-8. Pida a los alumnos que se fijen en el título de esta división para encontrar el primer aspecto en que cada cristiano tiene que superarse. Tito tenía que enseñar sencillamente lo que coincidía con la sana doctrina del evangelio. Pregunte: ¿Pueden dar una definición de esa doctrina? Acepte las definiciones y luego diga que la expresión viva de la sana doctrina es la manera como uno la pone en práctica en la vida. Forme cuatro grupos. El primer grupo debe buscar en Tito 3:2-8 y explicar la superación que los hombres mayores deben lograr. El segundo grupo buscará en el mismo pasaje y explicará lo que deben lograr las mujeres mayores. El tercer grupo, lo mismo en el caso de las mujeres jóvenes y el cuarto grupo, lo mismo en cuanto a los hombres jóvenes. Diga que en el próximo pasaje a enfocar, Pablo revela la clave para lograr esa superación.

Manifestación de la gracia de Dios, 2:11-14. Pida a los participantes que se fijen en el título de esta división que expresa la clave para lograr la superación, que Pablo explica más detalladamente en este pasaje. Lea en voz alta Tito 2:11-14 y explique cada versículo de modo que comprendan cómo la gracia salvadora de Dios está a nuestra disposición para darnos el poder de superarnos como hijos suyos.

Evidencias de la renovación del Espíritu Santo, 3:3-7. Diga que en Tito 4:3 Pablo subraya las características de los que no cuentan con la gracia de Dios en su vida. Un alumno lea en voz alta el v. 3 y luego dé un resumen de la personalidad de alguien que no puede superarse porque carece de la gracia de Dios. Otro alumno lea en voz alta los vv. 4-7. Explique y enfatice lo que la gracia de Dios nos capacita para lograr.

APLICACIONES DEL ESTUDIO

1. Comente que la manifestación de la gracia de Dios no es algo automático. Pregunte: ¿Cuál es nuestra parte en esta manifestación? Permita que respondan libremente. **2.** Estimule a cada uno a establecer hoy mismo una meta concreta para superarse como discípulo de Cristo.

PRUEBA

1. Forme parejas para realizar las actividades en esta sección del libro del alumno. **2.** Los que deseen hacerlo, compartan lo realizado.

PLAN DE ESTUDIOS
JOEL, ABDIAS, NAHUM, SOFONIAS, HAGEO, ZACARIAS, MALAQUIAS

Escriba antes del número de cada estudio, la fecha en que lo usará.

Fecha **Unidad 7: Castigo, arrepentimiento y restauración**

_______ 27. Pecado, arrepentimiento y restauración
_______ 28. El pueblo de Dios restaurado
_______ 29. Justa retribución
_______ 30. Atributos y obra de Jehovah
_______ 31. Anuncio de la destrucción de Nínive
_______ 32. Inminencia del día de Jehovah
_______ 33. Salvación del remanente
_______ 34. El mensajero de la reedificación
_______ 35. Llamado al arrepentimiento
_______ 36. El verdadero ayuno
_______ 37. Advenimiento del rey
_______ 38. Pecado y apostasía
_______ 39. Bendición a los arrepentidos

JOEL, ABDIAS, NAHUM, SOFONIAS
Una introducción

Joel

Escritor. El escritor es nombrado como "Joel, hijo de Petuel" que significa: Jehovah es Dios. Su mensaje se centra principalmente en Judá y Jerusalén. Sus referencias a la tierra y a la ciudad sugieren que era un ciudadano del sur de Palestina, y probablemente residente de Jerusalén.

Propósito. Llama a todas las clases del pueblo al arrepentimiento, y promete que si cumplen las condiciones de obediencia a Dios la tierra será restaurada a su antigua feracidad. También el Espíritu de Dios será derramado sobre toda carne, el pueblo del pacto triunfará al final sobre todos sus enemigos, y principiará una era de santidad y paz universales.

Abdías

Escritor. Su origen, posición social, y ocupación secular siguen siendo cosas oscuras para nosotros. Abdías significa "siervo de Jehovah" o "adorador de Jehovah".

Fecha. Podemos situar esta profecía un poco tiempo después de la destrucción de Jerusalén por Nabucodonosor en el año 587 a. de J.C.

Propósito. La profecía es concerniente a Edom que es denunciada por su orgullo, especialmente por su falta de hermandad con Judá. Su juicio en el día de Jehovah es predicho junto con el de todas las naciones.

Nahúm

Escritor. Es descrito como Nahúm de Elcós. El nombre Nahúm significa "consolación", "confrontación" o "alivio".

Fecha. Por la evidencia interna se puede ubicar esta profecía alrededor del año 612 a. de J.C.

Propósito. Nahúm denuncia dos pecados en particular. (1) El pecado del cruel poder militar. Como consecuencia de este mal, la sangre es derramada en ríos, las naciones son aniquiladas, las instituciones destruidas y la guerra es hecha con toda ferocidad (2:11-13). (2) El comercio inescrupuloso. La moral y la honestidad son dejadas por un lado siempre que se pueda adquirir la riqueza y gozar de los placeres (3:1-4). No obstante, Nahúm declara a su pueblo que mensajeros con buenas nuevas están por llegar. Como una expresión de gratitud por la destrucción del opresor, el pueblo de Judá observará las fiestas religiosas cumplirá escrupulosamente las obligaciones de su fe (1:15).

Sofonías

Escritor. El nombre Sofonías significa "Jehovah ha guardado —o escondido—". Sofonías era un hombre de buen hablar, sobrio y restringido, pero también empleó poderes expresivos de la imaginación y figuras de lenguaje vívidas y realistas. Fue contemporáneo de Jeremías (640-609 a. de J.C.).

Propósito. Mientras que Sofonías predijo el juicio sobre Judá, previó que esa sería una purga esencial para que Judá llegara a ser la nación bendita del Señor y su sierva para todo el mundo.

HAGEO, ZACARIAS, MALAQUIAS
Una introducción

Hageo

Escritor. Hageo es el primero de los profetas del periodo de la restauración de Judá. Su nombre viene del latín, *Festus* (griego, Hilario). Simplemente pudiera significar que él nació o fue dedicado al Señor un día de fiesta.

Fecha. Las profecías de Hageo fueron dadas del 29 de agosto al 19 de noviembre del año 520 a. de J.C. Hageo se refiere al sexto, séptimo y novenos meses del segundo año del reinado de Darío (Histaspes) de Persia, que gobernó de 522-486 a. de J.C.

Propósito. Su único objetivo fue el de animar al pueblo a terminar una tarea que no había terminado: la reconstrucción del templo. El profeta vivió lo suficiente para ver el cumplimiento de sus palabras. La obra de templo fue terminada en el sexto año de Darío (6 de octubre de 516; Esd. 6:15).

Zacarías

Escritor. No sabemos mucho de la vida de Zacarías, fuera de lo que se nos dice en este libro. Su antepasado Ido (Esd. 5:1; 6:14), encabezó el regreso de una familia sacerdotal (Neh. 12:4), como parte de grupo de cautivos que regresaron bajo la dirección de Zorobabel y de Josué. De esto se infiere que Zacarías era tanto profeta como sacerdote. Su nombre significa: "Jehovah recuerda."

Fecha. Zacarías es contemporáneo de Hageo y por lo tanto lo ubicamos haciendo su ministerio alrededor del año 520 a. de J.C.

Propósito. Una reacción muy débil por parte del pueblo hacia la reconstrucción había obstaculizado la obra; la oposición local también la había demorado. Zacarías, junto con su colega Hageo, animó al pueblo para que renovara la actividad. Como resultado, la obra del templo se completó. A diferencia del templo de Salomón y del antiguo tabernáculo, al nuevo edificio no descendió la gloria de Dios. En su prólogo (1:2-6), el profeta da una lección de historia que llega a ser la palabra divina para los exiliados que habían regresado.

Malaquías

Escritor. Lo único que sabemos acerca del mismo profeta tenemos que inferirlo de sus propias declaraciones. Sentía profundo amor hacia Israel y hacia los servicios del templo, y tenía un gran concepto sobre la tradición y los deberes de los sacerdotes. Su nombre significa: "mi mensajero o ángel".

Fecha. Los eruditos opinan que este libro se escribió alrededor del año 460 a. de J.C.

Propósito. Malaquías aclara que la adversidad que estaba experimentando el pueblo de Dios llegó a causa de su pecaminosidad. Había hechicería, adulterio, deshonestidad, opresión para el débil y una impiedad generalizada. Malaquías condena todos estos pecados y llama al pueblo al arrepentimiento.

Con Malaquías se baja el telón de la profecía, y no se vuelve a levantar hasta cuando aparezca Juan el Bautista.

Estudio **27**

Unidad 7

Pecado, arrepentimiento y restauración

Contexto: Joel 1:1 a 2:27
Texto básico: Joel 1:13-20; 2:12-27
Versículos clave: Joel 2:12, 13
Verdad central: La devastadora plaga de langosta que azotó la tierra en días de Joel fue una advertencia de males mayores que vendrían al pueblo de Dios a causa de su pecado. Sin embargo, al responder positivamente al llamado al arrepentimiento, el pueblo recibe la promesa de restauración y prosperidad.
Metas de enseñanza-aprendizaje: Que el alumno demuestre su: (1) conocimiento de las causas de la devastación de la tierra en días de Joel, y la promesa de restauración y prosperidad, (2) actitud de arrepentimiento cuando comete algún pecado para recibir el perdón y la restauración.

Estudio panorámico del contexto

A. Fondo histórico:

Escritor. En 1:1 se identifica al escritor como "Joel hijo de Petuel". Lo único que sabemos de este profeta es el nombre de su padre, Petuel. Joel significa "Jehovah es Dios". Refleja la lealtad de sus padres a Dios. Por la evidencia interna parece haber vivido en Jerusalén; quizá era uno de los profetas del templo que advertía al pueblo acerca de sus caminos errados.

Fecha del libro de Joel. Es difícil fijar la fecha exacta. Se han sugerido varias posibilidades: (1) En la época de Joás (837 a. de J.C.); (2) alrededor del año 600 a. de J.C., en los últimos tiempos del reino del sur; (3) una fecha posterior a la caída de Jerusalén (587 a. de J.C.) y cuando los judíos regresaron del exilio babilónico (después del año 515 a. de J.C.). La fecha alrededor del año 515 a. de J.C., después del regreso del cautiverio, parece la más indicada.

Origen y naturaleza del libro. Al regresar del cautiverio en Babilonia, la situación económica del pueblo era difícil. Hubo una terrible plaga de langostas (1:4; 2:25) y la gente comenzó a preguntarse qué hacer. Joel aprovecha la ocasión para llamar al pueblo al arrepentimiento y anunciarles la llegada inminente del día del Señor, y para anunciar una visitación futura de Dios (2:1-11; 3:1-17).

Mensaje. La interpretación que Joel da a la plaga de langostas es que era una advertencia de Dios para que el pueblo regresara a él (comparar Amós 4:9). El día del Señor, en este caso, no era el castigo por medio de un ejército enemigo sino el uso de una catástrofe natural para traer juicio al pueblo.

Además de la enseñanza fundamental del día del Señor, este libro enseña la necesidad del arrepentimiento y anuncia el derramamiento del Espíritu Santo sobre toda carne (según el apóstol Pedro cumplida en el día de Pentecostés en Jerusalén, Hech. 2:17-21).

B. Enfasis:

Una calamidad sin precedentes, 1:1-3. Se presenta aquí la ocasión para la predicación de Joel: una calamidad como nunca se había visto (v. 2). Sería un evento muy importante, pues se hablaría de él por generaciones (v. 3).

Descripción y causas de la plaga, 1:4-12. Hay tres interpretaciones sobre la naturaleza de la plaga: (1) Una figura literaria para referirse al ataque de un ejército enemigo; (2) las langostas son figuras apocalípticas de seres terrenales que devastarán la tierra en el futuro; (3) plaga literal interpretada por Joel como el anuncio del día del Señor. En estos estudios seguiremos esta última.

Asamblea por causa de la devastación, 1:13-20. Se llama a la nación a una asamblea solemne (v. 14). La situación era grave (la fuente de alimentación se había cortado) y demandaba buscar al Señor de todo corazón (vv. 16-20).

Los sacerdotes y otros dirigentes religiosos debían encabezar la asamblea, pues eran los principales responsables de servir al Señor (v. 13). Esa asamblea solemne incluía el ayuno, un tiempo especial de búsqueda de Dios (v. 14).

Esta plaga estaba indicando que el día de Jehovah estaba cerca (v. 15).

El día de Jehovah se acerca, 2:1-11. Se amplía lo anticipado en cuanto al día de Jehovah: (1) Era inminente (v. 1a); (2) era un día terrible. Los habitantes de la tierra debían sentir su necesidad espiritual (vv. 1b, 2).

La plaga se describe en términos de un ejército invasor (vv. 4-12). Lo presente le sirve al profeta para anunciar el día futuro de castigo de parte de Jehovah: una desolación total de la cual nadie escapará (v. 3). Dios es el que controla al "ejército" de langostas (v. 11). Indica que Dios controla la historia para ejecutar su voluntad cuando y como él quiere.

Llamamiento al arrepentimiento, 2:12-17. Hay un llamado urgente al arrepentimiento: (1) ¿Cómo debía ser el arrepentimiento? (vv. 12, 13a); sincero, de corazón, con dolor profundo por el pecado. (2) ¿Ante quién debían arrepentirse? (vv. 13b, 14); ante un Dios que es clemente y compasivo. (3) ¿Quiénes debían arrepentirse? (vv. 15-17); todos estaban incluidos en el llamado a la asamblea solemne (ver el detalle que incluye a todo el pueblo).

Futura restauración y prosperidad, 2:18-27. Si se cumplen las condiciones del arrepentimiento nacional, Dios promete: (1) Alimentos, restauración de la vida agrícola luego de la devastación de la langosta (v. 19). (2) Destrucción de la plaga (v. 20). (3) Alegría renovada, pues Dios cuidaría de su tierra (v. 18) y haría grandes cosas por ellos (v. 21). (4) Ciclos normales de crecimiento del fruto en la tierra mediante las lluvias adecuadas (tempranas y tardías) (vv. 22-24). (5) Restauración nacional y renovación del pacto de Dios con su pueblo (vv. 19, 25-27).

1 El pueblo ha pecado, Joel 1:13-20.

V. 13. El llamado se dirige a los guías espirituales (*sacerdotes, servidores del altar, servidores de mi Dios*). Ellos debían encabezar el duelo o lamento por el pecado. Se demostraba con vestimentas apropiadas. El cilicio era una tela burda y la vestían en tiempos de dolor o angustia extremos (p. ej. Acab, 1 Rey. 21:27). Ver un llamado similar a éste en Jeremías 4:8.

V. 14. El culto de lamentación incluía: (1) **Ayuno:** un día completo sin alimentos como señal de duelo y penitencia nacional. El ayuno generalmente estaba acompañado de oración (como aquí, *invocad a Jehovah* (ver Jue. 20:26). Debía ser un ayuno sincero, pues de lo contrario Dios lo rechazaba (Jer. 14:12). (2) **Asamblea:** un día especial de convocación. Se dejaba de trabajar y se buscaba la comunión con Dios, como en este caso en que se refuerza con el ayuno. (3) **La participación de todos:** los *ancianos,* representantes espirituales de la nación, y *todos los habitantes del país (*aunque no todos asistieran, todos debían guardar ese día especial). El resultado de la plaga debía ser que todos buscaran el arrepentimiento sincero y el perdón de sus pecados.

V. 15. *El día de Jehovah* indica el juicio de Dios sobre su pueblo. Joel cita de Isaías 13:6. Ese significa la intervención directa de Dios entre su pueblo para juicio por su pecado. Isaías había usado sus palabras contra otro país, pero Joel las aplica a Israel. Un comentarista ha dicho que "la plaga era el comienzo del fin para el pueblo del pacto".

Vv. 16-18. Se describe la desolación obrada por las langostas y la sequía: (1) Hambre (v. 16a). (2) Era imposible celebrar las fiestas religiosas relacionadas con la agricultura (v. 16a). (3) Calamidad agrícola (v. 17a). (4) Inutilidad de los depósitos de grano (v. 17b). (5) Sufrimiento de los animales (v. 18).

Vv. 19, 20. Joel se identifica en la oración de la nación: *A ti, oh Jehovah, clamaré.* Dado que Dios había traído la calamidad, él es el único que podía sanar la tierra.

El *fuego... la llama:* indicaciones de la terrible sequía que asolaba a la nación. La sequía agregaba sus efectos a la plaga de langostas.

También los animales jadean *detrás de ti...*: los sonidos lastimeros de los animales son una oración de los mismos al Creador (ver Jon. 4:11 para la compasión de Dios hacia los animales).

2 Llamado al arrepentimiento, Joel 2:12-17.

Vv. 12-14. El llamado al arrepentimiento debía ser una vuelta hacia Dios buscándole con sinceridad. Para los hebreos el *corazón* era el asiento de la voluntad. Volverse a Dios de corazón era tomar una decisión sincera para cambiar de actitud y servir sólo a Dios (ver Deut. 4:29).

Esa vuelta hacia Dios debía ser *ahora,* en el presente, no en algún momento futuro e incierto. El arrepentimiento debía expresarse en las formas comunes de aquel tiempo y cultura (*ayuno, llanto y lamento*). No se debían quedar conformes con las formas externas, sino ir a lo profundo, al cambio del corazón (v. 13a; ver Sal. 51:17). El arrepentimiento sincero del pueblo estará en relación directa con el carácter compasivo de Dios (vv. 13, 14): los seres humanos se vuelven hacia Dios, Dios se vuelve hacia ellos. Parte del amor paternal de Dios hacia su pueblo es castigarlo para corregir y renovar la relación quebrantada. El propósito final es redimir a su pueblo (comparar Jon. 3:9).

Vv. 15-17. El profeta renueva el llamado a los dirigentes religiosos para que hagan la convocación al *ayuno* y a la *asamblea.* Llama la atención la mención de *pequeños* y *niños.* Sus auténticos llantos se agregarían al lamento espiritual del pueblo. La gravedad de la situación nacional exigía que hasta los *novios* interrumpieran su "licencia" especial (ver Deut. 24:5) y participaran de los eventos del arrepentimiento nacional. Los sacerdotes debían guiar el lamento y el clamor buscando el perdón de Dios (v. 17). Nos recuerda la intercesión de Moisés (Deut. 9:26-29). Llega ahora el tiempo de escuchar la respuesta de Dios.

3 Promesa de restauración, Joel 2:18-27.

V. 18. Entre los vv. 17 y 18 hay un lapso indefinido: es evidente que el pueblo se arrepintió y entonces el Señor respondió positivamente. *Jehovah tuvo celo por su tierra* (comparar Zac. 1:14; 8:2). La gracia de Dios se manifestará para perdonar a su pueblo (*se apiadó...*).

Vv. 19, 20. La respuesta de Dios indica: (1) Que se renovaba la base alimentaria del pueblo (v. 19a): *granos, vino nuevo y aceite.* La plaga y la sequía serán seguidas por abundancia (*seréis saciados*). (2) Dios promete que no los enviará más en cautiverio (v. 19b). (3) Dios destruirá el azote de las langostas (v. 20). El lenguaje que se usa es militar (como en 1:6 y 2:1-11), y por ello algunos interpretan esto como una alegoría. Pero el contexto indica que es un "ejército" de langostas que había azotado la tierra.

Vv. 21-24. Hay un llamado retórico a la tierra (v. 21), a los *animales del campo* (v. 22) y a los *hijos de Sion* (v. 23) para que se regocijen en las obras de Jehovah. Antes se los había llamado a llorar por su pecado (ver 1:13-20); ahora se los llama a regocijarse por la restauración que Dios traerá.

Note que se usa el tiempo pasado (*Jehovah ha hecho grandes cosas... os ha dado lluvia...*) para hechos que realmente están en el futuro: la obra de Dios es segura en medio de su pueblo.

V. 25. Dios restituiría al pueblo por los años que los había castigado por medio de la langosta (ver 1:4). Se usa una vez más la analogía del *ejército* para la plaga de langostas.

V. 26. Otra vez se indica que el lamento se convertirá en gozo y alabanza por las obras maravillosas de Dios (ver algo similar en el canto de Moisés, Exo. 15:11). Se repite la promesa del v. 19b: el pueblo de Dios nunca volverá a ser avergonzado.

V. 27. Las obras de Dios probarán al pueblo que Dios estaba en medio de ellos como su libertador (ver Deut. 7:21). El párrafo termina con la repetición (la tercera): *nunca más será avergonzado mi pueblo.*

Aplicaciones del estudio

1. Hay momentos en que se necesitan recursos extraordinarios, 1:14; 2:12, 15, 16. Las situaciones de crisis requieren que busquemos al Señor en ayuno (relegando a segundo plano nuestras necesidades físicas), en asamblea (convocatorias solemnes), reuniones de los ancianos (los líderes buscando la guía divina) y de todos los habitantes del país (los miembros de la iglesia).

2. Sólo Dios puede cambiar la situación, 2:23, 27. Las catástrofes naturales, los problemas agrícolas, y muchos otros problemas, sólo pueden tener solución por la obra directa de Dios. Acuda a él en oración y él enviará "la lluvia temprana y la tardía" y comprenderá que sólo él hace la obra.

Ayuda homilética

La misericordia de Dios en acción
Joel 2:12-27

Introducción: En 1915 hubo una tremenda invasión de langostas en Palestina; hizo que muchos recordaran la profecía de Joel y su contexto histórico especial. En situaciones de crisis tenemos una oportunidad de reconocer que dependemos de la misericordia de Dios.

I. La condición para recibir la misericordia de Dios: conversión.
- A. Una conversión profunda, de corazón (vv. 12, 13a).
- B. Una conversión ante un Dios misericordioso (vv. 13, 14).
- C. Una conversión que se expresa en un arrepentimiento verdadero (vv. 15-17).

II. La disposición para recibir la misericordia de Dios: búsqueda.
- A. Una búsqueda aceptando el llamado al arrepentimiento (v. 15).
- B. Una búsqueda que incluye a todo ser humano (v. 16).
- C. Una búsqueda del perdón que sólo Dios puede dar (v. 17).

III. El resultado de recibir la misericordia de Dios: bendición.
- A. El primer resultado concreto: perdón (v. 18).
- B. El segundo resultado concreto: liberación del castigo (v. 20).
- C. El tercer resultado concreto: vida abundante (v. 19).

Conclusión: Todos necesitamos la misericordia de Dios en acción en nuestra vida. No debemos esperar sólo a una gran crisis para recibirla. Ahora es el tiempo de conversión, de búsqueda del Señor y de recibir su bendición.

Lecturas bíblicas para el siguiente estudio

Lunes: Joel 2:28-32
Martes: Joel 3:1-3
Miércoles: Joel 3:4-8
Jueves: Joel 3:9-13
Viernes: Joel 3:14-17
Sábado: Joel 3:18-21

AGENDA DE CLASE

Antes de la clase
1. Lea el pasaje bíblico y los materiales en los libros del maestro y del alumno. **2.** Si tiene un diccionario bíblico, comentario, compendio o Biblia de estudio, lea el artículo sobre "los profetas menores". Apunte notas de interés que se pueden usar en el estudio. **3.** Haga un cartelón con la lista de los 12 Profetas Menores y ponga una marca (✔) después de Oseas, Amós, Miqueas, Jonás y Habacuc, indicando que ya se han estudiado anteriormente en esta serie de *La Biblia, Libro por Libro.* Mantenga el cartelón en un lugar visible y cada semana de este trimestre puede indicar el profeta que se estudia. **4.** Si puede encontrar recortes de cultivos destruidos por desastres naturales, insectos, o contaminación ambiental, tráigalos. **5.** Ore por los alumnos individualmente.

Comprobación de respuestas
JOVENES:
1. a. Vendrá como destrucción de parte del Todopoderoso. b. Se acabó la alegría de la casa de Dios. Se secaron los higos... (hay varias respuestas implícitas en el pasaje). **2.** Tiene que arrepentirse para que Dios lo vuelva a bendecir.
ADULTOS: **1.** Pregonad ayuno, convocad a una asamblea, reunid a todos, invocad a Jehovah. **2.** Destrucción de parte del Todopoderoso. **3.** Volver a él con todo el corazón, con ayuno, llanto y lamento. **4.** Clemente, compasivo, lento para la ira, grande en misericordia, desiste del castigo. **5.** Anótelos del pasaje.

Ya en la clase
DESPIERTE EL INTERES
1. Dé la bienvenida a todos e invíteles a mencionar peticiones de oración. Pida a un alumno que ore por las peticiones. **2.** Diga que hoy empezamos el estudio de siete de los 12 profetas menores. Use el cartelón e indique los que se habían estudiado anteriormente (Oseas, Amós, Jonás, Miqueas, Habacuc) y los que estudiaremos en este trimestre (Joel, Abdías, Nahúm, Sofonías, Hageo, Zacarías, y Malaquías). **3.** Hable de lo que significa *Profetas Menores* y la importancia del profeta en la sociedad hebrea.

ESTUDIO PANORAMICO DEL CONTEXTO
1. Mencione cuán difícil había sido regresar a un pueblo destruido y procurar empezar de nuevo. Esta situación sumamente difícil, era la que enfrentaba el pueblo que había regresado del exilio, y ahora langostas, una ola tras otra. **2.** Muestre los cultivos destruidos y hable del sentido de desesperación frente a esta clase de devastación. **3.** Joel

veía la devastación de Judá como advertencia al pueblo a arrepentirse de sus pecados y volverse a Dios. Llame la atención al poder de su mensaje notando los verbos "escuchad, despertad, suspira, consternaos" en los vv. 2-12. Joel era un profeta con un mensaje dramático para una situación dramática en Jerusalén.

ESTUDIO DEL TEXTO BASICO

Dé tiempo para que completen *Lea su Biblia y responda.* Aclare cualquier duda.

El pueblo ha pecado, Joel 1:13-20. Lean juntos estos versículos. El arrepentimiento debe ser visto en el duelo sincero del pueblo. A causa de la devastación de la tierra ya no había ofrendas vegetales en el templo. Hable de la destrucción del campo, la sequía, qué sucede con los animales; sólo la misericordia de Dios podría salvarlos. El pueblo pensaba que el día de Jehovah sería de bendición para ellos y de castigo para sus enemigos, pero les advierte que iba a ser un día de destrucción para ellos a causa de su pecado (v. 15).

Llamado al arrepentimiento, Joel 2:12-17. Pida que un alumno lea este pasaje. Enfatice la importancia de los vv. 12, 13 que son los versículos clave. Esto es el arrepentimiento y la reconsagración que Dios quiere y requiere. Hablen de la intensidad del mensaje llamando al arrepentimiento (vv. 15-17). La asamblea les dará la oportunidad de arrrepentirse como pueblo, pero note cómo insiste en que todos tienen que participar.

Promesa de restauración, Joel 2:18-27. Lean estos versículos. Hay un lapso de tiempo entre los versículos anteriores y el v. 18. Seguramente se habían arrepentido y habían sido perdonados. La plaga ya ha sido quitada (vv. 21-24). La tierra, los animales y las personas son invitados a alegrarse por las bendiciones de Dios: lluvias, abundantes cosechas, comida hasta saciarse. El pueblo va a alegrarse y alabar a Dios por todas sus bendiciones. Su vergüenza (su angustia, las muchas dificultades que habían tenido al regresar del exilio) será quitada. Enfatice el v. 27. Dios ha hecho todo esto; él está en medio de su pueblo.

APLICACIONES DEL ESTUDIO

Divida al grupo en tres para que consideren una de las aplicaciones y cómo incorporarla a sus vidas. Después de tres minutos que una persona de cada grupo explique a los demás la decisión de su grupo.

PRUEBA

Que cada alumno escoja y conteste uno de los incisos y compartan sus respuestas en el grupo general. Diga que se continuará el estudio del profeta Joel en la próxima reunión.

Unidad 7

El pueblo de Dios restaurado

Contexto: Joel 2:28 a 3:21
Texto básico: Joel 2:30 a 3:21
Versículo clave: Joel 2:32a
Verdad central: Aparte de la bendición de ser restaurado, el pueblo reafirma su confianza en Dios, quien ejecutará juicio contra sus enemigos.
Metas de enseñanza-aprendizaje: Que el alumno demuestre su: (1) conocimiento de las bendiciones que resultan de la restauración; y de la justa retribución a los enemigos del pueblo de Dios, (2) actitud de confianza en que Dios tiene poder para ayudarle a vencer toda oposición.

Estudio panorámico del contexto

A. Fondo histórico:

Concepto del Espíritu Santo en el Antiguo Testamento. Según el *Nuevo Diccionario de Teología* (# 09135 C.B.P.), en el A.T. el Espíritu de Jehovah es el poder de Dios en acción. (1) Da forma a la creación, da vida a los animales y a los seres humanos, dirige la naturaleza y la historia; (2) revela los mensajes de Dios a sus voceros; (3) enseña por medio de estas revelaciones la manera de ser fiel y fructífero; (4) provoca fe, arrepentimiento, obediencia, justicia, docilidad, alabanza y oración; (5) capacita para un liderazgo fuerte, sabio y efectivo; (6) da destreza y aplicación para la obra creativa.

El mensaje escatológico de Joel. Aunque el propósito principal de Joel era consolar al pueblo en el propio tiempo del profeta, su pensamiento fue escatológico, es decir, tenía que ver con los últimos tiempos. Algunos de sus anuncios tendrían un cumplimiento futuro, como es el caso del derramamiento del Espíritu en Pentecostés, que el apóstol Pedro interpretó como el cumplimiento de la profecía de Joel. Joel anticipó el juicio de las naciones (3:2), indicando que el juicio divino es universal. Indica que las naciones serán juzgadas basadas en como tratan al prójimo.

Resumen del mensaje escatológico de Joel: la historia se mueve hacia un propósito de vindicación del bien y de la justicia (3:9-21).

La guerra santa. La mención de esa frase en 3:9 trae a la mente el concepto de "guerra justa" en la historia y en la actualidad. Agustín (siglo IV) formuló este concepto: la guerra debía tener como meta el establecimiento de la justicia y la restauración de la paz. A pesar de los buenos propósitos de Agustín se abusó del concepto, y muchas llamadas "guerras santas" estuvieron lejos de mostrar los ideales de justicia y de paz formulados por él.

B. Enfasis:

Derramamiento del Espíritu Santo, 2:28, 29. Esta promesa es quizá el pasaje más conocido de Joel, especialmente por la cita que hizo del mismo el apóstol Pedro en su sermón en el día de Pentecostés (Hech. 2:16-21). Lo diferente del actuar del Espíritu Santo es que obrará sobre todo mortal. Lo que en el A.T. estaba reservado a unos pocos (jueces, profetas y reyes) ahora se anuncia que será para todo Israel.

El apóstol Pablo ampliará esta visión del Espíritu Santo aplicándola a todos los pueblos (judíos y gentiles, ver 1 Cor. 12:13).

Grandes prodigios en los cielos y en la tierra, 2:30, 31. La venida del día de Jehovah será precedida por manifestaciones sobrenaturales. Por medio de sangre, fuego y columnas de humo parece indicarse la intervención militar y la destrucción consecuente. En el contexto inmediato este día de Jehovah significaba el castigo de otras naciones y la liberación de Israel; en el N.T. esto se aplica al final de los tiempos.

El que invoque el nombre de Jehovah será salvo, 2:32. El escape a la terrible situación presentada en los vv. 30 y 31 es una respuesta del Señor: a cualquiera que invoque el nombre de Jehovah (ver Rom. 10:9-13). El texto declara que en el monte Sion y en Jerusalén estarán los libertados. Isaías amplía esta posibilidad de salvación a remanentes de creyentes en otros pueblos (ver Isa. 19:19-25).

Jehovah juzga a las naciones, 3:1-17. En el contexto de liberación de su pueblo (v. 1) Dios habrá de juzgar a todas las naciones (v. 2). El lugar del juicio es el valle de Josafat (v. 2). Este es el valle entre Jerusalén y el monte de los Olivos (Quedrón). Creemos que este es un nombre simbólico, pues no hay un valle donde se pueda juntar a todas las naciones. La razón del juicio: lo que esas naciones habían hecho contra Israel (vv. 2, 3), dividiendo a la tierra y a sus habitantes.

Los vv. 4-8 mencionan en forma específica a Tiro, Sidón y todas las comarcas de Filistea, que se habían aprovechado de Judá y Jerusalén en la época de su caída. Se les promete el pago con la "misma moneda" con que ellas habían actuado (v. 7).

Los vv. 9-17 muestran la justicia retributiva de Dios operando en el mundo: el día de Jehovah en el valle de la decisión. Los valientes de Dios ejecutarán su juicio sobre las naciones (muy posiblemente se refiere a mensajeros angélicos). El pueblo de Dios experimentará la intervención divina como una demostración de la presencia del Señor entre ellos y de su actividad en favor de ellos (v. 17).

Vindicación y gloria de Sion, 3:18-21. La profecía de Joel había comenzado con un cuadro de destrucción, desolación y hambre, causado por el juicio de Jehovah contra ellos por medio de la plaga de langostas. Al final aparece un cuadro de la era venidera que muestra abundancia y prosperidad. Este final, claramente, declara que la diferencia entre el cuadro inicial y el final es que Jehovah habita en Sion. Dios en medio de su pueblo es la fuente inagotable de bendición.

1 ¿Quién será salvo?, Joel 2:30-32.

Vv. 30, 31. Estas señales y *prodigios* son portentos sobrenaturales asociados con la intervención de Jehovah en favor de su pueblo: p. ej. *sangre* (Exo. 7:17-21); *fuego y columnas de humo* (Exo. 19:18); *tinieblas* (Exo. 10:21). Por medio de todos estos portentos se está anunciando el juicio de parte de Dios contra las naciones que habían oprimido a Israel. Estos pasajes se usan en el N.T. para hablar de las segunda venida de Cristo (ver Mar. 13:24; Apoc. 6:12, 17).

V. 32. La salvación estaba disponible para la gente de Jerusalén; para ser salvos debían volverse a Jehovah. Invocar *el nombre de Jehovah* no es sólo orar a Dios sino adorarle (ver Gén. 4:26; 12:8). El profeta nota que sólo los israelitas serán salvados en aquella condenación (ver Abd. 17). El apóstol Pedro utilizó este pasaje en su sermón en el día de Pentecostés (ver Hech. 2:21). El apóstol Pablo también lo cita, pero para afirmar la posibilidad de la salvación por medio de la fe para todos en todas las edades (Rom. 10:13).

2 El juicio de las naciones, Joel 3:1-17.

V. 1. La expresión: *en aquellos días y en aquel tiempo* está indicando la liberación de los fieles (ver 2:32), o sea la liberación de Israel. *Cuando restaure de la cautividad:* tiene el sentido de "restaurar la fortuna". Aunque ya habían regresado algunos israelitas, quedaban muchos en el exilio. La promesa es que Dios cambiará el destino de su pueblo.

Vv. 2, 3. El lugar simbólico del juicio es el valle de *Josafat.* Este nombre significa "Jehovah juzga". En el v. 14 se lo llama "valle de la decisión".

Todas las naciones incluye a aquellos responsables por la invasión y destrucción de Jerusalén. Algunos comentaristas asocian este pasaje con el juicio en Nuremberg después de la Segunda Guerra Mundial y afirman, con razón, que Dios castiga a los responsables por los crímenes de guerra. Aquellas guerras habían tenido como consecuencias la confiscación de la tierra y la deportación y venta como esclavos de los sobrevivientes (vv. 2, 3). El rapto para vender a alguien como esclavo tenía como castigo la muerte (Exo. 21:16). Abdías 11 completa el cuadro de "lotería" sobre la tierra y la gente israelita. Pero Dios hará cumplir su justicia retributiva contra los culpables.

V. 4. Las naciones costeras cercanas a Israel (Tiro, Sidón, Filistea) tenían un fructífero comercio de esclavos por mar. Seguramente habían lucrado con esclavos israelitas en el pasado. Dios promete el castigo sobre ellos *bien pronto.* El mal que habían hecho volvería como un *bumerán* sobre sus propias cabezas (ver Sal. 7:16).

Vv. 5, 6. Se presentan detalles en cuanto a los crímenes cometidos por aquellas naciones contra Judá y Jerusalén: (1) Saqueo del tesoro del templo y profanación de los bienes del mismo introduciéndolos en templos paganos (v. 5). El cuadro de 2 Reyes 24:13, 14 sugiere que hubo un robo colectivo. (2) Tráfico de esclavos de guerra, ya mencionado en el v. 4. En Ezequiel 27:13 se menciona como el comercio con Tiro y Grecia (que incluía la venta de israelitas).

Vv. 7, 8. El v. 7 repite el concepto del v. 4. El v. 8 muestra la ironía del castigo: al traficante de esclavos se le pagaría con la misma moneda, pues los israelitas venderían hijos de los filisteos y fenicios a los *sabeos* (en Arabia). *Porque Jehovah ha hablado* es la frase que sella la advertencia como de seguro cumplimiento.

Vv. 9-13. En el v. 2 se anticipó un juicio, que aquí es declarado una *guerra santa* (v. 9), contra aquellas naciones a las que Dios había declarado culpables. El adversario de esas naciones es el mismo Jehovah; por lo tanto, el resultado de la batalla es claro.

En los vv. 9-11 aparece el llamado final a *las naciones* para enfrentarse en el campo de batalla. El v. 10 es la antítesis del llamado a la paz de Isaías 2:4 y Miqueas 4:3. Además de *las naciones* se llama al otro ejército para la batalla (v. 11), o sea las huestes celestiales de Jehovah.

En los vv. 12 y 13 se menciona efectivamente el teatro de la batalla y el castigo dado a los enemigos de Dios debido a su maldad. Se usan tres metáforas: la cosecha madura de granos, el lagar de uvas lleno y las cubas de vino rebosando. Ellas indican un baño de sangre en el campo de batalla. Hay una aplicación escatológica de estas figuras, indicando un tiempo futuro cuando Dios ejercerá su justicia en el juicio final.

Vv. 14-17. El día de Jehovah ha comenzado. Las tinieblas han descendido sobre las fuentes de luz (v. 15). La voz de Dios es sonido de castigo para los enemigos de su pueblo (ver Jer. 25:30, donde Dios profiere su grito en juicio contra la humanidad pecadora). En contraste, Dios es refugio y fortaleza para los hijos de Israel (ver Sal. 46:1). Hay una seguridad especial conferida por Dios a Israel (v. 17). En Apocalipsis 21:1-8 hay un cumplimiento de esta profecía en la nueva Jerusalén.

3 Restauración del pueblo de Dios, Joel 3:18-21.

V. 18. La restauración agrícola prometida llega con plenitud de frutos y de aguas de riego. Se usan figuras que son comunes a otros pasajes del A.T. *Los montes gotearán jugo de uvas* (similar a Amós 9:13). *Las colinas fluirán leche* (ver Exo. 3:8, la promesa de la Tierra Prometida). *Correrán aguas por todos los arroyos de Judá* (ver Isa. 30:25). *Un manantial saldrá de la casa de Jehovah...* (ver Eze. 47:1-12; también en la visión apocalíptica de Apoc. 22:1, 2).

Vv. 19, 20. Maldición sobre dos pueblos, *Egipto y Edom,* por haber sido implacables contra los israelitas. Egipto derramó sangre inocente de Israel en varias ocasiones y Edom especialmente en la caída de Jerusalén. *Judá será habitada para siempre...* en contraste con lo que sucederá a Egipto y Edom.

V. 21. En este último versículo de Joel aparecen, a la vez, el castigo y la bendición. (1) El castigo: *Yo tomaré venganza de la sangre...* muestra a un Dios que es el dueño de la venganza. En Apocalipsis 6:10-17 Dios se venga de la sangre de los mártires en el día de ira. (2) La bendición: ¡Jehovah habita en Sion! Los que están siendo afligidos tienen la seguridad del cuidado de Dios sobre ellos, pues él habita con su pueblo especial.

Aplicaciones del estudio

1. Las señales de Dios pueden darnos esperanza. La señales apocalípticas (Joel 2:30-32) pueden traer terror a los incrédulos, pero al que invoca con fe a Jesucristo esas mismas señales le traen esperanza.

2. Derechos humanos. La Palabra de Dios debe ser la base para condenar el trabajo infantil, el trabajo a nivel de esclavitud, la violación de los derechos individuales (Joel 3:3).

3. Dejemos lugar a la venganza divina. Aunque hay injusticias grandes en el mundo, aprendamos a dejar lugar a la venganza de Dios (Deut. 32:35; ver Rom. 12:19). El pagará a cada uno lo que corresponde, porque él es el único verdaderamente justo (Joel 3:7b).

Ayuda homilética

El juicio de Dios sobre las naciones
Joel 2:30 a 3:17

Introducción: "Juicio", en este pasaje, es sinónimo de condenación. No es un juicio en el cual se espera un veredicto: culpable o inocente. Dios ya ha decretado la condenación de las naciones por su maldad.

I. Las razones para el juicio de Dios sobre las naciones
- A. El ataque al pueblo de Dios (3:2, 6).
- B. El desprecio hacia otros seres humanos (3:3).
- C. El ataque directo contra Dios (3:5).

II. El castigo en el juicio de Dios sobre las naciones
- A. Dios paga a cada uno de acuerdo con su pecado (3:4, 7, 8).
- B. Dios guía los eventos mundiales para cumplir sus propósitos de juicio (3:9-13).
- C. Dios dirige la naturaleza para que anuncie su juicio (3:14-16a).

III. ¿Hay algún escape en el juicio de Dios sobre las naciones?
- A. Sí, depositando la fe en Dios y buscando su ayuda (2:32).
- B. Sí, refugiándose en Dios (3:16b).
- C. Sí, estando en la familia de Dios (3:17).

Conclusión: Ante el veredicto de culpabilidad, sólo nos queda apelar a la misericordia divina. Confiemos en Dios a través de Jesucristo y vivamos obedeciéndole en la familia de la fe.

Lecturas bíblicas para el siguiente estudio

Lunes: Abdías 1:1-3
Martes: Abdías 1:4-7
Miércoles: Abdías 1:8-11
Jueves: Abdías 1:12-14
Viernes: Abdías 1:15-18
Sábado: Abdías 1:19-21

AGENDA DE CLASE

Antes de la clase

1. Lea el pasaje bíblico y los materiales en el libro del maestro y el del alumno. **2.** Haga una franja de cartulina con las palabras "Derramaré mi Epíritu sobre todo mortal"; otra con "Juicio—Salvación". **3.** Lea en su diccionario bíblico o en otra ayuda sobre "El día de Jehovah" o "El día del Señor". **4.** Este estudio trata del juicio y la salvación. Si hay alumnos que no han aceptado al Señor, esta clase puede tener un significado especial para ellos. Ore por ellos por nombre. **5.** Consiga tratados evangelísticos para dar a los que lo necesitan personalmente y a los que podrían usarlos con otras personas.

Comprobación de respuestas

JOVENES: **1.** a. El Señor realizará prodigios en los cielos y en la tierra. b. El sol se convertirá en tinieblas y la luna en sangre. c. Todo el que invoque el nombre de Jehovah será salvo. **2.** Respuesta personal. **3.** a. Los montes gotearán jugo de uvas. b. Egipto será convertido en desolación (u otras respuestas semejantes).

ADULTOS: **1.** Cualquiera que invoque el nombre de Jehovah será salvo. **2.** Juicio, causa, Israel. **3.** Echaron suertes sobre Israel, han vendido sus hijos sin piedad. **4.** Robaron las cosas del templo para usarlas en sus templos paganos. **5.** El ruge, va a juzgar desde Sion, pero es refugio y fortaleza para su pueblo.

Ya en la clase

DESPIERTE EL INTERES

1. Dé la bienvenida a todos y pida que mencionen cosas por las cuales quieren orar. **2.** Saque el cartelón "Juicio—Salvación" y pregúnteles "¿Qué piensan cuando ven estas palabras?" "¿Qué es la salvación?" "¿Qué es el juicio?" "¿Qué es la relación entre juicio y salvación a los ojos de Dios?" Después de breves minutos de discusión diga que hoy vamos a estudiar el plan de Dios para el mundo: juicio de todo pecado y salvación para todo aquél que invoca su nombre.

ESTUDIO DEL CONTEXTO

Muestre el cartelón "Derramaré mi espíritu sobre todo mortal" y lea los versículos 2:28, 29. Hable del plan de Dios de incluir a todos en el derramamiento de su Espíritu: —hombres, mujeres, jóvenes y ancianos, tanto miembros de la comunidad como sus siervos y siervas. Como resultado ellos profetizarán, tendrán visiones y sueños que les llevarán a hacer la voluntad del Señor y a participar en la extensión de su reino. Mencione que Pedro usa esta cita en su famoso sermón del Día de Pentecostés para explicar el derramamiento del Espíritu de Dios sobre los creyentes (Hech. 2:14-40).

ESTUDIO DEL TEXTO BASICO

Pida a los alumnos que resuelvan la sección: *Lea su Biblia y responda.* Tome el tiempo para aclarar cualquier duda.

"¿Quién será salvo?" Joel 2:30-32. Lean juntos en voz alta el pasaje. Mencione que además de las bendiciones de "El día de Jehovah" habrá señales y prodigios sobrenaturales. Noten que lo describe como "grande y temible". En este momento de temor hay la gran promesa de salvación, "cualquiera que invoque el nombre de Jehovah será salvo". Enfatice lo que significa "invocar" el nombre de Dios y que la salvación solamente viene de él.

El juicio de las naciones, Joel 3:1-17. Pida que una persona lea los primeros ocho versículos. Después que otro lea el resto de la cita. Noten que "El día de Jehovah" será un día de juicio contra los que han oprimido al pueblo de Dios, y los han esparcido. Noten en los vv. 4-6 las atrocidades cometidas contra el pueblo; y el castigo que traerá sobre ellos (vv. 7, 8). "Jehovah ha hablado" es una forma para enfatizar que el plan de Dios será cumplido.

El pueblo es llamado a luchar contra los enemigos de Dios. Noten que el v. 10 es precisamente lo opuesto de Isaías 2:4 y Miqueas 4:3. En este caso hay que prepararse para la guerra. Al hablar de los vv. 12 y 13 resalte que están escritos en lenguaje simbólico.

Contraste el juicio de la salvación y la restauración del pueblo que se ve en los vv. 14-17. Resalte las palabras del v. 17. Sion y Jerusalén serán santos por medio de la presencia de Dios. Ya no habrá invasiones y opresión de las naciones enemigas de su pueblo.

Restauración del pueblo de Dios, Joel 3:18-21. Lea los versículos y resalte las bendiciones agrícolas que habrá para el pueblo de Dios. Para entender su significado especial debe volver a la descripción de lo que estaba pasando al pueblo en 1:17-20. Vendrá castigo sobre Edom y Egipto, los enemigos del pueblo que les habían oprimido en tantas ocasiones. El libro termina con una doble afirmación: Dios juzgará a los enemigos pero estará presente con su pueblo.

APLICACIONES DEL ESTUDIO

Lean juntos las aplicaciones y discutan su importancia. Al terminar hable de la necesidad de aceptar el plan de Dios para salvación. Si ha traído tratados evangelísticos, podría entregarlos y hablar de cómo podrían usarlos. También se podría dar la oportunidad a los no convertidos para aceptar al Señor.

PRUEBA

Divida el grupo en dos y pida que contesten uno de los incisos. Pueden compartir sus respuestas con el otro grupo para reforzar el aprendizaje del libro de Joel.

Estudio **29**

Unidad 7

Justa retribución

Contexto: Abdías 1:1-21
Texto Básico: Abdías 1:10-21
Versículo clave: Abdías 1:15
Verdad central: Los edomitas, a pesar de ser parientes de los israelitas, cometieron contra éstos toda clase de maldad, hasta el grado de matar a los que procuraban escapar. El juicio de Dios sobre ellos es la justa retribución a su comportamiento.
Metas de enseñanza-aprendizaje: Que el alumno demuestre su: (1) conocimiento del juicio de Dios sobre los edomitas, (2) actitud de aceptación tanto del amor de Dios como de su justicia.

Estudio panorámico del contexto

A. Fondo histórico:

Fecha y ocasión del libro de Abdías. El contexto señala que había ocurrido una calamidad en Judá y Jerusalén y que los edomitas se habían unido a ella saqueando a Judá y capturando fugitivos. Hay cuatro posibilidades para fijar la fecha: (1) La invasión de Sisac de Egipto, en la época de la división del reino. Es poco probable, pues no hay evidencias de la participación de los edomitas. (2) La invasión de Joás de Israel a Judá (2 Rey. 14:8-16). Abdías describe a los invasores como extraños; es improbable que se refiriera así a sus hermanos israelitas. (3) Inmediatamente después de la destrucción de Jerusalén por Nabucodonosor. Sería la ocasión más probable, fechando el libro después del año 586 a. de J.C., fecha de la caída de Jerusalén.

Abdías. Significa "obrero de Jehovah" o "adorador de Jehovah" (hay dos formas posibles del nombre en hebreo). En el Antiguo Testamento se mencionan varias personas como "Abdías", pero ninguna de ellas parece ser el profeta que pronunció esta profecía contra Edom. A la luz de la experiencia de sus "parientes", los edomitas, y de sus acciones contra Judá, este profeta anunció el juicio de Dios sobre aquella malvada nación.

Edomitas, parientes de Esaú. En Génesis 25 se relata el origen histórico de los edomitas, descendientes de Esaú, también llamado Edom (ver Gén. 36:1). En un sentido podríamos llamarlos "primos" de Israel, pues descendieron del hermano de Jacob, aquel que perdió la primogenitura. Con el correr del tiempo se convirtieron en enemigos de los israelitas. Además de Abdías, hay varios profetas que pronunciaron oráculos contra ellos: Isaías (21:11, 12), Jeremías (49:7-22), Ezequiel (25:12-14; 35), Amós (1:11, 12) y Malaquías (1:2-5).

Mensaje del libro de Abdías. En la profecía de Abdías hay cuatro mensajes claros: (1) El castigo de Edom: se explican las causas y se muestra la retribución divina por su pecado. (2) La restauración de Israel, el pueblo de Dios. (3) El día de Jehovah como algo inminente (cercano) para juicio de todas las naciones. (4) La soberanía de Dios, quien es la palabra final para resolver los asuntos del mundo. Esto es muy claro en las palabras finales de Abdías: ¡Y el reino será de Jehovah!

B. Enfasis:

Título, 1:1a. La visión de Abdías. Esta es una identificación típica para un mensaje profético. Visión indica algo que el profeta vio. Puede ser una comunicación en trance o una comprensión interior de aquello que Dios iba a realizar en el futuro.

El juicio divino sobre Edom, 1:1b-9. Luego de la declaración entre paréntesis en el v. 1, en el v. 2 comienza el juicio contra Edom. Se destacan dos aspectos: (1) El orgulloso Edom será menospreciado (vv. 2-4). Después del castigo divino Edom será un pueblo empequeñecido, humillado y menospreciado (v. 2). Se usan verbos en el tiempo perfecto: es un castigo que ya se considera como consumado, aunque todavía está en el futuro. Aunque su arrogancia se asemeja a la del águila, no podrá escapar de Dios (v. 4).

(2) La destrucción completa de Edom (vv. 5-9). Hay varios cuadros que señalan a la devastación total de Edom:

a. Pérdida de sus riquezas (vv. 5, 6). Su alcance es tan grande que el profeta exclama: ¡Cómo fue saqueado Edom! (v. 6). La ira de Dios se manifestará de una manera completa contra ellos.

b. Pérdida de aliados (v. 7). Además de perder su riqueza, Edom iba a perder sus amigos, o por lo menos quienes decían ser sus aliados.

c. Pérdida de sabiduría (v. 8). Dios destruirá la sabiduría reconocida por los edomitas.

d. Pérdida de sus soldados (v. 9). Temán era otro nombre para Edom (ver nota de la RVA). De modo que hasta sus héroes, sus valientes, habrán de ser destruidos en el juicio venidero de Jehovah contra ellos.

Las razones para el enjuiciamiento, 1:10-14. Las razones de este juicio severo son claras y se describen en estos versículos. Habían hecho violencia a Jacob, habían colaborado con los enemigos de Israel, no habían agradado al "hermano" y se habían alineado con los invasores. Colaboraron con los edomitas durante la caída de Jerusalén ante Babilonia en 586 a. de J.C.

En resumen, hay tres acusaciones contra ellos: (1) Expresaron gozo ante la desgracia sufrida por Judá. (2) Saquearon la ciudad cuando quedó indefensa. (3) Interceptaron la huida de los israelitas, capturando cautivos y vendiéndolos como esclavos.

La venida del día del Señor, 1:15, 16. Aquí se introduce el concepto del día de Jehovah o día del Señor. Dios vendría en juicio y destrucción contra los opresores de su pueblo, un juicio amplio contra las naciones. Era un juicio inminente y traería la justicia perfecta de Dios al mundo.

Enaltecimiento de Sion, 1:17-21. Aunque el anuncio del castigo era para las naciones, el contraste es que en el monte Sion habría paz y esperanza. Será santo indica liberación y una protección especial contra los israelitas. Israel reconquistaría de manos de Edom la tierra que les pertenecía.

Los vv. 19-21 indican que la restauración conduciría a la expansión del territorio israelita, ocupando el terreno que antes poseían los enemigos del pueblo de Dios y las zonas que habían aprovechado para ocupar durante el exilio.

Estudio del texto básico

1 Las razones de la caída de Edom, Abdías 1:10-16.

V. 10. Una de las razones para la condenación de Edom era la *violencia hecha a* su *hermano Jacob.* Note el uso de Jacob para el pueblo de Israel, un recordatorio de las disputas tempranas entre Esaú (Edom) y Jacob (Israel). La *violencia* se detalla en los versículos siguientes. Note el contraste entre la *soberbia* de los edomitas (v. 3) y su posterior *vergüenza* (v. 10).

V. 11. La siguiente razón para la caída de Edom era haberse puesto al lado de los enemigos de Israel siendo su "hermano". Ellos observaron con beneplácito el saqueamiento de Judá. *Te comportaste como uno de ellos* indica la ayuda que los edomitas habían brindado a los enemigos del pueblo de Dios. Podemos afirmar, como dice el dicho, que Edom "hizo leña del árbol caído", aprovechando la desgracia de Judá en su propio beneficio.

V. 12. *En su día trágico* es explicado más como el *día de su desgracia.* La caída de Jerusalén y la inmediata deportación de los judíos tuvo en los edomitas a unos espectadores complacidos (*no debiste haberte quedado mirando...*). Las frases repetidas y sinónimas (*día de su ruina, día de su angustia*) ponen énfasis en lo terrible de la caída de la nación ante los babilonios.

V. 13. Luego de ser espectadores, los edomitas pasaron a ser actores. Ellos participaron del pillaje y la devastación de la ciudad. El robo seguramente fue posterior a la invasión babilónica e incluyó a las pequeñas aldeas de Judá cercanas a la capital, Jerusalén.

V. 14. Otra razón agregada a todo lo precedente es que los edomitas capturaron a los sobrevivientes para entregarlos a los caldeos o directamente los aniquilaron (ver 2 Rey. 25:4, 5 para las circunstancias históricas de la huida de algunos judíos).

V. 15. *El día de Jehovah* es la meta hacia la cual se dirige la historia. Es el día en el que Dios castigará a los enemigos de su pueblo. Aquí Edom aparece, como ejemplo, entre aquellas naciones castigadas por el Señor. La *lex talionis* (retribución directa) se cumpliría en Edom (*tu retribución volverá sobre tu cabeza*).

V. 16. Edom habría de beber la copa de la ira de Dios por sus pecados (ver Isa. 51:17). La destrucción de Edom sería tan completa que se afirma que *quedarán como si nunca hubiesen existido.*

2 La liberación de Israel, Abdías 1:17-21.

V. 17. El monte Sion es el "santo monte" del v. 16. Un remanente sería salvado en Jerusalén. Esta promesa está citada en Joel 2:32. Se reavivan dos promesas hechas a David: la presencia de Dios en su lugar santo y la presencia del pueblo en la persona de un remanente en la Tierra Prometida.

V. 18. Se promete la reunión de las tribus del norte (*José*) y las del sur (*Jacob*) y la conquista que ellos harán de sus enemigos. El fuego describe la destrucción que Israel hará, de modo que las 12 tribus restauradas destruirán a sus enemigos de una manera completa. Estopa significa a algo que se quema y consume completamente (*ni un solo sobreviviente quedará de la casa de Esaú...*).

V. 19. Se refiere a la ocupación territorial que haría Israel. Durante el exilio del pueblo judío, los edomitas habían ocupado los pueblos al sur del Néguev. Ahora se revertirá esa situación y los israelitas volverán a ocupar esos territorios. También volverán a ocupar la *Sefela:* eran las laderas al occidente de Judá ocupadas por los *filisteos.* La promesa en cuanto a la posesión de Efraín y Samaria se cumplió en la época de los macabeos (164 a. de J.C.).

V. 20. Aquí la promesa de la recuperación territorial para Israel se completa con la ocupación total de la Tierra Prometida (Canaán) con sus límites ideales.

Hay una indicación de los dos grupos principales llevados al exilio:

(1) *Los hijos de Israel* se refiere a los llevados a Asiria. Ellos regresarán a su territorio original.

(2) *Los de Jerusalén que están cautivos en Sefarad* se refiere a los cautivos del reino de Judá. Sefarad puede haber sido un lugar en Media. Ellos volverán y ocuparán la zona sur de Palestina. De modo que toda la nación ocupará su territorio y será restaurada.

V. 21. En el final de la profecía de Abdías encontramos tres promesas: (1) Jerusalén será el centro y el refugio de los exiliados en su regreso a la tierra. (2) Jerusalén, la capital de Judá, controlará a Edom (*Esaú*). (3) Jehovah será reconocido como supremo: *¡Y el reino será de Jehovah!*

Aplicaciones del estudio

1. El orgullo humano no puede triunfar porque Dios le pone límites. ¡Cuánta arrogancia de parte nuestra! Llegamos a creer que nuestros avances científicos y nuestra tecnología nos han convertido en superhombres. Pero Dios responde quitándonos del trono que hemos usurpado y nos pone en el lugar que nos corresponde (Abd. 1:2-4).

2. Dios humilla a los imperios y naciones cuando lo cree necesario. Como le pasó un día a Edom (Abd. 1:5-9), a lo largo de la historia ha habido elevamiento y caída de naciones, reinos e imperios que en su momento se creyeron autosuficientes. Pero la autoridad de Dios y su control sobre la historia siguen siendo reales hoy en día.

3. El cristiano debe destacarse por no "hacer leña del árbol caído". A diferencia de Edom, que se alegró por la caída de Israel (Abd. 1:12-14), los creyentes debemos levantar al caído, animar al desalentado, ayudar a restaurar al pecador arrepentido. Así mostraremos el amor de Cristo en nuestras vidas.

4. Dios sí castiga. Contrario a lo que algunos creen, Dios sí castiga la maldad. El ama al pecador, y lo ama tanto que envió a su Hijo a morir en la cruz por salvarlo. Pero Dios no ama el pecado.

Ayuda homilética

El castigo justo viene de Dios
Abdías 1:2-14

Introducción: ¡Cuántas veces los seres humanos queremos tomar la venganza en nuestras manos! Pero con sabiduría la Palabra de Dios nos dice que el único justo es Dios y es el único que puede castigar con justicia el pecado. En la antigua historia del pueblo de Edom vemos cómo actúa la justicia retributiva del Señor.

I. El castigo justo para el orgullo humano viene de Dios.
- A. El orgullo humano quiere desplazar a Dios de su lugar soberano (vv. 3, 4a).
- B. La autosuficiencia humana no tiene en cuenta al Creador (vv. 8, 9).
- C. Dios pone a los orgullosos en el lugar que les corresponde al castigarlos (vv. 4b-7).

II. El castigo justo para el menosprecio humano viene de Dios.
- A. El menosprecio al hermano es aborrecido por Dios (vv. 10-12).
- B. El aprovecharse del hermano también es rechazado por Dios (vv. 13, 14).
- C. El castigo apropiado para el menosprecio es ser menospreciado por Dios (v. 2).

Conclusión: La ley de retribución no es impersonal. Es Dios mismo quien interviene directamente para castigar con justicia perfecta a aquellos que persisten en su pecado, desafían a Dios y se convierten en opresores sobre los demás. Dios escucha el clamor de su pueblo que sufre y da su retribución debida a quienes son rebeldes a sus advertencias.

Lecturas bíblicas para el siguiente estudio

Lunes: Nahúm 1:1-5
Martes: Nahúm 1:6-8
Miércoles: Nahúm 1:9-11
Jueves: Nahúm 1:12-15
Viernes: Nahúm 2:1-4
Sábado: Nahúm 2:5-7

AGENDA DE CLASE

Antes de la clase

1. Lea con cuidado todo el libro de Abdías, el más corto del A.T. **2.** Lea en un diccionario bíblico sobre los edomitas, y la caída de Jerusalén frente al ataque de Nabucodonosor. **3.** Si puede encontrar fotografías de la hermosa Sela, capital de Edom (hoy conocida como Petra), sería de gran beneficio para ayudar al grupo a entender las razones para el orgullo de este pueblo. **4.** Haga un cartelón con la lista de los componentes del juicio sobre Edom (descendientes de Esaú) que se encuentra en los primeros nueve versículos. **5.** Traiga un mapa del mundo antiguo mostrando Edom, Israel y Asiria. **6.** Ponga la palabras "No debiste...." en una franja de cartulina. **7.** Ore por los miembros de su clase por nombre. Este estudio puede ayudarles a mejorar sus relaciones familiares.

Comprobación de respuestas

JOVENES: **1.** Eran hermanos. **2.** a. Por la violencia de Edom contra Jacob. b. Edom se puso del lado del enemigo. c. Edom se portó como se comportaban los enemigos. **3.** a. No debió quedarse mirando a su hermano en su día trágico. b. No debió alegrarse por la desgracia de su hermano. c. No debió hablar de más en el día de la ruina de su hermano. d. No debió mirar la miseria de su hermano. e. No debió echar mano de los bienes de su hermano en el día de su ruina. **4.** Respuesta de acuerdo con Abdías 1:17-21.

ADULTOS: **1.** La violencia hecha a su hermano Jacob; vergüenza y destrucción para siempre. **2.** Leer el pasaje y escoger. **3.** Cercano, día de Jehovah, naciones, hiciste, contigo, retribución, cabeza. **4.** En el monte de Sion estarán los libertados, y será santo. Poseerá sus posesiones. **5.** Victoriosos, Sion, juzgar, Esaú, reino, Jehovah.

Ya en la clase

DESPIERTE EL INTERES

1. Dé la bienvenida al grupo y diga que hoy estudiaremos el libro más corto en el A.T., pero a pesar de su brevedad tiene un mensaje impactante. Ponga una "X" al lado de Abdías en el cartelón de los Profetas Menores. **2.** Pregunte si se acuerdan de un famoso par de gemelos en el A.T. (Jacob y Esaú). Los descendientes de Esaú son los edomitas que estudiamos hoy. Hable brevemente de razones de su enemistad, pero enfatice que hubo muchas ocasiones de hermandad como cuando Jacob regresó a la tierra de sus padres y Esaú le recibió sin rencor. **3.** Sin embargo, hoy vamos a ver la otra cara de la moneda. Edom ha colaborado con su enemigo, más probablemente cuando Nabucodonosor atacó y destruyó a Jerusalén. No han tenido compasión de nadie. Lo más patético es que son "primos".

ESTUDIO PANORAMICO DEL CONTEXTO

Muestre el mapa del Medio Oriente en los tiempos de Abdías indicando Jerusalén, Edom, y Asiria. Use el cartelón con la lista de los componentes del juicio sobre Edom (Abd. 1:2-9). Si ha conseguido fotografías o dibujos de la ciudad de Petra puede mostrarlos para explicar como pensaban que la altura de su ciudad y la entrada estrecha y protegida les daba toda la seguridad que hacía falta para una ciudad. Resalte que Dios rechaza su orgullo y la falta de compasión por sus parientes, los habitantes de Jerusalén. El va a juzgarles. No quedará nada de esta nación que ha actuado con tan poca compasión y con excesivo orgullo se han jactado de su propia capacidad para defenderse.

ESTUDIO DEL TEXTO BASICO

Dé tiempo para que completen la sección: *Lea su Biblia y responda.* Compruebe las respuestas y aclare cualquier duda.

Las razones de la caída de Edom, Abdías 1:10-16. Lea este pasaje. Enfatice que la condenación de Edom es por la violencia contra su "hermano Jacob". Muestre la franja "No debiste..." y lean los vv. 12-14 para enfatizar las razones por las cuales vendrá el juicio. Enfatice el impacto de la repetición de esta frase y el sentido tan patético de haber sido traicionado por sus primos. Dios juzgará a todas las naciones, pero Edom será destruido.

La liberación de Israel, Abdías 1:17-21. Lea este pasaje indicando que deben fijarse en las bendiciones que Dios va a conceder a su pueblo. Habrá bendición para el remanente del pueblo de Israel. Los remanentes de Israel y de Judá se reunirán para castigar a los edomitas pero aquellos recibirán la bendición de Dios y recuperarán el territorio que antes habían tenido. Pero, sobre todo, Dios reinará universalmente.

APLICACIONES DEL ESTUDIO

Lean juntos todas las aplicaciones y hablen de ellas. Esta es una oportunidad de hablar de la necesidad de mantener buenas relaciones con otras personas, especialmente con nuestros familiares. Hablen de cómo podemos ser más sensibles al dolor de otros, y de nuestro deber como hermanos y amigos. Terminen con varias oraciones breves pidiendo la ayuda de Dios para ser fieles en esta área tan importante en la vida.

PRUEBA

Divida el grupo en parejas y pida que escojan uno de los incisos para contestar. Después de unos 2 o 3 minutos pueden compartir sus respuestas con el grupo grande. Diga que el próximo estudio será del profeta Nahúm, y que tendremos dos estudios de este profeta.

Atributos y obra de Jehovah

Contexto: Nahúm 1:1 a 2:7
Texto básico: Nahúm 1:1-15
Versículos clave: Nahúm 1:7, 8
Verdad central: Los atributos de Dios aquí descritos nos ayudan a entender las acciones que ejecuta contra sus enemigos. Dios es bueno y bendice a los que confían en él, pero los que se levantan contra él serán castigados.
Metas de enseñanza-aprendizaje: Que el alumno demuestre su: (1) conocimiento de los atributos y la obra de Dios, (2) actitud de valorar el amor de Dios en su vida y aceptar la disciplina cuando corresponda.

Estudio panorámico del contexto

A. Fondo histórico:

Escritor del libro de Nahúm. Aparte del nombre no sabemos nada del profeta más allá de lo que surge del mismo libro. Nahúm significa "consolado" o "consolador".

La ciudad de Elcós (1:1) tampoco ha sido ubicada. Una sugerencia es Capernaúm ("pueblo de Nahúm"), diciendo que Elcós fue llamada luego Capernaúm en honor al profeta. Si esa es la ubicación, el profeta Nahúm quedó en Galilea cuando la deportación a Asiria. Otros ubican a Elcós en la zona de Nínive (el pueblo moderno de El Kush). Si esa fuera la ubicación, la familia de Nahúm fue llevada por los asirios al cautiverio.

Fecha. Los límites del ministerio de Nahúm son bastante precisos. Predicó después de la destrucción de Tebas (capital de Egipto), en 663 a. de J. C. (ver 3:8-10) y antes de la caída de Nínive, en 612 a. de J.C., pues éste es el tema del libro. Dentro de esos 50 años se ubica el ministerio de este profeta.

Trasfondo histórico. El imperio asirio, que estaba en expansión, ocasionó una época brutal para los que iban cayendo ante su poderío. Asurbanipal era muy cruel. En *Los doce profetas menores* (CBP) Jorge Robinson dice acerca de él: "...Hasta se jacta de su violencia y de sus vergonzosas atrocidades: Cómo arrancaba los labios y miembros de los reyes, forzó a tres gobernantes de Elam, capturados, a tirar de su carro por las calles, compelió a un príncipe a llevar suspendida a su cuello la cabeza decapitada de su rey, y cómo él y su reina comían en un jardín con la cabeza de un monarca caldeo a quien había forzado a suicidarse, colgada de un árbol arriba de ellos..." No es de extrañar el espíritu de odio hacia los asirios que se muestra en la profecía de Nahúm.

El valor del libro. Aparte de su valor histórico para los primeros lectores, Nahúm es valioso para el lector actual y el de todos los tiempos. Enseña básicamente tres cosas: (1) El gobierno de Dios es universal. (2) La justicia de Dios incluye la retribución por el pecado. (3) La gracia de Dios se expresa, a la vez, en retribución y bondad.

Nínive. Esta ciudad estaba ubicada en la ribera este del Tigris. Fue fundada por Nimrod, de Babilonia (Gén. 10:11). Fue la capital de Asiria desde 1100 hasta 880 a. de J.C., y nuevamente cuando Senaquerib llegó a ser rey (705 a. de J.C. en adelante). Tenía un muro de 12 km. que la rodeaba; era tan ancho que se dice que tres carros podían andar lado a lado sobre él. La caída de Nínive, que cumplió la profecía de Nahúm, ocurrió en 612 a. de J.C. y la destrucción fue total.

B. Enfasis:

Dios es lento para la ira, 1:1-3b. Aunque se habla de Dios en términos de celoso, vengador, está indignado y guarda su enojo, se dice que es lento para la ira. Estos versículos son una descripción clásica del carácter de Dios (ver Exo. 20:5; 34:6, 14). En su ser se combinan perfectamente los aspectos retributivos hacia el pecado como su provisión misericordiosa en la liberación y el perdón.

Señor de la naturaleza, 1:3c-6. Esta es una teofanía o manifestación de Dios en medio de las fuerzas de la naturaleza. En otros pasajes del A.T. la naturaleza se asocia con gozo ante la presencia de Dios (ver Sal. 96:11-13). Aquí las fuerzas de la naturaleza son afectadas, como ocurre en una catástrofe, por la manifestación de la ira de Dios.

Jehovah es bueno y justo, 1:7, 8. Aquí hay un contraste: la bondad de Jehovah es retratada en el v. 7 y su ira contra sus enemigos aparece con intensidad en el v. 8. Aunque la ira del Señor es "lenta" en manifestarse, sí se manifiesta hacia sus enemigos deliberados. Pero él es bueno, es fortaleza y refugio para quienes se acercan a él con fe.

Dios no soporta la rebeldía contra él, 1:9-11. Los asirios son los que están en la mente del profeta en esta sección de su profecía. Aunque el ataque de ellos se dirigió hacia pueblos pequeños, su mal obrar era directamente contra Jehovah. Una sola vez basta para la retribución completa que Dios daría a sus enemigos (v. 9).

Promesa de restauración, 1:12-15. Aquí aparece un mensaje de esperanza para Judá, oprimida por los asirios. Aunque éstos han sido instrumentos de Jehovah para castigar en su momento a su pueblo (v. 12), Dios promete castigar al opresor y quebrar el yugo de sobre su pueblo (v. 13). El que trae buenas nuevas es el "correo" que anunciará la liberación de Judá.

Sitio y captura de Nínive, 2:1-4. El anuncio profético incluye el anticipo del destructor subiendo contra Nínive. Primero se describe a los defensores de la ciudad (v. 1) y luego a los atacantes (vv. 3, 4). El cuadro es de destrucción completa y sangrienta.

Espanto de los ninivitas, 2:5-7. Cuando se da la noticia de que las compuertas de los canales habrán sido abiertas, eso indica el asalto final contra la ciudad y el palacio, el cual sería literalmente arrasado. Los líderes se retirarían y habría un caos completo y espantoso (v. 7).

Estudio del texto básico

1 Jehovah es Dios celoso, Nahúm 1:1-3.

V. 1. Profecía es "oráculo" o "carga". *Visión* es un término técnico para profecía. Indica que Nahúm vio cosas que no veía el ojo natural. En cuanto a *Elcós* ver la sección *Fondo histórico.*

Vv. 2, 3a. *Celoso* es una descripción de Dios que indica "ser ardiente o ferviente". *Vengador:* en el sentido de vengarse de acuerdo con lo que es recto. Dios es paciente y cuando castiga lo hace con la intención de corregir pues no puede permitir que la maldad se desborde.

V. 3b. El poder de Dios se manifiesta sobre la tierra. En la época de Nahúm la mayoría de las casas de la gente pobre se hacían con ladrillos secados al sol; el techo era de paja y madera. Cuando había tormentas se hacía muy evidente la pequeñez del ser humano ante Dios. Por lo tanto, es significativo saber que *Jehovah marcha en el huracán y en la tempestad.* Las nubes, que a nosotros nos parecen tan vastas, son sólo *el polvo de sus pies.*

2 Jehovah es Dios majestuoso, Nahúm 1:4-6.

V. 4. Los israelitas no eran un pueblo acostumbrado al mar y les inspiraba temor. Pero Dios tenía poder sobre el mar y podía hacer que se secara. Los israelitas sabían esto por su misma historia. En dos oportunidades especiales Dios había secado las aguas frente a ellos: en el mar Rojo, al libertarles de Egipto, y en el río Jordán, al entrar en la Tierra Prometida.

Basán y el Carmelo estaban entre las zonas más húmedas y mejor regadas de Palestina. El *Líbano* era famoso por sus cedros. Sin embargo, el poder de Dios los podía marchitar.

V. 5. El poderío del Señor se manifiesta en los temblores o terremotos (las montañas se estremecen delante de él). Posiblemente Nahúm había observado los efectos de los temblores e inundaciones en su tierra y reflexiona aquí sobre la majestuosidad y el poder de Jehovah.

V. 6. La reflexión sobre el poderío de Dios lleva a dos preguntas retóricas, donde se espera la respuesta "nadie" (similares a las del Sal. 24:3). La figura del volcán y el derramamiento de lava aparece en la segunda parte del versículo.

3 La bondad y la justicia van unidas, Nahúm 1:7-15.

V. 7. Hay aquí una declaración que aparece en balance y contraste con el v. 8. Se afirma la bondad absoluta de nuestro Dios. El es *refugio* en el tiempo de dificultad. Hay varios pasajes donde se habla figuradamente de Dios como una fortaleza o un refugio (Sal. 27:1; 31:4; 37:39; 52:7; etc.). Se afirma también que Dios *conoce* a los que se *refugian* en él. Esta es otra figura frecuente en los salmos (Sal. 11:1; 16:1; 36:7; etc.). "Conocer" aquí implica "cuidar de".

V. 8. El contraste es con aquellos que son los enemigos de Dios y que se rebelan contra él. Se afirma que sobre ellos llegará la destrucción.

V. 9. Nahúm se dirige ahora a los enemigos de Jehovah. ¿Quiénes son los que traman cosas contra Jehovah? Nínive no se menciona hasta 2:8; Judá aparece mencionada en el v. 15. El objetivo principal del libro es Nínive y aquí Nahúm afirma que una vez es suficiente para el castigo que Dios ha prometido.

V. 10. Cuando Dios actúe sus enemigos serán completamente consumidos (como paja seca). Se usan las figuras de espinas entretejidas y borrachos en su embriaguez para indicar que el fuego del Señor les consumiría rápidamente.

V. 11. Este mensajero de *Belial* (o de iniquidad, ver nota de la RVA) es muy posiblemente una referencia a Senaquerib quien se levantó contra Dios y su pueblo en 701 a. de J.C. Belial era probablemente el nombre de un espíritu malo. El significado puede ser "sin valor" o "decaer".

Vv. 12, 13. Aquí aparece la primera referencia a Judá. El Señor le está asegurando a su pueblo que aunque los asirios sean *muchos,* ellos serán *cortados.* La promesa es que el castigo terminará y no se repetirá (*no te afligiré más*). El *yugo,* señal de sometimiento, será quebrantado y quitado de ellos.

V. 14. Esta profecía se aplica directamente a Nínive, al pueblo asirio. La maldición contra ellos es que serán eliminados para siempre (comparar Sal. 37:22b). Los dioses de madera (*ídolos*) y de metal (*imágenes de fundición*) serán quitados de los templos asirios. Así todos entenderán que esos dioses no eran nada ante Jehovah. Muchos "dioses" modernos deben ser eliminados (poder, seguridad, riquezas, lujos) para que el Señor nuestro Dios pueda ser entronizado en nuestras vidas.

V. 15. Es un texto similar a Isaías 52:7. El N.T. alude a este concepto en Hechos 10:36 y Romanos 10:15. Expresa en forma poética que la victoria sobre los enemigos del pueblo del Señor ha sido alcanzada: *...pues ha sido completamente destruido. Celebra, oh Judá, tus fiestas:* comúnmente se ofrecían sacrificios de acción de gracias por las victorias y los adoradores comían en celebración.

Cumple tus votos: antes de ir a la batalla, los soldados y sus comandantes a veces hacían votos (recordar el voto necio de Jefté, Jue. 11:30, 31).

Aplicaciones del estudio

1. La bondad de Dios no significa un carácter blando. Algunos actúan como si Dios tuviera un carácter blando, que se deja llevar por las emociones y pasa por alto las ofensas. Pero aquí Nahúm asevera la firmeza del carácter divino: De ninguna manera dará por inocente al culpable (Nah. 1:3). ¡Cuidado con querer hacer un "dios" a nuestra medida!

2. Dios nos conoce en forma personal (Nah. 1:7). A veces "conocemos" a alguien en forma superficial y nos sorprenden sus reacciones. Muchas veces hemos convivido con una persona por mucho tiempo y no llegamos a conocerla profundamente, sea porque no nos interesa concerla o porque ella no se da a concer. Pero Dios nos conoce en forma profunda y personal, ¡mejor que nosotros mismos! ¿Cómo no confiar en un Dios que es así?

3. Seamos voceros de buenas nuevas (Nah. 1:15). ¡Cuántas veces "distribuimos" velozmente un chisme! Pero la vida bendecida es la de aquel que es portador de buenas noticias, especialmente la buena noticia de Dios en Cristo.

Ayuda homilética

Seguridad para el creyente en medio de la crisis
Nahúm 1:7

Introducción: Como cristianos debemos enfrentar muchas crisis a lo largo de nuestra vida. A veces la crisis es económica, o política, o social, o familiar. A veces la enfermedad y la muerte nos golpean con fiereza y creemos que vamos a ser destruidos. Nahúm nos recuerda algunas verdades que pueden ayudarnos a estar seguros en tiempos de crisis.

I. La seguridad de la bondad de Dios.
- A. La bondad de Dios es declarada una y otra vez (1 Jn. 4:7).
- B. La bondad de Dios es demostrada supremamente en Cristo (Juan 3:16).
- C. La bondad de Dios debe ser aceptada y experimentada por el creyente.

II. La seguridad del conocimiento personal de Dios.
- A. Dios conoce a quienes son su creación especial.
- B. Dios conoce como sus hijos a los que depositan su fe en él (Juan 1:12).
- C. Dios conoce las necesidades de quienes buscan refugio en él.

III. La seguridad de fortaleza en Dios.
- A. Dios se revela como el refugio necesario.
- B. Dios se revela como el refugio oportuno.
- C. La actitud de fe es fundamental para encontrar este refugio.

Conclusión: Frente a una crisis personal o familiar no trate de esconderse. Tampoco debe frustrarse pensando que algo anda mal con su vida porque tiene una crisis. Simplemente confíe en el Señor y refúgiese en él. El le dará las fuerzas para triunfar y salir adelante.

Lecturas bíblicas para el siguiente estudio

Lunes: Nahúm 2:8-10
Martes: Nahúm 2:11-13
Miércoles: Nahúm 3:1-4
Jueves: Nahúm 3:5-11
Viernes: Nahúm 3:12-15
Sábado: Nahúm 3:16-19

AGENDA DE CLASE

Antes de la clase

1. Lea con cuidado todo el libro de Nahúm, dando especial atención al contexto de este estudio. **2.** Busque un mapa del Medio Oriente en el tiempo del profeta cuando Asiria era el gran poder del área. **3.** Lea los materiales en los libros del maestro y del alumno. **4.** Lea información sobre la ciudad de Nínive en un diccionario bíblico. Anote los datos que pueden reforzar la importancia de este estudio y el siguiente. **5.** Prepare un cartelón sobre "Los atributos y obra de Dios", anotando las tres divisiones del estudio y dejando espacio para anotar estos atributos y obras de Dios encontrados en cada sección de estudio. **6.** Ore por los alumnos por nombre.

Comprobación de respuestas

JOVENES: **1.** a. La profecía trata de Nínive. b. Dice que Nehemías es el escritor. c. Dice que Nehemías es originario de Elcós. **2.** Celoso y vengador. Lento para la ira y grande en poder. Reprende al mar y hace que se seque. No dará por inocente al culpable. **3.** Para Judá. **4.** Nunca más será asolada por el enemigo.

ADULTOS: **1.** Celoso, vengador, indignado, guarda su enojo contra los enemigos. Lento para la ira, grande en poder, no dará por inocente al culpable. **2.** Bueno, fortaleza en el día de angustia, conoce a los que se refugian en él. **3.** Serán cortados y pasarán. **4.** No les afligirá más, quebrará su yugo y coyundas. **5.** El mensajero trae buenas nuevas de paz. Puede celebrar porque el enemigo ha sido destruido.

Ya en la clase

DESPIERTE EL INTERES

1. Dé la bienvenida a todos. **2.** Pregunte: "¿Qué le hace sentir seguro en la ciudad donde vive o donde visita?" Podría mencionar policías, semáforos, luces, estructuras que resistan temblores, familia, amigos, trabajo, entre muchos otros. Pueden pensar en algunas cosas que se han considerado como protección y han fallado. No dedique más de 2 o 3 minutos para esto. **3.** Diga que hoy vamos a estudiar una de las más grandes y más fuertes ciudades de la antigüedad: Nínive, y la razón para su destrucción. Use la información conseguida de esta ciudad en el diccionario bíblico y en los libros del alumno.

ESTUDIO DEL CONTEXTO

1. Este estudio y el próximo se basan en una profecía contra la ciudad de Nínive dada por Nahúm. **2.** Ponga una marca (✓) en lo que corresponde a Nahúm en la lista de los Profetas Menores. **3.** Dé la información que tiene de la ciudad de Nínive. Resalte las distintas maneras en que las defensas de la ciudad habían sido reforzadas para resistir cualquier ataque. A pesar de todo esto, "¿cuál era la debilidad de los ninivitas?" Hablen de su crueldad y su falta de compasión para los pueblos bajo su control.

ESTUDIO DEL TEXTO BASICO

Dé tiempo para que completen los ejercicios de la sección *Lea su Biblia y responda.* Compruebe y aclare las respuestas.

Jehovah es Dios celoso, Nahúm 1:1-3. Muestre el cartelón sobre los atributos y la obra de Dios. Diga que vamos a considerar cómo Dios es Dios de todo el mundo, y cómo las naciones que cometen atrocidades contra otras serán juzgadas por él. Dios es celoso de que su voluntad sea hecha en el mundo. Está indignado por la crueldad de Nínive. Va a juzgarlos por todo lo que han hecho. Puesto que es creador del mundo, también va a usar los fenómenos naturales para castigarlos. Pida a los alumnos que mencionen aspectos de los atributos de Dios bajo este primer punto. Anote en la cartulina las ideas que presentan.

Jehovah es majestuoso, Nahúm 1:4-6. Hablen acerca de cómo Dios continúa obrando en la creación: él controla la tierra, y puede cambiar el cuadro geográfico conocido. Se ve su poder en los grandes movimientos de la tierra y en los cambios climáticos. Anoten en la cartulina las ideas que encuentren en este pasaje. Hablen de las dos preguntas del v. 6. ¿Por qué se habla así de su poder? No olvide que todo este pasaje se refiere a Nínive (vea Nah. 1:1).

La bondad y la justicia van juntas, Nahúm 1:7-15. Hablen de los diversos atributos de Dios y de la importancia de reconocer que es bondadoso, pero también justo. ¿A cuál nación va a juzgar?, ¿a cuál va a bendecir? En cada caso indique cuales son las razones para su acción. ¿Cómo será el fin de Nínive? ¿Le podrán salvar sus dioses? Comenten el v. 15. ¿Cuáles serán las buenas nuevas que traerá el mensajero? Anote los atributos y la obra de Dios que se encuentran en esta sección.

Repase lo que habían anotado en el cartelón y den gracias por los atributos y la obra de Dios que encontramos en este pasaje. Dios es Dios de todo el mundo, no solamente de Israel. Los que hacen mal en cualquier nación tendrán que ser juzgados como Israel lo será.

APLICACIONES DEL ESTUDIO

Divida el grupo en parejas y pida que reflexionen en cuanto a una de las aplicaciones. Después compartan sus conclusiones con el grupo y decidan sobre maneras en las cuales las puede aplicar en su vida.

PRUEBA

Permita a cada alumno escoger uno de los ejercicios para completar. Después de unos tres minutos pídales que compartan sus respuestas y reflexionen juntos sobre ellas.

Estudio **31**

Unidad 7

Anuncio de la destrucción de Nínive

Contexto: Nahúm 2:8 a 3:19
Texto básico: Nahúm 3:1-7, 12-19
Versículo clave: Nahúm 3:7
Verdad central: A la vez que el profeta anuncia la destrucción de Nínive, explica las causas de esa destrucción. Toda rebeldía contra Dios y su pueblo traerá consecuencias negativas.
Meta de enseñanza-aprendizaje: Que el alumno demuestre su: (1) conocimiento de las causas de la destrucción de Nínive anunciada por el profeta, (2) actitud de fidelidad y consagración a Dios.

Estudio panorámico del contexto

A. Fondo histórico:

Tebas. Es mencionada en 3:8-10. Era la ciudad más famosa en Egipto desde 1580 hasta 1205 a. de J.C. Había sido el centro de un gran imperio que se extendía desde Siria hasta Nubia. Tenía magníficos monumentos y, aún hoy, las ruinas son una maravilla. Estaba construida a ambos lados del río Nilo. En la ribera oriental estaba la ciudad en sí y en la occidental la necrópolis o "ciudad de las tumbas", en la que había monumentos para los muertos. En Tebas el Nilo se divide en cuatro canales, lo que ayuda a entender la cita de 3:8: "¿Eres acaso mejor que Tebas, que estaba asentada junto al Nilo, rodeada de aguas, cuyo baluarte y morada era una concentración de aguas?"

Las características de Nínive. Nínive era la capital del imperio asirio. Era una ciudad grande y un centro comercial. La ciudad se había enriquecido, pero no sólo por el comercio sino también porque saqueaba a las ciudades vecinas. El libro de Nahúm destaca el carácter sanguinario y violento de la ciudad (3:1). Se la compara con una familia de leones (2:12). El hecho de su incomparable muro y de sus más de 1.500 torres la convertían en una ciudad casi inexpugnable. Sin embargo, como profetizó Nahúm, fue totalmente destruida. En el siglo II d. de J.C. no quedaba nada de ella.

B. Enfasis:

La desolación profetizada, 2:8-13. Se anuncia la caída de Nínive: Ante la huida de los defensores de la ciudad comienza el pillaje y saqueo (v. 9). El v. 10 presenta un cuadro de reacciones físicas de los ninivitas ante la condenación inevitable de la ciudad.

Los vv. 11 y 12 se presentan como un enigma. El rey asirio aparece representado con la figura de un león. La guarida y la cueva representan a Nínive; la depredación que aparece en el v. 12 se refiere a los ataques contra las naciones conquistadas. Se presenta a Asiria como un imperio insaciable ("Llenaba de presa sus cavernas..."). Pero Dios destruirá el orgullo de Nínive y su castigo será inevitable (v. 13).

Nínive, ciudad sanguinaria, 3:1-4. Una típica maldición, similar a Números 21:29, 30. La condenación era causada por el militarismo sanguinario de la ciudad asiria. Ellos habían crecido a costa del pillaje y la rapiña (v. 1). La figura de la ciudad cambia a la de una prostituta (v. 4) que engaña a las naciones.

Nínive puesta en afrenta, 3:5-7. ¡Heme aquí, yo estoy contra ti! (v. 5) expresa la condenación que llegará de parte del Señor. El castigo incluirá tres fases: (1) Exposición de su vergüenza (v. 5). (2) Rechazo vergonzoso (v. 6). (3) Abandono (v. 7).

La humillación de Nínive será realzada como un espectáculo que mostrará con claridad la obra completa de Dios en su contra.

Nínive comparada con Tebas, 3:8-11. Aunque Tebas también había aparecido como invencible (vv. 8, 9), sin embargo había caído (v. 10). La comparación indica que a Nínive le esperaba una caída semejante (v. 11).

La comparación se presenta con una pregunta retórica: ¿Eres acaso mejor...? (v. 8). Luego se detalla la caída de Tebas: sus niños asesinados brutalmente, sus nobles tratados como esclavos y degradados hasta el encadenamiento. La aplicación es clara: Tú también... (v. 11).

Vanos esfuerzos para librar a Nínive, 3:12-19. El destino de Nínive y su destrucción ya están decretados. Se describe a sus defensores como perdiendo su virilidad (v. 13a). Lo que le espera es invasión, fuego y destrucción (v. 13b). Aunque se hicieran intentos para sostenerse en medio del asedio, todo será en vano (vv. 14, 15a). La comparación con la langosta quizá recuerda que aunque se habían multiplicado como la langosta, también los oficiales y dirigentes militares asirios se parecerían a ella en que huirían y no se les encontraría más (vv. 15b-17).

Los últimos versículos de la profecía de Nahúm se dirigen al rey de Asiria (v. 18). Se le indica que el pueblo se ha dispersado y que no hay solución para su problema. En una comparación médica se le anuncia: "Tu llaga es incurable" (v. 19).

Estudio del texto básico

1 Las causas de la destrucción, Nahúm 3:1-4.

V. 1. En los vv. 1 y 4 se mencionan las causas de la destrucción de Nínive; en los vv. 2 y 3 se describe la batalla final por la ciudad.

¡Ay...! es una expresión común en los profetas cuando proclamaban el castigo de aquellos que caían bajo el juicio del Señor. Aunque también se usaba la expresión para el lamento por los muertos, siempre indicaba una calamidad muy seria.

Ciudad sanguinaria: se refiere obviamente a Nínive, que era responsable por el derramamiento de sangre. El pillaje y la rapiña son fáciles de entender en un contexto de conquista y guerra.

La referencia a *engaño* (o mentiras) muestra una característica destacada de aquellos que se oponen al Señor. Mentir es muy serio delante del Señor y es una de las causas mencionadas para la caída de Nínive.

Vv. 2, 3. La descripción de una batalla, similar a la que se encuentra en el canto de Débora (Jue. 5:20-22). Aquí en Nahúm se mencionan más detalles. Con magistral poesía se describe el "golpe final" contra la ciudad. Toda la descripción tiene como propósito crear conciencia de la magnitud de las consecuencias del pecado de los ninivitas. En la triste experiencia de Nínive vemos un adelanto del mensaje evangélico en donde se dice que la paga de pecado es muerte. Será tan grande la mortandad en ese día que las personas que queden vivas *tropezarán* con *cadáveres* que estarán por todos lados.

V. 4. Se reanuda la mención de las causas para la destrucción de Nínive: *Esto sucederá debido a...* Se compara a Nínive con una *prostituta.* Los gobernantes asirios habían hecho acuerdos con otras naciones pero engañándolas, seduciéndolas: *que seduce a las naciones...* Aquellas naciones habían confiado en el poder de los asirios y habían sido traicionadas. La mención de *hechizos* puede referirse a brujería literal o al ejercicio de la diplomacia asiria engañando (hechizando) a las otras naciones.

2 Vergüenza del castigo, Nahúm 3:5-7.

V. 5. La primera oración repite lo afirmado en 2:13. El Señor pronuncia su juicio. Dios está en control de la situación y el destino de Nínive.

La comparación que se menciona en la segunda parte del versículo muestra la brutalidad y desvergüenza con que actuaban en el mundo antiguo (¿y qué decir de hoy en día?). Dios dará su castigo a Nínive, apropiado a su propio orgullo. Así como una adúltera era expuesta públicamente (Eze. 16:37-41), el Señor castigará públicamente a Nínive por sus muchos pecados.

Vv. 6, 7. *Echaré sobre ti inmundicias...* señala la manera como los enemigos de Dios serán expuestos públicamente y el castigo tan cruel para las rameras. Así sufrirá el imperio asirio y su capital.

La ley de retribución divina entra en acción. Nínive no había mostrado su piedad, de modo que nadie la mostrará hacia ella en el día de su condenación. Las preguntas del v. 7 esperan la respuesta "nadie" o "en ninguna parte". Nadie, en ninguna parte querrá servir de consolación para Nínive. Al contrario, los que han visto su destrucción no quieren exponerse a correr la misma suerte que ella.

3 El castigo inevitable, Nahúm 3:12-19.

V. 12. La comparación de las *fortificaciones* de Nínive, tan seguras desde la perspectiva humana, con *higueras,* señala la vulnerabilidad de la ciudad. Así como caen los higos cuando se sacude la planta, así caerán las fortalezas tan tremendas, con suma facilidad.

V. 13. Las mujeres de aquella época no participaban en las batallas (como lo hacen hoy en muchos lugares del mundo). De modo que se indica la fácil derrota de Nínive, como si sus defensores no estuvieran entrenados para soportar los ataques de sus enemigos. Esa falta de preparación o entrenamiento se debía, en gran parte, a la confianza que tenían depositada en sus aparentemente invencibles fortalezas.

Las puertas... que son las que controlan la entrada y la salida de las personas no ofrecerán más su protección, caerán fácilmente bajo la furia de los enemigos.

V. 14. Quizá estos verbos imperativos sean simplemente irónicos: asegúrense el agua, refuercen las fortalezas, hagan ladrillos para más murallas. Dicho de otra manera, debían estarse preparando para vivir un tiempo de destrucción.

V. 15a. A pesar de cualquier esfuerzo, el *fuego* y la *espada* vendrán contra Nínive y caerá inevitablemente.

Vv. 15b-17. Como las langostas, los oficiales de la ciudad parecen estar en todo lugar y, repentinamente (así como las langostas) todos desaparecen. De modo que la aparente seguridad de la ciudad no es tal ante el juicio de Dios que está anunciado.

V. 18. Los *pastores* es otra referencia a los líderes de la ciudad, que están muertos (*han dormido*). De modo que, sin los dirigentes, el rey no podrá reunir a su pueblo que se ha dispersado.

V. 19. El final indica que no habrá reducción del castigo ni cambio alguno en los planes. Se compara la caída de Asiria con una enfermedad incurable para la cual *no hay medicina.* La llaga tiene gangrena, es *incurable.*

¿La reacción? Las naciones tendrán gozo, harán fiesta, *aplaudirán a causa de ti* (ver Eze. 25:6). Parecería una paradoja que en las Escrituras el profeta diga que las naciones circunvecinas estarán muy contentas con la suerte de la otrora gran ciudad. Lo que sobresale aquí es el hecho que ninguna alianza humana prevalecerá después del vitperio al que fue expuesta la ciudad. Dios no quiere la muerte del impío, pero si no hay arrepentimiento, no hay perdón.

Así se cierra el libro de Nahúm: afirmando que el mal será castigado.

Aplicaciones del estudio

1. Monumentos a la justicia de Dios en acción. Tebas y Nínive son sólo dos de los muchos ejemplos de ciudades antiguas que Dios destruyó como castigo por el pecado de sus dirigentes y habitantes. Hoy son sólo espectáculo para los turistas (Nah. 3:6). Para los creyentes son monumentos que muestran a un Dios que ejerce su justicia en su tiempo adecuado.

2. La carrera armamentista. Pocas ciudades se protegieron como Nínive (ver detalles sobre su famoso muro en el estudio). Pero, ante el poder de Dios, fue poco más que una higuera cargada de higos (Nah. 3:12). ¿Sirve de algo la carrera armamentista moderna? Quizá entre iguales, pero todo ello es nada frente al Señor de la historia.

3. ¿Están dormidos los pastores? (Nah. 3:18). Los dirigentes, que debían advertir del peligro y ser los centinelas, se habían dormido. ¿Será una advertencia para aquellos dirigentes modernos que debemos velar por el pueblo que está bajo nuestro cuidado?

Ayuda homilética

Cuando Dios decide destruir
Nahúm 3:1-19

Introducción. Ha habido ocasiones en la historia en las que Dios ha decidido la destrucción de alguna persona o una comunidad. A la luz de la destrucción de Nínive aprendemos que Dios destruye a una nación cuando esta se constituye en enemiga de su pueblo. Esa destrucción es inminente y vergonzosa.

I. ¿Por qué Dios decide destruir a Nínive?, 3:1-4.
- A. Porque era una ciudad sanguinaria.
- B. Porque estaba llena de mentira.
- C. Porque persistía en el pillaje.

II. ¿Cómo será la destrucción?, 3:5-7.
- A. Será una destrucción vergonzosa.
- B. Será una exhibición de los vicios y males de su sociedad.
- C. Será una destucción de la que nadie podrá salvarla.
- D. Será un ejemplo para las naciones rebeldes.

III. ¿Quién podrá evitar el castigo?, 3:12-19.
- A. Ni su propia fuerza que fue su orgullo.
- B. Ni sus riquezas, logradas a base de mentiras.
- C. Ni sus líderes que estarán confundidos.
- D. Ni sus pastores porque estarán durmiendo.

IV. ¿Puede pasar lo mismo en la actualidad?
- A. Sí, cuando se practican los mismos vicios que practicó Nínive.
- B. Sí, porque Dios no puede dar por inocente al que se rebela contra su soberanía.
- C. Sí, porque la paga del pecado es muerte.

Conclusión. Dios sigue cuidando de que su plan soberano se lleve a cabo. Cualquier individuo o comunidad que estorbe el avance de ese plan se verá expuesto a la misma suerte de Nínive. Sólo una actitud de arrepentimiento puede evitar el castigo divino.

Lecturas bíblicas para el siguiente estudio

Lunes: Sofonías 1:1-6
Martes: Sofonías 1:7-11
Miércoles: Sofonías1:12-18
Jueves: Sofonías 2:1-3
Viernes: Sofonías 2:4-7
Sábado: Sofonías 2:8-11

AGENDA DE CLASE

Antes de la clase

1. Lea de nuevo todo el libro de Nahúm. Acuérdese que estos tres capítulos forman una sola poesía de la profecía contra Asiria, pero especialmente contra la ciudad de Nínive. **2.** Repase de nuevo lo que se consideró en el estudio anterior y lea los materiales en los libros del maestro y del alumno. **3.** Anote en una hoja de papel o en su cuaderno las manifestaciones de terror de la gente al experimentar el juicio de Dios sobre su pueblo. **4.** Escriba la siguiente parte de 3:7 en una franja de cartulina: "¡Nínive ha sido destruida! ¿Quién se compadecerá de ella?" **5.** Prepare otra franja con las palabras "No hay medicina para tu quebranto; tu llaga es incurable" de 3:19. 6. Ore por cada alumno por nombre.

Comprobación de respuestas

JOVENES: **1.** a. Ciudad sanguinaria. b. Llena de mentira. c. Llena de rapiña. d. Persistente en el pillaje. **2.** Por seducir a las naciones con sus fornicaciones y hechizos. **3.** respuesta personal.

ADULTOS: **1.** Ay, sanguinaria, engaño, pillaje, rapiña. **2.** Nadie va a tenerle compasión. **3.** A la higuera cargada de higos, listos para caer con una sola sacudida. **4.** Han "dormido" y "reposado". Están muertos. **5.** No hay cura.

Ya en la clase

DESPIERTE EL INTERES

1. Dé la bienvenida a cada persona, invitándolas a mencionar cosas por las cuales desea que oren. Tenga una oración a favor de estas peticiones. **2.** Diga que hoy seguimos el estudio de Nahúm y su profecía contra Nínive, la famosa capital de Asiria. Hable de su crueldad contra todos sus enemigos y los pueblos subyugados. Muestre la franja "Ay de la ciudad sanguinaria" (3:1) y hablen brevemente de sus actos tan crueles. **3.** Entonces muestre la franja "No hay medicina para tu quebranto; tu llaga es incurable". Hablen de esta aserción tan precisa para Nínive y mencionen varios puntos específicos que sustentan este diagnóstico.

ESTUDIO PANORAMICO DEL CONTEXTO

Basándose en Nahúm 2:8-13 desarrolle las ideas presentadas por el profeta en cuanto a los cambios tan radicales que van a ocurrir en Nínive ahora que está bajo ataque. Usando los materiales en los libros del maestro y del alumno, aclare los términos usados para describir sus acciones anteriores y actuales. Hablen del miedo de la gente que se describe tan gráficamente en 2:10. Han vivido "bien", sin preocupación por su crueldad, pero ahora van a pagar las consecuencias de su pecado. No hay nadie para socorrerles. Su crueldad ha sido tan grande que todo el mundo ha sido víctima de ella; ahora nadie levantará un dedo para ayudarles ni hará nada para lamentar su situación.

ESTUDIO DEL TEXTO BASICO

Dé tiempo para que completen la sección *Lea su Biblia y responda.* Aclare cualquier duda en cuanto a sus respuestas.

Las causas de la destrucción, Nahúm 3:1-4. Lean en voz alta este pasaje. Explique la diferencia entre los primeros cuatro versículos: 1 y 4 hablan de las causas de la destrucción de Nínive y 2 y 3 hablan de la batalla final para la ciudad. Se puede anotar en la pizarra en primer lugar las causas, y luego la descripción de la batalla. Llame la atención a la manera tan vívida como habla Nahúm.

Explique que los profetas presentaban su mensaje para que se pudiera "ver". Las descripciones eran dadas en palabras simbólicas que dejaban que la persona visualizara el cuadro. Se ve esto claramente en la descripción de la batalla.

Vergüenza del castigo, Nahúm 3:5-7. (Nota para el maestro. Lea con cuidado los comentarios en el libro del maestro y del alumno o en un comentario del libro de Nahúm. Es un pasaje que demanda cuidado de parte del maestro.) Lean juntos estos versículos. Muestre la franja de Nahúm 3:7, y busquen respuestas a la pregunta: ¿Por qué nadie tendría compasión de Nínive y de sus ciudadanos?

El castigo inevitable, Nahúm 3:12-19. Describa la ciudad de Nínive y sus fortificaciones (v. 12). Note la ironía del 3:14. Cualquier provisión para el asedio o cualquier intento de reforzar las fortificaciones será inútil. El resto del pasaje describe el pánico, la incredulidad, la falta de líderes para animar y dirigir al pueblo. Su destrucción es segura. Nadie va a lamentarlo, porque todo el mundo ha experimentado su crueldad. Al contrario ¡van a celebrarlo!

Termine revisando el mensaje de Nahúm, la causa del problema, la destrucción y fin de la ciudad de Nínive.

APLICACIONES DEL ESTUDIO

Lean juntos las aplicaciones y discutan cuáles son más importantes personalmente. Tome tiempo para hablar de otras aplicaciones del libro de Nahúm a nuestra situación actual: la opresión, la crueldad, dejar las enseñanzas del Señor, y otras.

PRUEBA

1. Divida a los asistentes en grupos de tres para contestar uno de los incisos. Entonces pueden compartir con el grupo sus respuestas y todos pueden discutirlas juntos. **2.** Mencione que el próximo estudio va a ser del profeta Sofonías quien era vocero de Dios en los tiempos del rey Josías, pero antes de las reformas hechas por este joven rey.

Inminencia del día de Jehovah

Contexto: Sofonías 1:1 a 2:11
Texto básico: Sofonías 1:1-18; 2:1-3
Versículo clave: Sofonías 1:7
Verdad central: El día de Jehovah, anunciado por Sofonías, significa un tiempo de juicio para las naciones, y de salvación para el remanente fiel de Israel.
Metas de enseñanza-aprendizaje: Que el alumno demuestre su: (1) conocimiento del significado del día de Jehovah, (2) actitud de confianza en que si hace la voluntad de Dios, el día del juicio no será negativo para él/ella.

Estudio panorámico del contexto

A. Fondo histórico:

Sofonías, el personaje. En 1:1 se presenta la genealogía de Sofonías desde cuatro generaciones anteriores. Su tatarabuelo era Ezequías, uno de los reyes de Judá (716 y 687 a. de J.C.). De modo que era de la familia real, de la cual también provenía Josías, el rey en la época del ministerio de Sofonías.

Sofonías quiere decir "Jehovah esconde" o "escondido de Jehovah". Este nombre le fue puesto durante el reinado del malvado Manasés, indicando la fe de sus padres en que habría de ser escondido por Dios.

Es interesante que su padre se llamaba Cusi, que es la palabra normal en el A.T. para referirse a un etíope. ¿Sería un etíope convertido al judaísmo? A la luz de esta posibilidad, es también interesante que la prédica de Sofonías incluye el castigo divino sobre Etiopía (2:12).

Epoca y circunstancias en que se escribió el libro. En 1:1 se ubica la profecía en el reinado de Josías, o sea entre 640 y 609 a. de J.C. En 622 a. de J.C. Josías emprendió una gran reforma religiosa. Hay dos factores que ayudan a ubicar este libro antes de esa reforma, posiblemente alrededor de 626 a. de J.C. (1) Sofonías ataca la idolatría de su pueblo y las prácticas idólatras. (2) El libro indica la presencia de una crisis importante en la época. La única crisis semejante en el período fue la invasión escita (627 a. de J.C.).

Aparentemente, el ministerio de Sofonías fue breve y posiblemente concluyó antes de la reforma de Josías en 622 a. de J.C.

Mensaje. El libro se puede dividir en tres secciones principales: (1) Amenazas y juicio (cap. 1). El día de la ira de Jehovah está cerca y los idólatras deben escuchar este anuncio. (2) El castigo de las naciones vecinas: Filistea,

Moab, Amón, Etiopía y Asiria (cap. 2), seguido por un mensaje a la misma ciudad rebelde, Jerusalén (3:1-8). (3) Esperanza y promesas (3:9-20). Los que se arrepientan tendrán salvación.

Enfasis central. El tema central de Sofonías es "el día de Jehovah", que estaba cercano (1:7). Será un "día de ira", en el cual se manifestarán angustia... aflicción... desolación, devastación... tinieblas... oscuridad... y densa neblina (1:15).

Sofonías anuncia que Jehovah reinará en medio de su pueblo al restaurarles de la cautividad venidera (3:15, 20).

B. Enfasis:

El escritor, 1:1. La palabra profética venía de Jehovah, aunque era entregada por Sofonías, un hombre usado por Dios para un momento especial en la historia de su pueblo.

La infidelidad del pueblo, 1:2-6. El profeta anuncia una destrucción universal que es inminente. Los vv. 2 y 3 usan frases apocalípticas típicas. En los vv. 4 al 6 se detallan algunas de las prácticas idólatras de Judá y Jerusalén que son las que provocan el juicio de Dios. La apostasía generalizada (todos) señala a la época previa a la reforma de Josías. Se condena también la adoración a los astros (v. 5). La adoración astral estaba muy difundida entre los antiguos semitas. Otro culto idólatra condenado es el de Moloc, frecuentemente asociado con sacrificios humanos.

La recompensa de los idólatras, 1:7-18. La venida del día de Jehovah se anuncia solemnemente: ¡el día de Jehovah está cercano! En el sacrificio (v. 7) la víctima es Judá y el castigo llegará por su idolatría.

En los vv. 8 y 9 se detallan grupos de personas que habrán de ser castigadas (ver Estudio del texto básico). Un nuevo detalle de personas y grupos castigados aparece en los vv. 10 y 11: la puerta del Pescado, el Segundo Barrio, las colinas, el mercado de Mactes, todo el pueblo de los mercaderes, los que están cargados de plata.

En los vv. 14-18 se describe la terrible devastación del día de Jehovah. Este día estaba cercano y se acercaba con rapidez. El cuadro es de un día de feroz batalla (¿el ataque por los escitas?). La práctica antigua de hacer un arreglo financiero con los atacantes para evitar la destrucción no será factible esta vez (v. 18). El decreto divino se cumplirá inexorablemente.

La oportunidad de salvación, 2:1-3. El profeta hace un llamado a Judá al arrepentimiento. Si aquella nación que no tiene vergüenza cambia de actitud ante Dios quizás serán protegidos en el día del furor de Jehovah.

Se llama a los mansos de la tierra para que busquen sinceramente al Señor. Si ellos se humillan habrá esperanza (ver Miq. 6:8).

Castigo de las naciones, 2:4-11. Varias naciones son condenadas y se anuncia su juicio. En el texto de este estudio aparecen tres de ellas: Filistea, Moab y Amón:

(1) El juicio contra Filistea (vv. 4-7): las principales ciudades filisteas aparecen mencionadas en el v. 4: Gaza, Ascalón, Asdod, Ecrón. Se indica que

las tierras de los filisteos serán entregadas a Judá (realmente, el remanente de Judá, v. 7).

(2) El juicio contra Moab y Amón (vv. 8-11). Los "hermanos" de Israel, Moab y Amón, también sufrirán el castigo en el día de Jehovah. Ellos habían colaborado con los enemigos del pueblo del Señor y se les promete un castigo paralelo a aquel de Sodoma y Gomorra en la antigüedad. El oráculo es similar al de Amós 1:13—2:3. El resultado final será que los dioses de los pueblos se rendirán ante el único Dios verdadero, Jehovah.

Estudio del texto básico

1 La recompensa de la idolatría, Sofonías 1:1-6.

V. 1. La autoridad final de esta profecía es *Jehovah,* el Dios del pacto. *Palabra* es un término técnico para oráculo o profecía. Para los detalles en cuanto a *Sofonías,* ver bajo *Fondo histórico.* Quizá la razón para la larga genealogía fuera que el padre de Sofonías era un etíope (*Cusi* es la palabra hebrea para "etíope"). Es más probable, sin embargo, que la mención genealógica fuera para relacionar a Sofonías con su digno tatarabuelo, el rey Ezequías.

Vv. 2, 3. La advertencia es que Dios acabará *por completo* con su creación original. Será una destrucción mayor que la del diluvio. Toda la creación sufrirá por culpa del pecado de la humanidad (comparar con Rom. 8:20, 21). Los *impíos* son los que precipitarán el obrar de Dios. Los seres humanos serán eliminados o aniquilados. *Dice Jehovah* es una indicación repetida de que esto no es imaginación del profeta sino un mensaje directo del Señor.

Vv. 4a. Aunque el castigo será para toda la humanidad, se señala en estos versículos especialmente a *Judá y Jerusalén.* Por ser el pueblo de Dios ellos tienen una responsabilidad mayor (comparar el dicho de Jesús que se aplica a todos, Luc. 12:48).

V. 4b. *De este lugar* es sin duda Jerusalén, y quizá más específicamente el templo. *Baal* indica la adoración idólatra al dios de la fertilidad de los cananeos, Hadad, o al dios asirio Bel. *Sacerdotes idólatras:* la reforma de Josías, si fue posterior a la profecía (ver *Fondo histórico*), cumplió este anticipo (ver 2 Rey. 23:5).

Vv. 5, 6. *El ejército de los cielos* indica la práctica idólatra de los asirios que había impregnado la propia adoración de Jehovah en medio de Judá y se había mezclado en sus cultos (ver 2 Rey. 21:3-5; Jer. 8:2; Deut. 4:19). El sincretismo religioso o "doble alianza" es denunciado y condenado. La condenación también alcanzará a los que se apartan de *en pos de Jehovah.*

2 El día de Jehovah, Sofonías 1:7-18.

V. 7. El anuncio solemne (*¡Callad...!*) de la inminencia del *día de Jehovah* ocupará prácticamente el resto de la profecía. La expresión *día de Jehovah* indica la acción de Dios para castigar a sus enemigos y venir en juicio contra su propio pueblo. Sofonías ve un carácter dual en ese día, porque también habrá esperanza (ver 3:9-20).

Vv. 8, 9. Los señalados primero para recibir el castigo son los líderes nacionales; la casa real; los que estaban siguiendo influencias foráneas (*los que llevan vestido extranjero*); los que participaban en perversiones religiosas, como la costumbre filistea de saltar sobre el umbral del templo de Dagón (*los que saltan sobre el umbral de las puertas*); y, finalmente, los que practicaban todo tipo de inmoralidad (*violencia... fraude*).

Vv. 10, 11. Se describe aquí el desarrollo geográfico del juicio de Dios en *el día de Jehovah.* Judá tenía un mejor acceso por el norte y por allí llegarían los ejércitos invasores. La *puerta del Pescado* estaba en el norte de la ciudad. El *Segundo Barrio* estaba al norte del templo y su nombre indica que era un agregado nuevo a la ciudad. Las *colinas,* aunque parece una indicación algo vaga, también señalan al norte de la ciudad. No se conoce la ubicación del *mercado de Mactes.* El *pueblo de los mercaderes* es literalmente el pueblo de Canaán, bien conocido como los comerciantes del mundo antiguo.

V. 12. *Yo escudriñaré a Jerusalén con lámpara* indica que nadie escapará ante la búsqueda que el Señor hará para el castigo. Lo que se castiga es la complacencia ante el pecado, comparada al proceso de fermentación del vino. Al quedarse *inmóviles sobre la hez del vino* harían que éste se coagulara y se convirtiera en imbebible. La apatía religiosa (negar la actividad de Dios) es así fuertemente condenada.

V. 13. Se cumplirán las maldiciones por la desobediencia detalladas en Deuteronomio 28:30-42 (ver Amós 5:11; Miq. 6:13-15).

Vv. 14-16. Esta es una descripción clásica del *gran día de Jehovah.* Ese día, advierte el profeta, es inminente (*cercano... se apresura con rapidez*). Es un *día de ira* de parte de Jehovah y su impacto sobre la humanidad se muestra en cinco pares de sinónimos (vv. 15, 16). Los horrores de ese día serán acompañados por el *toque de corneta y de griterío:* el Dios todopoderoso confronta a su creación en juicio.

Vv. 17, 18. El pecado hace que anden *como ciegos:* aunque tenían la luz del pacto con su Dios, se habían apartado de la luz. Su castigo convertirá su *sangre* en algo sin valor, *como polvo. Ni su plata ni su oro...* puede indicar que sus riquezas no podrían librarles del castigo. Pero posiblemente se refiera a sus ídolos, cubiertos de oro o plata, que serán impotentes ante el día de Jehovah.

3 El camino de la salvación, Sofonías 2:1-3.

Vv. 1, 2. En medio del anuncio del castigo inminente aparece la posibilidad de la gracia. Judá es llamada *nación* (hebreo *goy*), término comúnmente reservado para las naciones paganas. El pueblo de Dios se había igualado a los paganos en su idolatría. *Antes* del día de Jehovah debían reunirse, en espera de lo que Dios estaba a punto de hacer.

V. 3. Anuncio de un medio de escape para el remanente. *Los mansos de la tierra* son los humildes (3:12; ver Mat. 5:3), los obedientes, los que quieren cumplir con las demandas del pacto. Para alcanzar misericordia deben buscar primeramente a *Jehovah,* deben buscar *justicia* (vida recta dirigida por Dios) y un estilo de vida de *mansedumbre.*

Aplicaciones del estudio

1. La adoración a los astros. Sofonías pronuncia una denuncia fuerte condenando a los que se postran ante el ejército de los cielos (Sof. 1:5). Hoy en día hay una fascinación especial hacia los astros y su influencia sobre los asuntos humanos. Para la Biblia es pura idolatría y se condena este culto.

2. ¿Qué decir de la superstición? En Judá se habían infiltrado supersticiones paganas (Sof. 1:9). Hay cristianos que duermen con la Biblia debajo de la almohada, se persignan, dicen alguna frase clave, etc., creyendo que eso les ayudará a superar circunstancias difíciles. Son supersticiones que no ayudan a nuestro desarrollo espiritual.

Ayuda homilética

Actitudes ante la inminencia del día del Señor
Sofonías 1:12 a 2:3

Introducción: El cuadro del día del Señor que presenta Sofonías es muy dramático. Lo llama "día de ira, angustia y de aflicción, día de desolación y de devastación, día de tinieblas y de oscuridad, día de nublado y de densa neblina, día de toque de corneta y de griterío" (ver Sof. 1:15, 16). ¿Cómo reaccionan los seres humanos ante ese anuncio?

I. Algunos son indiferentes y recibirán su castigo.
- A. El indiferente es pasivo espiritualmente (1:12a).
- B. El indiferente desconoce la obra de Dios en la historia (1:12b).
- C. El indiferente será condenado al infierno (1:13).

II. Otros quieren librarse por medios humanos y son condenados.
- A. No se puede negociar la salvación (1:18a).
- B. Los medios humanos son rechazados como camino de salvación.
- C. Quienes confían en sí mismos serán condenados (1:18b).

III. Otros más buscan a Dios y reciben la salvación.
- A. Hay tiempo todavía para buscar a Dios (2:2).
- B. La actitud de fe necesaria para buscar a Dios (2:3a).
- C. La búsqueda de Dios incluye practicar la justicia (2:3b).

Conclusión: La indiferencia y pasividad son fatales para la vida espiritual; los medios humanos tampoco son eficaces. La única posibilidad para enfrentar el día del Señor es buscar la paz con Dios por medio de nuestro Señor Jesucristo.

Lecturas bíblicas para el siguiente estudio

Lunes: Sofonías 2:12-15
Martes: Sofonías 3:1-5
Miércoles: Sofonías 3:6-8
Jueves: Sofonías 3:9-13
Viernes: Sofonías 3:14-17
Sábado: Sofonías 3:18-20

AGENDA DE CLASE

Antes de la clase

1. Lea todo el libro de Sofonías y el estudio correspondiente en los libros del maestro y del alumno. **2.** Busque un mapa de Judá en los tiempos del rey Josías (640-609 a. de J.C.) que incluya los pueblos de Filistea, Moab y Amón. 3. Busque información sobre "el día de Jehovah" en su diccionario bíblico, comentario o Biblia de estudio. **4.** En un cartelón escriba los cinco pares de sinónimos para describir el día del Señor. **5.** Ore por los alumnos por nombre.

Comprobación de respuestas

JOVENES: **1.** a. Yo acabaré. b. Haré tropezar. c. Extenderé mi mano. **2.** Dios no dejará pasar absolutamente nada; todas las cosas saldrán a a la luz. **3.** Que se arrepientan y busquen al Señor, la justicia y la mansedumbre.

ADULTOS: **1.** A los que se apartan de él, y no le buscan. **2.** Presencia, Señor Jehovah, día, Jehovah, cercano. **3.** Jehovah no hará ni bien ni mal. **4.** Día de angustia y de aflicción, de desolación y de devastación, de tinieblas y de oscuridad, de nublado y de densa neblina, de toque de corneta y de griterío. **5.** Agrupaos y congregaos. Buscad a Jehovah, buscad justicia, mansedumbre.

Ya en la clase

DESPIERTE EL INTERES

1. Dé la bienvenida a todos y dígales que hoy empezamos el estudio de otro profeta, Sofonías. Ponga una marca (✔) donde dice Sofonías en la lista de los profetas menores, indicando que es el cuarto profeta de nuestro estudio. **2.** Sofonías profetizó durante el reino de Josías, pero antes de que este rey hiciera las grandes reformas religiosas. Sofonías transmitió el mensaje de Dios contra la idolatría y el sincretismo practicado por su pueblo. Veamos su mensaje.

ESTUDIO PANORAMICO DEL CONTEXTO

1. En los primeros tres capítulos de Sofonías encontramos los énfasis especiales del profeta: a) El día de Jehovah viene pronto a causa de la idolatría y sincretismo en las prácticas religiosas del pueblo de Dios. b) Se extiende el castigo a las naciones vecinas, seguido por un mensaje a Jerusalén para que buscara a Jehovah humildemente, quizás así podría obtener la salvación. c) Esperanza y consuelo para los que esperan en Jehovah. **2.** Hablen del "el día de Jehovah" notando que los judíos pensaban que sería un día de bendición para ellos y de castigo para sus enemigos. Pero Dios iba a juzgarles a ellos también por su falta de lealtad, por su idolatría, por mezclar la verdadera religión con prácticas paganas.

ESTUDIO DEL TEXTO BASICO

Pida a los alumnos que contesten la sección *Lea su Biblia y responda.* Compruebe sus respuestas.

La recompensa de la idolatría, Sofonías 1:1-6. Lean el pasaje juntos. Destaque que después de señalar la identidad del profeta, Dios anuncia que va a destruir todas las cosas de sobre la faz de la tierra. Parece increíble que Dios tome una posición así, pero en los vv. 4-6 tenemos las razones por su decisión. Pida que los alumnos mencionen las razones (han seguido el culto a Baal, los sacerdotes han sido idólatras, han adorado las estrellas, algunos oran a Jehovah y a Moloc [sincretismo], y otros no buscan ni consultan a Dios). Reflexionen sobre esta situación tan triste y tan evidente de la caída espiritual del pueblo. Por estas razones, todos van a ser juzgados y eliminados.

El día de Jehovah, Sofonías 1:7-18. Lea cuidadosamente esta sección que da detalles del "día de Jehovah". Los líderes no han sido responsables. Serán los primeros en recibir el castigo. Habían mezclado en su vida religiosa costumbres extranjeras y dioses paganos; además, habían hecho toda clase de fraude y violencia. Por eso nadie escapará.

Llame la atención al v. 12 que demuestra cómo pensaban que Dios era incapaz de hacer algo, "ni bien... ni mal". Ya no creen en él, sin embargo, de él vendrá su destrucción total.

Muestre el cartelón de los sinónimos de "el día de Jehovah". Hablen de estos cinco pares de sinónimos tan descriptivos de este día. El castigo vendrá como resultado del pecado del pueblo.

El camino de la salvación, Sofonías 2:1-3. Pida a una persona que lea este pasaje. Hablen de la invitación de Dios a su pueblo a arrepentirse antes de sufrir el castigo de Dios. Se repite la palabra "buscad" tres veces en v. 3. Debían buscar a Dios y su perdón. De esta manera podrían ser protegidos en el día de pavor.

APLICACIONES DEL ESTUDIO

Lean todos juntos las aplicaciones y hablen de cómo pueden incorporarlas a sus vidas. Hablen del juicio de Dios por el pecado cometido y cómo se puede evitar esta situación tan triste. Pida a cada alumno que escoja una de las aplicaciones que puede incorporar a su vida esta semana.

PRUEBA

Divida al grupo en dos para que cada grupo conteste uno de los incisos. Al terminar pueden compartir sus respuestas con el grupo entero para reforzar el aprendizaje.

Anuncie a los alumnos que continuaremos el estudio de Sofonías en la próxima reunión.

Salvación del remanente

Contexto: Sofonías 2:12 a 3:20
Texto básico: Sofonías 3:1-20
Versículo clave: Sofonías 3:13
Verdad central: Sofonías vaticinó juicios contra Jerusalén y al mismo tiempo anunció promesas de restauración para el remanente fiel. Esto ratifica lo que dice el Nuevo Testamento en cuanto a la salvación: El que cree en el Hijo tiene vida eterna, el que no cree no verá la vida.
Metas de enseñanza-aprendizaje: Que el alumno demuestre su: (1) conocimiento de los juicios y promesas que se mencionan en el estudio de hoy, (2) actitud de confianza en la promesa de Dios de restauración cuando hay arrepentimiento.

Estudio panorámico del contexto

A. Fondo histórico:

Etiopía. El oráculo contra Etiopía (2:12) ha sido interpretado por algunos como algo dicho directamente contra aquel imperio de Africa, y por otros como una referencia a Egipto, gobernado por los etíopes durante el tiempo de esta profecía. Si Egipto y Etiopía han de ser igualados en esa época, la condenación profética tendría que ver con la conquista egipcia de Judá y la deportación de Joacaz (609 a. de J.C.). Si esa es la interpretación, el castigo se cumplió en la derrota de los egipcios en Carquemis (605 a. de J.C.).

Condición moral del liderazgo de Jerusalén. Sofonías reconoció que había indiferencia religiosa y sincretismo en el liderazgo judío de la época. Había una inclinación marcada hacia el materialismo y una falta de interés en la justicia (ver 1:3-13; 3:3-5). En su prédica se refleja la corrupción moral de todos los niveles de la dirigencia (magistrados, jueces, profetas, sacerdotes; ver 3:3, 4). Si había de cambiar la situación moral de Judá debía haber primero un cambio en sus líderes.

El concepto del remanente. Así como Isaías, que había anunciado que sería preservado un remanente de la nación (ver Isa. 1:23-26; 7; 10:20-23), Sofonías alentó también esa esperanza. El remanente de Israel (3:13) mantendría viva la esperanza en el pueblo del pacto.

B. Enfasis:

Castigo a las naciones vecinas, 2:12-15. Se mencionan dos naciones como estando bajo el juicio de Dios:

(1) Etiopía, 2:12. Como creen muchos intérpretes, aquí encontramos una referencia a Egipto, gobernada por los etíopes en el tiempo de Sofonías (ver *Fondo histórico*).

(2) Asiria, 2:13-15. La condenación de Asiria y su capital, Nínive, sigue en turno, en el norte. Como indicación de su completa desolación se indica que los animales del campo habitarán el lugar donde antes había estado la población humana. En forma contrastante se señala a la alegría anterior de Nínive y su futuro de destrucción (v. 15). La nación orgullosa caerá bajo el juicio divino (ver Prov. 16:18).

Contra los dirigentes de Jerusalén, 3:1-8. El profeta vuelve ahora a su principal interés, la ciudad de Jerusalén, llamándola ciudad rebelde. Jerusalén no había escuchado la voz de Dios, no había recibido su corrección, no confiaba en su Dios (vv. 1, 2). Por lo tanto, su juicio era inevitable.

Hay cuatro niveles de dirigentes que son mencionados y de cada uno se menciona que se ha corrompido: (1) Magistrados (v. 3a), semejantes a leones rugientes esperando su presa (ver Eze. 22:27). (2) Jueces (v. 3b), que deberían proteger a los desposeídos, se han corrompido como si fueran lobos vespertinos que devoran sus presas sin dejar nada para la mañana. (3) Profetas (v. 4a; ver Eze. 22:25, 28), ellos, que deberían inspirar la confianza en Jehovah, son insolentes y traicioneros. (4) Sacerdotes (v. 4b; ver Eze. 22:26), aunque separados para la celebración adecuada del culto, habían contaminado el santuario y no cumplían la ley.

El liderazgo, pues, era perverso (v. 5), y el castigo de la ciudad inminente.

La destrucción de las naciones (vv. 6-8) posiblemente tenga como trasfondo histórico la caída de Nínive (612 a. de J.C.) o la batalla de Carquemis (605 a. de J.C.). Jerusalén observaba todo lo que ocurría a su alrededor y debía comprender que su propia destrucción se acercaba.

Reconocimiento universal de Jehovah, 3:9-13. En los vv. 9 y 10 se anticipa un tiempo en que se unificarán los idiomas y todos servirán a Jehovah de común acuerdo, una situación exactamente opuesta a la de la torre en Babel (Gén. 11). El pueblo de Dios vendrá de todos los rincones de la tierra (v. 10). El día de Jehovah producirá este reconocimiento universal.

El concepto del remanente fiel de Judá se enfatiza en los vv. 11-13. El remanente fiel no sufrirá por los pecados anteriores del pueblo pues Dios quitará su responsabilidad: “no serás avergonzada por ninguno de tus actos en que te rebelaste contra mí...”

Reinado de Jehovah desde Jerusalén, 3:14-20. Judá tiene razón para alegrarse (vv. 14, 15) pues Jehovah era nuevamente su rey. Dios levantará el juicio purificador ejercido contra Judá y habrá entonces razón para el júbilo.

En aquel día (v. 16) indica el tiempo cuando se restablecerá el gobierno de Jehovah sobre su pueblo, y se anuncia la gran verdad: Jehovah tu Dios está en medio de ti. El pacto será renovado con ellos, el pacto de amor (v. 17).

El día de Jehovah traerá a los enemigos de Israel bajo el juicio divino, y los débiles serán restaurados (v. 19). Los expatriados serán restaurados a su antiguo lugar (v. 20).

1 Un liderazgo decadente, Sofonías 3:1-8.

V. 1. Jerusalén debía ser un modelo de santidad y fidelidad en medio de un mundo pagano. Por el contrario, estaba actuando peor que sus vecinas paganas. Era una *ciudad rebelde* contra el pacto divino, *opresora* de otros y *manchada* en lugar de ser una ciudad santa (ver Isa. 59:3; Lam. 4:14). Irónicamente, la nación que había sido escogida por Dios para ser de bendición a todas las naciones de la tierra, se había dejado arrastrar por la influencia negativa de los pueblos paganos. Pero lo peor del caso es que llegó un momento cuando superaron la maldad de sus vecinos.

V. 2: La rebelión de Jerusalén es directamente contra Jehovah. *No escucha la voz* señala al rechazo a la proclamación del profeta. *Ni recibe la corrección:* cuando Dios les quiso disciplinar y corregir por medio de sus hechos poderosos, ellos no aprendieron la lección. Un repaso a la historia del pueblo de Dios nos muestra con claridad cuántas veces él quiso atraer a sus hijos con lazos de amor, con hechos poderosos, por medio de catástrofes, a través de la intervención de naciones paganas como Asiria, Egipto y Babilonia. Sin embargo, una y otra vez se repite el mismo ciclo: Dios bendice al pueblo; el pueblo se olvida de Dios; Dios castiga la rebeldía del pueblo; el pueblo clama desde la esclavitud; Dios escucha a su pueblo y lo salva; el pueblo vuelve a Dios por un tiempo, y luego vuelve a repetir el ciclo.

Vv. 3, 4. Los líderes, tanto civiles como religiosos, son señalados aquí por la gran responsabilidad que tenían en la contaminación de Judá. Los líderes civiles son comparados con las aves de rapiña; los líderes religiosos habían pervertido completamente su llamado. Los profetas hablaban por sí mismos en lugar de hablar en el nombre de Dios; los sacerdotes tergiversaban la ley y contaminaban el templo en lugar de guardar su santidad. Ver más detalles de estos versículos en la sección *Enfasis.*

V. 5. Aquí se presenta un contraste entre Jehovah, quien es *justo,* y los líderes de Jerusalén, quienes son perversos. Mientras Dios muestra *cada mañana... su juicio,* aquellos dirigentes civiles y religiosos no conocen la vergüenza, es decir, no reconocen siquiera que están obrando mal.

Vv. 6, 7. El ejemplo de otras naciones que habían sido destruidas por Dios debía servir como un ejemplo para Jerusalén, pero ellos no querían oír la advertencia del Señor. Dios había probado ser lento para la ira y grande en misericordia para con su pueblo, advirtiéndoles una y otra vez del castigo que llegaría sobre ellos. Sin embargo, la corrupción de ellos seguía en aumento.

V. 8. La expresión: *¡Por tanto...!* quiere decir "a la luz de todo lo malo que han hecho las naciones paganas y Jerusalén misma". Dios actuará como *testigo* en contra de ellos (comparar Jer. 29:23; Miq. 1:2). Hay tres papeles que Dios desempeña en el juicio: es el testigo que presenta la evidencia decisiva contra la humanidad; es el juez que determina el caso contra ellos; y es el ejecutor de la sentencia: *Porque toda la tierra será consumida por el fuego de mi celo.*

2 Un remanente fiel, Sofonías 3:9-13.

Vv. 9, 10. Promesa de que Dios restaurará a los caídos. Los labios serán purificados con un *lenguaje puro* (ver Isa. 6:5-7) para la verdadera adoración al Señor. Será algo universal (*todos invoquen...*) y que expresará la unidad de los adoradores (*de común acuerdo*). La restauración del lenguaje común perdido en Babel conducirá a la adoración de toda la creación a su Creador. De todas partes, aun de los lugares más distantes, *traerán ofrenda* como un acto de adoración al Señor (ver Sal. 72:10).

Vv. 11-13. En estos versículos Dios ofrece esperanza. La intervención directa de Dios quitará la vergüenza y el castigo que él mismo había enviado en su momento. La altivez y la soberbia serán quitadas de la ciudad. En lugar de los castigados quedarán en la ciudad los humildes: *Un pueblo humilde,* que es el remanente anticipado en 2:7. El remanente fiel está formado por aquellos que se refugian en el Señor. La descripción de las características del remanente en el v. 13 es exactamente lo contrario de los dirigentes condenados en los vv. 3-5: *No hará iniquidad ni dirá mentira, ni habrá lengua engañosa en boca de ellos.*

3 Un Rey poderoso, Sofonías 3:14-20.

Vv. 14-17. El profeta ve por anticipado el cumplimiento de los propósitos de Dios para su pueblo y entonces hace un llamado al pueblo a regocijarse. Este pasaje es similar a otros poemas que expresan el regocijo por la liberación (ver Sal. 78; Isa. 12:1-6; 52:7-10). No sabemos si es original de Sofonías o si él lo adaptó de algo ya existente. El motivo de la alabanza es que Dios *ha quitado* el juicio contra el pueblo. *El enemigo* se ha apartado. El día (*aquel día*) de Jehovah tiene aquí la expresión positiva: Ya no hay temor. La presencia confortadora del Señor en medio de ellos es lo que ha hecho la diferencia. La esperanza es que ese Dios poderoso *salvará* a los suyos.

Vv. 18-20. El v. 18 aparentemente indica que las festividades religiosas habían sido para ellos una carga en el pasado, pero que ahora serán una experiencia gozosa. Se promete también que la opresión será quitada de ellos. Los incapacitados físicos o los socialmente despreciados serán salvados y juntados en la ciudad santa. Todo esto será hecho por el Señor; este énfasis se da por medio de ocho verbos en primera persona.

La restauración que Dios promete será motivo de renombre para Judá entre las naciones (v. 20). *Ha dicho Jehovah,* la frase con que termina la profecía, indica la seguridad del cumplimiento de estos anuncios del profeta Sofonías.

Aplicaciones del estudio

1. La corrupción en la sociedad. Muchos de nuestros gobiernos han recibido y reciben denuncias por corrupción en todos sus niveles. Como en la época de Sofonías (3:2-4) hay corrupción en magistrados, jueces, dirigentes políticos, gremiales y hasta religiosos. Como Sofonías, no nos queda otra actitud que confiar únicamente en el juicio de Dios (Sof. 3:5).

2. ¡No se acompleje por ser parte del remanente! A pesar del crecimiento notable de los evangélicos en los umbrales del siglo XXI, seguimos siendo una minoría. Lo que hace grande al remanente del Señor no es su número, sino su calidad moral: "No hará iniquidad ni dirá mentira, ni habrá lengua engañosa en boca de ellos." Usted es importante como sal y luz del mundo.

3. Alabe con alegría. La alabanza al Señor es sinónimo de júbilo, gozo y regocijo, alegría (Sof. 3:14, 17). Viva alabándole en su casa, en su trabajo, en su tiempo libre. Alábelo con gozo cuando se reúne con los hermanos en los cultos de la iglesia. Celebre la presencia del Señor en su vida.

Ayuda homilética

Un lenguaje puro
Sofonías 3:9-20

Introducción: En Filipenses 2:11 se anticipa que toda lengua ha de confesar el señorío de Cristo. Ese hermoso cuadro del N.T. coincide con la profecía de Sofonías de un lenguaje puro para todos los pueblos. Queremos ver algunas manifestaciones prácticas de ese lenguaje puro.

I. Un lenguaje puro para invocar el nombre del Señor (3:9, 10).
- A. Un lenguaje universal de obediencia a Dios.
- B. Un lenguaje puro para servir al Señor.
- C. Un lenguaje puro en todos los rincones de la tierra.

II. Un lenguaje puro para vivir en la santidad del Señor (3:11-13).
- A. Un lenguaje purificado para el encuentro con Dios.
- B. Un lenguaje que comunica una experiencia con Dios.
- C. Un lenguaje que expresa un compromiso con la verdad.

III. Un lenguaje puro para la alabanza al Señor (3:14-20).
- A. Un lenguaje que se expresa en canto al Señor.
- B. Un lenguaje que manifiesta la alegría de la salvación.
- C. Un lenguaje que reconoce al Señor como Rey.

Conclusión: Nuestros labios deben manifestar la vida regenerada y transformada por el Señor. Nuestras palabras deben ser un vehículo por medio del cual damos a conocer el mensaje de salvación, además de bendecir y ser de edificación para los que nos rodean.

Lecturas bíblicas para el siguiente estudio

Lunes: Hageo 1:1-6
Martes: Hageo 1:7-11
Miércoles: Hageo 1:12-15
Jueves: Hageo 2:1-9
Viernes: Hageo 2:10-19
Sábado: Hageo 2:20-23

AGENDA DE CLASE

Antes de la clase

1. Lea todo el libro de Sofonías y los materiales en los libros del maestro y el alumno. **2.** En un cartelón grande escriba "El remanente de Israel". En la clase apuntarán las características mencionadas en el versículo 13. **3.** En otro cartelón escriba "Tres elementos de la sociedad en Jerusalén". **4.** Ore por sus alumnos por nombre. Si hay personas en el estudio que no son creyentes, este estudio les dará la oportunidad para invitarles a ser seguidores de Cristo.

Comprobación de respuestas

JOVENES: **1.** rebelde... manchada... opresora... voz... corrección... Jehovah... Dios. **2.** a. Jehovah ha quitado el juicio contra ti. b. Ha echado fuera a tu enemigo. c. Nunca más temerás el mal. d. Jehovah tu Dios está en medio de ti. e. Te renovará en su amor.

ADULTOS: **1.** No escucha la voz, ni recibe la corrección. No confía en Jehovah, ni se acerca a Dios. **2.** Como leones rugientes, lobos vespertinos, insolentes, traicioneros, han contaminado el santuario, y hacen violencia a la ley. **3.** Que le temieran, y recibieran corrección. **4.** Pueblo humilde y pobre, se refugiará en Dios. No harán iniquidad, y serán apacentados. **5.** La salvación de Dios, habrá alegría.

Ya en la clase

DESPIERTE EL INTERES

1. Dé la bienvenida y dígales que hoy continuaremos el estudio de la profecía de Sofonías. **2.** Pregunte qué aprendieron de este profeta en el estudio anterior. Enfatice que Dios juzgará a las naciones por su pecado, incluyendo a su pueblo. Sin embargo, el profeta busca el arrepentimiento de todos ellos. ¿Será posible que se salven?

ESTUDIO PANORAMICO DEL CONTEXTO

1. Diga que el profeta anunció que el "Día de Jehovah" traerá destrucción sobre toda la faz de la tierra: Filistea (2:4-7), Moab y Amón (2:8-11), Etiopía (2:12), Asiria (2:13-15). Estas naciones que fueron enemigas del pueblo de Dios serán juzgadas por él. Puede mencionar las cosas por las cuales serán juzgadas según estos versículos. **2.** Hablen de la destrucción de Nínive, la ciudad orgullosa (2:13-15), su actitud de autosuficiencia. ¿Cómo será esta ciudad después del castigo merecido?

ESTUDIO DEL TEXTO BASICO

Dé tiempo para que contesten la sección: *Lea su Biblia y responda.* Compruebe las respuestas y aclaren las dudas o preguntas que haya.

Un liderazgo decadente, Sofonías 3:1-8. Muestre el cartelón "Tres elementos de la sociedad" y lean el pasaje. Diga que el primer elemento es "la ciudad rebelde", incluyendo los líderes (magistrados, jueces, profetas, sacerdotes). Pregunte qué significa el "Ay". ¿Cuál había sido el plan de Dios para Jerusalén? ¿Cómo ha quedado la ciudad? ¿Quiénes son especialmente responsables? ¿Por qué? Resalte la comparación entre Dios y estos líderes en el v. 5. A pesar de ver el juicio de Dios sobre las naciones, el pueblo de Dios no aprende nada. Cite el pensamiento de Dios en 7a. ¿Cuál es la decisión de Dios? La ira de Dios es encendida por el pecado.

Un remanente fiel, Sofonías 3:9-13. Pida a uno de los alumnos que lea este pasaje. "El día del Señor" traerá no solamente castigo a los pecadores sino salvación al remanente que le ha sido fiel. Aunque el pueblo ha sido esparcido, Dios les traerá de nuevo y les dará un nuevo lenguaje con el cual podrán alabarle. Usando el cartelón pregunte ¿cuál es el segundo elemento de la sociedad?

Muestre el cartelón "El remanente de Israel" y escriba en él las características del pueblo de Dios que se encuentra en estos versículos, especialmente el v. 13.

Un Rey poderoso, Sofonías 3:14-20. Pida a dos de los alumnos que lean la canción que se halla en los versículos 14-17, y 18-20. Pregunte las razones porque las personas pueden tener tanta alegría. ¿Cuáles son las acciones de Dios que se ven aquí? Dios les dice "no temas" porque él estará en medio de ellos. La canción termina (vv. 18-20) con una afirmación de Dios, de sus acciones. Noten los ocho verbos en primera persona. Cada verbo expresa algo que va a hacer a favor de su pueblo.

APLICACIONES DEL ESTUDIO

Lean en voz alta las aplicaciones y discutan lo que pueden aprender de ellas para sus propias vidas. Discutan por unos momentos la siguiente pregunta: ¿qué podemos hacer en nuestra iglesia para formar un remanente de personas fieles y consagradas al Señor?

PRUEBA

Divida al grupo en dos y pida que cada grupo desarrolle la respuesta a uno de los incisos. Después puede compartir sus respuestas.

Unidad 7

El mensajero de la reedificación

Contexto: Hageo 1:1 a 2:23
Texto básico: Hageo 1:7 a 2:9
Versículos clave: Hageo 1:7, 8
Verdad central: Los miembros del pueblo de Dios descuidaron la obra de reedificación del templo, dándole más atención a sus viviendas, lo cual trajo consecuencias negativas en lo económico y lo espiritual.
Metas de enseñanza-aprendizaje: Que el alumno demuestre su: (1) conocimiento de la exhortación de Hageo al pueblo de Dios para que siguieran adelante con la reconstrucción del templo, (2) actitud de solicitud para participar en cuidar el edificio donde se reúne su iglesia.

Estudio panorámico del contexto

A. Fondo histórico:

Hageo, el personaje. Hageo junto con Zacarías y Malaquías constituyen los tres profetas postexílicos entre los llamados "doce profetas menores". Fue contemporáneo de Zacarías (comp. Hag. 1:1 con Zac. 1:1) y antecedió a Malaquías por unos cien años. El nombre Hageo se deriva de la palabra hebrea que significa "festival" y es traducido por algunos como "mis fiestas". Puede significar que el profeta nació en un día festivo, o puede anticipar el regocijo del festival que ha de acompañar la dedicación de un templo reconstruido. Hageo es mencionado en el libro de Esdras (5:1; 6:14), pero ni el libro de Esdras ni el de Hageo nos dan detalles biográficos. Recibió el llamamiento de ser un *nabi* (profeta; 1:1) y procuró comunicar a los líderes y al pueblo los mensajes que recibió del Señor. Fue un hombre fiel a su misión.

Fecha y circunstancias cuando se escribió el libro. El período del exilio babilónico forma la circunstancia general detrás del libro de Hageo. Sin entender la importancia que el templo en Jerusalén llegó a tener para la fe de Israel, es difícil entender la importancia de su reedificación. La destrucción del templo en 586 a. de J.C. era poco menos que el golpe de muerte para la religión tradicional. Pasajes como 1 Reyes 8:12; Ezequiel 43:7; Isaías 1:12 y Salmo 132:14 señalan la estima que Israel tenía por el santuario. Los años del exilio habían traído sus muchas lecciones. El pueblo fue completamente curado de la idolatría; el monoteísmo había sido establecido. Un aumentado respeto hacia la ley de Moisés había ocurrido (que posteriormente produjo un apego a la letra de la ley evidente en el judaísmo del N.T.). Y las esperanzas de la venida del Mesías fueron avivadas por estas experiencias y sufrimientos.

Con ese trasfondo general ocurre la restauración. Bajo el liderazgo de Zorobabel, Esdras y Nehemías, y con el permiso de los reyes persas, contingentes de judíos habían regresado a Jerusalén para restablecer su vida nacional y religiosa.

Mensaje. El propósito de Hageo es claro y sencillo: Llamar al pueblo a animarse y trabajar en la casa de Dios. El ve que el santuario yacía en ruinas, mientras el pueblo reedificaba sus propias casas, sin prestar atención al templo. Con mensajes breves (aunque lo que tenemos en el libro puede ser extractos de mensajes más largos) el profeta comunica a líderes y al pueblo la palabra que ha recibido de Jehovah Dios. Su estilo, con algo de prosa y retoques de poesía que se propone despertar la atención del pueblo y para sacudirlo de su apatía.

B. Enfasis:

Contraste entre la casa de Dios y las de los hombres, 1:1-6. El pueblo había perdido su entusiasmo por la casa de Jehovah, dando prioridad a las cosas particulares. Este pretexto, que "no es tiempo aún", todavía se oye.

El profeta llama la atención a que mientras el santuario (que tanta importancia tenía para la nación y su futuro) está en ruinas, las casas particulares han sido hermoseadas. El profeta pide que se empiece a reedificar el santuario.

Llamamiento a seguir adelante con la reedificación, 1:7-11. El reto del profeta al pueblo fue directo y práctico. El pueblo había de comenzar a reunir los materiales necesarios para la reconstrucción, primeramente trayendo madera de los bosques (en el Líbano o en las montañas más cercanas) que seguramente habían crecido mucho durante el largo período del exilio. La obediencia al llamamiento traerá honra a Dios y bendición al hombre. Pero la desobediencia, o el descuido, sería causa de consecuencias negativas tanto en lo económico como en lo espiritual.

Dirigentes y pueblo emprenden la obra, 1:12-15. Los líderes principales nuevamente son identificados como Zorobabel (llamado "gobernador de Judá" en el v. 1) y Josué "el sumo sacerdote" (vv. 1 y 12), un personaje llamado Jesúa en Esdras 2:2. (Es interesante que la RVA no normalizó el uso de este nombre como hizo en varios casos; comp. Uzías/Azarías; 2 Rey. 15:13; Isa. 6:1; 2 Crón. 26:1.) Los líderes con el pueblo obedecen el mensaje que Dios manda por medio del profeta Hageo. Empiezan de nuevo la edificación.

Un hermoso templo, 2:1-9. Una fecha exacta abre esta segunda profecía, que viene un mes y veintiún días después de la primera. Hageo hace que el pueblo note que la gloria del templo reconstruido no es nada en comparación con la gloria del templo antes del destierro. Sin embargo, el profeta les anima a poner manos a la obra, asegurándoles que Dios mismo vendrá nuevamente a su templo.

Hay dimensiones misioneras en lo que representa el templo que será de bendición para "todas las naciones". Ante estas posibilidades, el nuevo templo será hasta superior al primero, y con su terminación vendrá paz a la tierra. No hay duda que hay alusiones mesiánicas en la profecía.

Llamado a actuar con manos santas, 2:10-19. El profeta ahora da una tercera profecía, unos dos meses y tres días después de la segunda. Con un argumento basado en la ley ceremonial, el profeta pregunta si un sacerdote lleva carne sagrada en la falda de su ropa, ¿será santa alguna comida que toca el vestido? La respuesta sería que no. Luego pregunta si alguno que está inmundo por haber tocado cuerpo muerto toca comida, ¿será inmunda la comida? Y la respuesta sería que sí. Hageo pasa a aplicar el segundo principio: Siendo el pueblo inmundo, toda obra de sus manos es también inmunda (v. 14). Luego aplica el primer principio: La ofrenda que ponían sobre el altar, que ellos pensaban que los santificaba, no resultó así, sino que la ofrenda y el pueblo quedaban inmundos. La inmundicia espiritual del pueblo tiene consecuencias económicas: Las cosechas son mucho menos que lo esperado. Implícito está el llamado al arrepentimiento y a actuar en todo con manos santas.

Expectativa centrada en Zorobabel, 2:20-23. Aquí hay una cuarta profecía que vino en el mismo día que la anterior. El énfasis está en las victorias de Zorobabel y en la permanencia de su linaje. Lo que resulta es una predicción de la perpetuidad del reino bajo el Rey mesiánico.

Estudio del texto básico

1 Exhortación a reedificar, Hageo 1:7-11.

V. 7. *Reflexionad acerca de vuestros caminos.* El verbo que Hageo usa cuatro veces en sus dos capítulos literalmente quiere decir: "Poned sobre vuestro corazón." Otra traducción podría ser: "Pensad bien sobre vuestros caminos." Insta al pueblo a considerar tanto lo que había hecho como lo que había soportado; que considere seriamente si había ganado algo, buscando su propio bienestar y sacrificando lo de Dios. En vez de engañar a Dios se habían engañado a sí mismos.

V. 8. *Madera.* Mencionada específicamente por ser tal vez lo primero que se necesitaba; no para excluir otros materiales que sin duda también se necesitarían.

Vv. 9, 10. Implícita está no sólo la falta de prioridades correctas sino hasta una codicia de querer mucho de lo propio descuidando lo del templo.

V. 11. *Llamé la sequía* señala que la desobediencia del pueblo ocasiona consecuencias económicas.

2 Manos a la obra, Hageo 1:12-15.

V. 12. Dos líderes específicos más *el remanente del pueblo.* Con lo que llega a ser un término técnico del período postexílico (comp. Isa. 10:21, 22; Zac. 8:6; Miq. 2:12), se refiere a todos aquellos que habían retornado del destierro.

V. 13. *Yo estoy con vosotros.* Literalmente, "¡Yo con vosotros!" Hace recordar la promesa de Jesús en Mateo 28:20. Señala que apenas un pueblo demuestra la disposición de obedecer, Dios se apresura a asegurarle que está y estará con ellos. Y la presencia de Dios es la mejor de las bendiciones; realmente incluye a las demás. Sirve como garantía del éxito, a pesar de los enemigos que haya (comp. Rom. 8:31). Como dijo Calvino: "La ayuda divina es la esperanza segura de un resultado feliz."

V. 14. Jehovah Dios despierta el espíritu de presteza y perserverancia en la buena obra. Realmente todo buen impulso (como "toda buena dádiva y todo don perfecto", según Stg. 1:17) viene de lo alto; es obra directa de Dios por su Espíritu.

V. 15. *En el día 24 del mes sexto.* En general, las otras fechas en el libro evidentemente señalan el tiempo en que fueron entregados los mensajes que el Señor dio al profeta (1:1; 2:1; 2:10; 2:20). Esta fecha parece cumplir otra función (la de señalar cuándo realmente comenzó la reconstrucción), a menos que (como sugieren algunos comentaristas) los vv. 2:15-19 estén relacionados con esta fecha, constituyendo un quinto mensaje.

3 La gloria del nuevo templo, Hageo 2:1-9.

Vv. 1-5. Aunque han pasado casi setenta años (Zac. 1:12), evidentemente había gente presente que vio el templo salomónico antes de su destrucción (Esd. 3:12, 13). Encontraron inferior el templo reconstruido en comparación con el primero. Algunos comentaristas dicen que los judíos identificaron cinco puntos de inferioridad: (1) la ausencia del fuego sagrado; (2) la ausencia del *Shekinah;* (3) la falta del arca y de los querubines; (4) la ausencia del *Urim* y *Tumim;* y (5) la falta del espíritu de profecía. Pero la conexión del Mesías con el segundo templo compensa los puntos mencionados, pues él es el cumplimiento de estos aspectos; y por lo tanto, el segundo templo es hasta superior al primero. Sólo en Cristo se cumplen plenamente estas alusiones proféticas (comp. Juan 2:19-21).

V. 6. *Estremeceré los cielos y la tierra.* La frase es típica del lenguaje apocalíptico como el que se encuentra en Hechos 2:19-21. El sacudimiento aludido empezó como introducción al primer advenimiento del Mesías y será terminado con su segunda venida. Calvino parafrasea: "No os detengáis con estos preludios para fijar los ojos en el estado presente del templo."

Vv. 7, 8. *Vendrán los tesoros deseados.* Tradúzcase de este modo (como la RVA en el texto) o como "el Deseado de las naciones" (como la RVA en la nota), es casi inevitable tomarlo como alusión mesiánica. Hace eco con Lucas 2:10 que menciona "nuevas de gran gozo, que será para todo el pueblo".

Llenaré este templo de gloria. Jehovah enriquecerá el nuevo santuario con la gloria de su presencia (comp. Mat. 12:6; 2 Cor. 4:6; Heb. 1:2) y con una prosperidad material (al cabo, toda "la plata y el oro" sons suyos, según v. 8) y espiritual.

V. 9. El resultado final será un templo más glorioso que el primero en un ambiente de *paz* que posibilitará para todo hombre una vida abundante y con propósito (comp. Juan 10:10).

Aplicaciones del estudio

1. "Las promesas del Señor mías son." Estos pasajes están llenos de promesas que sólo hallan su cumplimiento en Cristo (comp. Heb. 11:39, 40). Nos toca ver y atesorar varios aspectos de su cumplimiento. Otras dimensiones se reservan para la Segunda Venida.

2. El templo es importante. La importancia del templo en la vida nacional judía es a veces casi exagerada y, sin embargo, puede señalarnos algo de la solicitud que debemos prestar al lugar donde se reúne nuestra iglesia. Es también un símbolo de nuestra unidad y un aspecto de nuestro testimonio ante el mundo.

3. Las exhortaciones de nuestros ministros a dar primera priodidad a las cosas de Dios siguen el ejemplo de los profetas. Necesitamos, al igual que el pueblo de antaño, la voz profética que nos llama a renovar nuestra dedicación práctica al Dios de los cielos.

Ayuda homilética

Factores para la reedificación del templo
Hageo 1:1 a 2:23

Introducción. Cuando la casa de Dios ha sido descuidada es evidencia de que algo no anda bien con el pueblo de Dios. Las prioridades han sido cambiadas y esto trae consecuencias negativas. Ante tal situación, se requiere la intervención del profeta de Dios para señalar cuáles son los factores que influyen en la solución de este descuido.

I. Reconocer que se ha fallado.
- A. El profeta reprueba el abandono en la edificación del templo.
- B. Cuidan sus casas pero se olvidan de la casa de Dios.
- C. ¡Ahora es el tiempo de reedificar!

II. Reconocer que Dios está con el pueblo.
- A. Se necesita quitar las dudas que provienen de los obstáculos.
- B. La gloria del nuevo templo será mayor que la del primero.

III. Reconocer la importancia del liderazgo.
- A. Hageo se dirige a Zorobabel y le recuerda el cuidado de Dios.
- B. Los reinos del mundo pasarán, pero el reino eterno de Dios permanecerá.
- C. Es el mismo mensaje para el día de hoy: Si Dios está por nosotros, ¿quién contra nosotros?

Conclusión. Cuando la iglesia descuida su lugar de reunión, da mal testimonio a los no creyentes. Es necesario cuidar la casa de Dios.

Lecturas bíblicas para el siguiente estudio

Lunes: Zacarías 1:1-21
Martes: Zacarías 2:1-13
Miércoles: Zacarías 3:1-10
Jueves: Zacarías 4:1-14
Viernes: Zacarías 5:1-11
Sábado: Zacarías 6:1-15

AGENDA DE CLASE

Antes de la clase

1. Lea el libro de Hageo y los materiales en los libros del maestro y del alumno. **2.** En un diccionario bíblico lea acerca del templo y su reedificación (el segundo templo). Puede comparar este templo con el de Salomón. **3.** Repase el plan de Dios de usar a Ciro como instrumento para permitir a los exiliados volver a Jerusalén y reconstruir la ciudad (las murallas, el templo y sus casas). **4.** Haga cuatro franjas con las siguientes palabras: "No ha llegado aún el tiempo", "Reflexionad acerca de vuestros caminos"; "Manos a la obra"; y "Yo estoy con vosotros". **5.** Si han tenido campañas para edificar o mejorar el templo de su iglesia, podría tener un breve testimonio de cómo hicieron, la razón para el proyecto, algunas dificultades, etc. Hay que planear esto de antemano. **6.** Ore por los miembros de su clase por nombre.

Comprobación de respuestas

JOVENES: **1.** Provocando una sequía y reteniendo el fruto de la tierra. **2.** El mensaje de Jehovah diciendo: "Yo estoy con vosotros."
3. a. Habla. b. Esfuérzate. c. Esfuércense.
ADULTOS: **1.** Reflexionad, caminos, Subid, madera, reedificad templo. **2.** Dios tendrá satisfacción en ello y será honrado. **3.** Acudieron, emprendieron, casa, Ejércitos. **4.** Esfuérzate, esfuércese, actuad. **5.** Mi Espíritu estará en medio de vosotros.

Ya en la clase
DESPIERTE EL INTERES

1. Dé la bienvenida a todos e invíteles a mencionar peticiones que tienen para llevar al Señor en la oración. **2.** Si tiene un testimonio del tiempo de la construcción o mejoramiento de su templo local se debe empezar con este. No debe tomar más de tres minutos máximo. Si no lo hay, podría hablar de cómo dejamos las cosas que Dios nos ha indicado que hagamos. En muchas ocasiones en lugar de hacerlo esperamos con la excusa "no ha llegado aún el tiempo", coloque esta franja en la pared. **3.** Refiérase a la lista de los Profetas Menores y ponga una marca (✔) frente al nombre de Hageo. Diga que el profeta que estudiaremos hoy vivía en Jerusalén en el período postexílico y la restauración del pueblo a esta ciudad. No sabemos nada más del profeta excepto su pasión por terminar la casa de Dios.

ESTUDIO PANORAMICO DEL CONTEXTO

1. Aunque el pueblo había reconstruido las murallas no había concluido la reedificación del templo. Habían pasado unos 18 años y se habían preocupado por la edificación y mejoramiento de sus propias casas, sin concluir la casa de Dios. Su excusa es "no ha llegado el tiempo" (señale la franja). Hablen de cómo esta actitud puede terminar con los mejores deseos de hacer algo grande. **2.** El profeta acusa a las personas de traer sus ofrendas con manos inmundas. Les asegura que si completan el proyecto de construcción Dios va a bendecirles por su lealtad. Hageo veía la lealtad al Señor como obedecerle tanto en sus vidas diarias como también en la reedificación del templo.

ESTUDIO DEL TEXTO BASICO

Dé tiempo para que completen la sección *Lea su Biblia y responda.* Aclare cualquier duda en cuanto a sus respuestas.

Exhortación a reedificar, Hageo 1:7-11. Lean juntos estos versículos. Saque la franja "Reflexionad acerca de vuestros caminos" y pregunte lo que significaría esta frase. ¿Por qué les manda Dios que reflexionen en cuanto a sus propias vidas y circunstancias? (Noten que lo ha dicho en el v. 5 también.) Desarrolle las ideas que se encuentran en estos versículos que demuestran la futilidad de sus esfuerzos y la imposibilidad de bendición cuando no obedecen a Dios.

Manos a la obra, Hageo 1:12-15. Que un alumno lea estos versículos. Hablen de estos dos líderes, Zorobabel, el gobernador, y Josué, el sumo sacerdote. Muestre la franja "Manos a la obra" y diga que tanto los líderes como el pueblo han escuchado el mensaje de Dios y ahora empiezan a trabajar. Como resultado escuchamos la voz de Dios "Yo estoy con vosotros". Coloque la franja con estas palabras en la pared. Hablen de que esto es el resultado de oírle y responder en obediencia.

La gloria del nuevo templo, Hageo 2:1-9. Lean juntos estos versículos. Noten que Dios llama a los líderes y al pueblo a esforzarse y terminar el templo. El profeta les asegura que no deben temer porque Dios estará con ellos. A pesar de las limitaciones de este templo, Dios lo llenará con su gloria (será mayor que la del primero). Pida que alguien lea el Salmo 84 para poder sentir algo de la importancia del templo para el pueblo. La gloria de Dios llenaría su templo, cualquiera que fuera su forma física. También la paz de Dios reinaría allí, un estado de bienestar y armonía para los que aman y obedecen a Dios.

APLICACIONES DEL ESTUDIO

Divida al grupo en parejas y pida que cada pareja estudie una de las aplicaciones. Consideren cómo puedan apropiarlas a sus vidas y compartirlas con otros. Después de unos minutos pueden compartir sus ideas con el grupo general.

PRUEBA

Que cada alumno responda a uno de los incisos. Tome tiempo para compartir sus respuestas. Termine con una oración.

Llamado al arrepentimiento

Contexto: Zacarías 1:1 a 6:15
Texto básico: Zacarías 1:7-17; 2:1-13
Versículo clave: Zacarías 1:16
Verdad central: El llamamiento de Zacarías al pueblo de Dios a volverse a él, nos enseña que Dios siempre da oportunidad a las personas para que se arrepientan, antes de ejecutar su juicio conforme a sus obras.
Metas de enseñanza-aprendizaje: Que el alumno demuestre su: (1) conocimiento del llamamiento de Zacarías al pueblo a volverse a Dios, (2) actitud de fidelidad en su compromiso con el Señor.

Estudio panorámico del contexto

A. Fondo histórico:

Zacarías, el personaje. Su nombre significa "A quien Jehovah recuerda", fue un hombre de amplia visión, que sirvió a Dios después del exilio.

En la introducción a su libro se habla del profeta Zacarías como el hijo de Berequías, hijo de Ido (1:1-7); en Esdras se le llama simplemente "hijo de Ido" (Esd. 5:1; 6:14), pero indudablemente ambos pasajes se refieren a la misma persona. En Esdras se coloca a Zacarías como contemporáneo de Hageo, lo cual concuerda con las fechas asignadas a las profecías de ambos en sus respectivos libros (Hag. 1:1; 2:10; Zac. 1:7).

El ministerio profético de Zacarías comenzó el octavo mes del segundo año de Darío I Histaspes, es decir en 520 a. de J.C., dos meses después que Hageo hubiera completado el suyo. Terminó su ministerio el cuarto año del reinado de Darío, o sea el año 518 a. de J.C. (7:1). Su ministerio fue relativamente breve, pero algo más largo que el de Hageo. Ido, el padre de Zacarías, según Nehemías 12:4, era cabeza de una familia sacerdotal que regresó del destierro de Babilonia; así que él era tanto sacerdote como profeta, y perteneciendo a una familia sacerdotal tenía gran influencia.

Interpretación. Pocos libros del A.T. son tan difíciles de interpretar como Zacarías. La amplitud de la visión del profeta y la profundidad espiritual de sus pensamientos inspiran a las más serias reflexiones. No se exagera al afirmar que entre todas las obras proféticas bíblicas, las visiones y los oráculos de Zacarías son los más mesiánicos y, por lo tanto, los más difíciles por contener mezclados con ellos muchos elementos apocalípticos y escatológicos.

Mensaje. Desde el principio, el libro transmite el firme y claro mensaje de Dios reclamando al pueblo un arrepentimiento sincero y un retorno a él.

Zacarías exhorta con firmeza a la gente a despertar de su letargo y a terminar la obra que ha quedado inconclusa. Les anima a la acción, asegurándoles el perdón, el amor y la presencia viva de Dios entre su pueblo.

B. Enfasis:

Los capítulos 1 al 6 contienen una serie de visiones encaminadas a alentar a los reconstructores a proseguir la obra. Les llama vigorosamente al arrepentimiento y a la entrega de sus vidas a Dios, para que él sea su fortaleza y su vida. El profeta deja claro que el mensaje no es suyo, sino que viene directamente de Dios. Era necesario que comprendieran bien que el único modo de obtener los favores divinos obedeciendo a Dios y volviéndose a él. Las visiones que se detallan a continuación fueron dadas a un pueblo cansado, desmoralizado y escéptico debido a la tardanza en el cumplimiento de las promesas dadas por Hageo. Dios confirma esas mismas promesas por medio de Zacarías y, a través de una serie de visiones que enseguida presentamos, les exhorta a continuar la obra.

1. La visión del jinete, 1:7-17. Le recuerda al pueblo el cuidado constante del Señor y la bendición que sobrevendría por la obediencia.

2. La visión de los cuatro cuernos y los cuatro herreros, 1:18-21. Hace referencia al juicio de Dios, primero sobre Judá y luego sobre sus enemigos. La fuerza feroz será al fin reducida a la impotencia.

3. La visión del hombre con el cordel de medir, 2:1-13. Significa que el Señor aumentaría la población de Jerusalén haciéndola habitar en paz. La ciudad no necesitaría muros.

4. La visión de la investidura de Josué, 3:1-10. Representa la limpieza del pecado. Las ropas sucias representaban el estado del pueblo, el cual es perdonado, purificado y ungido, dándole vestiduras de fiesta. ¡Todavía Cristo hace esto con el pecador arrepentido!

5. La visión del candelabro y los dos olivos, 4:1-14. Es un mensaje a Zorobabel en el sentido de que los propósitos eternos de Dios sólo pueden ser cumplidos por su Espíritu. Josué y Zorobabel, los dos líderes ungidos por Dios, son canales por los cuales Dios enviaría sus bendiciones a su pueblo escogido. Aun hoy el Señor opera de la misma manera.

6. La visión del rollo que volaba, 5:1-4. Significa que antes de recibir bendiciones el pueblo debía purificarse y limpiarse. El rollo que vuela es símbolo de la maldición de Dios sobre los que roban y juran en falso; y su juicio vendrá si no hay verdadero arrepentimiento.

7. La visión de la mujer dentro del efa, 5:4-11. Hace alusión a la santidad de Dios y a la limpieza del pecado. Les dice: cuando el templo sea concluido, la maldad debe ser arrojada bien lejos. La santidad de Dios y el pecado no pueden estar juntos.

8. La visión de los cuatro carros de juicio, 6:1-8. Es una descripción de la soberanía de Dios. El tiene control sobre todo y en todo lugar. Entonces, como hoy, ejerce dominio en la distribución de sus promesas, que son fieles y verdaderas.

9. La escena de la coronación memorial, 6:9-15. La corona sobre la cabeza de Josué, el sumo sacerdote, es un magnífico símbolo de la venida del Mesías. Los oficios de Rey y Sacerdote se unieron gloriosamente en Cristo Jesús.

Zacarías llama vigorosamente al pueblo al arrepentimiento (1:1-6) y los exhorta a continuar y terminar la obra comenzada, diciéndoles: A trabajar, a dedicarse, porque Dios les ama, les cuidará, les consolará y les protegerá.

Estudio del texto básico

1 La necesidad de volverse a Dios, Zacarías 1:7-11.

V. 7. Este versículo es una introducción editorial a toda la serie de visiones que vienen a continuación y cuya fecha sería a mediados de febrero del año 520 a. de J.C.

V. 8. *Un hombre montado sobre un caballo rojo...* (alazán o bermejo). Los vv. 11 y 12 se refieren a este hombre como el ángel de Jehovah. En todo el A.T., el ángel del Señor es identificado como Dios mismo (ver Gén. 16:7-13; Exo. 3:2-6; Jue. 13:9-18 y otros). *Caballos rojos, bayos y blancos;* se ha sugerido que el color de los caballos representa la misión a la cual están destinados. Así, el rojo significa guerra, es decir juicio sobre los enemigos de Israel (compare Apoc. 6:4). El color bayo es una mezcla de colores y el blanco señala victoria y paz (compárese Apoc. 6:2).

V. 9. *Señor mío...* Título de respeto utilizado para con el ángel que desempeña un papel importante en las visiones. *El ángel que hablaba...* Es el comisionado para interpretar las visiones al profeta (comp. Apoc. 1:1; 22:16).

V. 10. *Para recorrer la tierra...* Se refiere a la actividad de Dios entre las naciones y en especial en Israel.

V. 11. *Toda la tierra está reposada y tranquila...* Son palabras que dan el aviso que toda la tierra está en paz y en calma. La visión enfatiza el cuidado vigilante de Dios para con los israelitas que habían regresado del exilio para restaurar el templo y las ciudades. Dios les asegura su misericordia perdonadora si ellos se disponían a obedecerle. De modo que: ¡Manos a la obra!

2 El consuelo de Dios a su pueblo, Zacarías 1:12-17.

V. 12. *¿Hasta cuándo no tendrás compasión...?* Había un contraste entre la prosperidad y el sosiego de las naciones impías y el desolado pueblo de Dios; tanto que el ángel de Dios intercedió por ellas reclamando que Dios extendiera su misericordia con compasión luego de setenta años de dura disciplina. *Setenta años...* Parece ser una referencia al período comprendido entre los años 586 y 516 a. de J.C., en que el templo (*mi casa...* v. 16) estuvo en ruinas.

V. 13. *Respondió palabras buenas...* De consuelo. Dios le responde con palabras que anticipaban el bien, que traerían consolación de parte de él y que se traducirían en:

a. Un celo continuo de parte del Señor por Israel.
b. Su disgusto y severidad contra otras naciones.

c. El regreso a Jerusalén con misericordia.
d. La restauración del templo y la ciudad.
e. Enviaría prosperidad y bienestar a las gentes y Jerusalén sería elegida.

Vv. 14, 15. *Tuve celo...* Dios estaba interesado en cuidar la ciudad y a su pueblo, dándole fortaleza.

V. 16. En ella será edificada mi casa. Esa era indicación del retorno de Dios a Jerusalén cuando el templo fuera reconstruido.

V. 17. *Desbordarán mis ciudades...* Las ciudades de Judá disfrutarían de prosperidad y muchas bendiciones.

Este es un mensaje de consuelo y aliento divino a un pueblo que esperó setenta años y a quien Dios le promete, ahora sí, protección divina y prosperidad. Siempre las grandes promesas de Dios están condicionadas a la obediencia de su pueblo. El es fiel y aún hoy obra de la misma manera. Por lo tanto: ¡Manos a la obra!

3 Jehovah, gloria de su pueblo, Zacarías 2:1-13.

Vv. 1-5. *Un hombre que tenía en su mano una cuerda de medir...* Debía servir para medir a Jerusalén. Pero el profeta le dice que la ciudad no necesitará que se reconstruyan sus muros, porque Jehovah mismo será un muro de fuego alrededor de ella para protegerla. Probablemente esta visión tiene relación con la tentativa de Zorobabel de levantar los muros de Jerusalén como defensa contra sus enemigos (ver Esdras 4:4, 5). Zacarías se oponía a ello por dos razones: (1) Habría dado a los enemigos motivo para acusarles ante las autoridades persas de querer rebelarse (Neh. 6:5-7). (2) El pueblo debía confiar en Dios y no en los muros que rodeaban Jerusalén. Su gloria estaría en medio de ellos.

Vv. 6, 7. *¡Ea, ea! Huid a la tierra del norte.* Era un llamado a los que aún permanecían en Babilonia y en otros lugares a que volvieran también a su tierra.

Vv. 8, 9. *Toca la niña de su ojo...* Así de estimado era Israel para Dios. El la protegería como alguien protege su pupila. Este cuidado amoroso y providencial de Dios debería ser la base para que su pueblo se mantuviera fiel en su compromiso con el Señor. Sin embargo, actuaba como si Dios estuviera obligado.

Vv. 10-13. Llenará a Jerusalén con su pueblo, los cuidará y morará en medio de ellos. Como lo ha dicho, la ciudad será densamente habitada y llegará a estar sin muros; Dios mismo será la gloria en medio de ella (véase Isa. 2:2-4; 19:18-25; Miq. 4:1-3, y otros).

El v. 11 es un verdadero llamado a la evangelización y obra misionera mundial. Dios será Señor de todas las naciones (Mat. 28:19, 20; Juan 10:16). Toda la visión se refiere a la Jerusalén postexílica. Sin embargo, en sentido amplio apunta hacia la futura y magnífica nueva Jerusalén del mundo por venir (Apoc. 21:9-27). Por todo lo que significan las promesas de Dios y la confianza que da el saber que Dios mismo peleará por su pueblo, ellos podían decir: ¡Manos a la obra!

Aplicaciones del estudio

1. El amor, la misericordia y el cuidado de Dios son eternos. Los hijos de Dios tenemos el gran privilegio de contar con su misericordia y cuidado que no se acaban. Sin embargo, para poder gozar de ellos él espera que seamos obedientes y consagrados.

2. El Señor está listo para consolarnos y alentarnos. En los momentos más difíciles de nuestra vida podemos contar con él, pero anhela que nos volvamos a él y busquemos su rostro.

3. Nuestro escudo y fortaleza estánen el Señor, no en nosotros o en nuestros recursos. Su presencia viva en nosotros y con nosotros asegura una vida victoriosa.

Ayuda homilética

Un llamado para volver a Dios
Zacarías 2:1-13

Introducción. Cuando el pueblo de Dios se arrepiente de sus pecados el Señor está listo para restaurarlo y llenarlo de bendiciones. El llamado de Dios a su pueblo para volver a Sion ilustra la paciencia y la misericordia de Dios para con los suyos.

I. Dios conoce la condición de su pueblo.
- A. Conoce sus circunstancias físicas.
- B. Conoce su realidad espiritual.

II. Dios es poderoso para liberar a su pueblo.
- A. De la esclavitud en tierra extraña.
- B. De los efectos de su pecado en el pasado.
- C. El enemigo del pueblo de Dios sufrirá las consecuencias de su pecado.

III. El llamado a volver tiene un propósito misionero.
- A. Se unirán a Jehovah muchas naciones.
- B. El pueblo de Dios será restaurado.
- C. Todo mortal reconocerá la gloria y el poder de Dios.

Conclusión. Cuando Dios llama a su pueblo al arrepentimiento y éste responde a ese llamado, el plan de salvación avanza significativamente.

Lecturas bíblicas para el siguiente estudio

Lunes: Zacarías 7:1-7
Martes: Zacarías 7:8-14
Miércoles: Zacarías 8:1-6
Jueves: Zacarías 8:7-10
Viernes: Zacarías 8:11-17
Sábado: Zacarías 8:18-23

AGENDA DE CLASE

Antes de la clase

1. Lea los primeros seis capítulos del libro de Zacarías junto con los materiales en los libros del maestro y del alumno. **2.** Este libro tiene una relación estrecha con el de Sofonías y su mensaje acerca de la reconstrucción del templo en Jerusalén durante el período después del exilio y el regreso a la tierra prometida. **3.** Escriba en una franja de cartulina las palabras "El profeta de la esperanza".

Comprobación de respuestas

JOVENES: **1.** a. Son los que Jehovah ha enviado para recorrer la tierra. b. Toda la tierra está reposada y tranquila. **2.** a. ¿Hasta cuándo no tendrás compasión de Jerusalén y de las ciudades de Judá? b. Jehovah respondió palabras buenas y palabras de consuelo. **3.** Medir a Jerusalén para saber cuál es su ancho y cuál es su largo.

ADULTOS: **1.** De un hombre montado en un caballo. **2.** Compasión, Jerusalén, ciudades, Judá, airado, setenta. **3.** He vuelto a Jerusalén con compasión. Su templo será edificado. **4.** Jerusalén será habitada sin muros, habrá mucha gente y ganado. **5.** Canta, alégrate, Sion, vengo, habitaré, Jehovah.

Ya en la clase

DESPIERTE EL INTERES

1. Dé la bienvenida a todos y pida que mencionen cosas por las cuales quieren orar. **2.** Pregunte cómo es posible tener esperanza cuando una situación es negativa y parece que no hay ni un rayo de esperanza. Mencionen varias situaciones así (sobrevivir una enfermedad grave; determinar empezar de nuevo después de un fracaso; un adulto mayor buscando empleo, etc.) ¿Cuál sería la razón mayor para que en estas situaciones la persona no se desesperara? El profeta tenía muchas razones para desesperarse, pero es llamado a dar un mensaje de esperanza basada en Dios.

ESTUDIO PANORAMICO DEL CONTEXTO

1. Muestre el cartelón de los Profetas Menores e indique que hoy y en las próximas dos clases estudiaremos acerca de Zacarías. Ponga una marca (✔) en el lugar que corresponde a Zacarías. **2.** Sofonías y Zacarías son los dos profetas voceros de Dios para llamar al pueblo a reconstruir el templo y a vivir en obediencia a su palabra. **3.** Los primeros seis capítulos presentan visiones que tuvo el profeta y que han venido de Dios para fortalecer al pueblo en su propósito de reconstruir el templo y ser fiel a Dios. Estas visiones enfatizaban verdades espirituales que llamaban al pueblo a seguir a Dios en la actualidad y tener esperanza en él para el futuro.

ESTUDIO DEL TEXTO BASICO

Dé tiempo para que completen la sección: *Lea su Biblia y responda.* Tome el tiempo necesario para aclarar cualquier duda.

La necesida de volverse a Dios, Zacarías 1:7-11. Lean estos versículos juntos. Diga que el v. 7 es la introducción a esta sección de las ocho visiones en los primeros seis capítulos. Las visiones son mensajes de Dios. Siga la información que se encuentra en los libros para interpretar esta primera visión. Esta visión muestra que Dios es misericordioso y cuida de su pueblo. En todas partes hay tranquilidad, no hay peligro para el pueblo de Dios; pueden terminar la reconstrucción del templo.

El consuelo de Dios para su pueblo, Zacarías 1:12-17. Pida que un alumno lea este pasaje. En la visión que continúa el ángel pide al Señor que se compadezca del pueblo; han sufrido ya bastante (70 años, más o menos el tiempo en exilio). Enfatice la respuesta de Dios en el v. 14. "Tuve gran celo por Jerusalén..." que se puede traducir "amo profundamente" a Jerusalén. Dios indica que ha usado a Asiria y Babilonia para castigarles pero ahora va a bendecir a Jerusalén. Su casa será terminada y su presencia estará con ellos. Además Jerusalén será la ciudad escogida por Dios, su lugar de preferencia. Habrá prosperidad en la tierra.

Noten la relación importante entre la presencia de Dios y la determinación de concluir el templo. Hablen del significado del mensaje del consuelo de Dios para el pueblo que no hace mucho había estado en el exilio como cautivo.

Jehovah, gloria de su pueblo, Zacarías 2:1-13. Lean estos versículos juntos. Esta es la tercera visión de esta serie y presenta la restauración de Jerusalén en forma simbólica. Frente a la necesidad de un muro un ángel avisa que no hace falta porque Dios mismo va a ser un muro para ellos. Enfatice que Dios llama a las personas a reconocerle como Dios y que repite tres veces que él estará en medio de ellos. Noten el mensaje misionero de estos versículos. Muchas naciones vendrán a unirse a él, también será su pueblo. Dios de todas las naciones estará en medio de ellos.

APLICACIONES DEL ESTUDIO

Lean las *aplicaciones* juntos y discutan maneras como pueden incorporarlas a su vida. Pregunte si hay otras aplicaciones que los alumnos quieren mencionar y enfatizar.

PRUEBA

Forme dos grupos para que cada uno responda a uno de los incisos. Compartan sus respuestas con el grupo general. Tenga una oración pidiendo la bendición del Señor en sus vidas para que puedan hacer la obra que Dios les indica.

El verdadero ayuno

Contexto: Zacarías 7:1 a 8:23
Texto básico: Zacarías 7:1-12; 8:18-23
Versículo clave: Zacarías 8:19
Verdad central: Los errores que el pueblo de Dios cometió en relación con el ayuno fueron una oportunidad para que Zacarías con su ministerio ayudara a los hijos de Dios a recapacitar y aprender el significado y los contenidos del verdadero ayuno.
Meta de enseñanza-aprendizaje: Que el alumno demuestre su: (1) conocimiento del significado del verdadero ayuno, según el estudio, (2) actitud de sinceridad y seriedad en sus actos de adoración pública y privada.

Estudio panorámico del contexto

A. Fondo histórico:

Las Escrituras mencionan frecuentemente la abstinencia de comidas y bebidas. En algunas versiones a veces en lugar de usar la palabra ayunar se usan frases descriptivas como "afligir el alma" o "hacer duelo" (Lev. 16:29-31; 23:27; Núm. 30:13; Isa. 58:3, 5, 10).

El único ayuno exigido por Moisés era el del día de la expiación (Lev. 16:29-31; 23:27; Núm. 29:7; Jer. 36:6). Se realizaban muchos ayunos en ocasiones especiales por transgresiones o para alejar calamidades experimentadas o inminentes (1 Sam. 7:6; Jer. 36:9; 1 Rey. 21:9, etc.).

Desde la destrucción de Jerusalén en 586 a. de J.C. los judíos acostumbraban anualmente ayunar en los aniversarios de cuatro sucesos importantes de su historia: (1) En el cuarto mes, recordando la toma de Jerusalén por Nabucodonosor (Jer. 52:6). (2) En el quinto mes, recordando el incendio del templo y la destrucción de la ciudad de Jerusalén (Jer. 52:12). (3) En el séptimo mes, rememorando cuando Gedalías, el gobernador, había sido muerto (Jer. 41:1, 2; 2 Rey. 25:25); y (4) en el décimo mes, en recuerdo del comienzo del sitio de Jerusalén (2 Rey. 25:1).

El ayuno era expresión de dolor (2 Sam. 1:12) o penitencia (1 Sam. 7:6 y 2 Rey. 21:27). También se practicaba en señal de humillación (Esd. 8:21; Sal. 69:10). Otras veces se ayunaba para asegurar la guía y la ayuda de Dios (Exo. 34:28; Deut. 9:9). Algunos llegaron a pensar que el ayuno automáticamente permitía al hombre ser escuchado por Dios (Isa. 58:3, 4). Contra esto clamaron enfáticamente los profetas indicando que sin una conducta recta y una vida limpia el ayuno era en vano (Isa. 58:5-12; Jer. 14:11, 12; Zac. 7:3). Demandaban una actitud interna más que externa, de sincera tristeza por el pecado y la desobediencia, así como de arrepentimiento y adoración a Dios.

B. Enfasis:

Consulta sobre el ayuno por Sion, Zacarías 7:1-7. El pueblo de Betel envió una delegación a Jerusalén con dos motivos: 1) Suplicar el favor del Señor, y 2) preguntar si debían continuar observando el ayuno del quinto mes, que durante todo el tiempo del destierro habían venido guardando. La contestación de Zacarías a la delegación fue que sus ayunos y lamentaciones habían tenido poco valor espiritual; lo que Dios requiere primeramente no es la práctica del ayuno en sí, sino más bien la obediencia y el cumplimiento de las demandas morales que él ha establecido. Ellos, sin embargo, no habían querido observar estas demandas, con las consecuencias desastrosas correspondientes. En otras palabras, Zacarías afirma que el ayuno es inaceptable por Dios cuando no es practicado por un corazón arrepentido. El pueblo de la tierra estaba dolido por lo que había sucedido, pero no dolido por lo que había causado el juicio de Dios. El profeta insiste en observar siempre la motivación detrás de cada acto de adoración, ayuno o festividad religiosa.

Causas de la ruina de Sion, Zacarías 7:8-14. El pasaje bíblico detalla las enseñanzas de los profetas antes del exilio, subrayando que la cautividad no fue motivada por falta de estas prácticas religiosas (comparar con Isa. 1:11 y sig.), por el contrario, esos rituales aunque se practicaban, no habían producido una verdadera responsabilidad moral ni espiritual hacia el Señor, ni habían despertado una obediencia personal ni colectiva hacia Dios.

Antes del exilio Dios había reclamado las mismas cosas a su pueblo, les había pedido sinceridad en la adoración y justicia para con el prójimo, pero ellos no obedecieron (ver Amós 5:14, 15; Ose. 6:6; Jer. 5:21, 23), y el exilio ocurrió como Dios lo había advertido. El pueblo había fallado en cumplir la ley de Dios, habían desoído lo que el Señor había reclamado por medio de los profetas. Cuando la ira de Dios se desató a través de los ejércitos de Asiria y Babilonia, ellos clamaron a Dios, pero como ellos no habían oído la voz de Dios, ni la habían obedecido, Dios tampoco oyó el clamor de ellos (vea Ose. 4:1; Isa. 6:10; Jer. 5:23). El requisito supremo en la vida religiosa es obedecer a Dios. La ruina espiritual sobreviene a la desobediencia al Creador.

Jehovah vuelve a morar en Jerusalén, Zacarías 8:1-17. Zacarías entrega un mensaje positivo respecto al futuro del pueblo de Dios. Las bendiciones de Jerusalén continuarían y la reconstrucción del templo sería terminada. ¡Dios había determinado volver y morar con su pueblo! Jerusalén continuaría como una ciudad y su prosperidad y esplendor contrastarían con los tiempos presentes del profeta y los que habían de venir. La paz, la tranquilidad y las bendiciones del Señor se esparcirían por doquier. Como faltaba mucho trabajo por hacer, especialmente en la reconstrucción del templo, hay una exhortación y un estímulo a ser fieles y constantes, acordes con la fidelidad de Dios y la vigencia de sus promesas.

Toda esta parte del capítulo 8 tiene que ver con la fidelidad futura de Jerusalén y forma parte de la contestación que el profeta da a la delegación enviada desde Betel.

Bendición de Jehovah sobre Jerusalén, Zacarías 8:18-23. Este pasaje también forma parte de la contestación del profeta a los que vinieron desde Betel. Consiste en tres declaraciones que comienzan con la expresión: "Así ha dicho Jehovah de los Ejércitos", en las cuales se afirma que los ayunos vendrían a ser para los judíos tiempos de regocijo, y que las naciones paganas se les unirían para buscar a Jehovah y de ese modo compartirían también las bendiciones que recibirían. Con el "Así ha dicho Jehovah" el profeta corrobora y da énfasis a que las declaraciones no son suyas sino que ¡Dios mismo ha hablado!

Estudio del texto básico

1 El ayuno hecho por costumbre, Zacarías 7:1-7.

V. 1. *El cuarto año del rey Darío...* Fue el año 518 a. de J.C. La reconstrucción del templo había avanzado, se habían construido nuevas casas en Jerusalén y los rastros de la destrucción ya casi habían desaparecido.

V. 2. *Para implorar el favor de Jehovah...* Los ciudadanos de Betel comisionaron a un grupo de personas para que fuera a Jerusalén con el propósito de pedir la bendición de Dios y de preguntar sobre la validez de ciertos ayunos nacionales.

V. 3. *¿Debo hacer duelo en el mes quinto y ayunar...?* Era nuestro julio-agosto y hacía referencia al aniversario de la destrucción del templo (ver Jer. 52:12, 13). Los enviados preguntaban si a la luz de la situación económica del momento se debía seguir con dicha práctica dado también lo avanzado de la construcción del templo. Zacarías enfatiza la importancia de las actitudes en cuanto al ayuno más que los motivos para hacerlo.

V. 5. *¿Acaso ayunabais para mí?* Con esta pregunta retórica el profeta afirma que la observancia del ayuno por parte del pueblo en el pasado había sido externa, no poniendo su mirada en Dios y en sus requerimientos.

V. 6. *¿Acaso no coméis y bebéis para vosotros mismos?* En sus fiestas, como en sus ayunos, era manifiesta su perspectiva egocéntrica. Ya fuera en una práctica o en la otra, exhibían su vacía pretensión de justicia propia y la propia satisfacción que experimentaban. Tanto en las fiestas como en los ayunos, su concentración estaba en la comida y la bebida y *no* en Dios y en la adoración a él.

V. 7. *¿No son éstas las palabras...?* El ayuno del quinto y séptimo mes no era algo que Dios había ordenado. ¿Por qué tenían que molestarse acerca de algo que Dios no había ordenado, cuando eran tan rebeldes a lo que él sí había ordenado explícitamente una y otra vez por medio de los profetas antes del exilio? Es mucho mejor obedecer a Dios que amontonar innumerables ayunos (comparar Isa. 58:1-9). El pecado era la causa del ayuno de ellos. Si abandonaban el pecado los ayunos dejarían de ser necesarios (Zac. 1:4; Jer 22:21).

La adoración que Dios reclama implica una conducta recta y un corazón puro. Dios rechaza a aquellos que le adoran o ayunan para servir a sus propios fines. La persona piadosa y que agrada al Altísimo se mantiene atenta a la Palabra de Dios, aun cuando ésta no le sea agradable o le reclame una rectificación.

2 El ayuno que Dios quiere, Zacarías 7:8-12.

Vv. 8, 9. *Juzgad conforme a la verdad, practicad la bondad y la misericordia.* Son instrucciones claras y específicas sobre cómo agradar a Dios. Los anteriores profetas se habían unido todos ellos en sus mensajes en favor de la justicia práctica en la vida diaria. Dios se deleita en la apropiada administración de ésta. La misericordia y la compasión entre hermanos deleitan el corazón del Señor que es infinitamente misericordioso.

V. 10. *No extorsionéis a la viuda, al huérfano, al extranjero y al pobre, ni ninguno piense en su corazón el mal contra su hermano.* Dios fue y es el protector de los necesitados y menos afortunados. Más aun, él ha prometido su ayuda a éstos y su venganza contra quien los maltrate (Exo. 22:21-23). El resentimiento y el odio en el corazón contra un hermano están claramente prohibidos. La religión sin piedad es inútil y es una burla.

V. 11. *Pero no quisieron escuchar.* Esta declaración es una síntesis de la constante actitud del pueblo de Dios a través de los siglos de ministerio de los profetas al predicar ellos la fe, el amor y la justicia: ¡No quisieron escuchar! (Jer. 11:10; 17:23; Hech. 7:57).

V. 12. *Y endurecieron su corazón.* Por tanto vino, como consecuencia, el enojo de parte de Dios. El verdadero ayuno, el que agrada a Dios, es el trato justo con otros. La justicia y el amor al prójimo es mucho mejor que los ayunos formales (Stg. 1:27).

3 Los resultados del verdadero ayuno, Zacarías 8:18-23.

Vv. 18, 19. Estos versículos son una respuesta directa a la pregunta de Zacarías 7:3. La afirmación nos alerta en el sentido que a menos que nuestra adoración al Señor sea reflejada en un cambio de conducta, nuestra adoración expresada en el ayuno nunca llegará a ser una celebración que agrada a Dios.

Ocasiones de gozo, alegría y buenas festividades... Ya que el templo de Jerusalén estaba siendo restaurado, la tristeza del pueblo de Dios se volvería en alegría. Por ello, no sería ya más tiempo de ayuno y aflicción sino de festividad y celebración gozosa a Dios (Isa. 12:1).

Vv. 20-22. El verdadero ayuno, el de la celebración piadosa, proveniente de corazones puros y dedicados a Dios suscita un interés universal por el Dios de Israel, de modo que muchos pueblos y fuertes naciones... (v. 22) vendrán a buscar al Señor e imploraran su favor (Sal. 67; Isa. 2:3; 60:3) Las naciones anhelarán conocer las bendiciones que Israel tendrá en su hora de avivamiento espiritual y de retorno al Señor.

V. 23. *Dejadnos ir con vosotros...* expresa el eufórico sentir en la era mesiánica (Isa. 45:14b) cuando muchos pueblos han de ir a adorar a Dios en

Jerusalén, es decir, en la Jerusalén espiritual, en la iglesia cristiana, la iglesia victoriosa del Señor.

Aplicaciones del estudio

1. Al ayunar debemos estar seguros de que las motivaciones no sean egoístas. El ayuno debe ir acompañado de una actitud recta, un corazón limpio y dispuesto a la obediencia al Señor.

2. La adoración genuina es la que está dirigida a Dios y no a tradiciones humanas.

3. Adorar a Dios debe ser el primer objetivo de quien ayuna. ¡Adorarle a él en espíritu y en verdad!

Ayuda homilética

El verdadero ayuno
Zacarías 7:1-12

Introducción. Ayunar es abstenerse de comer o de beber. En la vida del creyente el ayuno no debe ser una costumbre por la costumbre misma. Cuando un cristiano ayuna es porque tiene un motivo o propósito definido; esta es la clase de ayuno que trae resultados.

I. El verdadero ayuno no se hace por costumbre.
- A. Ayunar por costumbre no produce ningún resultado.
- B. Ayunar por costumbre es un acto religioso, pero no de adoración.
- C. Ayunar por costumbre es un acto egocéntrico.

II. El verdadero ayuno debe tener un propósito definido.
- A. Puede ser una acto de adoración.
- B. Pude ser un acto de contrición.
- C. Puede ser una señal de duelo.
- D. Puede ser por causa de una tristeza.
- E. Puede ser por causa de estar ocupado en la obra.

III. El verdadadero ayuno produce resultados.
- A. Para la gloria de Dios.
- B. Para bendición del que ayuna.

Conclusión: Cuando ayune, no sea como aquellos que muestran su rostro demacrado para demostrar su sacrificio. Hágalo para la gloria de Dios.

Lecturas bíblicas para el siguiente estudio

Lunes: Zacarías 9:1-17
Martes: Zacarías 10:1-12
Miércoles: Zacarías 11:1-17
Jueves: Zacarías 12:1-14
Viernes: Zacarías 13:1-9
Sábado: Zacarías 14:1-21

AGENDA DE CLASE

Antes de la clase

1. Lea los capítulos 7 y 8 de Zacarías; 2 Samuel 12:16; Jeremías 36:9 y Levítico 16:29 para ver algunas ocasiones en el A.T. cuando se ayunaba, y las razones para hacerlo. Tomen nota de que Dios había mandado el ayuno solamente para el día de la Expiación (Lev. 16:29-34; 23:27-32). **2.** Lea en su diccionario bíblico sobre el ayuno y sobre el día de la Expiación. **3.** Prepare un cartelón titulado "El Ayuno", dividido por la mitad, con las palabras "Lo que Dios no quiere" en un lado, y "Lo que Dios quiere" en el otro. **4.** Ore por sus alumnos por nombre y para que este estudio impacte su vida personal.

Comprobación de respuestas

JOVENES: **1.** Para implorar el favor de Jehovah y consultar si se debía seguir practicando el ayuno del mes quinto. **2.** Su rebeldía y dureza de corazón. **3.** Yo he vuelto a Sion; habitaré en medio de Jerusalén; la ciudad será llamada Ciudad de Verdad, Monte de Santidad; los ancianos se sentarán en las plazas y las calles estarán llenas de niños jugando; Yo salvaré a mi pueblo.

ADULTOS: **1.** "¿Debo hacer duelo en el mes quinto y ayunar, como he hecho desde hace algunos años?" **2.** Respuesta personal **3.** No quisieron oírlo. Se desencadenó la gran ira de Dios. **4.** Ocasión, gozo, alegría, y buenas festividades. **5.** Ir con vosotros, Dios está con vosotros.

Ya en la clase

DESPIERTE EL INTERES

1. Dé la bienvenida al grupo. Oren mencionando las peticiones que hayan hecho. **2.** Pregunte: "¿Qué cosas hacemos a veces, procurando conseguir el favor de Dios?" Después de oír algunas respuestas diga que es muy natural querer complacer a Dios y buscar su favor por medio de nuestras acciones. Pensamos que por nuestra acción Dios tiene que bendecirnos. Dios rechaza las acciones de las personas cuando no son sinceras o cuando sus motivaciones son equivocadas (vea Isa. 58:3, 4; Jer. 14:12; Miq. 6:6-8.). **3.** Hoy estaremos estudiando sobre una situación así en los tiempos de Zacarías. Veremos la respuesta de Dios. Dé tiempo para que completen la sección *Lea su Biblia y responda.* Aclare cualquier duda en cuanto a las respuestas.

ESTUDIO PANORAMICO DEL CONTEXTO

1. Como vocero de Dios Zacarías tenía un mensaje especial para el pueblo (1:2). En esta ocasión él da una enseñanza sobre el ayuno diciendo que no se pueden separar los actos de devoción a Dios de una sincera manifestación de moralidad personal. Participar en un rito no tiene ningún sentido para Dios; lo que a él le agrada es una vida sincera y un corazón contrito y compasivo. **2.** Lean todos juntos Zacarías 8:16, 17.

ESTUDIO DEL TEXTO BASICO

El ayuno hecho por costumbre, Zacarías 7:1-7. Lea estos versículos y aclare lo que significa el "ayuno". Comente que había llegado un grupo de personas, seguramente samaritanos, para preguntar si debían continuar los ayunos que habían observado desde la destrucción del templo, el cual ahora estaba siendo reedificado. La respuesta de Dios es clara. Lea los vv. 5-7. ¿Cuál era el motivo de su ayuno? ¿Era para Dios o para ellos? Noten cómo se interesaban en sí mismos, tanto en la comida y la bebida de las fiestas como en la apariencia en el ayuno. Hacía muchos años que Dios les había enseñado acerca de la necesidad de ser sinceros en sus actos religiosos. Puede leer algunas de las citas mencionada en la sección *Antes de la clase.*

Muestre el cartelón y anote, bajo la sección "Lo que Dios no quiere", las enseñanzas encontradas aquí.

El ayuno que Dios quiere, Zacarías 7:8-12. Lea el pasaje y pregunte por las cosas que Dios quiere en el ayuno. Apunten éstas en el cartelón bajo "Lo que Dios quiere". Hablen de estas formas tan claras y necesarias para demostrar la verdadera fe en Dios.

Los resultados del verdadero ayuno, Zacarías 8:18-23. Lea los versículos y diga que aquí se encuentra la respuesta a la pregunta hecha en 7:3. Tantas van a ser las bendiciones del Señor que, donde antes había lamento por la destrucción del templo, ahora se convierte en una fiesta de gozo. Dios les llama a amar la verdad y la paz, o sea la relación correcta con el prójimo.

Destaque cómo el pueblo tendrá un verdadero entusiasmo por su relación con Dios (vv. 20-23). Personas de otras naciones pedirán acompañarles a la presencia de Dios porque han oído que Dios está con ellos. Este es el evangelismo basado en el testimonio, y es lo que Dios quiere de todos nosotros.

APLICACIONES DEL ESTUDIO

Este estudio tiene un mensaje preciso que cada uno puede aplicarse a sí mismo: la fe sincera que se expresa en la relación con Dios y con el prójimo. Pida que cada uno lea las aplicaciones y piense en cómo podría aplicar una de ellas a su vida en esta semana. Tenga una oración de dedicación basada en las promesas que cada uno ha hecho. Dé tiempo para que los que deseen comentar sobre el impacto de este estudio y su aplicación a su vida personal, lo hagan.

PRUEBA

Divida el grupo en parejas para contestar uno de los incisos.

Estudio **37**

Unidad 7

Advenimiento del rey

Contexto: Zacarías 9:1 a 14:21
Texto básico: Zacarías 9:9-17; 10:1-12
Versículo clave: Zacarías 9:9
Verdad central: La profecía de Zacarías sobre el advenimiento del Rey mesiánico tenía como propósito renovar la fe y la esperanza del pueblo de Dios que estaba experimentando un letargo espiritual.
Metas de enseñanza-aprendizaje: Que el alumno demuestre su: (1) conocimiento de la profecía de Zacarías acerca del Rey mesiánico, (2) actitud de adoración jubilosa por la promesa de la Segunda Venida de Cristo.

Estudio panorámico del contexto

A. Fondo histórico:

A partir del capítulo 9 Zacarías cambia de enfoque. El fondo o escenario histórico de estos seis capítulos es muy difícil de precisar. Se trata de un escenario claramente apocalíptico y mesiánico. El profeta se refiere en un lenguaje simbólico a acontecimientos relacionados con el Mesías prometido, es decir Cristo.

Israel en su totalidad busca la ayuda de Dios para hallar liberación de las "garras" de sus poderosos enemigos, y Dios no lo defrauda. Acude en su ayuda para traerles liberación.

En los primeros ocho capítulos Zacarías tiene un objetivo: alentar fuertemente a los repatriados en la reconstrucción del templo, con la certeza de que luego de su rededicación Dios habitará nuevamente en medio de su pueblo. Los últimos capítulos tratan de eventos muy distantes del día del profeta y fueron escritos por él mucho tiempo después.

El pueblo de Israel que se hallaba bajo el poder del imperio Medo-Persa (caps. 1 a 8) llegaría a estar bajo el dominio griego (caps. 9 y 10); los romanos los dominarían posteriormente (cap. 11), y la historia nacional hebrea vería su consumación en los días postreros (caps. 12 a 14). La primera parte del capítulo 9 detalla las conquistas de Alejandro Magno en el siglo IV a. de J.C.

Síntesis de los capítulos 9 a 11. Los tres capítulos contienen promesas de una tierra en la cual vivir al regreso del exilio, de victorias sobre un poder mundial enemigo, y de bendiciones temporales y fortaleza nacional. Al final se menciona una parábola del juicio que caerá sobre Israel por haber rechazado a Jehovah, su buen Pastor.

Síntesis de los capítulos 12 a 14. Se refieren a la era por venir y describen las victorias de la era en que Dios reinará y del día del Señor que viene. Describen los últimos días cuando los impíos se confabularán para destruir al pueblo de Dios; pero después de tomar la ciudad de Jerusalén, el Señor reinará soberano y triunfante para siempre.

B. Enfasis:

Castigo de los enemigos de Israel, 9:1-8. El Señor ha de ejercer juicio sobre los países vecinos de Israel, los sirios (v. 1), los fenicios (vv. 2-4) y sobre los filisteos (vv. 5, 6). Los filisteos han de ser convertidos a la religión de Jehovah. En tanto, Jehovah protegerá a los suyos y los cuidará.

Advenimiento del Rey mesiánico, 9:9-17. El pasaje registra las palabras citadas por Mateo 21:5, referentes a la entrada triunfal del Señor Jesús. El profeta anuncia la venida del Mesías (v. 9). Su venida traerá una era de paz al mundo (v. 10), la paz del reino de Dios. La salvación del pueblo será por sangre de su pacto (v. 11). Dios promete libertar y restaurar a su pueblo. Dios será su líder, su Señor, su Rey, su Mesías, el Cristo de Dios

Jehovah vindicará a su pueblo, 10:1-12. Un llamado a buscar y rogar al Dios verdadero que envíe lluvias y bendiciones. Dios expresa su enojo por los malos pastores por cuyos pecados el pueblo ha sufrido (v. 3). Esos pastores serán reemplazados (10:4). El pueblo será guiado a la victoria (v. 5). Dios promete y asegura que el pueblo retornará a su tierra, viniendo de las diferentes naciones de la tierra.

Destrucción de los poderosos, 11:1-3. Un severo juicio vendría de parte de Dios contra los pueblos del Líbano y de Basán. Sus pueblos y líderes fueron llamados cedros y encinas, que eran los árboles más grandes conocidos por los judíos.

Las ovejas y los dos cayados, 11:4-17. Zacarías es invitado a apacentar las ovejas del rebaño de Dios, que había sido vendido para la matanza por los malos pastores (reyes). El profeta debe personificar al Gran Pastor que había de venir. Toma dos cayados: a uno le pone por nombre Gracia. Este cayado indica que el favor de Dios se ha vuelto a su pueblo bajo el verdadero pastor. El segundo cayado se llama Vínculo (o atadura) y que significa que Israel y Judá serán unidos en un solo pueblo.

Poderío de Israel entre las naciones, 12:1-8. Todos los enemigos de Israel se juntaron en contra de él y de su ciudad capital. Pero Jehovah protegerá a su pueblo, confundirá a sus enemigos y librará al pueblo de la amenaza.

Arrepentimiento y purificación, 12:9 a 13:6. Habían traspasado a su Dios, figuradamente, cuando se revelaron contra él y fueron a la idolatría. Pero su rebelión fue aun mayor cuando traspasaron al Mesías. Por su rebelión a Jehovah habían sufrido y llorado a Josías en su muerte, pero su llanto por rechazar al Mesías sería tan grande que el profeta menciona a varias familias. No obstante, Zacarías ve una fuente de limpiamiento abierta en Jerusalén, que limpiará al pueblo de sus pecados.

Devastación del pueblo de Dios, 13:7-9. Al ser herido el pastor, las ovejas serían esparcidas (referencia al Mesías en el v. 7 y en Mat. 26:31). También hay una referencia histórica a la herida de los pastores (reyes) de Israel y Judá, cuando una parte del pueblo fue destruida y otra llevada al cautiverio, volviendo a la tierra un remanente limpio y purificado, es decir, había tenido un castigo purificador.

Jehovah desciende a reinar, 14:1-15. Es un cuadro profético del día de Jehovah (Joel 1:15). La visión del profeta se extiende bien lejos y podemos aplicar este pasaje al conflicto final de las fuerzas del mal contra el reino de Dios al fin del mundo. Hay una referencia además a la prosperidad del pueblo de Dios en las aguas vivas que salen de Jerusalén (v. 8; Eze. 47:1). Finalmente, en este pasaje bajo la figura de una plaga el profeta retrata la destrucción de las naciones enemigas del pueblo de Dios. Vendrá victoria para los hijos de Dios.

Jerusalén como centro espiritual, 14:16-21. Las naciones vendrán en homenaje a Jehovah. La fidelidad del pueblo se demuestra en que viene año tras año a las fiestas. La inclusión de los gentiles a las fiestas es una profecía de la adoración de los gentiles a Dios en el reino mesiánico.

La santidad en Jerusalén será tal que aun en las campanillas de los caballos sería escrita la frase "consagrado a Jehovah". No sólo serían santas las ollas del santuario, sino que aun las ollas de las casas serían puras y santas, dedicadas a Dios. El pasaje subraya la pureza del pueblo de Dios en el porvenir. Su cumplimiento estará en el reino de Dios.

Estudio del texto básico

1 Una promesa de esperanza, Zacarías 9:9-17.

V. 9. *Tu rey viene a ti...* El que habla es Dios y usa al profeta como su vocero. La iniciación de una era mesiánica es anunciada por Zacarías 400 años antes de su cumplimiento, y como una preciosa promesa de esperanza para toda la humanidad. El mensaje es para el Israel real. *Tu rey,* no un implacable rey contra ellos, sino el propio, legítimo heredero de David, el esperado y prometido (Isa. 62:11; Mat. 21:5; Juan 12:15). *Justo...,* una característica del siervo sufriente y de un rey (Isa. 53:11; 32:1; Jer. 23: 5, 6). La justicia es indispensable para la paz en el mundo. *Victorioso...* Otras versiones usan el término "Salvador"; Jehovah lo vindicará a él como victorioso. *Humilde...* El Mesías de Israel viene en gran humildad manifestada por venir montado en un asno, un animal de paz (Gén. 49:10, 11). El versículo nueve fue cumplido cabalmente por Cristo Jesús en su primera venida.

V. 10. *Y él hablará de paz a las naciones. Su dominio será de mar a mar...* Su gobierno, su soberanía y su señorío serán absolutos. El dominio de Dios se extenderá a su tiempo hasta los confines de la tierra en la medida que los pueblos vienen a formar parte de su pacto. La comisión dada por el Cristo resucitado (Mat. 28:19, 20) contribuye al cumplimiento de esta profecía.

Vv. 11-16. Estos versículos describen a un pueblo guerrero y victorioso al que su Señor enaltecerá como si fueran *piedras preciosas de una diadema* (v.

16.). Es una palabra de esperanza para los que aún se hallaban en Babilonia. El Señor promete aquí su intervención personal (v. 14) a favor de ellos. A simple vista parece un cuadro muy negativo porque no estamos acostumbrados a hablar de la justicia de Dios y de las consecuencias del pecado. Lo que hemos de subrayar aquí es el cuidado de Dios por los suyos.

V. 17. *¡Cuánta es su bondad...!* La ilimitada bondad de Dios y su amor infinito se harán manifiestos en la pacífica prosperidad de la época mesiánica. (Jer. 31:12-14).

2 Vindicación del pueblo de Dios, Zacarías 10:1-5.

Vv. 1, 2. *Pedid a Jehovah...* En Israel la fertilidad de la tierra depende de la lluvia. El relámpago anticipa la llegada de la lluvia de primavera, que madura la cosecha. Esta vendrá como respuesta a la oración dirigida sólo al Dios soberano, poderoso y verdadero y no a la oración a los ídolos (Jer. 14:22; Isa. 30:23).

V. 3. *Mi ira se ha encendido contra los pastores...* los líderes de la nación a quienes Dios castigó por su responsabilidad de haber hecho extraviar a la nación. Señala el deseo de Dios de cuidar de su pueblo, como lo había prometido.

V. 4. *De él saldrá la piedra angular...* La expresión: "de él" se repite cuatro veces en este versículo. Judá sería la piedra angular de seguridad, Judá proveería el Rey Mesías. El cuadro utilizado representa al Mesías en su poder, estabilidad y confiabilidad (Isa. 19:13; 22:23, 24; Sal. 45:4, 5).

V. 5. *Porque Jehovah estará con ellos...* Dios será el origen y la razón de las victorias en la era mesiánica. El pueblo de Dios será invencible por su presencia viva.

3 Dios restaurará a su pueblo, Zacarías 10:6-12.

V. 6. En una serie de promesas Dios expresa su determinación de completar la restauración de su pueblo. *Que les oiré...* Es la base principal de la confianza del profeta: Dios oirá la oración y procederá a actuar.

V. 7. *Los de Efraín...* representaba al reino del norte, así como como José (v. 6) representaba al reino del sur. Habrá regocijo, alegría y celebración cuando el Señor les restaure con su poder.

V. 8. *Los llamaré... y los reuniré...* Como un pastor conoce a sus ovejas y éstas lo conocen a él (Juan 10:14), y las llama con un silbido suave para reunirlas, el Señor llama a sus hijos a quienes ha redimido para mantenerlos junto a él.

A pesar de los esfuerzos del enemigo por acabar con su pueblo, éste no solamente ha permanecido, como fue profetizado, sino que se ha multiplicado.

Vv. 9-12. Aunque el pueblo sea esparcido entre las naciones, Dios promete que *regresarán.* Esta profecía se cumplió parcialmente en los días de Zacarías con el regreso de los desterrados de Babilonia. Pero su cumplimiento cabal y perfecto ocurrirá en la nueva Jerusalén donde no solamente los judíos, sino todos los pueblos adorarán a Dios.

Aplicaciones del estudio

1. Aunque Dios disciplina a su pueblo, sus promesas de restaurarlos demuestran que su amor y misericordia nunca cesan.

2. La lucha de Israel era realmente con Satanás. No eran las naciones vecinas con quienes tenía que luchar el pueblo de Dios, sino con Satanás; él era el enemigo espiritual. Satanás es siempre el principal enemigo de la iglesia de Cristo.

3. La determinación de Dios de redimir y restaurar a aquellos que claman a él nos anima a confiar y esperar en él.

Ayuda homilética

Cuando el pueblo de Dios necesita despertar
Zacarías 9:1-17

Introducción. Hay momentos en la vida del pueblo de Dios cuando éste cae en un letargo que le impide cumplir con lo que Dios le ha asignado como misión. Ante ese letargo es necesario que Dios obre de una manera tal que el pueblo despierte y se disponga a trabajar.

I. El pueblo de Dios a veces duerme el sueño del justo.
- A. Por la presión de la oposición.
- B. Por la falta de estímulos.
- C. Por la falta de convicción acerca de su tarea.

II. Dios necesita obrar para levantar a su pueblo.
- A. Eliminando los obstáculos (el enemigo).
- B. Estimulando a su pueblo por medio de sus promesas.
- C. Creando conciencia en su pueblo de la relevancia de la tarea.

III. Cuando Dios obra, el pueblo despierta.
- A. Trasciende la oposición.
- B. Se siente estimulado.
- C. Adquiere conciencia de la trascendencia de su llamado.

Conclusión. Cuando el pueblo de Dios despierta de su letargo, estimulado por el Espíritu Santo, adquiere conciencia de la importancia de su misión, y cumple gozoso la tarea que se le ha encomendado.

Lecturas bíblicas para el siguiente estudio

Lunes: Malaquías 1:1-5
Martes: Malaquías 1:6-8
Miércoles: Malaquías 1:9-14
Jueves: Malaquías 2:1-4
Viernes: Malaquías 2:5-9
Sábado: Malaquías 2:10-16

AGENDA DE CLASE

Antes de la clase

1. Lea Zacarías caps. 9-14 y los materiales en los libros del maestro y del alumno. Aquí el profeta habla del futuro cuando Dios va a intervenir a favor de su pueblo. El tendrá la victoria final, conduciendo al mundo a la paz universal. Aun los eruditos admiten cuán difícil es interpretar y entender esta sección. Una Biblia de Estudio como la de *Mundo Hispano* o de la *Sociedad Bíblica,* puede ayudarle en su estudio. Hay que recordar que los oráculos (mensajes de Dios) son escritos en lenguaje metafórico y así debemos interpretarlos. **2.** Elabore un cartelón con el título "Las acciones del futuro rey de Sion". Debajo del título escriba: a. Destruirá implementos de guerra; b. Hablará paz a las naciones; c. Reinará sobre toda la tierra. **3.** Ore por usted mismo y por los alumnos por nombre, pidiendo que este estudio sea de esperanza y fe.

Comprobación de respuestas

JOVENES: **1.** a. Tiro edificó una fortaleza y acumuló plata... El Señor se apoderará de ella y destruirá en el mar su poderío. b. Respuesta personal. c. El v. 9. **2.** a. Produce; llover; hombre; hierba en el campo. b. ídolos; vano; ven; sueños; Jehovah; ellos. **3.** a. El v. 6; Será fortalecida , como si Dios no los hubiera rechazado y volverán a acaminar en los caminos de Dios. b. Con un silbido, como el pastor llama a las ovejas. Serán tan numerosos como lo fueron antes. c. Respuesta personal. ADULTOS: **1.** "Tu rey viene a ti, justo y victorioso, humilde y montado sobre un asno, sobre un borriquillo, hijo del asna." **2.** Los salvará, los pastoreará, y los pondrá en la tierra como piedras preciosas de una diadema. **3.** Dios responde a las peticiones del pueblo. Los ídolos prometen en vano, y causan que el pueblo vague como ovejas sin pastor. **4.** Fortaleza, libertad, el regreso a su tierra. **5.** "Les fortaleceré en Jehovah, y caminarán en su nombre", dice Jehovah.

Ya en la clase

DESPIERTE EL INTERES

1. Dé la bienvenida a todos. Dé oportunidad para que los que tengan motivos de oración los expresen y luego oren por ellos. **2.** Diga que hoy vamos a estudiar la última sección del libro de Zacarías. Esta parte es muy distinta a la de los dos estudios previos de este libro. El lenguaje es metafórico, simbólico. Presenta una visión de una realidad que no es tan obvia. Son "oráculos" o mensajes de Dios que hablan de un futuro lejano, el advenimiento del Rey mesiánico. Estos mensajes son para darnos esperanza, no para causarnos miedo o confusión. Nos dicen que Dios obtendrá la victoria. Nuestra esperanza es segura.

ESTUDIO PANORAMICO DEL CONTEXTO

Este estudio empieza anunciando que Dios va a conquistar a las naciones vecinas de Israel. Los malos líderes (los pastores) han vendido a las ovejas. Dios les va a apacentar con dos cayados, cada uno con un nombre simbólico: uno, "Gracia", el favor de Dios, y el otro, "Vínculo", la reunión de Israel y Judá otra vez bajo un solo pastor. Los últimos capítulos hablan del futuro reino de Dios. El luchará por su pueblo y lo librará. Dios descenderá a reinar con paz y justicia.

ESTUDIO DEL TEXTO BASICO

Dé tiempo para que completen la sección *Lea su Biblia y responda.* Aclare cualquier duda en cuanto a las respuestas.

Una promesa de esperanza, Zacarías 9:9-17. Este pasaje es el más conocido de Zacarías porque describe la entrada de Jesús en Jerusalén. Lean juntos este pasaje. Habla de las características del rey justo (v. 9) y lo que hará (v. 10). Muestre el cartelón y hable del significado de estas acciones tanto para las personas que vivieron en los tiempos de Zacarías como para nosotros en el tiempo actual. Dios luchará junto con su pueblo y lo salvará. Termina hablando de la bondad de Dios quien da fertilidad a la tierra.

Vindicación del pueblo de Dios, Zacarías 10:1-5. Pida a uno de los alumnos que lea el pasaje. Dios va a castigar a los líderes que han guiado al pueblo a pedir las bendiciones para su tierra a los ídolos y no a él.

El profeta anuncia que de la casa de David, de Judá, vendrá el Mesías. Anote en la pizarra las cuatro figuras que describen al Mesías que vendrá (v. 4). Hablen del significado de estas palabras. La victoria de Dios se basará en la presencia de Dios con ellos.

Dios restaurará a su pueblo, Zacarías 10:6-12. Lean juntos el pasaje. Ahora Dios va a bendecir a Judá y a Israel. Les traerá del exilio, de la dispersión. Será como un nuevo Exodo, viniendo desde Asiria y de Egipto. Hablen del v. 12 como la esperanza que Dios da.

APLICACIONES DEL ESTUDIO

1. Lean las aplicaciones juntos y dividan al grupo en parejas para hablar de ellas, y de maneras en las cuales las pueden incorporar en sus vidas personales. **2.** Vuelvan al grupo general para compartir sus conclusiones.

PRUEBA

Pida que cada alumno escoja uno de los ejercicios para reflexionar sobre lo aprendido en este estudio. Después pueden compartir sus conclusiones. Diga que en los dos próximos estudios vamos a considerar el mensaje de Malaquías, el último libro del A.T.

Pecado y apostasía

Contexto: Malaquías 1:1 a 2:16
Texto básico: Malaquías 1:6-14; 2:1-16
Versículo clave: Malaquías 1:9
Verdad central: El relajamiento moral y espiritual en que estaba viviendo el pueblo de Dios impidió su prosperidad. Ellos abandonaron a Dios, pero él no los abandonó.
Metas de enseñanza-aprendizaje: Que el alumno demuestre su: (1) conocimiento de la condición moral y espiritual del pueblo de Dios en el tiempo de Malaquías, (2) actitud de fidelidad y consagración en su relación con el Señor.

Estudio panorámico del contexto

A. Fondo histórico:

El nombre del escritor. Malaquías, el nombre que encabeza este breve pero gran escrito es un derivado del término hebreo *Malaquí* (o *Malají*) que significa: Mi mensajero. Dado que un profeta es propiamente un mensajero de Dios, puede interpretarse no sólo como nombre de persona, sino también como título de aquel a quien el Señor le encomienda una tarea profética. Según la tradición judía Malaquías fue posterior a Zacarías y Hageo, con lo que con propiedad podemos inferir que fue anterior o contemporáneo de Nehemías. Fue escrito después del año 516 a. de J.C., luego de concluirse la reconstrucción del templo, y de que las ceremonias regulares del culto se volvieron a establecer. Se lo puede fechar en el año 450 ó 460 a. de J.C. Malaquías es el último de los doce profetas menores, el postrer escritor inspirado de las Sagradas Escrituras hasta los tiempos del N.T.

Restauración de Israel. Después del retorno del exilio Israel vivió como una comunidad restaurada en su propia tierra. Lamentablemente, en lugar de aprender de los errores del pasado y reiniciar el culto y el servicio a Dios como sus antepasados Abraham, Isaac y Jacob, se convirtió en un pueblo inmoral e indiferente. Dudaba del amor de Dios y se preguntaba si había justicia divina, ya que los impíos prosperaban; cuestionaban si había algún beneficio en obedecer a Dios y observar sus mandamientos. Esta grave situación hizo que Malaquías se sintiera profundamente afectado con los problemas de su pueblo. Con fervor del Espíritu de Dios se refirió en su libro a la apatía y frialdad espiritual imperante que ofendía seriamente al Dios vivo.

Propósito del libro. Malaquías escribe para llamar al pueblo al arrepentimiento y a la sinceridad en la expresión de la vida religiosa. Se interesa en los asuntos del culto, de la adoración a Dios y de las ceremonias. El veía la necesidad de conservar el culto puro y sin tacha a fin de que Israel fuese preservado como nación por medio de la cual Dios revelase su plan de redención al mundo.

B. Enfasis:

Malaquías el profeta. Fue un verdadero siervo de Dios que habló con autoridad divina. Pudo decir una y otra vez: "ha dicho Jehovah de los ejércitos". Su mensaje fue la palabra de Jehovah a Israel. A través de 23 preguntas propone al pueblo un autoexamen lleno de reproches contra los sacerdotes (líderes) y el pueblo, procurando hacerles reaccionar y volver a una relación pura, viva y sincera con el Dios que adoran.

El amor de Jehovah por su pueblo, 1:2-5. El énfasis de este pasaje es que Dios ha manifestado su favor, interés y amor por su pueblo y la prueba está en la diferencia de su trato con Esaú (Edom) y con Israel, o sea con Judá, quien ahora es recipiente de todas las promesas como el pueblo elegido de Dios.

A la pregunta: ¿En qué nos has amado? (v. 2), Jehovah contesta señalando la diferencia en como trató a los hijos gemelos de Isaac, Jacob y Esaú, y a los dos pueblos que de ellos salieron. Finalmente, Jacob recibió la bendición que correspondía a su hermano mayor y aunque ambos pueblos habían sido igualmente asolados por sus enemigos, sólo Israel (Jacob) había podido edificar su nación al volver del cautiverio, y aun cuando Edom intentó también reedificar su nación, no pudo hacerlo porque Dios no se lo permitió.

Los que deshonran el culto, 1:6-14. En los períodos anteriores los profetas habían centrado sus mensajes condenando mayormente a los reyes, en cambio el mensaje de Malaquías gira alrededor del sacerdocio. En este pasaje el profeta señala que Judá, como hijo y como siervo de Dios, no le había concedido a él la honra y el respeto que le debía. Pretendían adorar a Dios con elementos que le deshonraban (Deut. 15: 21, 22). Por ello se exhorta a los sacerdotes a orar al Señor pidiendo perdón (v. 9). Les señala además el egoísmo y la mezquindad como condenable (v. 10), exhortándoles a dejar la profanación del altar de Jehovah so pena de que la ira de Dios venga sobre ellos.

Los que corrompen el sacerdocio, 2:1-9. Debido a que los sacerdotes no se habían arrepentido sinceramente, sus sacrificios serían rechazados por Dios. Aun ellos mismos por haber quebrantado el pacto de Leví no serían aceptados por el Señor. Se les advierte que al final el pueblo les menospreciaría.

(1) El castigo: bendición cambiada en maldición, vv. 1-3.
(2) El pecado: quebrantamiento del pacto, v. 4.
(3) Contraste entre la buena conducta de los sacerdotes al principio, y su mal comportamiento posterior, vv. 5-9.

Los que profanan el matrimonio, 2:10-16. El error combatido en este pasaje es el de divorciarse de sus esposas judías (2:14), a fin de contraer matrimonio con mujeres extranjeras que les proporcionasen ventajas comerciales y sociales. El profeta hace énfasis en nombre de Dios que tales casamientos no son solamente una forma de idolatría sino una violación al propósito de Dios de que se conservara pura una simiente piadosa.

El matrimonio desde el principio fue una relación tan sólida que puede ser comparada o usada como analogía de la relación de Dios con su pueblo. La adoración a otros dioses fue llamada adulterio lo mismo que la relación entre hombres y mujeres fuera del matrimonio. Dios rechazaba y aun abominaba la práctica de los divorcios (2:16).

Estudio del texto básico

1 El pecado de deshonrar el culto, Malaquías 1:6-14.

V. 6. *¿En qué hemos menospreciado tu nombre?* Los sacerdotes de la época de Malaquías seguían en la línea de Nadab y Abiú (Lev. 10:1 y 2) y de los hijos de Elí (1 Sam. 2:12-17), cuyos corazones estaban lejos de Dios aunque eran los administradores del culto. Los sacerdotes en tiempos de Malaquías se comportaban como si Dios no existiera. Fingían piedad portándose de manera hipócrita.

Vv. 7-9. *Ofrecéis sobre mi altar pan indigno...* Ofrecían en el altar del holocausto animales defectuosos. Tales sacrificios estaban prohibidos (Lev. 22:20-25). Un adorador que deliberadamente ofrece los peores animales de su rebaño en el altar de Dios obviamente no tiene a Dios en su corazón.

Vv. 10, 11. *¿Quién de vosotros cerrará las puertas...?* Revela la gravedad de la situación cuando Dios pidió a un voluntario que cerrara las puertas del templo para que no se encendiera el altar en vano. Dios consideraba como "vanos" tales actos de adoración.

Vv. 12, 13. *Vosostros lo profanáis... y habéis dicho: ¡...qué fatigoso!* Mostraban, con su proceder, una actitud de menosprecio al Señor al traer a su altar, como ofrenda, lo robado o defectuoso.

V. 14. *¡Maldito sea el tramposo...!* No sólo el sacerdote, sino también el laico que traía sacrificio ilegítimo era culpable. Esto se ilustra con la actitud de Ananías y Safira, que se halla en Hechos 5.

El abierto rechazo de las normas de los sacrificios constituye una forma de menospreciar al amante y misericordioso Señor y Dios de Israel. Sacrificios imperfectos ofrecidos sin sinceridad resultan inconvenientes para los gobernantes y desagradables para el Señor.

2 El pecado de corromper el sacerdocio, Malaquías 2:1-9.

Vv. 1-3. Un castigo de Dios para los sacerdotes. Anteriormente el profeta había acusado a los sacerdotes de profanar la adoración a Dios y hacerla inútil. Ahora los acusa de extraviar al pueblo y corromper la labor sacerdotal, a tal punto de haber fracasado en su deber de enseñar. Antes de pronunciar juicio el profeta les hizo una apelación a oír y tomar la palabra de Dios con seriedad, porque de lo contrario sucederían cosas como las que veremos en el v. 2.

Enviaré la maldición sobre vosotros... Si no rectificaban su conducta Dios les quitaría las bendiciones y el castigo vendría sin contemplación.

He aquí, yo reprenderé a vuestra descendencia... (Otra traducción dice: Haré daño a vuestra semilla.) No habría fruto de sus labores y su descendencia sería rechazada como sacerdotes. El pacto con Leví quedaría invalidado (Lev. 1:5).

Vv. 4-6. El pacto de Dios con los sacerdotes. El propósito de Dios al juzgar a los sacerdotes era que fuera confirmado el pacto hecho con su antecesor Leví (Núm. 25:10-13). El pacto con Finees, un descendiente de Leví, aseguró que la tribu de Leví se mantuviera en el sacerdocio a través de los siglos. Dios les recuerda a los sacerdotes el tiempo cuando su pacto con los hijos de Leví era honrado y respetado. Dada su fidelidad, el Señor había prometido vida y paz, y ellos, en reciprocidad, habían prometido reverenciarlo. Malaquías reconoce ese tiempo de fidelidad en que los sacerdotes se dedicaban a la enseñanza y hablaban con justicia. Además, la sana doctrina era confirmada por una vida ejemplar. Por haber sido hombres de piedad e integridad, por haber instruido al pueblo sanamente y por haber vivido en comunión íntima con Dios, hicieron que muchos se volvieran de su iniquidad, de su pecado. Este es el elogio más grande que pueda darse de un siervo de Dios.

V. 7. *Mensaje de Jehovah de los Ejércitos.* Un título sobresaliente que sólo Malaquías registra y que constituye un reconocimiento a la capacidad de Dios de ser el Señor de todos los ejércitos.

Vv. 8, 9. *Os he hecho despreciables.* El juicio de Dios sobre los sacerdotes del tiempo de Malaquías que actuaban en marcado contraste con la fidelidad de los primeros sacerdotes. El contraste está dado en la expresión *Pero vosotros...* (v. 8). Se habían descarriado y hecho tropezar al pueblo. ¡Más aun, se habían inclinado a favor de los ricos y poderosos!

3 El pecado de profanar el matrimonio, Malaquías 2:10-16.

V. 10. *¿Por qué... profanamos el pacto de nuestros padres?* Se podría traducir o parafrasear este versículo así: "¿Por qué hemos actuado traicioneramente cada uno contra su hermano?"

Vv. 11-13. El profeta señala la práctica del divorcio como un acto de traición a Dios, ya que se profanaba la unidad sagrada de Israel que era el pueblo que Dios había elegido para ser su santuario y el lugar de su morada en la tierra. Malaquías vuelve a subrayar el hecho que el divorcio era lisa y llanamente una violación al pacto del cual Dios era testigo. Esto era un signo de deslealtad y una hipocresía, cosas que Dios rechaza.

V. 14. *Mujer de tu juventud... compañera... mujer de tu pacto.* En ninguna otra parte de la Biblia se describe a la esposa con expresiones o palabras tan hermosas como en estos versículos. Ellas dignifican y elevan al matrimonio a la altura que Dios desea que tenga, y que todos debiéramos recordar en las relaciones conyugales (Prov. 5:18).

Vv. 15, 16. Dios no sólo hizo al varón, también hizo a la mujer y le asigna un lugar de dignidad. A veces preguntamos: ¿qué dice Dios sobre el divorcio? Es bueno poner atención a la declaración de él mismo: *"Porque yo aborrezco el divorcio." "Guardad, pues, vuestro espíritu y no cometáis traición."*

Aplicaciones del estudio

1. Dios ve y recompensa no de acuerdo con nuestros cálculos, sino según los suyos. Nuestras conductas no pasan inadvertidas para Dios. El juzga todo y a todos.

2. Nada de lo que damos ni de lo que hacemos agrada a Dios o le es aceptable a menos que exista la pureza de corazón.

3. El Señor espera grandes cosas de las personas que le servirán como sus ministros. La razón es que ellos tienen el poder, ya sea de hacer un gran bien o un grave daño. Ninguna influencia es más duradera que el bien y puede ejercerse a través de la vida de un fiel y dedicado siervo del Señor.

Ayuda homilética

El pacto matrimonial como Dios lo planeó
Malaquías 2:10-16

Introducción. El hombre, al paso de los siglos, ha desvirtuado la institución del matrimonio. Dios, el inventor de la relación matrimonial, tiene en su Palabra los principios sobre los cuales se debe llevar a cabo esta relación.

I. El matrimonio debe llevarse a cabo por dos personas de la misma fe.
- A. Hacer lo contrario es profanar el pacto matrimonial.
- B. Hacer lo contrario es acercarse a dioses ajenos.
- C. Hacer lo contrario traerá consecuencias trágicas.

II. El matrimonio debe llevarse a cabo con la disposición de ser fiel.
- A. Porque Dios ha sido testigo del compromiso matrimonial.
- B. Porque Dios hizo tanto a la mujer como al hombre.
- C. Porque ambos cónyuges son creados a la imagen y semejanza de Dios.

III. El matrimonio debe ser una relación permanente.
- A. Porque Jehovah aborrece el divorcio.
- B. Porque hacer lo contrario es traición a los ojos de Dios.

Conclusión. Vale la pena repasar el pacto matrimonial como fue diseñado por Dios, y pedirle que nos ayude a vivir de acuerdo con los ideales y los principios que él ha establecido.

Lecturas bíblicas para el siguiente estudio

Lunes: Malaquías 2:17 a 3:5
Martes: Malaquías 3:6-12
Miércoles: Malaquías 3:13-15
Jueves: Malaquías 3:16-18
Viernes: Malaquías 4:1-3
Sábado: Malaquías 4:4-6

AGENDA DE CLASE

Antes de la clase

1. Lea todo el libro de Malaquías y los materiales en los libros del maestro y del adulto. Lea en una Biblia de estudio las introducciones a Esdras, Nehemías y Malaquías para tener un trasfondo de la época en que se desarrollaron estos acontecimientos, que fue más o menos a mediados del siglo V a. de J.C., un período de gran decadencia espiritual en Jerusalén. **2.** En el diccionario bíblico lea sobre el pecado y la apostasía. Anote los pecados que encuentre en su lectura de Malaquías. Use esta información para reforzar el estudio del tema. **3.** En una columna, en el lado izquierdo del pizarrón, escriba las preguntas retóricas que aparecen a través del libro de Malaquías que el profeta dice que el pueblo hace a Dios (1:2, 6; 2:17; 3:7, 8, 13, 14). **4.** Prepare, para llevar a la clase, una invitación a la ceremonia de un matrimonio, fotos y recortes de periódico sobre bodas, datos sobre el divorcio en su país, o cualquier otro recuerdo que haga reconocer la significancia del matrimonio. **5.** Ore por los alumnos por nombre.

Comprobación de respuestas

JOVENES: **1.** a. Ofrecieron pan indigno, pensando que la mesa de Jehovah es despreciable. b. Implorar el favor de Jehovah. c. Malditos, tramposos. **2.** a. Un mensajero de Jehovah de los Ejércitos. b. Se apartaron del camino; hicieron tropezar a muchos; corrompieron el pacto de Leví. c. Despreciables y viles. **3.** a. Que sea una descendencia consagrada a Dios. b. Respuesta personal de acuerdo con el v. 16.
ADULTOS: **1.** A los sacerdotes que no le honran. **2.** implorad, Dios, compasión, vosotros, Jehovah, Ejércitos. **3.** Les maldecirá a ellos y a sus bendiciones. **4.** De vida y de paz, con reverencia hacia Dios. **5.** Ver el versículo.

Ya en la clase

DESPIERTE EL INTERES

1. Dé la bienvenida a todos y pida que mencionen motivos de oración. **2.** Explique que hoy empezamos el estudio del último libro del A.T.: Malaquías. Los hechos ocurrieron alrededor del año 538 a. de J.C., casi 100 años después de que los judíos habían vuelto a Jerusalén del exilio. El pueblo se había apartado del Señor. Dios llama a Malaquías a ser su vocero para llamar al pueblo al arrepentiminto. El libro empieza con una afirmación de Dios, seguida por una pregunta sarcástica del pueblo. (Señale la primera pregunta [v. 1] y dé oportunidad para que uno de los alumnos pase a escribir la respuesta.) A pesar del gran amor de Dios ellos preguntan: "¿En qué nos has amado?" No creen que Dios les ama porque no ha hecho nada a favor de ellos. Dios quiere darles otra oportunidad de arrepentirse y seguir su camino.

ESTUDIO PANORAMICO DEL CONTEXTO

1. En el cartelón de los Profetas Menores ponga una marca (✔) al lado de Malaquías. Con estos últimos dos estudios ya habremos abarcado los doce profetas, cinco anteriormente, y siete durante este trimestre. **2.** Presente un repaso histórico del libro de Malaquías enfatizando las causas por las cuales el pueblo estaba distanciado de Dios. **3.** Diga que el formato literario que usa el profeta son preguntas hechas por Dios, o por el pueblo burlándose del Señor. Veamos cómo Dios responde a ellas. En este momento completarán las preguntas y respuestas en el pizarrón. Téngase un breve intercambio de comentarios sobre esto. Luego, dé tiempo para que completen individualmente la sección *Lea su Biblia y responda.* Aclare cualquier duda en cuanto a sus respuestas.

ESTUDIO DEL TEXTO BASICO

El pecado de deshonrar el culto, Malaquías 1:6-14. Lean el pasaje. Los sacerdotes han cumplido con su deber pero no lo han hecho sinceramente. Dios dice que es mejor cerrar el templo porque las ofrendas son inaceptables. El pueblo dice que los cultos son "fatigosos". También hacen promesas pero no las cumplen, son tramposos, a lo que Dios responde a esto diciendo: "¡Maldito sea el tramposo!"

El pecado de corromper el sacerdocio, Malaquías 2:1-9. Pida a un alumno que lea los vv. 1-9. Dios había dado a los sacerdotes una gran responsabilidad, pero ellos fueron infieles. En el pasaje se destaca la diferencia entre los sacerdotes de antes y los actuales (vv. 4-8), notando especialmente que en lugar de bendecir y encaminar al pueblo, lo han "hecho tropezar".

El pecado de profanar el matrimonio, Malaquías 2:10-16. Muestre los recortes relacionados con el matrimonio y hablen de las ilusiones que se tienen en esos momentos. Lea el pasaje y Deuteronomio 7:3, 4. Dios considera como profanación el matrimonio con los paganos. También los acusa de haberse divorciado de la esposa de su juventud, no han sido fieles. Les llama a ser fieles en el matrimonio. Enfatice la última parte del versículo 16, "Guardad vuestro espíritu", o sea que todo el ser debe ser entregado al Señor. La vida debe ser íntegra; se debe vivir la fe en todos los aspectos de la vida.

APLICACIONES DEL ESTUDIO

Lea con cuidado las aplicaciones y discútanlas una por una. Reflexionen cómo puedan aplicarlas a sus vidas personales. Tengan una oración pidiendo la bendición del Señor para cumplirlas en sus vidas.

PRUEBA

Divida a los asistentes en grupos de tres y pida que cada una escoja uno de los incisos y lo conteste. Después pueden compartir sus respuestas con el grupo general.

Bendición a los arrepentidos

Contexto: Malaquías 2:17 a 4:6
Texto básico: Malaquías 3:16 a 4:6
Versículos clave: Malaquías 3:17, 18
Verdad central: El arrepentimiento es un elemento clave para recibir el perdón de Dios, la restauración y las bendiciones que sólo pueden recibir los suyos. A la vez, el que se arrepiente de sus pecados denota una diferencia abismal entre el justo y el pecador, el que sirve a Dios y el que no lo hace.
Metas de enseñanza-aprendizaje: Que el alumno demuestre su: (1) conocimiento del arrepentimiento como elemento clave para recibir el perdón, la restauración y las bendiciones de Dios, (2) actitud de arrepentimiento cuando le falla al Señor.

Estudio panorámico del contexto

A. Fondo histórico:

La necesidad de justicia. Malaquías no podía soportar lo que sus hermanos israelitas decían al quejarse contra Dios debido a la situación imperante. La situación religiosa y social que debió enfrentar el profeta era moralmente desastrosa y la justicia estaba pervertida al extremo. Para comprender la situación demos un vistazo rápido a la realidad de su tiempo: (1) Fue una época de esperanzas diferidas y promesas postergadas. Los profetas anteriores a Malaquías habían predicho que el Señor retornaría a su templo en gloria (Eze. 43:2-4; Hag.1:8). Aunque el templo había sido reedificado hacía más de 50 años, no había habido ninguna señal del regreso del Señor. Los profetas habían predicho que el Señor bendeciría la tierra con prosperidad (Hag. 2:6-9), pero el pueblo se encontraba víctima de una severa pobreza. Tan desesperados estaban que se habían visto forzados a vender a sus hijos como esclavos (Neh. 5:5). Había desempleo agudo (Zac. 8:10). (2) Fue una época cuando la injusticia y la opresión imperaban en todas partes. Israelitas sin escrúpulos explotaban a sus propios campesinos. A los pobres se les exigía altos intereses sobre los préstamos, de modo que enfrentaban juicios hipotecarios si se atrasaban en sus pagos (Neh. 5:1-4). Los ricos explotaban especialmente a los más necesitados tales como los obreros, las viudas, los huérfanos y los extranjeros (Mal. 3:5).

Era una época de escepticismo, indiferencia y religiosidad superficial. Aun así, el profeta siguió adelante respondiendo al pueblo sus interrogantes en cuanto a Dios.

La prosperidad de los malos. Los israelitas se quejaban de que Dios mostraba favoritismo hacia los que hacían mal y daba a los justos la parte peor en el reparto. Además, ellos decían que Dios no mostraba preocupación de que se hiciera justicia en la tierra. En la opinión de ellos Dios había llegado a demostrar que no hacía nada (Mal. 2:17).

Habían cansado a Dios. El siervo de Dios les señaló tres formas en que habían cansado a Dios con sus palabras. Ellos habían dicho:

a. "Cualquiera que hace lo malo es bueno ante los ojos de Jehovah" (2:17b).
b. "Dios de los tales se agrada" (2:17c).
c. "¿Dónde está el Dios de la justicia?" (2:17d).

En lo que a ellos concernía Dios estaba totalmente ausente y despreocupado de hacer justicia en el mundo.

Preparación para la aparición del Señor, Malaquías 3:1. He aquí yo envío mi mensajero, el cual preparará el camino delante de mí. El profeta responde ante la crítica situación: Aunque el juicio de Dios sobre los malos aparentemente ha tardado, su llegada es inminente y es cierta, y ahora está pronta para empezar. Enviar un mensajero para preparar el camino delante del Señor se refiere a una antigua costumbre relacionada con los reyes cuando hacían un viaje. Enviaban un siervo de confianza que se anticipara y preparara convenientemente el camino. El siervo hacía arreglos para que donde debía pasar el rey todo estuviera preparado y en condiciones. El rey pasaría con seguridad y sin ningún obstáculo. El precursor, además, tenía la responsabilidad de anunciar adecuadamente la llegada del rey a fin de que se le diera la bienvenida. El mensaje de Malaquías trae a la mente el pasaje de Isaías 40:3-5. También se puede inferir que la profecía halló cumplimiento con Juan el Bautista (Mat. 11:10; Mar. 1:2).

B. Enfasis:

El pueblo se ha quejado de que no hay justicia en el mundo (2:17) porque los malos prosperan y los buenos sufren. En contestación el profeta les advierte que en realidad el día del juicio está cerca, habiendo de llegar dentro de breve tiempo el ángel del pacto para iniciarlo.

Los que pervierten la justicia 2:17 a 3:5. Los sacerdotes y levitas mantenían una visión arrogante y distorsionada de la adoración, dudando de Dios y cuestionando su justicia. El Señor vindicará su justicia y dará su merecido a quienes la pervierten. Vendrá súbitamente a su templo (3:1) y juzgará a los adúlteros, hechiceros, los que juran en falso, los que oprimen y extorsionan a los necesitados. Les dice que castigará a los que no hospedan a los extranjeros. Es decir, dará su merecido a todos aquellos que no le temen ni le obedecen (v. 5). En realidad, estos serán juicios purificadores del Mesías, quien vendrá para refinar al pueblo como el oro y la plata son refinados en fuego, comenzando con los sacerdotes y siguiendo con los demás.

Los que roban a Dios, 3:6-12. Es una fuerte exhortación al pueblo a traer a la casa de Jehovah las ofrendas retenidas. Les habla de la inmutabilidad de

Dios al tratar con los pecadores, pero que, a su vez, es lento para la ira, pero es justo. Dios no cambia su propósito eterno de salvar al remanente arrepentido y por eso se muestra paciente (vv. 6, 7). El pueblo fingía ignorancia: ¿En qué hemos de volver? ¿En qué te hemos robado? El no dar los diezmos y las ofrendas al santuario era lo mismo que si hubiesen ido al santuario para robar de esos santos lugares algo que estuviese allí. ¡Y no fue un individuo, ni pocas personas las que habían cometido el hurto (3:9), sino toda la nación! La práctica era general y prevalente, y la bendición que correspondía a la entrega de una ofrenda a Dios se cambiaba en maldición. La exhortación es cambiar de actitud y obedecer. Debían probar así a Dios; se sorprenderían de cómo Dios respondería a esa forma de adorar, si fuera hecha con sinceridad y humildad. ¡Dios todavía obra así!

Los arrogantes e ingratos, 3:13-15. En la lista de pecados que Malaquías señala está el de la blasfemia. "Duras han sido vuestras palabras contra mí..." (v. 13). Ponían en tela de juicio el carácter de Dios (v. 14). En otras palabras, decían: "No ganamos nada con guardar su palabra y obedecer." Además afirmaban: "felices los arrogantes y... los que hacen impiedad" (v. 15). Todas estas observaciones equivocadas y falsas críticas al proceder de Dios con los buenos y los malos era sencillamente una blasfemia contra el Dios viviente.

Estudio del texto básico

1 Bendiciones para los que temen a Jehovah, Malaquías 3:16-18.

V. 16. *Los que temían a Jehovah hablaron cada uno con su compañero...* Era una evidencia de que Dios *prestó atención y escuchó.* Aunque en la época de Malaquías había un marcado escepticismo, frialdad y cinismo, siempre había algunos que verdaderamente temían al Señor.

Una respuesta totalmente diferente a la demanda de Dios de los versículos 7-9 se halla en los versículos 16-18. El primer grupo había negado la validez de las promesas de Dios con palabras que eran arrogantes y hasta blasfemas. Ahora tenemos un segundo grupo hablando, no en contra de Dios (v. 13), sino hablando *cada uno con su compañero* y sus palabras reflejaban una reverencia obediente al Señor. Dios oyó porque su adoración era genuina y proveniente de corazones sinceros.

Vv. 17, 18. *Ellos serán para mí un especial tesoro.* Aquellos que temen a Jehovah también serán su "especial tesoro". Es decir, posesión exclusiva o propiedad valiosa, tales como la plata y el oro (1 Cró. 29:3; Ecl. 2:8). Israel fue para Dios su especial tesoro, su posesión (Exo. 19:5; Deut. 7:6; Tito 2:14; 1 Ped. 2:9), como ahora lo es la iglesia del Señor.

En el día del juicio el pueblo de Dios puede sentirse perfectamente seguro, porque su relación con Dios es la de un hijo con el padre, un hijo obediente. Se aclararán en ese día la diferencia entre el bueno y el malo (v. 18 compare Gén. 18:25; Amós 5:15).

2 El fin de los impíos, Malaquías 4:1-3.

Vv. 1-3. En el pasaje de Malaquías 3:18 al 4:3 se contrastan el carácter y el destino de los buenos y el fin de los impíos. Los buenos no tienen que temer el día del Señor ¡No tienen por qué! Ese día traerá para ellos salvación y un vigor renovado (v. 2). En el v. 2 el profeta pasa del calor agotador del horno a los suaves rayos del sol matinal. El promete que para quienes temen al Señor *nacerá el Sol de justicia, y en sus alas traerá sanidad* (ver Sal. 84:11). Pero ese día las personas malas serán consumidas en fuego: serán como ceniza bajo las plantas de vuestros pies... (v. 3). La Biblia indica en términos muy claros el horrendo fin que aguarda a quienes se ponen contra el Señor y rechazan su oferta de salvación y perdón a cambio de arrepentimiento y fe.

3 Una exhortación y una promesa, Malaquías 4:4-6.

V. 4. *Acordaos de la ley de mi siervo Moisés...* Es una amonestación al pueblo a recordar la ley y a la vez sirve como conclusión entera de los escritos proféticos. Desde el comienzo hasta el final, los profetas magnificaron la ley y amonestaron al pueblo a guardarla. La acusación de Malaquías sobre el pueblo era que se habían apartado de las ordenanzas del Señor (3:7). Sin embargo, podrían, a pesar de todo, evitar el temido juicio del día de Jehovah si, arrepentidos y convertidos, se dedicaban a obedecer la ley en su letra y espíritu. La exhortación de acordarse de la ley de Moisés se dirige tanto a pecadores como a santos. La ley de Moisés, que trataba de religión, política, sociedad y familia, había sido totalmente dejada de lado por los sacerdotes y por el pueblo.

V. 5. *He aquí yo envío al profeta Elías antes de que venga el día de Jehovah, grande y temible.* Si el v. 4 mira al pasado y con la expresión "acordaos" invita a recordar, los versículos 5 y 6 miran hacia el futuro e invitan a estar vigilantes. Esta advertencia incluye el pensamiento de 3:1-5, en los cuales la venida del Señor está precedida por la venida de su mensajero. En este epílogo el mensajero es identificado con el profeta Elías, quien llegó a desempeñar un papel vital en el pensamiento apocalíptico interbíblico (Mat. 11:14; Mar. 9:11-13; Luc. 1:17).

Que Moisés y Elías aparezcan juntos en los versículos finales del último libro profético difícilmente es por accidente. La siguiente vez que aparecieron juntos fue en el monte de la transfiguración del Señor Jesús (Luc. 9:28-31). Este último párrafo forma la conclusión del libro de Malaquías, pero, particularmente, es la finalización de la idea de la venida del mensajero (3:1) o ángel de Dios.

V. 6. *El hará volver el corazón...* La misión de Elías sería de arrepentimiento, perdón y reconciliación. Una interpretación natural sería identificar a *los padres* como a los piadosos antepasados del pueblo judío, y a *los hijos* como los contemporáneos del profeta. Con este mensaje y la esperanza de unidad y salvación, Malaquías concluye el A.T. Como Abdías y otros predecesores, ve desde lejos la primera venida de Cristo y la salvación que aguarda a los que en él creen. Pero también vislumbra la segunda venida de Cristo con el juicio final de los impíos y la salvación de los que temen su nombre.

Aplicaciones del estudio

1. Dios conoce cuando nos enfrentamos con una difícil situación, aun cuando lo único que podemos hacer es orar. El oye y toma nota de nuestras oraciones aun cuando su respuesta parezca tardía.

2. La preocupación mayor de Dios tiene que ver con el bienestar espiritual de su pueblo. Cualquier iglesia que no pone el bienestar espiritual de la congregación en su más alta prioridad ha fracasado en seguir el ejemplo del Señor.

3. La importancia del remanente. Dios siempre tiene un remanente fiel de creyentes en toda iglesia o congregación, con los que puede contar que permanecerán firmes aun cuando otros claudiquen.

Ayuda homilética

Vale la pena estar del lado de Dios
Malaquías 3:6-18

Introducción. En este pasaje se advierte la presencia de tres grupos que son diferentes entre sí en cuanto a su relación con Dios y con el prójimo. Consideremos la actuación de estos grupos y decidamos del lado de quién queremos estar.

I. Está el grupo de los que roban a Dios.
- A. ¿En qué han robado a Dios? En los diezmos y las ofrendas.
- B. ¿Cuáles son las consecuencias de robar a Dios? Maldición de parte de Dios.
- C. ¿Qué se puede hacer? "Traed todo el diezmo al tesoro."

II. Está el grupo de los arrogantes e ingratos.
- A. Hablan cosas duras contra Dios.
- B. Ponen en tela de duda la importancia de ser fieles a Dios.
- C. Argumentan que los malos prosperan más que los buenos.

III. Está el grupo de los que temen a Jehovah.
- A. Toman en cuenta el nombre de Dios.
- B. Se convierten en especial tesoro para Dios.
- C. Hacen la diferencia entre los que sirven a Dios y los que no le sirven.

Conclusión. A la luz de lo que hemos considerado, ¿a cuál grupo quiere pertenecer?

Lecturas bíblicas para el siguiente estudio

Lunes: Apocalipsis 1:1-3
Martes: Apocalipsis 1:4-6
Miércoles: Apocalipsis 1:7, 8
Jueves: Apocalipsis 1:9-11
Viernes: Apocalipsis 1:12-16
Sábado: Apocalipsis 1:17-20

AGENDA DE CLASE

Antes de la clase

1. Lea el libro de Malaquías dando atención especial al pasaje de este estudio. **2.** En una franja de papel grueso o cartoncillo escriba, con letras grandes, las palabras "un especial tesoro". **3.** Piense en algo que para usted es un tesoro especial. Si le es posible, llévelo a la clase, o lleve algo que lo ilustre (una foto, un dibujo, un recorte de revista, etc.). **4.** En una cartulina escriba: "Los que temen a Dios". Debajo de este título escriba dos subtítulos formando dos columnas: El primero "Sus acciones", y el segundo "Las bendiciones de Dios". Esto se completará en el desarrollo del estudio. **5.** Ore por cada miembro de su clase por nombre.

Comprobación de respuestas

JOVENES: **1.** Cada uno habló con su hermano. **2.** Como su especial tesoro; será compasivo. **3.** Justo: le nacerá el Sol de Justicia, trayendo sanidad; estarán contentos. Pecador: Será día ardiente que les quemará.

ADULTOS: **1.** Un especial tesoro. **2.** Diferencia, justo, pecador, sirve, no, sirve. **3.** Serán quemados como paja. **4.** El Sol de justicia les traerá sanidad. **5.** Acordarse de ella.

Ya en la clase

DESPIERTE EL INTERES

1. Dé la bienvenida a todos y diga que hoy terminamos el estudio de los Profetas Menores. Haga referencia a la lista de estos profetas y a los que se han estudiado durante este trimestre. **2.** Los profetas frecuentemente hablan usando figuras que pudieran ayudar a los escuchas o lectores a "ver" lo que estaban enfatizando. En la profecía de hoy Malaquías dice que el pueblo de Israel será para Dios "un tesoro especial". Coloque la franja en la pared. **3.** Muestre "el tesoro especial " que ha traído y hable brevemente de por qué es un tesoro para usted. Dios dijo que Israel será su "tesoro especial" y en este estudio veremos cómo el pueblo podía lograr esta relación tan especial.

ESTUDIO PANORAMICO DEL CONTEXTO

1. Lea Malaquías 2:17 y enfatice la situación que prevalecía en Jerusalén en esos tiempos. Comente que, frente a esta situación, Dios va a enviar a su mensajero para preparar el camino para su regreso. Dijo que será un tiempo de juicio y de purificación. Dios volverá a su templo y hará justicia a favor de los oprimidos (3:5). Será un tiempo en el cual la presencia de Dios estará en el templo y fuera de él. **2.** Llame la atención a 3:6-12 y hable de las enseñanzas en cuanto al diezmo. Enfatice lo que significa robar a Dios, y cuál es la bendición para los que son obedientes a su mandato. **3.** Pida que lean 3:13-15 y hablen de las acusaciones del pueblo contra Dios. ¿Cómo reacciona Dios ante las palabras de los que dicen: "Está demás servir a Dios?" La respuesta a esta pregunta la encontramos más adelante.

Dé tiempo para que completen la sección *Lea su Biblia y responda.* Aclare cualquier duda.

ESTUDIO DEL TEXTO BASICO

Bendición para los que temen a Jehovah, Malaquías 3:16-18. Lean estos versículos. Diga que había personas en el pueblo que no estaban de acuerdo con las acusaciones contra Dios mencionadas anteriormente. Muestre el cartelón "Los que temen a Jehovah" y anoten, bajo la columna correspondiente, las acciones de estas personas. Resalte que Dios mismo distinguirá entre los justos y los pecadores en el día del Señor (v. 18). Aquí vemos nuevamente la idea del "tesoro especial". Esta es una relación especial con Dios. ¿Qué significa esto para Dios?, ¿qué significa para el pueblo? Agregue, en el lugar apropiado, las bendiciones que Dios dará a los que le temen.

El fin de los impíos, Malaquías 4:1-3. Lean este pasaje juntos. Noten la relación de este pasaje con 3:18. El futuro del pecador (4:1, 3) y el del justo (4:2) son muy distintos. Comenten la manera en que Malaquías describe el futuro de cada uno. ¿Quién es el "Sol de justicia" que se menciona en el v. 2? En la cartulina "Los que temen a Jehovah" agregue las bendiciones mencionadas aquí.

Una exhortación y una promesa, Malaquías 4:4-6. Pida a una persona que lea el pasaje. ¿Cuál es la promesa de Dios? ¿Cuál es el propósito de Dios para las personas? El libro de Malaquías termina con la visión del futuro cuando Dios va a bendecir a los que vuelvan a él, y va a castigar a los que no lo hagan. Con esta gran verdad se termina el A.T., pero sabemos que este llamamiento y esta amonestación siguen por medio de Jesucristo.

Si hay tiempo pueden dar un breve repaso a la lista de los Profetas Menores y comentar lo que han aprendido de cada uno.

APLICACIONES DEL ESTUDIO

Lean juntos las aplicaciones. Divida el grupo en tres y discutan su importancia para sus vidas personales. Después compartan sus conclusiones en conjunto.

PRUEBA

1. Divida a los alumnos en parejas para que cada uno responda a uno de los ejercicios. **2.** Después de unos 3 minutos pueden compartir sus respuestas al grupo completo para aumentar el aprendizaje de este estudio. **3.** Anuncie que el próximo estudio será sobre el libro de Apocalipsis.

PLAN DE ESTUDIOS
APOCALIPSIS

Escriba antes del número de cada estudio, la fecha en que lo usará.

Fecha **Unidad 8: Visiones del conflicto y triunfo de la iglesia**

_______ 40. La revelación de Jesucristo
_______ 41. Cuatro cartas a cuatro iglesias
_______ 42. Tres cartas a tres iglesias

Unidad 9: Figuras representativas del conflicto y el triunfo de la iglesia

_______ 43. Ante el trono de Dios
_______ 44. Los sellos
_______ 45. Las trompetas
_______ 46. La séptima trompeta
_______ 47. Las bestias y el Cordero
_______ 48. Los ángeles y el juicio
_______ 49. Las copas de la ira divina
_______ 50. Juicio sobre Babilonia
_______ 51. Las bodas del Cordero
_______ 52. ¡El Rey ya viene!

APOCALIPSIS
Una introducción

Apocalipsis. El libro de Apocalipsis —o, como bien podría ser llamado, el libro del triunfo de Cristo— fue escrito y enviado a siete iglesias en la provincia romana de Asia en algún punto entre los años 69 y 96 d. de J.C. El propósito era animarlas, juntamente con los cristianos en todas partes, con la promesa de que, a pesar de todas las fuerzas que se confabulaban contra ellos, alcanzarían la victoria si permanecían fieles a Cristo.

El escritor. En los vv. 1, 4 y 9 se identifica el escritor como Juan, hermano y copartícipe en la tribulación. Estaba desterrado en la isla de Patmos.

Circunstancias históricas. Durante los años 60 Pablo contó con la benevolente neutralidad del poder imperial en su tarea de evangelización en las provincias romanas. La relación entre el Imperio y la iglesia cambió radicalmente a finales de la década, y por dos centurias y media el cristianismo no tenía derecho de existir a los ojos de la ley romana. Durante el tiempo que el cristianismo fue considerado por el Imperio como una simple variante del judaísmo gozó de los mismos privilegios que éste (*religio licita*); pero cuando la diferencia entre los dos se comenzó a notar le fue quitada al cristianismo toda protección legal. El ataque de Nerón a los cristianos de Roma alrededor del año 64 d. de J.C. pudo haberse debido a motivos personales como la autoprotección (contra los rumores populares que lo hacían responsable de incendiar la ciudad). Sin embargo, posteriormente los siguientes emperadores mantuvieron una constante hostilidad oficial contra un movimiento que se consideraba subversivo y antisocial dentro del cuerpo político romano.

Propósito. Juan recuerda a sus oprimidos lectores que, no importa cuán prolongada y dura llegara a ser la campaña contra ellos, la batalla decisiva ya había sido ganada, y la victoria final asegurada. A Jesús, no al César, es a quien se le ha dado todo el poder; Jesús, no el César es el Señor de la historia. En su soberanía y triunfo sus fieles seguidores comparten ya, anticipadamente, el triunfo que compartirán plenamente en el futuro cuando él venga otra vez.

Para los lectores originales del Apocalipsis era más fácil que para las generaciones posteriores entender el simbolismo de este mensaje de esperanza. La literatura apocalítica era una forma familiar entre los judíos y los cristianos del primer siglo. Muchos de los cuadros son tomados del A.T. (por ejemplo las plagas de Egipto en Exodo y las visiones de Ezequiel y Daniel).

Si acaso hay momentos en nuestra lectura del texto cuando no comprendemos en su totalidad los cuadros y los símbolos, no cabe duda acerca del mensaje central: El hombre no podrá detener la marcha triunfal del evangelio. El triunfo final le corresponde al "León de Judá", y él compartirá ese truinfo con su seguidores que permanezcan fieles. El viene pronto para refrendar su triunfo.

Estudio **40**

Unidad 8

La revelación de Jesucristo

Contexto: Apocalipsis 1:1-20
Texto básico: Apocalipsis 1:1-16
Versículo clave: Apocalipsis 1:8
Verdad central: Jesús se revela a sí mismo como el Alfa y la Omega, el que es, y que era, y que ha de venir, el Todopoderoso, confirmando así su perfecta idoneidad para responder a las necesidades y expectaciones de su iglesia.
Metas de enseñanza-aprendizaje: Que el alumno demuestre su: (1) conocimiento de los nombres que usó Jesús para revelarse a sí mismo, (2) actitud de confianza en la idoneidad de Jesús para responder a sus necesidades y expectaciones personales.

Estudio panorámico del contexto

A. Fondo histórico:

La palabra "Apocalipsis" significa "revelación" y así se traduce algunas veces. Por lo tanto, debe leerse el libro básicamente como la forma en que Dios se da a conocer en su Hijo Jesucristo, así como la visión del futuro que terminará con el triunfo de Cristo y de su iglesia sobre el imperio del mal.

Se ha dado este nombre a un tipo de escritos que estuvo muy difundido, especialmente entre los judíos, en los siglos anteriores a nuestra era. El principal exponente lo encontramos en los últimos capítulos del libro de Daniel. También se usa en partes de Zacarías, Joel y otros. El llamado "sermón profético" de Jesús (Mat. 24 y paralelos) también tiene su eco en esos escritos.

La literatura apocalíptica ha surgido otras veces en la historia en tiempos de grandes crisis y expectativas. Cuando Dios dejó de enviar profetas, como los tenemos en el A.T., aparecieron "profetas" que pretendían llenar el vacío escribiendo libros que "adivinaban" el porvenir y que tuvieron mucha difusión. Por lo mismo, estos libros suelen ser difíciles de entender, ya que usan el lenguaje de otro tiempo. Otra dificultad es que usaban ideas y símbolos que no siempre son los mismos que usamos hoy. Ideas como el león o el fuego son del dominio general pero no muchas otras. Un símbolo es algo que describe otra cosa; por ejemplo, la luz nos habla de la iluminación que da la verdad; las langostas hacen pensar en la destrucción.

En el Apocalipsis es característico el uso de números simbólicos. Así es como el 3 representa la divinidad y el cuatro el mundo. Por eso, el 7 (3+4) describe lo perfecto. El 1 es la unidad y el 2 lo duplicado y fortalecido.

Algunos múltiplos de ciertos números son útiles para representar entidades o personajes, como los 144.000 sellados.

Siempre ha habido discusión acerca de quién fue el escritor. Preferimos seguir la idea tradicional de que fue el apóstol Juan quien lo escribió durante su destierro en la isla de Patmos, un islote griego frente a la actual Turquía. Juan dice que estaba allí por causa de la palabra de Dios, confinado como resultado de una persecución.

El templo de Jerusalén ya no existía, de modo que se puede pensar que el Apocalipsis fue escrito a finales de siglo I. Apocalipsis fue escrito como una carta circular a las iglesias de su tiempo que estaban enfrentando la hostilidad oficial. Por eso su mensaje es de ánimo para seguir luchando, manteniendo siempre la esperanza del triunfo final del bien sobre el imperio del mal. En los planes de Dios el Apocalipsis es mucho más que un vehículo de consolación para un determinado momento histórico; describe todo el curso de la historia hasta la eternidad, dándonos así un mensaje de esperanza para los cristianos de todos los tiempos.

En resumen, el propósito del Apocalipsis es dar claves a la iglesia de todos los tiempos para entender la realidad que enfrenta. Hay un Dios todopoderoso, que se ha mostrado en su Hijo. Pero frente a él se levantan las fuerzas del mal que seguramente serán derrotadas. Este mundo será reemplazado por otro en el cual se exaltará la gloria de Dios por medio de cánticos.

B. Enfasis:

"Bienaventurado el que lee", 1:1-3. El simple hecho de leer el Apocalipsis es una bendición. Tal vez se refiera a que una persona lo leía en voz alta a la congregación. Es privilegiado el que comparte con otros un mensaje tan importante.

"El Alfa y la Omega", 1:8. Son la primera y la última letras del alfabeto griego, nuestras A y Z (*cf.* 22.13), significando que nada ha habido antes de Cristo ni nada habrá después. El lo abarca todo, como parte de la creación (Juan 1:3) y como juez del universo. El es el principio y fin de todas las cosas.

Juan ve al Hijo del Hombre, 1:9-16. El libro comienza con la presencia visible del mismo Señor. No es posible pintar un cuadro con lo que aquí se ve. Son ideas que se van acumulando para tener una imagen mental del Señor. Una buena comparación es la de una cámara de televisión que va enfocando una y otra cosas sin mostrar el conjunto. Las ideas son simbólicas: ropa como de sacerdote, cabellos como un anciano, ojos que todo lo penetran, una espada que todo lo discierne.

Reacción y aliento, 1:17-20. El impacto fue muy fuerte y Juan cayó postrado a los pies del Señor, aunque sin perder la conciencia pues sintió su mano y oyó su voz. Esta es una imagen notable que debemos retener: el cuadro excelso del Rey culmina ¡en una mano bondadosa y tranquilizadora que se apoya en su hombro! Es lo que podemos esperar de él hoy: cuanto más comprendamos de su grandeza, más sentiremos de su dulzura. Juan ya lo había sentido antes (Mat. 17:7).

El apóstol no tenía que temer. Quien estaba con él era el Cristo todopoderoso (v. 18), que además tenía para él una misión (v. 19). Un motivo adicional de aliento fue explicarle por adelantado algunos detalles de las visiones que aun tenía por ver.

Estudio del texto básico

1 La introducción, Apocalipsis 1:1-3.

V. 1. El primer capítulo es distinto del resto, ya que es una introducción a todo el libro. Como muchas obras, el Apocalipsis comienza explicando por cuál motivo fue escrito y cuál es la base de su contenido. La primera palabra, en nuestro idioma, es *revelación* (en griego, *Apocalipsis*), diciendo así que aquí Dios dará a conocer cosas que no podríamos llegar a saber si él no nos las quisiera dar a conocer. Pero hace notar que la revelación es de *Jesucristo,* ya que fue a través del Hijo que el Padre se dio a conocer al mundo. Por eso, *Dios le dio* al escritor esta manifestación; también nos dice que el Hijo habla aquello que el Padre le da para decir.

¿Para qué es esa revelación? *Para mostrar a sus siervos las cosas que deben suceder pronto.* Es notable que Dios quiera que conozcamos sus planes. Lo hace porque somos sus siervos y quiere que tengamos todos los elementos necesarios para que podamos servirle eficazmente.

La palabra *ángel* puede entenderse como que gran parte de las visiones llegó por medio de uno de ellos. Pero como en griego quiere decir "mensajero", puede también referirse al mismo Jesucristo.

V. 2. El testimonio de Juan es múltiple. Primero, de la *palabra de Dios,* o *testimonio de Jesucristo,* de lo cual él había sido un observador privilegiado como parte de los apóstoles íntimos del Señor; Cristo había hablado de Dios y ahora le encargaba a Juan que lo reiterara. Por eso debe relatar *todo lo que ha visto.*

V. 3. Será feliz (bienaventurada) la persona que oye, lee y practica lo que dice la Palabra de Dios.

2 Dedicatoria del libro, Apocalipsis 1:4-8.

Vv. 4-6. *Juan* escribe *a las siete iglesias que están en Asia.* Se refiere a siete iglesias que existieron realmente y cuya región geográfica está debidamente localizada. Este mensaje, pues, se apega a la realidad histórica de aquel tiempo. Una vez que se ha establecido la importancia del simbolismo de los números entre los hebreos nos referimos al número siete para simbolizar lo perfecto. Las siete iglesias de Asia representan a todas las iglesias cristianas en todas partes del mundo con sus virtudes y sus defectos.

El mensaje viene de parte de quien nos amó y *nos libró de nuestros pecados con su sangre;* no cabe duda, es un mensaje de parte de Jesucristo. El mismo nos llamó a desempeñar un ministerio sacerdotal en el sentido de que cada creyente puede ayudar a otros a encontrar el camino al cielo.

Vv. 7, 8. El concepto que tenemos de la historia es lineal en el sentido de que tiene un principio y se mueve hacia un final. Otras culturas y religiones tienen un concepto cíclico de la historia, es decir, que todo se repite en ciclos, una y otra vez. El *Todopoderoso,* el *Alfa y la Omega,* vendrá otra vez para poner fin a la historia.

3 Un cristiano ante su Señor, Apocalipsis 1:9-12.

Vv. 9-11. Juan se identifica y da información acerca de las circunstancias que le rodean. Dice claramente que su estancia en la *isla* de *Patmos* no es precisamente para disfrutar de unas vacaciones; está allí *por causa de la palabra de Dios y del testimonio de Jesús.* Juan *estaba en el Espíritu.* Tenía una comunión íntima con su Señor lo cual le permitía ser instrumento idóneo para llevar el mensaje de consolación y fortaleza a las iglesias que estaban sufriendo en su día, y a todas aquellas que en todos los tiempos enfrentan tribulación.

En el día del Señor... La mayoría de los eruditos está de acuerdo en que se refiere al día domingo (1 Cor. 16:2), el primer día de la semana.

La tarea de Juan es muy clara, tenía que escribir lo que se le iba a revelar. Ese *libro* que resultara sería enviado a las *siete iglesias* en Asia.

V. 12. El candelero o la lámpara de los siete brazos en el A.T. simbolizaba al pueblo de Israel. En la visión de Juan los *siete candeleros* simbolizan la iglesia de Cristo, la luz del mundo. El cuerpo de Cristo es el nuevo Israel.

4 Presentación del Hijo del Hombre, Apocalipsis 1:13-16.

V. 13. La descripción que Juan hace del Señor es impresionante y debe entenderse como algo simbólico y visto paulatinamente como un rompecabezas que poco a poco se va armando. Lo primero que se nos dice es que andaba entre *siete candeleros.* Es claro que cada candelero (elemento central del culto antiguo) representa a una de las siete iglesias. Los detalles de su atuendo hablan de un sacerdote; Daniel 10:5 nos habla del *cinto de oro,* señal de realeza; él es el supremo "Sacerdote real"; a la vez que es Rey, intercede por nosotros.

V. 14. También nos hace pensar en Daniel (7:9) la referencia al cabello, pues el profeta dice haber visto "un Anciano de días" cuyo cabello se destaca por la blancura, señal de pureza. Pero entonces la visión se hace más impresionante. *Sus ojos como llama de fuego,* nos hablan del "fuego consumidor" de Hebreos 12:29, pues su mirada alcanza a penetrar hasta lo más profundo.

V. 15. El *bronce* de los *pies* nos recuerda que ése era el material más resistente (*cf.* Dan. 10:6), nos habla de su estabilidad. La mirada se eleva al oír *su voz como estruendo de muchas aguas,* o sea no una explosión sino un continuo sonido como el de una catarata.

V. 16. Las *siete estrellas* en *su mano* son las siete iglesias, o si lo preferimos, el total de las iglesias, dado que es el número perfecto. Lo que menos guarda relación con el resto es la *espada aguda de dos filos* que sale *de su boca;* la misma frase está en Efesios 6:17 y Hebreos 4:12, pues así es toda palabra que sale de la boca de Dios. Al ver Juan el rostro del personaje semejante al Hijo de Dios, recordó su experiencia en el "monte santo" (Mat. 17:2) cuando el fulgor del rostro del Señor era como el más brillante sol.

Aplicaciones del estudio

1. Dios no es un Dios que se esconde. Los sabios griegos llegaron a imaginar un Dios creador, pero que luego no tenía contacto con su creación. Debemos darnos cuenta de la gran prueba del amor de Dios cuando se interesa por revelarnos su plan eterno.

2. El Alfa y la Omega. La iglesia cristiana usó y usa mucho este símbolo. La revelación de Dios ha sido escrita; esa fue su voluntad (v. 19). Para ello se usan las letras, símbolos, figuras de lenguaje, etc., y todas ellas son parte de la forma en que Dios se da a conocer. Por eso, cuando leemos o escuchamos somos bienaventurados (v. 3).

3. Tenemos razones para no temer. Jesús nos resume lo principal de su ministerio como motivos para tener aliento. Estuvo muerto pero vive; está a la diestra de Dios pero volverá triunfante.

Ayuda homilética

Cuando el Señor nos llama
Apocalipsis 1:1-11

Introducción: Juan usa un lenguaje simbólico, pero describe sus reacciones con términos exactos que nos podemos aplicar. Hay pasos en nuestra experiencia con Cristo que él resume luego de haberle visto.

I. Juan tuvo una experiencia directa con el Señor.
- A. Sólo "viendo" personalmente al Salvador podemos llegar a conocerle.
- B. Esa visión tiene aspectos gratos, pero también nos muestra la necesidad de lavar nuestros pecados.
- C. Cuando él nos habla, nunca debemos tener temor.

II. Juan fue comisionado por Dios.
- A. Comenzó por adorarle, comprendiendo su humildad.
- B. Continuó oyendo al Señor, para saber cuál era el compromiso de su llamamiento.
- C. Entonces, Dios dará un encargo. Para Juan, fue escribir este libro. Nunca sabremos la importancia de lo que él nos encomienda.

Conclusión: Nuestra actitud ha de ser siempre de adoración, atención y obediencia.

Lecturas bíblicas para el siguiente estudio

Lunes: Apocalipsis 2:1-3
Martes: Apocalipsis 2:4-7
Miércoles: Apocalipsis 2:8-11
Jueves: Apocalipsis 2:12-17
Viernes: Apocalipsis 2:18-23
Sábado: Apocalipsis 2:24-29

AGENDA DE CLASE

Antes de la clase

1. Su comprensión de Apocalipsis es indispensable para poder enseñarlo. Lo logrará si lo lee desde el principio hasta el final, de corrido y en voz alta, antes de prepararse para enseñarlo. Si es posible, consiga un audiocasete de Apocalipsis y aparte el tiempo necesario para escucharlo sin interrupciones. **2.** Use diccionarios y comentarios bíblicos para ampliar sus conocimientos de la interpretación de este libro cumbre de la Biblia. El libro de estudio bíblico *APOCALIPSIS: Visión del triunfo final* (# 04360 CBP), por Arnoldo Canclini, puede serle muy útil. **3.** En un cuaderno vaya preparando su propio "Diccionario de Simbolismos". En él anotará los simbolismos que va encontrando en cada estudio y sus posibles significados. **4.** Tenga a mano un mapa del mundo del N.T. **5.** Lea detenidamente Apocalipsis 1 y estudie el material en su libro de maestro y en el de los alumnos. **6.** Prepare un cartelón con el título de la unidad. **7.** Verifique las respuestas de la sección: *Lea su Biblia y responda* en el libro del alumno.

Comprobación de respuestas

JOVENES: **1.** a. Jesucristo. b. Mostrar a sus siervos las cosas que sucederían pronto. c. (1) Leer (2) Oír (3) Guardar las cosas escritas en este libro. **2.** a. Testigo fiel. b. Alfa y Omega. c. Todopoderoso (hay otras opciones). **3.** a. Efeso. b. Esmirna. c. Pérgamo. d. Tiatira. e. Sardis. f. Filadelfia. g. Laodicea.

ADULTOS: **1.** La revelación de Jesucristo. **2.** Para mostrar a sus siervos las cosas que debían suceder pronto. **3.** El que lee y los que oyen las palabras de esta profecía y guardan las cosas escritas en ellas. **4.** Alfa y Omega, el que es, y que era y que ha de venir, el Todopoderoso. **5.** Estaba en el Espíritu y era domingo.

Ya en la clase

DESPIERTE EL INTERES

1. Escriba en el pizarrón o en una hoja grande de papel: TRIUNFO FINAL. **2.** Pida a los presentes que piensen en algún "triunfo final" del que han disfrutado. Puede ser el de haber completado sus estudios, o algún proyecto. Guíelos a compartir cómo fue la "sensación de triunfo". Pregunte qué cosas tuvieron que pasar los triunfadores antes de arribar a la meta. Destaque las cosas que denotan conflicto. **3.** Muestre el cartel con el título de esta unidad, presentando una breve explicación mientras lo fija en una pared donde quedará durante todo el trimestre.

ESTUDIO PANORAMICO DEL CONTEXTO

1. Diga que Apocalipsis, que contiene los conflictos y el triunfo final de Cristo y su iglesia, fue escrito en una época de aparente derrota. **2.**

Presente los puntos sobresalientes del comentario *Estudio panorámico* en este libro del maestro. **3.** Pregunte qué opinan de Apocalipsis y si alguna vez lo han leído todo. Al coincidir en que "no lo entienden" desafíelos a ser fieles en estudiar y en asistir a los estudios para entenderlo mejor.

ESTUDIO DEL TEXTO BASICO

La introducción. Mientras un alumno lee en voz alta Apocalipsis 1:1-3, indique a los demás que encuentren: (1) el contenido del libro, (2) su propósito, (3) quién lo dictó a quién, (4) quiénes serán bienaventurados. Diga cómo la bienaventuranza del v. 3 se aplicará a cada uno que aproveche la oportunidad de atesorar el contenido de Apocalipsis en estos trece estudios y de "guardar las cosas escritas" en él de aquí en adelante.

Dedicatoria del libro. Mientras un alumno lee en voz alta 1:4-8, los demás encuentren: (1) de parte de quién escribía Juan, (2) expresiones que denotan la eternidad de Cristo, (3) expresiones que describen a Cristo, (4) expresiones que describen lo que Cristo hizo por nosotros, (5) lo que hará en el futuro, (6) destinatarios de la revelación. Aclare cualquier término dudoso. Guíe el diálogo a fin de recalcar la importancia del originador de la carta (Jesús). Pregunte qué frases denotan el "triunfo final" que Apocalipsis presagia desde el principio.

Un cristiano ante su Señor. Lean en silencio 1:9-12. Pregunte: ¿Cómo se describe Juan a sí mismo? ¿Qué más sabemos de Juan? ¿Dónde estaba? (Señale la isla de Patmos en el mapa.) ¿Por qué estaba allí? ¿Qué día de la semana era? ¿Qué estaba haciendo? ¿Qué oyó? ¿Qué le ordenó la voz? Señale la ubicación de las siete iglesias en el mapa y noten cómo forman un círculo completo. Lea la definición que escribió para "siete candeleros de oro" en su "diccionario de simbolismos". Sugiera que los presentes empiecen su propio diccionario.

Presentación del Hijo del Hombre. Antes de leer 1:13-16 diga que lo que leerán está lleno de símbolos de la magnificencia de Dios. Lean el pasaje en silencio y mencionen qué símbolos encontraron. Con la ayuda de sus libros del alumno vayan identificando lo que seguramente simbolizan. Escriban en el pizarrón o en una hoja grande de papel lo que simbolizan.

APLICACIONES DEL ESTUDIO

1. Guíe un diálogo en base a la lista de las aplicaciones en el libro del alumno. **2.** Entre todos decidan cuáles se aplican mejor a su vida.

PRUEBA

1. Completen individualmente los ejercicios de esta sección. **2.** Forme parejas para compartir, comentar y comprobar sus respuestas.

Cuatro cartas a cuatro iglesias

Contexto: Apocalipsis 2:1-29
Texto básico: Apocalipsis 2:1-29
Versículo clave: Apocalipsis 2:7
Verdad central: En las cartas a las cuatro iglesias el Señor reconoce las obras, cuidados necesarios, fe y paciencia que tienen las iglesias, así como la indebida tolerancia, mostrando que él está atento a la actuación de las mismas.
Metas de enseñanza-aprendizaje: Que el alumno demuestre su: (1) conocimiento del contenido y significado de las cartas a las cuatro iglesias, (2) actitud de responsabilidad en el cumplimiento de su misión en relación con la iglesia a la que pertenece.

Estudio panorámico del contexto

A. Fondo histórico:

Los capítulos 2 y 3 son diferentes del resto del libro. Contienen las siete cartas que el Señor envía a otras tantas iglesias. No sabemos por qué Cristo eligió estas congregaciones, ya que había otras, como Colosas o Troas. Quizá era porque estaban ubicadas en las ciudades más importantes. Todas estaban en el Asia Menor, cerca unas de las otras. Pablo había comenzado la predicación en esa región pues se quedó mucho tiempo en Efeso, que era la ciudad más influyente.

Diremos una palabra sobre cada iglesia y ciudad al comentar las cartas.

B. Enfasis:

El ángel de la iglesia, 2:1a. La idea más común es que debe entenderse la palabra "ángel" como "mensajero". En ese caso, se trataría del que llevaba el mensaje divino en el lugar, el responsable de la iglesia, lo que hoy corresponde a pastor. Otros opinan que se refiere a la iglesia misma, pues nunca se compara a seres humanos con ángeles.

Primera identificación, 2:1b. Cristo usa las dos imágenes que aparecieron en el cap. 1. Era importante que, desde el principio, los lectores entendieran que él es quien tiene (o sostiene) a todas las iglesias representadas por estrellas.

Las buenas obras de los efesios, 2:2, 3. Dios siempre comienza reconociendo lo bueno que hay en una iglesia. Tiene mucho para decir a los efesios, tanto del pasado como del presente. Habían trabajado mucho, con sufrimiento, con paciencia y sin desmayar. También habían sabido librarse de los falsos predicadores.

La pérdida del primer amor, 2:4, 5. Después del entusiasmo inicial que les había hecho un ejemplo de trabajo, ahora los efesios ya no tenían el "primer amor", frase que seguimos usando hoy. Eso era una grave caída.

El premio del vencedor, 2:6, 7. La frase "Al que venciere" es característica de estas cartas. Nos muestra que el cristiano puede vencer o ser vencido y que Dios siempre tiene una retribución para el vencedor.

Esmirna, una iglesia rica, 2: 8, 9. La segunda ciudad era una urbe poderosa. El Señor es quien señala esa riqueza, aunque la iglesia misma declaraba ser pobre, en una actitud frecuente de quien no quiere darse cuenta de todo lo que Dios le ha dado.

Fidelidad hasta la muerte, 2:10, 11. ¿Qué es ser "fiel hasta la muerte"? En aquel tiempo de persecución, podía significar que hay que ser fiel aun cuando haya peligro de ser martirizado. Para todos los creyentes hay un llamado a seguir en el buen camino hasta que el Señor nos llame.

Pérgamo, una iglesia en conflicto, 2:12-16. Aunque hay un reconocimiento por la fidelidad de la iglesia, se señala el peligro de caer en los mismos errores del pueblo hebreo, cuando apareció Balaam (*cf.* Judas 11) que actuaba por ganancia, hizo caer en la inmoralidad a otros y los hizo tropezar.

La recompensa al vencedor, 2:17. Dios tiene esperanza en que esta iglesia será vencedora. En este caso, lo más importante es saber que tendremos un "nombre", una identificación que nos permitirá tener una relación especial con Dios.

Tiatira, una iglesia contrastante, 2:18-20. Hemos de aprender que desde el siglo I, todas las iglesias tienen cosas buenas y cosas malas. En Tiatira la lista de lo positivo es alentadora. Lamentablemente, una sola persona perturbaba al resto de los hermanos.

Las consecuencias de no arrepentirse, 2:21-23. Se señalan dos aspectos diferentes. Habrá un juicio sobre la persona responsable de seducir a los siervos, la llamada Jezabel. Pero también Dios dará "a cada uno según sus obras".

El resultado de la fidelidad, 2:24-29. Es interesante que, a pesar del feo cuadro anterior, se dedica más espacio a destacar el premio a quienes han seguido fieles, o sea, a quienes no solo hayan vencido, sino que lo hayan mostrado guardando las obras del Señor (v. 26).

Estudio del texto básico

1 Carta a la iglesia de Efeso, Apocalipsis 2:1-7.

V. 1. En Los Hechos 18:24 a 19:41 está la historia del origen de esta iglesia, y en 20:17-38 el gran discurso de Pablo a sus ancianos. El esquema de la carta que en general se repite siempre es: presentación de Cristo, reconocimiento de lo positivo en la iglesia, condena de lo negativo y apelación a la perseverancia en lo bueno.

Cristo se presenta aquí diciendo dos cosas. Por un lado, tiene en su mano a todas las iglesias. Nos resulta alentador saber que él nos mantiene como encerrados en su puño; ¿quién nos podrá sacar de allí? Además, camina en medio de las iglesias, como cuidando que no se apague la luz de su candelero. Es una imagen para alentarnos. Cada vez que nos reunimos como iglesia es como si Cristo estuviera paseándose en medio de la congregación, mirándonos uno a uno, dándose cuenta de nuestras condiciones.

Vv. 2, 3. El Señor reconoce que la iglesia ha trabajado. ¿Cómo puede trabajar una iglesia? Sin duda, el hecho de que hubiera otras en las ciudades cercanas (como Colosas, donde no consta que haya ido Pablo) demuestra que evangelizaban. El motivo para su trabajo era que tenían amor por el nombre de Jesús. Esa debe ser la base de todo nuestro programa de acción. Para ello habían precisado de una paciencia especial .

Vv. 4, 5. Pero su entusiasmo inicial había disminuido, ya no tenían el "primer amor". Perder el encanto de la luna de miel espiritual es muy humano y debemos cuidarnos de ello, pues es grave a los ojos divinos. Si seguía la decadencia aquel "candelero" dejaría de brillar, y ¡es lo que ocurrió!

Vv. 6, 7. Sin embargo, hay una promesa que nos remonta al Génesis para subrayar que Dios es siempre el mismo: *Al que venza le daré de comer del árbol de la vida.*

2 Carta a la iglesia de Esmirna, Apocalipsis 2:8-11.

Vv. 8-11. Esta es la carta más breve y debemos alegrarnos porque se debe a que Cristo no encontró en la iglesia de Esmirna nada tan serio como para ser destacado. Un detalle particular es la mención de la muerte. Primero, se habla de la muerte de Cristo, pues todo comienza con la sangre derramada en la cruz del Calvario. Después, menciona la posibilidad de que la persecución llegue hasta el martirio o la necesidad de perseverar hasta nuestra última hora (v. 10c). Pero eso no será el fin, sino que habrá una segunda muerte, lo que en el Apocalipsis significa la condenación eterna. El cristiano no debe tener miedo de hablar de la muerte, pues, gracias al sacrificio de Cristo, nuestra vida está asegurada aquí y en la eternidad. En general, la carta parece ser un juego de contradicciones, como diciendo que hay diferencia entre lo que vemos y pensamos y lo que es realidad. Notemos: (1) Cristo murió, pero vive. (2) Ellos se creían pobres, pero eran ricos (v. 9a). (3) Algunos decían conservar la fe antigua y eran *"sinagoga de Satanás"* (v. 9b). (4) Iban a padecer, pero sólo poco tiempo (*diez días,* una idea simbólica) y al fin tendrían una *corona* (v. 10c). Tal vez habían llegado allí los judaizantes que enseñaban, contrario a lo que Pablo había enseñado, que había que guardar la ley de Moisés para demostrar que hacían la voluntad de Dios. Como eso les alejaba de la fe en Cristo, era realmente una obra satánica, aunque suene fuerte.

3 Carta a la iglesia de Pérgamo, Apocalipsis 2:12-17.

Vv. 12, 13. *Pérgamo* ha quedado en la historia por fabricarse allí los pergaminos, o sea el material donde la literatura antigua era escrita. Además, era un importante centro religioso. Fue la primera ciudad de la zona en levantar un templo en honor del emperador Augusto, inaugurando así el culto a este personaje, que fue la base sobre la cual se persiguió a los cristianos. Por eso,

Cristo se presenta (1:16) con una imagen de poder. Ningún emperador sería capaz de detener la *espada* de juicio divino.

En Pérgamo la persecución había sido real. Era obra del mismo *Satanás,* que tenía allí su *trono,* lo que quizá se refiere al templo dedicado a Augusto. Aunque ellos habían sufrido, no habían negado la verdadera *fe,* por lo menos hubo un mártir. *Antipas,* que nos es desconocido, merece este recuerdo y así comienza un tema que aparecerá varias veces en el libro. Dios siempre reconoce a los que mueren por su causa.

Hay dos peligros que comúnmente enfrentan las iglesias. Uno es el ataque de las fuerzas externas. Pero más grave aun son los problemas que surgen dentro de la iglesia misma. La historia nos muestra que cuando la iglesia está fuerte en su interior, se puede defender de los enemigos externos. Por eso, esta advertencia contra las herejías sigue vigente hasta el día de hoy.

Vv. 14, 15. Se mencionan dos tipos de enemigos internos. (1) Los que se adhieren a *la doctrina de Balaam,* que recuerda el episodio de Números 25 y 31; posiblemente no era una secta o movimiento organizado sino una forma de ver la vida cristiana, descuidando los aspectos morales. (2) El otro caso es el de *la doctrina de los nicolaítas,* que tampoco podemos asegurar quiénes eran, pero que son ejemplo de cualquier cosa que no agrada a Dios.

Vv. 16, 17. Hay una sola solución: *Arrepiéntete.* Si así lo hacían los miembros de la iglesia de Pérgamo tendrían, como el pueblo judío, el *maná* celestial y *una piedrecita blanca.* Puede ser que esto se refiera a la costumbre griega de votar con piedrecitas blancas o negras, que indican condena o absolución.

4 Carta a la iglesia de Tiatira, Apocalipsis 2:18-29.

Vv. 18, 19. *Tiatira* es recordada por dos cosas fuera de este texto. De allí era la primera persona convertida en Europa (Hech. 16:14) y allí vivió Policarpo, discípulo de Juan. Tiatira era una ciudad comercial y rica materialmente.

Retomando también detalles del cap. 1 (los ojos y los pies) Cristo demuestra que él es más fuerte que la riqueza, la corrupción y la persecución. La parte positiva (v. 19) es breve pero significativa. Los cristianos de la iglesia de Tiatira tenían *obras* que eran conocidas, que se basaban en algunas virtudes que no pueden faltar en una iglesia: *amor, fidelidad, servicio y perseverancia.* Además, se distinguían de los cristianos de la iglesia de Efeso en que sus *últimas obras* eran *mejores que las primeras,* lo cual era notable.

Vv. 20-23. Pero había una persona (notemos que era una) que ensombrecía todo. Quizá no se llamaba *Jezabel,* sino que, para no nombrarla siquiera, Juan apela al recuerdo de la perversa reina de Israel. Su primer pecado era declararse *profetisa,* o sea atribuir a Dios sus enseñanzas, problema que hoy se ha multiplicado. Su enseñanza se resume diciendo que "no importa" que se haga tal o cual cosa. Ella será castigada y también quienes se dejaron seducir.

Vv. 24-29. En cambio, los que han evitado la mala doctrina se verían libres de más cargas. Además, el hecho de haber sido victoriosos les permitiría ser ellos mismos gobernantes de *las naciones,* porque recibirán *la estrella de la mañana,* que presumiblemente se refiere al mismo Jesucristo (*cf.* 22:16).

Aplicaciones del estudio

1. Dios tiene cuidado de su iglesia. El conoce, vigila y advierte sobre cada cosa buena o mala que hay entre nosotros.

2. No hay iglesia perfecta. En casi todas estas iglesias había pecados graves, pero el Señor seguía reconociéndolas como suyas. En todo momento las llama al arrepentimiento, de lo contrario habrá consecuencias graves.

3. Jesús se presenta de distintas maneras. Algunos cristianos e iglesias necesitan una palabra de autoridad, otras precisan aliento y consuelo; para otras, el Señor habla en tono de juicio. Debemos estar dispuestos a escuchar lo que él tenga que decirnos y en el tono que sea necesario.

Ayuda homilética

El pecado de Balaam
Apocalipsis 2:14

Introducción: La historia de Balaam es muy recordada en el N.T. por ser muy significativa. Conviene volver a leer Números 22—25 y 31:8. Lo que más recordamos todos es que su asna habló. Lo mencionan Pedro (2 Ped. 2:15, 16) y Judas. Allí se destaca cuál era el pecado que Dios castigó. Veamos qué dice el Apocalipsis.

I. Tenía una doctrina que era un tropiezo.
- A. No toda doctrina es del Espíritu Santo.
- B. La laxitud moral es la forma que más caídas produce.
- C. Es el pecado y su atractivo lo que perdura a través del tiempo.

II. Hace "comer cosas sacrificadas a los ídolos".
- A. Este fue un tema de mucha controversia (ver 1 Cor. 8).
- B. Era una especie de compromiso con otras creencias.
- C. Por lo mismo, afectaba la fidelidad a Dios.

III. Lleva a "cometer fornicación".
- A. La inmoralidad es una consecuencia de la infidelidad.
- B. La fornicación es señalada muchas veces como servir a dos amores a la vez (Dios y el mundo, Dios y los ídolos, la verdad y el error).

Conclusión: La muerte de Balaam aunque había bendecido a Israel (contra su voluntad) muestra el juicio de Dios y su deseo de tener un pueblo fiel.

Lecturas bíblicas para el siguiente estudio

Lunes: Apocalipsis 3:1-3
Martes: Apocalipsis 3:4-6
Miércoles: Apocalipsis 3:7-10
Jueves: Apocalipsis 3:11-13
Viernes: Apocalipsis 3:14-18
Sábado: Apocalipsis 3:19-22

AGENDA DE CLASE

Antes de la clase
1. Lea en su Biblia Apocalipsis 2 y vaya anotando en su "diccionario de simbolismos" los que allí aparecen. **2.** Al estudiar el comentario en este libro del maestro y en el del alumno escriba en su "diccionario" los significados de los simbolismos. Note que, por lo general, son significados probables. Son aquellos a los cuales la erudición bíblica ha arribado como fruto de su estudio y análisis. **3.** Escriba en el pizarrón o en una cartulina lo siguiente en forma de bosquejos: (1) Presentación de Cristo. (2) Lo positivo. (3) Lo negativo. (4) La apelación. (5) La promesa. Mantenga cubierto el bosquejo hasta el momento de usarlo. **4.** Asigne a distintos alumnos la tarea de conseguir toda la información posible sobre una de las iglesias enfocadas, y pídales que se preparen para presentar un resumen en clase. **5.** Resuelva el ejercicio en la sección *Lea su Biblia y responda* bajo *Estudio del texto básico* en el libro del alumno.

Comprobación de respuestas
JOVENES: **1.** Virtudes: a. Arduo trabajo. b. Perseverancia. Error: Había dejado su primer amor. **2.** La respuesta depende del lector. **3.** Poner tropiezo a Israel, comer lo sacrificado a los ídolos, inmoralidad sexual, doctrinas falsas. **4.** Virtudes: a. amor b. fidelidad, c. servicio. Problema: Jezabel, una mujer que enseñaba y seducía a los siervos de Dios a cometer inmoralidad sexual y a comer lo sacrificado a los ídolos.
ADULTOS: **1.** Que había dejado su primer amor. **2.** Las cosas que tendrían que padecer. **3.** Satanás. **4.** Enseña y seduce a los siervos de Dios a cometer inmoralidad sexual y a comer lo sacrificado a los ídolos.

Ya en la clase
DESPIERTE EL INTERES
1. Pregunte: ¿Recuerdan alguna carta que nuestra iglesia haya recibido últimamente? Es posible que recuerden algunas leídas en sesiones administrativas. **2.** Conversen sobre los tipos de cartas que la iglesia recibe (pedidos de transferencia, anuncios de la convención, asociación, iglesias hermanas, pedidos de ayuda, saludos, etc.). **3.** Pregunte: Por lo general, ¿quién lee las cartas primero y luego las da a conocer a la iglesia? (el pastor). Comente que algunas de las cartas son importantes mientras que otras no lo son tanto.

ESTUDIO PANORAMICO DEL CONTEXTO
1. Llame la atención al título del estudio y diga que éstas son cartas muy importantes. **2.** Comente que una carta siempre tiene: (1) un remitente, (2) un correo, (3) un destinatario, y que las cuatro cartas en Apo-

calipsis 2 tienen a Jesucristo como remitente, al apóstol Juan como "correo" y a las iglesias de Efeso, Esmirna, Pérgamo y Tiatira como destinatarios. Encuentren dichas ciudades en el mapa, conectándolas con una línea de sur a norte.

ESTUDIO DEL TEXTO BASICO

Forme cuatro grupos y asigne a cada uno una iglesia de Apocalipsis 2, incluyendo en cada grupo a la persona a quien asignó que investigara todo lo posible sobre esa iglesia. Al ir estudiando cada carta, asigne a un grupo en particular el desarrollo del bosquejo de la carta.

Destape el bosquejo que escribió en el pizarrón o en una cartulina. Diga que cada grupo debe desarrollar el bosquejo, comenzando con la frase que simboliza a Cristo, buscando en sus libros del alumno su significación. **3.** Haga notar la expresión "Escribe al ángel de la iglesia" con que empieza cada sección. Vea si alguno que estudió la lección puede decir a quién se refiere. Inste a los grupos a consultar los comentarios en sus libros del alumno. Los grupos trabajarán así:

Grupo 1: Carta a la iglesia de Efeso, Apocalipsis 2:1-7.
Grupo 2: Carta a la iglesia de Esmirna, Apocalipsis 2: 8-11.
Grupo 3: Carta a la iglesia de Pérgamo, Apocalipsis 2:12-17.
Grupo 4: Carta a la iglesia de Tiatira, Apocalipsis 2:18-29.

Cuando los grupos hayan completado su tarea deben juntarse y: 1. Leer en voz alta el pasaje que les tocó. 2. La persona que se preparó con anterioridad debe dar su resumen sobre la iglesia y la ciudad. 3. Tomar cada punto del bosquejo y presentar su desarrollo a toda la clase.

Si no formó grupos, haga lo siguiente: 1. Identifique la iglesia, y la persona que se preparó con anterioridad para dar información presente su resumen ahora. 2. Asigne a una persona que lea el pasaje correspondiente y a distintas personas o parejas descubrir y luego compartir una parte del bosquejo. Usted guíe y agregue información según sea necesario. También, usando su "diccionario", aclare cualquier simbolismo que no entiendan.

APLICACIONES DEL ESTUDIO

1. Consideren la lista de aplicaciones en el los libros del maestro y del alumno. **2.** Conversen sobre la responsabilidad de cada uno para que su iglesia sea como el Señor quiere.

PRUEBA

JOVENES: **1.** Pida que quienes deseen hacerlo, digan qué carta les llamó más la atención y por qué. Luego, cada uno escriba la respuesta en su libro. **2.** Un alumno lea en voz alta la segunda pregunta.
ADULTOS: Individualmente escriban las respuestas a las preguntas.

Unidad 8

Tres cartas a tres iglesias

Contexto: Apocalipsis 3:1-22
Texto básico: Apocalipsis 3:1-22
Versículo clave: Apocalipsis 3:20
Verdad central: El mensaje a las tres iglesia trata asuntos tales como: la fidelidad, oportunidades de arrepentimiento, advertencias, vida ficticia, la necesidad de ser vigilantes, la tibieza, y promesas de vida eterna para los fieles.
Metas de enseñanza-aprendizaje: Que el alumno demuestre su: (1) conocimiento del contenido y significado de las cartas a las tres iglesias, (2) actitud de confianza en las promesas del Señor en relación con la fidelidad.

Estudio panorámico del contexto

A. Fondo histórico:

Estas tres cartas son claramente la continuación y culminación de la serie de siete que comenzó en el capítulo 2. Se les aplican los mismos principios generales del estudio anterior. Las iglesias de Sardis, Filadelfia y Laodicea también estaban en el Asia Menor y, con las otras cuatro, eran una especie de círculo, lo que puede explicar el orden en que están colocadas. No eran todas las que existían en esa época ni siquiera en la zona, pero quizá desde ellas copias de esta "carta" pudieron llegar a las demás. Algo que solemos olvidar es la gratitud que debemos sentir hacia quienes hicieron tales copias y permitieron así que esta palabra llegara hasta nosotros. En cada caso ubicaremos a la iglesia en el contexto de la ciudad correspondiente.

B. Enfasis:

Sardis, una iglesia muerta en vida, 3:1-3. La carta comienza con una seria advertencia. Quizá esta iglesia pretendía y creía que estaba viva. Pero el Señor conoce lo profundo del corazón y sabía que no era así. La muerte no era total, alcanzaba a ciertos aspectos. Era necesario que los creyentes de Sardis pusieran atención en estos aspectos, de lo contrario el mismo Cristo les castigaría.

Unos pocos fieles, 3:4-6. Los ojos del Señor, "como llama de fuego", percibían que la esperanza de la iglesia de Sardis estaba en unas pocas personas que habían mantenido una conducta pura, y por eso eran dignas de un cuidado especial de parte del Salvador ante el trono de su Padre. Un pequeño grupo puede hacer mucho por su congregación.

Filadelfia, la iglesia frente a una puerta abierta, 3:7, 8. Dios reconoce, aunque no detalla, los méritos de esta iglesia. Dice que conoce sus obras. Tenía algo especial para esta iglesia: una puerta abierta, la cual ninguno podía cerrar. La iglesia tenía poca fuerza, pero Cristo le daría los recursos suficientes para triunfar.

La mentira al descubierto, 3:9. Uno de los problemas en varias de esas iglesias, era el de quienes predicaban doctrinas distorsionadas. Pretendían ser dueños de la verdad, pero Jesús dice que mienten.

Protección en la hora de la prueba, 3:10. El Señor siempre es fiel con los que son fieles a él; por eso repite la idea de guardar: los que han guardado serán guardados.

El Señor viene pronto, 3:11-13. A veces se refiere a su regreso en gloria que fue prometido cuando ascendió a la gloria entre las nubes, pero en este caso pensamos que se refiere a una presencia especial en la hora de la prueba que se acercaba para la iglesia.

Laodicea, una iglesia tibia, 3:4-18. La idea de que la tibieza es lo que más repugna al Señor ha llamado mucho la atención. El frío, que no sabe nada de la fe, y el ardiente que vive para ella son aceptables, pero aquel que no pone en práctica todo lo que se espera de él corre un grave peligro.

La importancia del arrepentimiento, 3:19-22. Con mucha frecuencia el arrepentimiento es presentado como la solución al problema que aqueja a una determinada iglesia. Implica reconocer que hay algo que anda mal, dolerse por ello y tomar la decisión de dejarlo atrás para tomar el camino que Dios tiene preparado. Es en este marco que aparece la gran promesa del v. 20: arrepentirse es dejar entrar a Cristo en nuestra vida para que él tome las riendas.

Estudio del texto básico

1 Carta a la iglesia de Sardis, Apocalipsis 3:1-6.

Vv. 1-3. *Sardis* había sido una ciudad famosa pero estaba muy decaída en los tiempos de Juan. Se dice que allí vivió el legendario rey Creso, famoso por sus riquezas. La conquista persa provocó el derrumbe de la ciudad hasta que en el año 17 a. de J.C. el emperador Tiberio la reconstruyó.

Cristo vuelve a presentarse como quien tiene todo en la mano. *Los siete Espíritus* significa todo el Espíritu, así como las siete iglesias pueden ser todas las iglesias. Hay una diferencia con la forma en que se dirige a esta iglesia, ya que se puede decir que no tenía elementos positivos. Es cierto que tenía *obras* que el Señor dice conocer, pero éstas, de alguna manera, eran insatisfactorias. No bastaba que tuviera nombre de estar *viva,* porque Cristo sabía que no era así. Esas no eran obras acabadas delante de Dios y él no se conforma con menos. Pareciera que ya habían muerto en algunos aspectos, y por lo tanto era necesario que cumpliera algunos pasos: (1) Estar *vigilante;* (2) afirmar lo que estaba en peligro; (3) recordar el mensaje oído antes; (4) mantenerlo en vigencia; (5) arrepentirse. Que nadie diga que el camino cristiano es simple.

Vv. 4-6. Por un lado, el Señor hace una advertencia usando la conocida comparación del "ladrón" (v. 3) a quien nadie espera (Mat. 24:43, 44 y paralelos), y por el otro, reconoce el valor de unas *pocas personas.* En este caso apela a la imagen de las ropas que suele indicar la conducta, lo que es visible: (1) No las han manchado. (2) Se les promete que las usarán en la gloria. (3) Será una prueba de la victoria (vv. 4, 5). El mismo Señor Jesucristo confesará el nombre de los fieles delante de su Padre.

2 Carta a la iglesia de Filadelfia, Apocalipsis 3:7-13.

V. 7. No sabemos cómo llegó el evangelio a *Filadelfia,* que en griego significa "amor fraternal". La ciudad había pasado por un gran terremoto que aun recordarían muchos de los lectores de la carta. La referencia a una *columna en el templo* quizá sea una alusión a la fragilidad de la vida en el lugar. Toda la carta refleja la seguridad de quienes viven en el reino celestial.

Al comienzo Cristo usa para sí mismo calificativos que suelen referirse al Padre: *Santo y Verdadero* (*cf.* 6:10). Luego apela a distintas fases de otra comparación que nos recuerdan que él dijo: "Yo soy la puerta" (Juan 10:7). Declara que él es quien tiene *la llave de David;* el que pudo romper las puertas del sepulcro, ahora retiene uno de los símbolos del reinado de su antecesor; la idea es retomada de 1:18. La diferencia con cualquier humano es que, si Cristo cierra, nadie podrá abrir, lo que también es una seria advertencia.

V. 8. Después de una brevísima frase de reconocimiento sobre sus obras indica que, de acuerdo con eso, había puesto delante de la iglesia *una puerta abierta, la cual nadie puede cerrar.* Esta declaración se ha convertido en una frase clásica y en un motivo de oración. Todos ansiamos que no se cierren las puertas para la labor de la iglesia; a veces no se abren porque el Señor sabe que no es la hora, pero cuando ocurre no es posible desperdiciarlo.

Vv. 9, 10. Este tema se retoma en el v. 10, pero antes vuelve a señalar un caso de la *sinagoga de Satanás.* El mayor castigo que tendrán sus miembros es que llegará el día en que, postrados, reconocerán que el amor de Cristo está con su iglesia fiel, pero no con aquellos que distorsionan la verdad.

V. 11. La fidelidad se demuestra con la paciencia en las pruebas. Hay que persistir en el camino a pesar de las pruebas: tenemos una corona, pero debemos hacer nuestra parte para retenerla. Para hacerlo, tenemos la promesa divina de que él nos guardará en las pruebas futuras. Además, sabemos que vendrá pronto y esa esperanza nos anima a seguir adelante con nuevos bríos, sabiendo que llegará un día cuando no habrá más llanto ni más tristeza, ni más dolor.

Vv. 12, 13. Finalmente, la carta tiene la promesa de que la iglesia será una *columna,* o sea que ella misma sostendrá a otros. Ese día las cosas serán diferentes, ya no necesitará de la ayuda de otros. *El nombre de Dios* estará escrito sobre ella, demostrando de dónde procede la autoridad. Las ideas de una *nueva Jerusalén que desciende del cielo* y de un *nombre nuevo* para los creyentes reaparecerán más tarde; aquí tienen relación con el carácter universal de las pruebas que han de venir.

3 Carta a la iglesia de Laodicea, Apocalipsis 3:14-22.

V. 14. La ciudad de *Laoodicea* era conocida por ser un importante centro comercial cuya fama llegaba hasta Roma. Podemos imaginar que los pobladores estaban orgullosos de ello, lo cual nos explica el tono de la carta de Cristo. No consta que Pablo haya estado allí, pero en Colosenses 4:13, 16 se menciona que escribió una carta que no se ha conservado; algunos (como Pablo Besson) piensan que pudo ser la que conocemos como Efesios.

Vv. 15, 16. La carta a Laodicea es una carta triste. En ella tampoco encontramos motivos de elogio. Así como Efeso se caracterizaba por haber perdido el primer amor y Sardis por tener obras imperfectas, la condición de Laodicea no era la corrupción o la herejía sino la tibieza. Aquí no hay referencia a falsos maestros ni a persecuciones, sin embargo, la dureza de las expresiones muestra el dolor del Salvador por una iglesia que no demostraba todo el fervor que se podía esperar de ella. A veces, son los problemas los que encienden el fuego. Al no tenerlos, esta iglesia había perdido el ardor del buen creyente.

Cristo es muy enérgico en este caso, al extremo de decir que es preferible alguien *frío* que alguien *tibio.* Suponemos que el frío es aquel que no tiene nada del fuego del Espíritu, mientras que el tibio es el que está apagando esa llama, que corre peligro de extinguirse. La acción de vomitar lo tibio es muy gráfica, porque no sólo denota un juicio claro, sino que lo hace con una imagen física que todos reconocemos.

Vv. 17-19. Una prueba de esa tibieza era el concepto que tenían los laodicenses de sí mismos. El v. 17 pone el énfasis en la actitud egocéntrica de esos cristianos que se atribuían el mérito de lo que tenían. Por eso Cristo les aclara que: lo que vale realmente es lo que pueden comprar de él, reiterando la idea del *fuego.* Hay varios anuncios de lo que Cristo puede hacer: (1) Nos da la riqueza del verdadero *oro.* (2) Nos da nuevas *vestiduras* (nueva conducta). (3) Nos sana los males oculares que no nos dejan ver con claridad. (4) Reprende y castiga a aquellos que ama (Heb. 12:4-11).

Vv. 20, 21. Aquí tenemos el versículo más citado del libro. Lo usamos mucho para exhortar a los individuos a que dejen entrar al Señor, y eso está bien, pero el llamado es a una iglesia. La iglesia ha dejado a Cristo afuera. Cristo quiere entrar en nuestra vida para compartir con nosotros todas las cosas que el Padre le ha encomendado. Si le damos un lugar, nos dará un trono en el cielo, como prueba de lo que ha obtenido por medio de su victoria.

V. 22. El llamado final de todas las cartas nos exige detenernos un instante a reflexionar.

Aplicaciones del estudio

1. El Señor conoce nuestras obras. Esta frase es una advertencia y es un aliento. Advertencia porque nada queda oculto a los ojos de Dios, y aliento porque si andamos en sus caminos todo nos saldrá bien.

2. Columnas en el templo. Pablo escribió que Jacobo, Cefas (o sea Pedro) y Juan eran considerados como columnas (Gál. 2:9) de la iglesia de Jerusalén. "El que venciere" tiene una gran promesa: será parte sustancial del edificio del templo, de donde nadie nos sacará. Tendremos inscrito nada menos que el nombre de Dios y el de la nueva Jerusalén, modelo de la iglesia triunfante.

3. Las verdaderas riquezas. Lo que en realidad vale es la salvación. Esta no se compra, pero las vestiduras blancas, señal de una vida pura ante Dios, requieren de nuestro esfuerzo, consagración y fidelidad.

Ayuda homilética

La palabra recibida
Apocalipsis 3:3, 10, 20

Introducción: En todos los siglos ha habido la tendencia de buscar alguna cosa nueva, pero el Apocalipsis se cierra con la advertencia de que no lo hagamos (22:18, 19). Es notable que eso ya ocurría entonces, cuando había pasado poco más de medio siglo de predicación.

I. Debemos estar seguros de haberlo recibido.
- A. A veces puede ocurrir que oímos algo pero no lo recibimos.
- B. Recibir el mensaje significa hacerlo propio, como recibir al Señor (3:20).

II. Debemos guardar lo que hemos oído y recibido.
- A. La palabra "guardar" da la idea de algo precioso que ponemos a buen recaudo. Así debe ser con el mensaje recibido.
- B. En general, en la Biblia se usa en el sentido legal de cumplir como se cumplen las leyes. Eso exige que lo entendamos bien y que sepamos por qué tenemos que mantenerlos siempre en vigencia en nuestra vida.

III. Dios tiene en cuenta lo que hacemos.
- A. Quien no cuida del mensaje corre el mismo peligro que quien deja su casa expuesta a un ladrón.
- B. Aun cuando todo el mundo sufra, el Señor nos guardará si hemos guardado su mensaje.

Conclusión: La riqueza de lo que hemos oído, de lo que se ha transmitido a través de las generaciones es tan grande que no tiene sentido buscar cosas nuevas, lo que puede llevarnos a descuidar lo que hemos recibido.

Lecturas bíblicas para el siguiente estudio

Lunes: Apocalipsis 4:1-6
Martes: Apocalipsis 4:7-11
Miércoles: Apocalipsis 5:1-3
Jueves: Apocalipsis 5:4-6
Viernes: Apocalipsis 5:7-10
Sábado: Apocalipsis 5:11-14

AGENDA DE CLASE

Antes de la clase

1. Lea Apocalipsis 3 y anote en su "diccionario de simbolismos" los que allí encuentre. **2.** Al estudiar el comentario en este libro y en el del alumno, escriba los probables significados de dichos simbolismos. **3.** Asigne a tres alumnos la investigación de datos sobre las tres ciudades en que se encontraban las iglesias a las cuales van dirigidas las cartas, o prepárese usted para dar un resumen de datos interesantes de las mismas. **4.** Escriba en el pizarrón el mismo bosquejo del estudio pasado o use el cartel si es que lo escribió en una cartulina. **5.** Asegúrese de que el cartel con el título de la unidad esté en su lugar. **6.** Resuelva el ejercicio en la sección: *Lea su Biblia y responda* del *Estudio del texto básico* en el libro del alumno.

Comprobación de respuestas

JOVENES: **1.** Respuesta personal. **2.** a. (a) El Santo y Verdadero. (b) El que tiene la llave de David. (c) El que abre y nadie cierra, y cierra y nadie abre. b. Porque la iglesia había guardado la palabra "de mi paciencia". **3.** Respuestas personales.

ADULTOS: **1.** Muerta. **2.** Que se acuerde de lo que ha recibido, lo guarde y se arrepienta. **3.** Guardará a la iglesia en la hora de la prueba. **4.** Era tibia; el Señor la "vomitaría". **5.** Reprende y disciplina. **6.** "Entraré a él y cenaré con él, y él conmigo."

Ya en la clase

DESPIERTE EL INTERES

1. Presente un repaso de las promesas dadas a las cuatro iglesias en Apocalipsis 2, haciendo que distintos alumnos lean en voz alta los vv. 7, 11, 17 y 26. Después de cada v. comente brevemente su significado. Diga que son promesas para las iglesias que se mantienen fieles al Señor, que la responsabilidad de cada miembro es hacer su parte para que su iglesia sea fiel. Recuérdeles que RESPONSABILIDAD fue la palabra clave del estudio anterior. **2.** Escriba en el pizarrón o en una hoja grande de papel: FIDELIDAD y diga que ésta es la palabra clave de este estudio de las últimas tres cartas que Jesucristo mandó escribir a tres iglesias más en Apocalipsis 3.

ESTUDIO PANORAMICO DEL CONTEXTO

1. Dirija la atención al cartel con el título de la unidad. **2.** Mencione los puntos sobresalientes que caracterizaban a las iglesias estudiadas en la clase anterior destacando lo que eran "conflictos" y lo que debían hacer para llegar al "triunfo final". **3.** Muestre el bosquejo en el pizarrón o cartel y diga que en esta ocasión desarrollarán el bosquejo enfatizando los motivos de conflicto de cada iglesia con el Señor, lo que debían hacer para lograr el triunfo final y la relación de la fidelidad con ese triunfo.

ESTUDIO DEL TEXTO BASICO

Forme tres grupos asignando a cada uno una de las tres cartas a las iglesias. Procedan de la misma manera que en el estudio anterior, con los agregados mencionados en el *Estudio panorámico del contexto.* Cuando los grupos informen, señalen la ciudad en el mapa trazando una línea desde la ciudad anterior.

Divida su clase en cinco grupos. Cada grupo estará a cargo de la identificación y el desarrollo de un punto del bosquejo. Por ejemplo, el grupo 1 tendrá que identificar cómo se describió a Jesucristo en cada una de las tres cartas al ir considerando cada una (Sardis: El que tiene los siete Espíritus de Dios y las siete estrellas. Filadelfia: El Santo y Verdadero, etc. Laodicea: El Amén, el Testigo Fiel y Verdadero, etc.). Guíe la participación de los presentes de manera que vean claramente los conflictos que Jesucristo tenía con estas iglesias y lo que debían hacer para no morir y sí llegar al triunfo final.

Después de haber considerado a cada iglesia, lean en voz alta y al unísono la promesa para cada una: Sardis, 3:5; Filadelfia, 3:12; Laodicea, 3:20. Si hay alguna duda sobre el simbolismo usado en cada una explíquelo usando su "diccionario". Asegúrese de que capten el fruto de vencer los conflictos y permanecer fieles al Señor.

APLICACIONES DEL ESTUDIO

1. Pida que encuentren y subrayen en sus Biblias las tres veces que en Apocalipsis 3 dice: "Yo conozco tus obras." **2.** Completen la oración diciendo qué obras de su propia iglesia el Señor mencionaría y reflexionando sobre qué obras de cada uno de los presentes él destacaría. **3.** Diga que el tono de la carta a la iglesia en Sardis es muy duro, el de la carta a la iglesia en Filadelfia es de aprobación y el de la carta a la iglesia en Laodicea es de tristeza. Pida a cada uno que reflexione sobre cómo sería el tono de una carta de Jesucristo dirigida a él (o ella)... ¿su tono sería duro, de aprobación o lleno de tristeza? **4.** Desafíe a cada uno a analizar su propia vida con miras a ser cada día más fiel al Señor.

PRUEBA

1. Forme parejas para contestar la primera pregunta en la sección *Prueba* en sus libros del alumno. Luego, comenten entre todos las respuestas. **2.** Lea en voz alta la segunda pregunta y guíe un intercambio de opiniones antes de que cada uno escriba su respuesta en su libro a modo de un compromiso a ser más fiel al Señor.

Estudio **43**

Unidad 9

Ante el trono de Dios

Contexto: Apocalipsis 4:1 a 5:14
Texto básico: Apocalipsis 4:8-11; 5:1-14
Versículo clave: Apocalipsis 5:9
Verdad central: La adoración celestial, según la visión de Juan, nos muestra los contenidos esenciales de la adoración que debemos elevar al Cordero de Dios.
Metas de enseñanza-aprendizaje: Que el alumno demuestre su: (1) conocimiento de los elementos esenciales de la adoración celestial, (2) actitud de adoración a Dios reconociendo que él es Creador y Redentor.

Estudio panorámico del contexto

A. Fondo histórico:

Este pasaje trasciende la historia, pues nos describe lo que ocurre en la gloria, donde la eternidad ha desplazado al tiempo que es la esencia de la historia. Pero fue escrito en un momento histórico determinado y nos ayuda a entender cómo se les mostró a los primeros cristianos, a través de la visión de Juan, cómo debía ser la adoración. Comienza por ser una contemplación de Dios en su trono, junto al Cordero. A su alrrededor aparecen figuras que nos hablan de la unidad en el culto con todo el mundo y con los santos del pasado. Cristo es presentado como la clave de la verdadera adoración y todos elevan el primero de los grandiosos cánticos que adornan este libro (vv. 12, 13).

B. Enfasis:

El Rey en el trono, 4:1-3. Lo primero que hizo Juan fue oír una voz celestial que lo invitaba a ascender hasta donde podía contemplar la esencia del cuadro. Este estaba puesto en el cielo, o sea un lugar definido e inconmovible. Allí había uno sentado. Obviamente, el único que puede estar sentado en un trono es el rey. Juan escribía este libro inicialmente para aquellos que eran perseguidos por no rendir culto al emperador. ¿Cómo podían adorar a alguien más aquellos que sabían quién es el Rey de reyes?

Los adoradores en el cielo, 4:4-7. Estamos tan acostumbrados a la idea de que la gloria está poblada de ángeles y redimidos, que no nos preguntamos por qué es así. Ningún pueblo ha concebido a sus dioses de esa manera, sino que los han visto en soledad, quizá rodeados de otros semejantes y aun, como en la mitología griega, buscando la compañía de los seres humanos. Nosotros tenemos un Dios que se complace en tenernos a su alrededor.

Adoración del Creador Todopoderoso, 4:8-11. Tampoco es común que alabemos a Dios por el hecho de ser creador, o sea porque en definitiva sin su voluntad no existiríamos. Le adoramos por su redención, quizá por su revelación y por su acción continua en nuestras vidas. Pero el primer motivo que aquí se señala es: "Tú has creado todas las cosas" y eso simplemente por su voluntad. Ante este hecho tan grandioso y misterioso, solo podemos inclinarnos en adoración, uniéndonos a los personajes del Apocalipsis.

El libro sellado, 5:1-5. En el contenido de este volumen está toda la revelación que ha de seguir. No es en el "libro de la vida" (3:5 y otros pasajes) donde están nuestros nombres, sino en el que contiene los planes de Dios para el resto del tiempo y la eternidad. Por eso, el libro está sellado, o sea que tiene cierres que solo puede abrir el que tiene la llave (3:7). Como todos los seres humanos, Juan deseaba conocer el futuro y el no poder hacerlo le produjo una emoción tan grande que le hizo llorar.

El Cordero inmolado, 5:6-10. En realidad, el pasaje dice "como inmolado", o sea que hay algo en su aspecto que recuerda el sacrificio de Cristo. Esta imagen nos trae el recuerdo de la pascua en la que se ofrecía un cordero por los pecados del pueblo, y el anuncio de Juan el Bautista (Juan 1:36). Todo el cuadro es una imagen de poder y perfección. La reiteración del número siete lo demuestra. Solo él podía tomar el libro que estaba en la mano del que ocupaba el trono.

Otros adoradores, 5:11, 12. Hay ángeles, seres vivientes y ancianos. Lo que más se destaca es su cantidad. Los antiguos no tenían forma de expresar cifras muy elevadas, de modo que cuando dice "miríadas de miríadas y millares de millares" (otras traducciones dicen millones de millones) está expresando que son muchísimos más de lo que se puede contar.

Adoración universal, 5:13, 14. Hay como dos planos distintos de adoradores: aquellos que están en la gloria, representando los distintos órdenes del culto a Dios, y aquellos que él ha creado sobre este planeta, abarcando los cuatro ámbitos en que pueden vivir: el cielo, la tierra, el mundo subterráneo y el mar. Cuando se mencionan cuatro esferas se está diciendo que es todo lo terrenal. De alguna manera la creación entera, aun más allá de la humanidad, prorrumpirá en un cántico al Creador y al Cordero que fue inmolado.

Estudio del texto básico

1 La adoración al Creador, Apocalipsis 4:8-11.

Vv. 8, 9. El cuadro del *trono* mismo está lleno de detalles que demuestran el derecho que tiene de ser adorado aquel que lo ocupa. En toda corte antigua el trono estaba rodeado por los asientos de los príncipes, la reina y quizá algunos grandes hombres. Aquí también hay dos docenas de tronos que diríamos de segunda importancia; en realidad, jamás se los menciona como objeto de culto, sino más bien como parte de los adoradores.

Vv. 10, 11. El cuadro es el que cantamos en el himno *"Santo, Santo, Santo"*. Se ha discutido mucho el asunto de los *veinticuatro ancianos*. ¿A quiénes representan? En algunos pasajes del A.T. se habla también de otros tantos ancianos. Algunos piensan que se refiere a doce patriarcas y doce apóstoles, representando así el antiguo y el nuevo pacto, o sea a toda la iglesia en el pasado y en el presente. Los "cuatro seres vivientes", que desde la Edad Media, sin mucho motivo, han sido señalados como los cuatro evangelistas, pueden ser una imagen de la creación; cada uno de ellos tiene un significado especial.

Todos se reúnen en un cántico que no se interrumpe. Es como el sonido del mar que no tiene pausa. No hemos de pensar que en el cielo se escuchen esas palabras exactas (¡Al menos no se cantará en castellano!), todo esto es más bien como una oleada espiritual que trae cada uno de sus mensajes. Del mismo modo, aunque siempre hablamos de "cántico", en el Apocalipsis (excepto en 5:9; 14:3 y 15:3) habla de que "dicen". La forma de expresión en realidad es superior a cualquiera de las artes humanas.

El estudio de esta glorificación siempre es expresada en forma triple (*Santo, Santo, Santoes el Señor Dios, Todopoderoso; era, es, ha de venir*) que es lo que corresponde a la divinidad. Se destacan tres ideas sobre Dios: (1) su santidad, pues nada hay de negativo en él; (2) su poder, como Señor y omnipotente; y (3) su eternidad, repitiendo una vez más la forma en que se presentó a Moisés. Todo ello, está más allá de nuestra capacidad de comprensión. Cuando es así sólo podemos hacer una cosa: adorar.

2 El único digno de abrir el libro, Apocalipsis 5:1-4.

V. 1. ¿Cómo eran los libros en el día de Juan? Se trataba de un rollo de papiro o pergamino cuyo contenido no se podía conocer al estar enrollado. De esa manera se presentaban los documentos oficiales o los contratos privados. Para asegurar que no eran tergiversados en su texto, se les colocaban alrededor algunas cintas y luego se los sellaba como hasta hace poco se hacía con lacre en la correspondencia. Era frecuente que se usaran siete sellos. Una descripción parecida está en Ezequiel 2:9, 10. Quizá Juan recordó la promesa de Jesús (Luc. 10:20) de que su nombre estaba escrito en los cielos y por eso tenía tanta ansiedad.

Vv. 2-4. Aparece otro personaje, como si Dios quisiera que el planteo no fuera hecho por él mismo, sino por una de sus creaturas, en este caso un *ángel poderoso.* Nadie contestó a su llamado en ninguno de los tres ámbitos que se mencionan, suprimiendo el mar no sabemos por qué; tal vez porque no es el hábitat habitual de los hombres.

3 El Cordero es digno de adoración, Apocalipsis 5:5-14.

Vv. 5-7. Es emotivo notar que el Apóstol no oculta sus emociones. No podemos acercarnos fríamente a la revelación de los planes divinos. Dios tiene reservada para nosotros tanta maravilla que debemos estar ansiosos por conocerla. Del mismo modo, él cuidará de enviar a alguien que nos tranquilice. Fue *uno de los ancianos,* o sea de aquellos que representaban a los grandes siervos del pueblo de Dios y que ocupaba uno de los tronos aledaños al del Señor Dios Todopoderoso. Desde el fondo de la historia nos llega el gran mensaje. Dios tiene preparado a alguien que sí puede abrir el libro.

¿Por qué es así? Porque al morir Cristo inició una nueva era. Todo lo que ocurrió desde el día de la crucifixión tiene un sentido distinto a lo anterior. Se necesita una victoria contundente sobre el mal para poder abrir el libro de las cosas por venir, y sin duda Cristo fue el vencedor del pecado, de la muerte y de Satanás como lo demostrará el resto del libro.

Nuevamente se recurre al A.T. para mostrar que él es el cumplimiento de las promesas en dos instancias decisivas. La primera es la formación del pueblo en las doce tribus; la profecía de Jacob mostraba que de su hijo Judá saldría el León redentor (Gen. 49:8-10). Luego, David recibió la misma promesa que fue confirmada por Isaías en las palabras que usa el Apocalipsis (Isa. 11:1). Todo está listo para el comienzo de la acción.

Hasta ahora el cuadro había sido más bien estático. Sólo Juan se había movido como para pasar la puerta abierta en el cielo (4:1, 2). Luego, el Cordero toma el libro, disponiéndose a abrir sus sellos (6:1).

Hay algo de notable en el anuncio. *Uno de los ancianos* dice que aparecerá el *León de la tribu de Judá* (Gén. 49:10), y cuando Juan miró, allí estaba en pie *un Cordero como inmolado.* Es precisamente su sacrificio sobre la cruz lo que hace que Cristo pueda ser presentado hoy como el victorioso, digno de abrir el libro que revela toda la historia. Es lo primero que ocurre realmente en la visión del Apocalipsis: que el Hijo del hombre despliega el futuro hasta su consumación.

V. 8. Sólo cuando vuelve a tomar el libro se renueva la adoración celestial en la que participan los *cuatro seres vivientes* y *los veinticuatro ancianos,* a los que después se agregan los ángeles y las miríadas de miríadas. En manos de los primeros hay arpas y copas de oro llenas de incienso, símbolos conocidos de adoración. Un detalle muy importante para nosotros es que el *incienso* consiste en las *oraciones de los santos,* o sea que cuando oramos estamos llenando el mismo cielo del culto al Señor.

Vv. 9, 10. Todos entonaban un nuevo cántico. ¿Qué tenía de nuevo ya que sus palabras eran conocidas? Es como el "nuevo mandamiento" de amarnos unos a otros (Juan 13:34). Lo nuevo debe ser el espíritu, la intensidad puesta en ellos. Lo destacado era que finalmente, por una triple razón, había alguien digno de abrir el libro que expone el futuro: (1) El fue inmolado; (2) con su sangre ha redimido a toda la humanidad; (3) además, nos ha hecho reyes y sacerdotes (*cf.* 1:6).

Vv. 11-14. El nuevo cántico, al que se unen las multitudes, reitera la dignidad del *Cordero* señalando que era a gran voz. Una vez más los números describen el sentido. Si siete es la perfección, son siete los atributos que se adjudican a Cristo en el v. 12; y si cuatro son los ámbitos de la tierra, es la procedencia de los que entonan el cántico. La glorificación une al que está sentado en el trono y al Cordero. En este caso, la creación entera se ha unido. Nótese cómo las voces se van agregando (vv. 8, 11, 18). Pero al final, tanta gloria lleva al silencio reverente ante el cual solo cabe una palabra: *¡Amén!* Siempre debemos usarla con gran reverencia, pensando que nos unimos al gran coro celestial.

Aplicaciones del estudio

1. Nuestro futuro está en las manos de Dios. Ignoramos cómo se desarrollará el futuro y no puede ser de otra manera. Debemos confiar en el Cordero que fue inmolado por nosotros para que maneje los tiempos y nos dé la protección necesaria.

2. La victoria del Cordero. La iglesia está llamada a la victoria, no hay nada que temer; todo está bajo la soberana mano de Dios.

3. Los símbolos del poder. El hombre tiene sus propios símbolos de poder como puede ser la economía o la ciencia. El símbolo de poder de Dios se da en la figura de un manso cordero pero que tiene recursos ilimitados.

Ayuda homilética

El León y el Cordero
Apocalipsis 5:1-6

Introducción: Reitere el cuadro de los vv. 5, 6, lo que puede ayudar a destacar el elemento dinámico, de continuo movimiento, que caracteriza el desarrollo del Apocalipsis.

I. Por qué Cristo es un León.
- A. Porque así había sido anunciado.
- B. Porque es el rey, el que se supone invencible.
- C. Por su aspecto majestuoso

II. Por qué Cristo es un Cordero.
- A. Porque también fue anunciado (Pueden repasarse los pasajes).
- B. Porque cumplió con el sacrificio pascual.
- C. Porque esa inmolación es lo que recordamos en la Cena.
- D. Porque su sacrificio nos permite llegar a la gloria.

Conclusión: Todas las imágenes que podamos tomar de las Escrituras, así como las que ha creado la iglesia nunca llegarán a agotar toda la grandeza de nuestro Salvador. Tratemos de ver todo lo que hay en cada una de esas ideas.

Lecturas bíblicas para el siguiente estudio

Lunes: Apocalipsis 6:1-8
Martes: Apocalipsis 6:9-17
Miércoles: Apocalipsis 7:1-8
Jueves: Apocalipsis 7:9-12
Viernes: Apocalipsis 7:13-17
Sábado: Apocalipsis 8:1-5

AGENDA DE CLASE

Antes de la clase

1. Lea en su Biblia Apocalipsis 4 y 5. Anote en su "Diccionario de Simbolismos" los simbolismos nuevos. **2.** Al estudiar los comentarios en este libro y en el del alumno escriba el probable significado de cada uno. En los casos en que no se dan los significados, escriba un signo de pregunta al lado del simbolismo. **3.** Pida a 4 alumnos que se preparen para leer al unísono lo que los cuatro seres vivientes decían según 4:8, y otros cuatro a hacer lo mismo con 4:11. Pida a los ocho que practiquen leer con un fondo musical el canto en 5:9, 10. Prepárese para guiar a toda la clase en la lectura de la alabanza en 5:12 y 13. Note que aparecen en estilo poético en la Biblia RVA. **4.** Resuelva el ejercicio de la sección *Estudio del texto básico* en el libro del alumno.

Comprobación de respuestas

JOVENES: **1.** Respuesta personal. **2.** a. Por dentro y por fuera. b. ¿Quién es digno de abrir el libro y de desatar los sellos? c. Nadie. **3.** Respuesta personal.

ADULTOS: **1.** Con seis alas, llenos de ojos por delante y por detrás, adorando a Dios sin cesar. **2.** Se postraron ante el trono de Dios. **3.** Lloró. **4.** León de la tribu de Judá, Raíz de David, un Cordero como inmolado. **5.** Miríadas de miríadas, millares de millares. **6.** El "que está sentado en el trono". El "Cordero".

Ya en la clase

DESPIERTE EL INTERES

1. Diga que hay muchos estilos de cultos de adoración al Señor y pregunte si pueden mencionar algunos. (Por ejemplo, algunos son muy estructurados, otros más espontáneos. Algunos sólo incluyen himnos tradicionales, otros incluyen muchos cantos de alabanzas. Aun en una misma iglesia pueden ser distintos según sean programados para adultos, o jóvenes, o niños.) **2.** Diga que hoy estudiarán la visión que tuvo Juan de un culto de adoración en el cielo, y que de él podemos aprender los contenidos esenciales de la adoración al Señor.

ESTUDIO PANORAMICO DEL CONTEXTO

1. Diga que después de la primera visión de Juan de los mensajes que Jesucristo enviaba a las siete iglesias, Juan tuvo otra visión que comienza a describir en los capítulos 4 y 5. **2.** Relate el contenido de Apocalipsis 4:1-7 que describe lo que Juan tuvo el privilegio de ver sobre el futuro en el cielo. Incluya el "escenario", los "sonidos" y los "personajes". Diga que toda la escena es una preparación para un culto de adoración celestial.

ESTUDIO DEL TEXTO BASICO

La adoración en el trono, Apocalipsis 4:8-11. Lea en voz alta el v. 8a y que los alumnos que se prepararon para leer al unísono lo que los cuatro seres vivientes proclamaban, lo lean ahora. Enseguida lea usted en voz alta los vv. 9 y 10a y los que se prepararon para leer la alabanza de los veinticuatro ancianos, la lean ahora. Pida que observen en su Biblia las alabanzas leídas y encuentren contenidos de la adoración. Recalque que aquí aprendemos que el primer elemento en la adoración es reconocer a Dios mismo y sus atributos, y el segundo es reconocer que todo lo que existe ha sido creado por él y existe por su voluntad.

El único digno de abrir el libro, Apocalipsis 5:1-4. Comente que ahora leerán algo más de lo que Juan vio en su visión del culto de adoración en el cielo. Un alumno lea en voz alta estos versículos. Explique el pasaje versículo por versículo. Es importante que entiendan de qué libro se trataba, que nadie era digno de abrirlo y ni siquiera de mirarlo.

El León de Judá, Apocalipsis 5:5-14. Mientras un alumno lee en voz alta los vv. 5-8 los demás deben estar atentos para encontrar: (1) Los nombres con que se denomina a Jesucristo, (2) Lo que hizo Jesucristo, (3) Lo que hicieron los cuatro seres vivientes y los veinticuatro ancianos al ver lo que Jesucristo hizo.

Cuando digan los nombres que se refieren a Jesucristo comente la significación de cada uno. Cuando digan lo que hicieron los cuatro seres vivientes y los veinticuatro ancianos destaque los elementos de adoración, y que ahora no sólo "el que estaba sentado en el trono" sino también el "Cordero" es objeto de adoración, y que a continuación verán por qué también él es digno de ser adorado. Los 8 alumnos que se prepararon para leer el cántico del v. 9 que lo lean ahora. Pregunte el motivo de adoración que el canto contiene. Luego de dialogar sobre el sacrificio de Cristo para redimirnos, pida a los presentes que lean en silencio el v. 11 y traten de imaginar esos millares de millares. Enseguida lean al unísono y "a gran voz" el resto del versículo y lo que el v. 13 cita que decían. Pregunte qué elementos para la adoración encuentran aquí (los atributos de Jesucristo). Lean en silencio el v. 14.

APLICACIONES DEL ESTUDIO

1. Pregunte: ¿Cómo podemos imitar a solas y en nuestra iglesia el culto de adoración celestial descrito en el pasaje estudiado? **2.** Cuente su experiencia de leer o escuchar todo el libro de Apocalipsis de corrido. Estimule a los presentes a hacer lo mismo como un acto de adoración.

PRUEBA

Forme parejas para hacer la tarea bajo esta sección en sus libros del alumno. Clausuren cantando el Himno 1 del Himnario Bautista: "Santo, Santo, Santo".

Unidad 9

Los sellos

Contexto: Apocalipsis 6:1 a 8:5
Texto básico: Apocalipsis 6:1-17; 7:9-17; 8:1-5
Versículos clave: Apocalipsis 7:11, 12
Verdad central: Solamente Cristo es el que puede poner fin a la historia de la salvación. Entretanto que eso sucede, muestra su cuidado amoroso para con sus hijos.
Metas de enseñanza-aprendizaje: Que el alumno demuestre su: (1) conocimiento de que Cristo es el único digno de poner fin a la historia de la salvación, y del cuidado de Dios para su pueblo, (2) actitud de confianza en que Dios tiene cuidado de su vida.

Estudio panorámico del contexto

A. Fondo histórico:

En este pasaje comienza realmente la acción del libro. Ha habido muy distintas maneras de interpretarlo, así como de describir la organización de su contenido. Es imposible y además poco útil, salvo para los eruditos, reiterar lo que se ha dicho al respecto. Lamentablemente, las divisiones en capítulos y versículos no nos ayudan. Sabemos que no estaban en el original (y eso tampoco ayudaría mucho) y que fueron dispuestos en la Edad Media, sin duda con buena voluntad y mucho provecho para el estudio, pero en este caso no para captar las distintas etapas.

Una forma para el estudio es recordar el significado importante de los números, especialmente el siete. El libro puede dividirse en siete partes, sin incluir del capítulo 1, que es una introducción, los 4 y 5, que son el marco de la escena, y algunos versículos del final.

En el capítulo 6 comienza la serie de los siete sellos, que será seguida de las siete trompetas, luego los siete personajes, etc. En general, la forma de relatar es la de describir qué se ve en cada una de esas siete cosas, excepto en la última. Antes de ella, suele haber una especie de paréntesis y luego, por ejemplo, al abrirse el séptimo sello, lo que ocurre es que suenan las siete trompetas; a su vez, cuando va a sonar la última trompeta, comienzan a aparecer los personajes del capítulo 12 en adelante. Cuando lo hemos entendido no es difícil y es bueno tener una Biblia en la que podamos marcar estas divisiones.

La primera serie es la de los siete sellos, que han sido mencionados desde 5:1 y que parecía imposible que alguien pudiera abrirlos, lo que hizo llorar a Juan (5:4). Finalmente, aparece el Cordero a quien se concede hacerlo. Sólo él puede revelar lo que ha de ocurrir porque él es quien fue inmolado y con su sangre ha redimido para Dios gente de toda raza (5:9).

En el Imperio Romano la apertura de algo sellado era un acto solemne, a veces reservado al emperador. Un documento se sellaba, quizá siete veces, para garantizar que no sería leído sino por la persona a quien correspondía, y que su contenido no sería adulterado.

En el contenido del sexto sello, o como un paréntesis antes de que se abra el último, aparece una gloriosa visión de la eternidad (cap. 7). Algunos, como los "Testigos de Jehová", sacan muchas conclusiones doctrinales sin fundamento. Si hemos pensado que otros números tienen sentido simbólico, debemos seguir aquí la misma norma de interpretación. Bien puede decirse que es el resultado de un complejo cálculo, de este modo: 3 (la divinidad) por 4 (lo terrenal) da 12 (los patriarcas o los apóstoles). Estos se multiplican entre sí y dan 144. El número más grande que ellos manejaban era el 1000, de modo que 144.000 nos dice algo así como "el todo de todo". Si esto es complicado para nosotros, salvo que trabajemos en contabilidad, era la norma habitual en que se entendía la gente sabia de aquel tiempo.

B. Enfasis:

Los cuatro sellos, 6:1-8. Estos aparecen en rápida sucesión y están muy ligados entre sí. Notemos cómo ocurren las cosas. Por un lado, es el Cordero que los abre, o sea que hemos de esperar en Cristo para la revelación; en segundo lugar, es uno de los cuatro seres vivientes el que ordena acercarse: la voz de la creación nos indica la voluntad divina. Pero además Juan hace su parte. Empieza diciendo: Miré, o sea, puse atención (vv. 1, 2). Y entonces: Oí. Vista y oído, los dos sentidos clave, se unen para atender la voz del cielo.

Otros dos sellos, 6:9-17. El quinto y el sexto sellos ya muestran los planes de Dios. A las catástrofes de los otros cuatro sigue primero el sufrimiento de los fieles, que culmina en la gloria celestial, en uno de los cuadros más grandiosos de la Escritura.

Los sellados de Israel, 7:1-8. Dios escogió al pueblo de Israel con sus doce tribus. Varias de ellas habían desaparecido en la cautividad babilónica, a la que se hará amplia referencia luego. Es como si Dios dijera que reconoce uno por uno a cada sector de su pueblo, pero que no todos serán glorificados.

Multitud de todas las naciones, 7:9-17. Para Juan, que era judío, ésta era una visión sorprendente, aunque ya era claro que la mayoría de la iglesia pertenecía a los gentiles. Solo en nuestros tiempos el evangelio está llegando a "todas las naciones y razas y pueblos y lenguas". Quienes podemos ver el fin del segundo milenio podemos alabar a Dios porque nos permite comprobar que esta promesa comienza a cumplirse en la tierra por primera vez en la historia. Algo nuevo y grandioso esta siendo hecho por él.

El séptimo sello, 8:1-5. Como se ha explicado, el último episodio de cada acto del drama es permitir que se comience el siguiente. El séptimo sello, en realidad, consiste en la aparición de los siete ángeles con trompetas, que constituyen la próxima etapa del libro.

Debemos tener en mente el cuadro general y no enredarnos en los detalles, como suele ocurrir cuando preguntamos algo como: "¿Qué significa esto o aquello?" Nada tiene significado si no es puesto en todo el panorama. Cada sección que sigue va agregando algo, pero no deben estudiarse como etapas históricas, así como estudiamos la Edad Antigua, Media, Moderna, etc., sino como descripciones más o menos paralelas de toda la evolución universal.

1 Los cuatro jinetes, Apocalipsis 6:1-8.

Vv. 1, 2. El primer cuadro es el de un conquistador victorioso. El jinete montaba un caballo, típico de un romano, y llevaba un arco, característico de sus enemigos, los persas. Muchos intérpretes consideran que el jinete vencedor es Cristo y comparan la visión con la venida del Señor en 19:11ss. Lo que propicia esta interpretación es el *caballo blanco,* que es símbolo de victoria. Otros ven en este cuadro el triunfo del evangelio y citan Marcos 13:10. Una posibilidad más sería ver todo el cuadro como los juicios finales. De todos modos, debe prevalecer la idea central del Apocalipsis que es el triunfo de la iglesia.

Vv. 3, 4. En el *segundo,* la frase *que se matasen unos a otros* y la *espada* que es universal, hace pensar en la guerra civil aun más destructora que la exterior, o sea, en las luchas internas que siguen a toda derrota.

Vv. 5, 6. Después de ellas viene otro fantasma, o sea el hambre, descrita con un abuso en la venta de alimentos. La Versión Popular nos aclara: "Un kilo de trigo por el salario de un día." Normalmente el precio era doce veces menos. Lo único que quedaba eran el *vino* y el *aceite,* productos para ricos, que siempre abusan de esas situaciones.

Vv. 7, 8. Finalmente, el *cuarto sello* es mencionado claramente como la *muerte;* más aun, *el Hades,* la morada de los muertos, le seguía muy de cerca. El destino final podía ser producido por el hambre, la peste o las fieras. Pero estos ataques no eran el fin, porque el *Hades* estaba esperando a los hombres.

2 Los mártires, Apocalipsis 6:9-17.

Vv. 9-11. Hay un cuidado especial en este libro para destacar el destino que Dios reserva a quienes llegan a dar su vida por la fe. Cuando Juan escribía esa debía ser una pregunta muy común: "¿Por qué Dios permite que mueran sus hijos?" No hay una respuesta directa, sino el cuadro de lo que les espera, que bien vale la muerte que de ese modo se transforma en una victoria.

El *quinto sello* revela su lugar de privilegio: *debajo del altar,* o sea lo más próximo posible de Dios. Su exclamación es un eco de aquello que dijeron en la tierra y no significa que esos lamentos se oirán en el cielo, sino que allí serán recordados. La respuesta muestra cómo el plan de Dios tiene etapas: debían esperar hasta que se completase el número. Por supuesto, recordaremos que en la eternidad no hay un tiempo que medir como en la tierra. Es más bien la voz de la esperanza que se da a cada generación de que se unirá a todas las otras. Parte de su retribución será un *vestido blanco.*

Vv. 12-17. El *sexto sello* da una imagen diferente: el gran día de su ira. Por supuesto, Dios no sería justo si sólo premiara a los fieles (y específicamente a los mártires); es necesario que castigue a los malvados.

3 La multitud de los redimidos, Apocalipsis 7:9-17.

Vv. 9-12. Así como cuatro jinetes trajeron el mensaje de destrucción, cuatro ángeles (simbólicos de los cuatro puntos cardinales) detienen el mal sobre los hijos de Dios. Ya consumado el castigo de los malos, Dios cuida de los suyos. Apareció entonces una multitud de *144.000,* pero después de esto el número de los redimidos se completa con una gran multitud, tan numerosa que no era posible contarla. Ellos también tienen las *vestiduras blancas,* tienen también *palmas en sus manos.* Nos hace recordar la entrada triunfal de Jesús en Jerusalén. La gloria estalla en alabanza a Dios por la obra del Redentor. Como corresponde a una alabanza perfecta, son siete los atributos que se le dan antes de entonar el *Amén* (v. 12).

Vv. 13-17. Se produce un interesante diálogo entre Juan y uno de los ancianos. A veces necesitamos que se nos repita la pregunta de las cosas importantes. El apóstol dijo: *Tú lo sabes,* que equivale a "Yo no lo sé, pero quiero saberlo".

Los vv. 14-17 son de gran inspiración. Cualquiera que haya sido nuestra tribulación, ha ocurrido algo que nos abrió las puertas de la gloria: hemos lavado nuestros *vestidos en la sangre del Cordero.* La idea de la sangre que lava viene desde el Exodo. Dios obra de maneras insospechadas. Nadie quería ser bañado en sangre; sin embargo, esa es la experiencia que nos permitirá tener verdaderas vestiduras blancas. Y por eso, y no por algún mérito, esa multitud está delante del trono celestial, donde se dedican a rendir culto a Dios.

Pero más importante para nosotros es todo lo que hace el Señor. Así como los hebreos levantaron una tienda para el culto en el desierto, ahora él mismo la coloca protectoramente en la eternidad, de modo que ya no habrá problemas ni con la subsistencia ni con el clima. Reiterando las imágenes del Salmo 23 se menciona ahora al Cordero (que ahora es el Pastor), quien no sólo pastorea sino que lleva a *fuentes de agua,* que serán mencionadas al fin del libro. No podemos sino emocionarnos al leer la frase final: *Dios enjugará toda lágrima de los ojos de ellos.* Podría parecer que no es éste el detalle para redondear la lista anterior. Pero, ¿no es verdad que resulta de enorme aliento encontrarlo como cumbre de lo antedicho? Sabemos que Dios mismo enjugará toda lágrima sin que quede una en nuestros ojos.

4 El séptimo sello, Apocalipsis 8:1-5.

Vv. 1-5. Los trozos anteriores pueden verse como un paréntesis antes que esto ocurra. Para que el sonido de las trompetas se destaque, se hace el silencio. *Como por media hora* indica un tiempo breve. Cuando Dios calla, es siempre por poco tiempo. ¿Quién no esperará media hora para que se le explique mejor todo lo que ya se ha visto? Además, antes del sonido reaparecen las oraciones que Dios revaloriza añadiéndole más incienso, símbolo del culto.

Aplicaciones del estudio

1. El hombre tiene que pagar las consecuencias de sus errores. Son los hombres los que desatan la guerra, que a su vez abre la puerta a las pestes y al hambre. Todo esto se revierte y al final de cuentas es el hombre mismo quien se ve afectado.

2. Dios nos cuida a través de sus ángeles. Ni siquiera el viento debe soplar sobre los fieles y hasta los árboles que les dan sombra y fruto son preservados.

3. La multitud de los redimidos. Los redimidos son de "todas las naciones, y razas y pueblos y lenguas". No hay religión exclusiva. En el cielo estarán todos aquellos que han lavado sus ropas en la sangre del Cordero.

Ayuda homilética

La gloria que nos espera
Apocalipsis 7:9-17

Introducción: Hay una tendencia a dejar de lado la predicación sobre la eternidad, pero es un tema bíblico. Es lógico que dediquemos tiempo a lo eterno y no sólo a lo temporal. Aunque haya quienes lo han usado como crítica, es ciertamente no sólo un consuelo sino una gloriosa esperanza.

I. Quiénes estarán.
- A. Los que han pasado por "la gran tribulación".
- B. La condición: han sido lavados por la sangre del Cordero.
- C. Tienen gozo en rendir culto a Dios.

II. De qué serán librados.
- A. No tendrán más hambre ni sed.
- B. No sufrirán los problemas del clima.
- C. No habrá más lágrimas.

III. De qué disfrutarán.
- A. La tienda o tabernáculo de Dios los cubrirá.
- B. El Cordero de los pastores.
- C. Habrá "fuentes de agua viva".

Conclusión: Es importante entender que estos son símbolos o ejemplos que nos ayudan a entender que la gloria de los cielos es superior a todo lo que pueda imaginar nuestra mente.

Lecturas bíblicas para el siguiente estudio

Lunes: Apocalipsis 8:6-13
Martes: Apocalipsis 9:1-6
Miércoles: Apocalipsis 9:7-12
Jueves: Apocalipsis 9:13-21
Viernes: Apocalipsis 10:1-7
Sábado: Apocalipsis 10:8-11

AGENDA DE CLASE

Antes de la clase

1. Lea Apocalipsis 6, 7 y 8 y los comentarios en este libro y en el del alumno; escriba en su "diccionario" las descripciones de los caballos, sus jinetes y lo que a éstos les fue dado, y un resumen de lo que representan. Anote lo que Juan vio con la apertura de los demás sellos y lo que la acción de abrir los sellos significa. **2.** Prepare en el pizarrón o en una hoja grande un listado de los sellos: Primer sello, Segundo sello, etc., dejando espacio para escribir las acciones que desató la apertura de cada sello. **3.** Resuelva el ejercicio en la primera sección bajo *Estudio del texto básico* en el libro del alumno.

Comprobación de respuestas

JOVENES: **1.** a. Un caballo blanco con un jinete. b. Un caballo rojo con un jinete. c. Un caballo negro con un jinete. d. Un caballo pálido con un jinete. **2.** La respuesta depende del lector. **3.** a. Todas. b. Con vestiduras blancas. c. Los redimidos. **4.** Era añadido a las oraciones de todos los santos y subía de la mano del ángel a la presencia de Dios.
ADULTOS: **1.** Primer sello: Un caballo blanco y su jinete. Segundo sello: Un caballo rojo y su jinete. Tercer sello: Un caballo negro y su jinete. Cuarto sello: Un caballo pálido y su jinete. Quinto sello: Las almas de los mártires cristianos. **2.** a. Una multitud. b. De todas. **3.** Siete ángeles con siete trompetas.

Ya en la clase
DESPIERTE EL INTERES

1. Diga que muchas veces sucede que cuando una persona acepta a Jesucristo como su Salvador cree que ya no volverá a tener problemas. **2.** Pregunte si éste ha sido el caso de alguno de los presentes o de alguien que ellos conocen. **3.** Dialoguen de cómo es la vida cristiana en realidad. Recalque que la diferencia radica en que el cristiano puede encarar los conflictos del presente con la seguridad del TRIUNFO FINAL en la eternidad con Cristo. **4.** Diga que este estudio de Apocalipsis 6 a 8 presenta un cuadro de la realidad de las fuerzas del mal, de cataclismos y desgracias que pueden suceder en la vida, pero que también da un vislumbre de la realidad final del cristiano bajo el cuidado del Señor.

ESTUDIO PANORAMICO DEL CONTEXTO

1. Relate el Fondo histórico que aparece bajo esta sección en el comentario del estudio en este libro. **2.** Explique especialmente el uso de los sellos en la antigüedad y el uso simbólico de números en la cultura hebrea. **3.** Fije el cartel con el título de la nueva unidad al lado del anterior y llame la atención a él.

ESTUDIO DEL TEXTO BASICO

Los cuatro jinetes, Apocalipsis 6:1-8. Un alumno lea en voz alta 6:1, 2. Analicen lo que apareció cuando el Cordero abrió el primer sello. Haga notar las diversas interpretaciones sobre lo que representa este jinete. Pida que redacten una oración gramatical que resuma la acción desatada por este sello. Un alumno lea en voz alta los vv. 3, 4 y procedan a hacer lo mismo que con el primer sello. Hagan lo mismo con el tercer sello (vv. 5, 6) y con el cuarto (vv. 7, 8).

Los mártires, Apocalipsis 6:9-17. Un alumno lea en voz alta los vv. 7-11. Explique la significación de que las almas están "debajo del altar". La muerte de los mártires es un sacrificio agradable a Dios quien guarda sus almas protegidas en gloria. Estas almas están a la espera de que se les haga justicia. Haga notar la respuesta de Dios a su clamor (v. 11). Un alumno lea en voz alta los vv. 12-17. Comente que con el sexto sello se aproxima el juicio que habían pedido los mártires. Pida que identifiquen los cataclismos mencionados y la reacción de los que se creían grandes y poderosos. Redacten una oración para escribir al lado de "Sexto sello" el significado de lo que se desató al abrirlo.

La multitud de los redimidos, Apocalipsis 7:9-17. El capítulo 7 describe los sucesos después de los cataclismos. Dé un resumen de los vv. 1-8. Un alumno lea en voz alta los vv. 9-12. Pida que vuelvan a mirar 6:15-17 y comenten los contrastes entre las personas descritas allí y las descritas en 7:9-12. Pida que encuentren bendiciones y promesas en 7:13-17. Dialoguen sobre lo que encontraron.

El séptimo sello, Apocalipsis 8:1-5. Lea en voz alta el v. 1. El silencio en el cielo indica el momento solemne que precedió a dos actos muy solemnes en el cielo. El primero se describe en el v. 2. Un alumno lea en voz alta este versículo. Comente que en el próximo estudio enfocarán el significado de las trompetas. El segundo acto se describe en los vv. 3-5. Un alumno lea en voz alta estos versículos y otro alumno lea el comentario correspondiente en su libro del alumno. Dialoguen sobre la escena presentada. Escriban en el pizarrón un resumen de lo que Juan vio cuando el Cordero abrió el séptimo sello.

APLICACIONES DEL ESTUDIO

1. Pregunte: ¿Cuántos de los cataclismos o desgracias mencionados en los pasajes estudiados suceden en la actualidad? Den ejemplos. **2.** Desafíe a todos a no olvidar la promesa de 7:15-17.

PRUEBA

1. Cada uno escriba sus respuestas a las preguntas bajo esta sección en sus libros del alumno. **2.** Forme parejas para que comparen sus respuestas.

Estudio **45**

Unidad 9

Las trompetas

Contexto: Apocalipsis 8:6 a 10:11
Texto básico: Apocalipsis 8:6 a 9:21
Versículo clave: Apocalipsis 9:4
Verdad central: Las fuerzas del mal, aunque tengan gran potencia, nunca podrán ser iguales al poder divino. Asimismo, esas fuerzas serán derrotadas, mientras el pueblo de Dios que permanezca fiel será resguardado.
Metas de enseñanza-aprendizaje: Que el alumno demuestre su: (1) conocimiento de la superioridad del poder de Dios en contraste con las fuerzas del mal, (2) actitud de proclamar este mensaje en cada oportunidad posible.

Estudio panorámico del contexto

A. Fondo histórico:

Las trompetas eran instrumentos musicales usados de manera muy especial en los tiempos antiguos. Aparecen citadas en diversos pasajes del A.T., por ejemplo para anunciar el año del jubileo y otras ocasiones festivas. En el N.T. se relacionan con la segunda venida de Cristo (Mat. 24:31; 1 Cor. 15:52 y 1 Tes. 4:16). En el Apocalipsis la voz de Cristo se asemeja a su sonido (1:10; 4:1) y se mencionan en la serie de sucesos que veremos en este estudio.

Cuando por las calles de repente se escuchaba el sonido de la trompeta la gente sabía que había un gran anuncio. Cuando el heraldo aparecía en la plaza para convocar al pueblo, lo hacía con un trompetero a su lado. Podía ser un anuncio de guerra o catástrofe, pero su mención conlleva más bien la imagen de algo así como la entrada triunfante de un emperador o general. En estos capítulos los anuncios son más bien lúgubres.

Un tema que merece ser meditado es el paralelismo entre los episodios que seguirán y los que ocurrieron alrededor del Exodo. Da la impresión de que aquel gran acto de Dios era visto como una especie de paradigma de la historia. Así como Dios liberó una vez a su pueblo de la esclavitud temporal, llegará la hora de la gran liberación universal del pueblo escogido por medio de la sangre del Cordero. Notamos aquí una especie de reaparición de las plagas de Egipto. También hay imágenes tomadas de Daniel y Zacarías. Sin duda que el Espíritu Santo inspiró todo esto; no se podría entender de ninguna otra manera. Uno o más hombres no podrían escribir tales cosas prescindiendo de la inspiración de Dios.

La pregunta más natural es la de cuándo se produjo o producirá todo lo anunciado. Si se piensa en un panorama general de la historia, sin duda hay cosas aun por ocurrir. Si se piensa en los primeros lectores, esto describe la caída del Imperio Romano, como es claro en otros pasajes. Hay que recordar que Juan escribió en los tiempos de mayor expansión del Imperio Romano.

B. Enfasis:

Comienzan a tocar las trompetas, Apocalipsis 8:6-13. El relato es precedido de los preparativos que ocupan los vv. 1-6 del cap. 8. No han aparecido antes estos personajes, pero se da por sentada su presencia. El ambiente ha sido preparado con un momento de recogimiento y culto, como si la multitud celestial estuviera a la espera de grandes anuncios.

La quinta y la sexta trompetas, 9:1-21. Cada una de estas abre el panorama para un cuadro que es detallado más de lo habitual, aunque en general la acción se retarda al llegar al quinto acto. Lo que ocurre tiene una diferencia muy marcada con lo que pasó al abrirse los sellos, ya que en este caso ambas son visiones destructoras. Las distintas series de hechos no deben verse como épocas sucesivas, sino como un cuadro general de la historia, enfocado desde distintos ángulos. Parece como que Dios está en guerra contra el mal.

El ángel y el librito, 10:1-11. Este capítulo breve es un claro reflejo de lo sucedido al profeta Ezequiel (3:3), a quien también se le ordenó comer un libro. Este cuadro está rodeado de imágenes que subrayan una sensación de poder: un ángel poderoso, sus pies apoyados en tierra y mar, su voz como león, su autoridad para sellar, truenos que hablan y el tiempo que se ha acabado.

Estudio del texto básico

1 Las primeras trompetas, Apocalipsis 8:6-13.

V. 6. Las primeras cuatro *trompetas* suenan al parecer en rápida sucesión y sin interrupción. El estilo es, pues, similar al de los sellos y también es un mensaje de catástrofe, o sea del juicio de Dios sobre las naciones que le han desobedecido.

Vv. 7-9. Como ya se dijo, hay también un paralelo con las plagas enviadas sobre Egipto, otra nación rebelde. Sin embargo, esto no es literal, como señalando que los juicios de Dios siempre se cumplen, pero en cada caso de acuerdo a aquel que lo sufre. Aquí tenemos el *granizo* (v. 7), pero se le agrega el *fuego* con *sangre.* Esta reaparece en la segunda trompeta (v. 8), aunque no desde el cielo sino a partir de un monte ardiendo que cae en el *mar.* El castigo que anuncia la tercera trompeta, una *estrella* que cae *del cielo,* no tiene paralelo en el Exodo; hay, pues, castigos que corresponden solamente a unos. En cuanto a la cuarta trompeta, de manera parcial, se encuentra la plaga de la oscuridad, explicándose que se debió a una disminución del poder lumínico de los astros. Un aspecto que se repite es que la destrucción siempre abarca una tercera parte de la tierra, el *mar,* etc. No tiene sentido hacer cálculos matemáticos. Posiblemente lo que se quiere indicar es que la destrucción fue grande, pero no tanto; aun quedaba la mayor parte intacta, pero esa destrucción necesariamente perturbaría todo el sistema mundial.

Otro elemento a tener en cuenta es cómo, en cada caso, la destrucción cae sobre una parte diferente y cómo esta no sólo es mencionada (como en 5:13), sino que se dan detalles. Cuando se habla de la tierra se agrega la vegetación (*árboles* y *hierba*), o sea la parte productiva. Después, en el mar, se incluye a las *criaturas vivientes* (los peces y demás animales marinos) y los barcos, lo que indica no solo la producción sino también el transporte.

Vv. 10, 11. La tercera *trompeta* presenta algo nuevo: *una gran estrella, ardiendo como una antorcha.* Esta cae de alguna manera que afecta *la tercera parte de los ríos y las fuentes de agua.* Digamos que ha convertido el agua dulce que los hombres usaban, en salada, por lo cual ya no podrán usarla puesto que se ha transformado en amarga. Curiosamente al astro se le llama *Ajenjo,* una planta que era símbolo de lo amargo. Precisamente por eso *muchos hombres* (no dice cantidad o proporción, pues es superfluo) *murieron.*

Vv. 12, 13. Llega la cuarta trompeta, que actúa sobre los astros, que son mencionados con frecuencia. Se oscurece la tercera parte del sol, de la luna y de las estrellas —tal como se menciona en el Génesis— haciendo que se reduzca la luz tanto del día como de la noche. La universalidad del castigo tiene aquí también un sentido temporal.

En todos los casos el Señor no produce una destrucción completa. Es como si se tratara de una advertencia que no puede ser pasada por alto. Surge la tentación de compararlo con hechos de nuestro tiempo o de la historia, pero nunca se han producido en escala universal. Aun la peste negra del siglo XIV, quizá lo peor que ha ocurrido a la humanidad, destruyó la tercera parte de los hombres entre la India y Groenlandia, pero luego el mundo siguió su curso.

Como una advertencia especial aparece *un águila* en el cielo, un ave tenida en gran respeto entonces en todo el mundo, y que era el símbolo de las huestes romanas, pero que es dudoso que tenga simbolismo aquí. Lanza tres ayes, que corresponden al hecho de que aún han de sonar otras tantas *trompetas.*

2 La estrella caída, Apocalipsis 9:1-12.

Vv. 1-3. Cuando toca *el quinto ángel* cae otra *estrella del cielo,* pero esta no se detiene en la superficie de la tierra sino que penetra hasta el *pozo del abismo* (9:1). A lo largo del libro este es señalado como la morada de los poderes del mal y, aunque no se le da ese nombre, aquí Satanás es mencionado por primera vez en el libro (v. 11).

Hasta hoy el infierno es colocado imaginativamente hacia abajo mientras que el cielo siempre está arriba. Quizá se relacione con la idea de subir o bajar o con la muerte. Pero ahora de allí abajo aparece un horrendo ejército de *langostas,* la plaga que puede destruir la economía de una región en un momento. Los poderes infernales se lanzan sobre las riquezas humanas; sin embargo, lo notable es que su destrucción no debía alcanzar a ninguna *cosa verde* que es su alimento natural.

Vv. 4-6. El cuadro de la plaga de langostas, aterrorizador como es en sí, por la casi imposibilidad de detenerla, no es limitado aquí, sino que se agregan elementos como el humo, el *poder de escorpiones,* etc., al extremo de que los hombres desean morir.

Sin embargo, hay que notar que esa furia no es descontrolada, sino que está sometida al poder de Dios. Notemos que el poder les fue dado y no les es propio. Destruyeron donde se les dijo (v. 4), así como luego se les mandó, que no matasen a los hombres; no obraban por su voluntad.

Vv. 7-12. Este cuadro es un reflejo claro de la plaga que cayó sobre Egipto, que era entonces un país netamente agrícola. También encontramos un cuadro similar en Joel 2. La imagen de estos insectos no es por cierto la real: tenían tamaño de *caballos* y corona (señal de autoridad), *caras de hombres* (inteligencia), *cabello de mujer* (belleza), *dientes de leones* y corazas de hierro; además de colas y alas. Su rey se llama *Abadón* en hebreo y *Apolión* en griego, palabras que significan destructor o exterminador.

3 Los ángeles desatados, Apocalipsis 9:13-21.

Vv. 13-15. El segundo "ay" es pronunciado extensamente, pues abarca hasta 11:14 e incluye una serie de visiones que se complementan: una hueste de caballos, un ángel con un librito que Juan debe comer (cap. 10), dos testigos y una bestia. Cuando el *ángel* obedece la orden de tocar, sale una voz desde el altar, como para recordar a quién corresponde la autoridad en estos hechos. La orden fue que desatara, o sea que dejara en libertad, a *cuatro ángeles* que estaban *atados junto al gran río Eufrates.* No se trata de los mismos de 7:1. El *Eufrates* era el límite del Imperio Romano y desde allí los partos lo invadían; la imagen, pues, es la de un ataque externo. Dios tiene fijados ya *la hora y día y mes y año* en que cada cosa ha de ocurrir, o sea que todos los hechos históricos son parte de su plan.

Vv. 16-19. A su vez, estos ángeles dejaron actuar a *dos miríadas de miríadas* de soldados de a caballo; otras versiones dicen "dos millones", lo que en el fondo es lo mismo. Estos tenían ya una orden diferente, pues su misión era dirigida contra la raza humana cuya tercera parte sería aniquilada. Recordando a Sodoma y Gomorra, de sus bocas salía *fuego, humo y azufre,* que provocaron la destrucción de *la tercera parte de los hombres.* Como demostración de que es imposible escapar, esos elementos no sólo salen de sus bocas sino también de *sus colas.*

Vv. 20, 21. La parte más diferente es la conclusión de este punto. Antes de proseguir con otras, se hace un notable paréntesis: se dice que los sobrevivientes no se *arrepintieron* pese a todo lo ocurrido. Sabemos que esa es la lección de la historia. Primero menciona la idolatría como tema para arrepentirse, y luego agrega el crimen, la brujería, la inmoralidad y el robo. Lo importante de esto es comprender que si Dios manda estas plagas, no es con ánimo destructor, sino con la intención de dar una oportunidad para que los hombres vuelvan al buen camino. No quiere que ninguno se pierda y por eso, cuando la humanidad no oye su voz de amor, hace llegar la del castigo, pero sin resultado.

Aplicaciones del estudio

1. La historia se repite sin repetirse. Dios tiene un procedimiento que es inmutable: el mal es castigado y el bien premiado. Pero como en cada caso de hombre y nación, el camino es diferente, él también actúa diferente sin cambiar su propósito inicial.

2. Dios es paciente y espera el arrepentimiento de los pecadores. Las referencias a "una tercera parte" que es destruida y la enumeración de los distintos ámbitos en que eso pasa, nos muestra a un Dios paciente y no a un justiciero implacable.

3. Dios usa lo que él creó. Su derecho a usarlo y aun a destruirlo es absoluto. Lo que él hizo en el principio, puede ser reemplazado por algo diferente en la hora final. El es soberano; todo le pertenece por derecho de creación.

Ayuda homilética

Llamado al arrepentimiento
Apocalipsis 8:6-13

Introducción: Estos cuadros muestran el poder soberano de Dios para castigar a los que le desobedecen, pero se nota su deseo de que todos procedan al arrepentimiento.

I. El llamado de Dios es claro.
- A. Nada podía pasar desapercibido; afectaba a una tercera parte de todo.
- B. Recordaba juicios como el de Sodoma y Gomorra.
- C. Nadie podía decir: "No lo supe".

II. Había mucho de qué arrepentirse.
- A. "Las obras de sus manos". Aquello de lo que eran responsables.
- B. De su fe en los dioses falsos y en lo ridículo de confiar en ellos.
- C. "Pecados sociales", aquellos que afectan o involucran a otros.

III. Dios quiere que los hombres se arrepientan.
- A. Se menciona dos veces la necesidad de arrepentirse.
- B. Hay un tiempo para ello.

Conclusión: No debemos insistir en el mensaje de ira y castigo sino cuando es necesario. El mensaje básico del predicador cristiano es la voluntad de Dios de que se diga una y otra vez que él quiere que los hombres se arrepientan.

Lecturas bíblicas para el siguiente estudio

Lunes: Apocalipsis 11:1-6
Martes: Apocalipsis 11:7-14
Miércoles: Apocalipsis 11:15-19
Jueves: Apocalipsis 12:1-6
Viernes: Apocalipsis 12:7-12
Sábado: Apocalipsis 12:13-18

AGENDA DE CLASE

Antes de la clase

1. Lea Apocalipsis 8:6 a 10:11 y anote en su Diccionario de Simbolismos" los principales que allí aparecen. Busque luego su significado al estudiar el comentario en este libro y en el del alumno. **2.** Al estudiar los pasajes del texto básico encuentre las figuras de los conflictos que se describen y que presentan indicios del triunfo final, también las frases que infieren que el pueblo de Dios que permanezca fiel será resguardado. **3.** Para hacer más dinámica la clase piense en formar tres grupos. Prepare en hojas de papel lo que cada grupo deberá averiguar al estudiar el pasaje bíblico. **4.** Resuelva el ejercicio en la sección: *Lea su Biblia y responda,* bajo *Estudio del texto básico* en el libro del alumno.

Comprobación de respuestas

JOVENES: **1.** a. Hubo granizo y fuego mezclados con sangre. b. Algo como un gran monte ardiendo fue lanzado al mar. c. Cayó del cielo una gran estrella. d. Fue herida la tercera parte del sol, la luna y las estrellas. **2.** a. A los hombres que no tenían el sello de Dios en sus frentes. b. No la hallarían. **3.** Respuesta personal. **4.** Ni aun así se arrepintieron de las malas obras de sus manos.

ADULTOS: **1.** La tierra, los árboles, la hierba, los peces, el agua de los ríos y el sol. **2.** a. Atormentar a los que no tienen el sello de Dios en sus frentes. b. Buscarían la muerte. **3.** El fuego, el humo y el azufre.

Ya en la clase

DESPIERTE EL INTERES

1. Pregunte cuántos alumnos estudiaron la lección. **2.** Llame la atención al título del estudio y, a los que indiquen haberlo estudiado, pídales que mencionen otros posibles títulos que sugieran el "tono" del contenido del pasaje bíblico. Si necesitan ayuda pregunte si presagia aconteceres alegres o tristes, destructores o edificantes, maldiciones o bendiciones. Escriba en el pizarrón o en una hoja de papel grande los títulos que sugieran. Señale el título de la unidad y comente que este estudio trata casi exclusivamente conflictos anunciados en forma de castigos.

ESTUDIO PANORAMICO DEL CONTEXTO

1. Repase la apertura del séptimo sello que hizo aparecer a siete ángeles a quienes Dios dio siete trompetas (8:2). **2.** A los que estudiaron la lección pregúnteles para qué se usaban las trompetas en la antigüedad, y agregue información obtenida de su propio estudio. **3.** Presente una vista panorámica de Apocalipsis 8:6 al 10:11 para que tengan una idea global de lo que estudiarán. **4.** Relate los dos últimos párrafos bajo *Fondo histórico* en este estudio del libro del maestro.

ESTUDIO DEL TEXTO BASICO

Forme tres grupos y asigne a cada uno una sección del estudio:

Grupo 1: Las primeras trompetas, Apocalipsis 8:6-13. Deben identificar lo que el toque de cada una de las primeras cuatro trompetas produjo, la destrucción que causó y qué porcentaje de cada elemento de la creación destruyó. Determinen cómo estos elementos son esenciales a la vida humana y cómo le afectaría su destrucción.

Grupo 2: La estrella caída, Apocalipsis 9:1-12. Deben identificar qué produjo el toque de la quinta trompeta, la destrucción que causó y a quiénes, las limitaciones que se les impuso a los destructores y la reacción de los hombres ante tantas calamidades. Valiéndose de la explicación en el libro del alumno, deben prepararse para explicar la significación de las características de las langostas (vv. 7-11).

Grupo 3: Los ángeles desatados, Apocalipsis 9:13-21. Deben identificar qué se produjo cuando tocó la sexta trompeta, las expresiones que indican que era un ataque masivo, qué porcentaje de la humanidad fue destruida y por qué medios. También deben encontrar qué reacción produjeron las plagas fatales en los que no murieron a causa de ellas.

Dé tiempo suficiente a fin de que los grupos se preparen para informar al resto de la clase lo que identificaron. Esté a disposición para guiar en cualquier duda que tengan. Al terminar de informar el Grupo 1, pida que lean en silencio Apocalipsis 8:13 y noten que lo que todavía estaba por anunciarse era peor que lo que las primeras cuatro trompetas anunciaron. Diga que al considerar dos más en este estudio, piensen en cómo son peores que las anteriores. Al terminar de informar el Grupo 2, dialoguen sobre qué cosas son peores aquí (los seres humanos perdidos son atormentados directamente). Al terminar de informar el Grupo 3, pregunte lo mismo (la tercera parte de la humanidad fue aniquilada).

Si a su clase no le agrada trabajar en grupos busque la manera de involucrar a todos sus alumnos procurando que haya variedad en la metodología que use usted como maestro. No se limite a la conferencia solamente.

APLICACIONES DEL ESTUDIO

1. Escriba en el pizarrón o una hoja de papel grande: "Los juicios de Dios son:" y pida que los presentes completen la oración basándose en lo estudiado (p. ej. irremisibles, seguros, justos etc.). Escriba las respuestas en el pizarrón. **2.** Lean las aplicaciones que aparecen en el libro del alumno y tengan un intercambio de opiniones sobre ellas.

PRUEBA

ADULTOS: Pida que cada uno individualmente haga lo que el inciso 2 en su libro del alumno indica. JOVENES: Pida que completen de

Unidad 9

La séptima trompeta

Contexto: Apocalipsis 11:1 a 12:18
Texto básico: Apocalipsis 11:1-19
Versículo clave: Apocalipsis 11:15
Verdad central: Frente a la proclamación del mensaje de salvación hay quienes no solamente hacen caso omiso del mensaje, sino que persiguen y maltratan a los que lo proclaman. Se olvidan o ignoran que vendrá un tiempo cuando tendrán que sufrir las consecuencias de su desvío.
Metas de enseñanza-aprendizaje: Que el alumno demuestre su: (1) conocimiento de la conducta equivocada de aquellos que rechazan el mensaje de salvación y persiguen a los mensajeros, (2) actitud de aprecio hacia quienes le comparten el mensaje de salvación.

Estudio panorámico del contexto

A. Fondo histórico:

Este trozo abarca lo último que ocurre antes de sonar la séptima trompeta y los primeros hechos posteriores. Hay un cambio en la presentación. Estamos en la mitad del desarrollo del libro y se interrumpe aquí la forma en que aparecen los actores. Ya no se abren siete sellos y se oyen siete trompetas. Pero de todos modos, cuando el séptimo ángel hace oír la suya, los que se presentan son siete personajes relacionados, que describen a los enemigos de Dios y el triunfo final de éste.

Mucho de lo que ocurre es un panorama muy amplio como todo el cielo (12:1ss) o el mar (13:1ss). Pero además aparece como escenario el templo de Dios a partir del 11:1. Para esa fecha ya no existía el de Jerusalén, ni se sabe que se hubiera edificado alguno para uso cristiano, de modo que todas las referencias son plenamente alegóricas.

Era así con el mismo templo, sobre el que solemos tener una imagen desacertada, pues no se asemejaba a lo que tenemos hoy. Se trataba de una gran superficie cercada en lo alto del monte Sion, o sea el extremo sudeste de Jerusalén. En el centro estaba una especie de edificio cuadrangular que contenía el lugar santo y el santísimo, tal como existía desde el tabernáculo del Exodo. Todo el resto era conocido como "el patio" y era el único lugar donde adoraba el pueblo en general, porque el resto era reservado al sacerdocio. También se encontraba el "patio de las mujeres" y el "patio de los gentiles".

Parte del patio era el lugar donde los sacerdotes ofrecían los sacrificios y de donde el Señor expulsó a los mercaderes. Notamos al comenzar el cap. 11

que se hace una distinción sobre el lugar en que está el altar y "el atrio de afuera". En el lugar del altar había estado el arca del pacto, pero todo había desaparecido en la invasión babilónica del año 586 a. de J.C. y había estado vacío desde entonces.

Sin duda Juan tenía todo ese cuadro tan conocido en su juventud y lo veía reflejado en el templo de Dios que está en el cielo, donde se hizo visible el arca de su pacto.

Otro aspecto al que se da importancia aquí es al de las vestiduras. La mujer de 12:1 está vestida de sol, lo que se contrapone con la sencillez de las vestiduras blancas de los redimidos y las de los dos testigos que están vestidos de silicio. Esta era una tela burda y áspera que se usaba en señal de duelo, como se menciona a menudo en la Biblia (p. ej. Dan. 9:3 y Luc. 10:13). No solo equivalía a las ropas negras que se usaban en señal de luto hasta hace unas décadas y aun ahora en algunos países, sino que también era una indicación de dolor, sea por los propios pecados, sea por una catástrofe pública.

Aquellos dos testigos posiblemente estaban allí como un eco de la prescripción legal de Deuteronomio 17:6, lo que fue recordado por el mismo Jesús. En el Apocalipsis varias veces se menciona algo en forma doble para dar idea de más fortaleza o, como es obvio en este caso, para dar más formalidad a la declaración.

B. Enfasis:

Los dos olivos y los dos candeleros, 11:1-6. Se mencionan como algo ya conocido, y efectivamente la imagen proviene de Zacarías 4. Son dos por las razones antedichas. Los dos olivos (árboles que dan el aceite) eran en Zacarías Zorobabel y el sacerdote Josué, los líderes de la restauración. El candelero ocupaba el centro del lugar de adoración y si se duplica el número es para hacer el paralelo con los olivos o para resaltar su poderío.

La bestia mata a los testigos, 11:7-14. Este animal fiero aparece aquí y tendrá un lugar importante luego. Por ahora, basta decir que representa a las fuerzas del mal y por eso provienen del abismo. A pesar del gran poder que se ha atribuido a los testigos, esta bestia consigue vencerlos; es una repetición de los momentos dolorosos de la historia: Sodoma, la esclavitud de Egipto y la crucifixión (v. 8), donde siempre pareció vencer el mal, pero al fin fue destruido; ese período largo, pero definido es calculado en tres días y medio, o sea la mitad de siete que sería el cumplimiento del tiempo.

El reino de Cristo, 11:15-19. Al sonar la séptima trompeta queda en claro quién es el Rey, con el cántico de 11:15 que menciona específicamente ese detalle. Se destaca en un segundo himno que ha llegado el dominio después de destruir a sus enemigos, que lo son también de la creación.

La mujer y el dragón, 12:1-18. Este cuadro describe la continua lucha entre el pueblo de Dios y su enemigo el diablo. Satanás quiere destruir al hijo de la mujer que dio a luz, que es el portador de las buenas nuevas. Además, ha de guiar a todas las naciones con cetro de hierro. Pero para que llegue la hora final aún faltan 1260 días; si sacamos la cuenta, comprobamos que es la mitad de siete años y el simbolismo es el mismo de siempre.

Finalmente, fue arrojado el gran dragón, la serpiente antigua (Satanás). El y sus ángeles fueron arrojados del cielo.

Estudio del texto básico

1 Los dos testigos, Apocalipsis 11:1-6.

Vv. 1, 2. Con su aparición se cierra el drama descrito en la sexta trompeta. Juan mismo es puesto en acción, como preparando la venida de esos dos enviados. La imagen también es tomada de Zacarías (4:14). Esta descripción apocalíptica trae a la mente el más conocido versículo de ese profeta: "No con ejército, ni con fuerza, sino con mi Espíritu" (4:6). Así como los olivos y los candeleros nos hablan de 1a adoración, estos dos testigos son una forma de presentar la predicación como parte esencial de la acción de la iglesia.

Su silicio y la persecución de que son objeto nos ilustran sobre una verdad que no debiera olvidarse nunca: que la proclamación siempre irá acompañada o seguida por la persecución. Los poderes del mal, o simplemente los intereses del mundo, no pueden permitir que la luz de la verdad resplandezca sin tratar de apagarla.

Vv. 3-6. Han sido enviados por Dios mismo (v. 3) y él sabe que podrán actuar por un tiempo determinado, o sea *1.260 días.* Como se dijo, esto equivale a la mitad de siete años, que representa el total del tiempo de este mundo. Como nos es impedido saber el final de los siete años, es absurdo pretender calcular cuándo se llega a la mitad; eso nos obliga a no cejar en nuestros esfuerzos mientras nos es posible. Notemos que predicarán hasta cuando hayan concluido su testimonio, o sea que nada podrá detenerlos mientras Dios no lo permita. Al contrario, todos los que intenten destruirlos serán destruidos ellos mismos, además su prédica va acompañada de los juicios divinos. La sequía, la sangre o la plaga (tres de las catástrofes del mundo antiguo) podrán aparecer si su testimonio es rechazado.

2 La reacción de la bestia, Apocalipsis 11:7-14.

Vv. 7, 8. La historia tiene sus altibajos. Lo descrito en 11:1-6 es, para nosotros, uno de esos momentos en que damos gloria a Dios. Pero él permite que no sea siempre así y por eso, antes de que suene la última trompeta, tienen lugar otros dos actos del drama.

Los dos testigos han cumplido su misión; es importante que nos preocupemos de eso y no de pensar si nuestros propios planes se han realizado. La victoria de la *bestia del abismo* es narrada sucintamente (v. 7 b). Pero sí se extiende la descripción posterior sobre la suerte de los testigos, que aun muertos son los personajes centrales de la historia. La imagen de sus cuerpos arrojados a la *plaza* pública es la del desprecio supremo; hasta hoy, en los peores momentos de una guerra, no se permite sepultar a los muertos del enemigo.

Vv. 9-12. La reacción popular es una magnífica descripción. Primero, los *miran;* luego, impiden su entierro y finalmente, *se gozan sobre ellos.* Esta reacción se da por un motivo: estos dos profetas *habían sido un tormento para los habitantes de la tierra.* Es claro que la prédica de la voluntad de Dios atormenta a quienes quieren seguir sus criterios meramente terrenales. Para el mundo en general, la predicación es una molestia; sin embargo, cuando volvieron a la vida un gran temor cayó sobre los que los veían.

La victoria satánica era muy transitoria: sólo *tres días y medio,* que se comparan con los tres años y medio (1260 días) de la predicación. Este hecho coincide con la recompensa dada a los testigos, que se suman a los mártires que estaban bajo el altar en el cielo.

Vv. 13, 14. Paralelamente un *gran terremoto* sacude la tierra y muere *la décima parte de la ciudad,* o sea una cantidad relativamente limitada. Esa ciudad es el resumen del mal del mundo. En el v. 8 es un caso único donde se aclara que algo es simbólico. Reúne una triple imagen: la ciudad de Sodoma, la nación de Egipto y donde fue crucificado el Señor. La redacción podría dar a entender que era el mismo Egipto y simbólicamente era el punto desde donde se produjo la liberación, que no es mencionada tal vez para hacerla más sugestiva. Ahora sí el terror produjo que dieran gloria a Dios.

Los hombres no reaccionan siempre igual y aquello era un resultado póstumo de la proclamación de los dos testigos.

3 La séptima trompeta, Apocalipsis 11: 15-19.

V. 15. Como ya dijimos, esta contiene un panorama distinto a los otros séptimos actores previos. Su sonido continúa hasta 15:4 y por lo tanto su contenido es muy rico. Reaparecen algunos de los personajes anteriores, pero el primer cuadro es como una ratificación de lo antedicho y de lo que luego se narrará.

Reaparece el panorama del cielo que es recurrente una y otra vez, como para que no olvidemos cuál es la realidad ulterior del pueblo de Dios. Aquí se oyen dos coros, por decirlo así. El primero es impreciso, como si recogiera a todos aquellos que han entrado al pueblo de Dios gracias a la predicación de los testigos que representan a todos los que lo han hecho durante siglos. Simplemente se dice que *se oyeron grandes voces* (11:15). Su cántico es muy breve. No contiene las alabanzas habituales, sino que sólo señala un hecho: si este mundo es un reino, *nuestro Señor y su Cristo* (para dar la idea de un gobierno compartido) no sólo han llegado a ser sus dominadores, sino que también reinarán *por los siglos de los siglos.*

Vv. 16-19. Entonces reaparecen los *veinticuatro ancianos,* de los que opinamos que representan la iglesia de la antigüedad y del presente. Se detalla la forma física en que lo hacen y su canto de adoración es una acción de gracias porque él ha *asumido* su *gran poder.* Que se enfurezcan *las naciones,* pues ello no será impedimento para que los fieles reconozcan la victoria divina. Además, proclaman que a su cántico se unirán todos los que *temen* su *nombre* y nos llama la atención del detalle de que lo harán *tanto los pequeños como los grandes* (v. 18).

Hay grandes en el reino de Dios, desde Pablo de Tarso hasta Carlota Moon; para nosotros, los pequeños, también hay un lugar.

Aplicaciones del estudio

1. No todos los que entran al templo son del pueblo de Dios. Dios toma medidas del lugar donde habita su pueblo. Saber que uno ha quedado dentro de lo que se ha medido produce una gran sensación de seguridad.

2. El cuidado de Dios por su pueblo. Los símbolos del cap. 12 pueden dejarnos la impresión de una situación horrible de lucha, destrucción y persecución. Sin embargo, el balance final es la victoria del invencible Señor.

Ayuda homilética

Motivos para alabar a Dios
Apocalipsis 11:15-19

Introducción: La alabanza es compartida por nuestro Señor y su Cristo y de ella participan todos los creyentes. Aquí la alabanza se identifica con la acción de gracias.

I. Gracias por ser quien es.
- A. El es el Señor Dios Todopoderoso.
- B. El es quien es y quien era y quien será.
- C. El ha asumido el poder. Reinará por siempre.

II. Gracias porque juzga al mundo.
- A. Es cierto que las naciones se enfurecen, pero eso no detiene el juicio de Dios.
- B. Además de ser el Rey es el Juez, y todos cuantos hayan muerto sin reconocerlo serán objeto de condenación.
- C. Los que hoy destruyen serán destruidos.

III. Gracias por recompensar a los fieles.
- A. Estos son mencionados como "siervos" que es el título más alto a los ojos de Dios.
- B. Se destaca a los profetas.
- C. También recibirán su recompensa todos los que temen su nombre, son llamados "santos", sin jerarquías.

Conclusión: La justicia de Dios tiene necesariamente dos lados. Si por un lado el dará su galardón a los que han guardado su palabra, también debe castigar a aquellos que han obrado en contra.

Lecturas bíblicas para el siguiente estudio

Lunes: Apocalipsis 13:1-4
Martes: Apocalipsis 13:5-10
Miércoles: Apocalipsis 13:11-13
Jueves: Apocalipsis 13:14, 15
Viernes: Apocalipsis 13:16-18
Sábado: Apocalipsis 14:1-5

AGENDA DE CLASE

Antes de la clase
1. Lea Apocalipsis 11 y 12. Agregue a su "Diccionario de Simbolismos" los principales que aparecen, especialmente los del capítulo 11 que es el texto básico de este estudio. **2.** Tome nota especial de los números mencionados y, al estudiar el comentario sobre el capítulo, anote lo que cada símbolo y cada número parece significar. **3.** Prepare franjas de cartulina escribiendo en cada una el título de una de las secciones a enfocar. **4.** JOVENES: Prepare papel de carta y sobres para repartir a los participantes. **5.** Resuelva el ejercicio en la sección:*Lea su Biblia y responda* bajo *Estudio del texto básico* en el libro del alumno.

Comprobación de respuestas
JOVENES: **1.** a. Para medir. b. Dos olivos y dos candeleros. c. Saldrá fuego de sus bocas y devorará a sus enemigos. **2.** La muerte de los dos testigos o profetas. **3.** La victoria de Cristo.
ADULTOS: **1.** Dos testigos que profetizarían por 1.260 días. **2.** c. Se alegraron de verlos muertos. **3.** Coteje su respuesta en su Biblia.

Ya en la clase
DESPIERTE EL INTERES
1. Relate la siguiente historia verídica o una parecida en que un creyente o iglesia haya sufrido algún tipo de persecución: Betty era una joven inteligente quien, al egresar de la escuela secundaria en el pueblo donde vivía con sus padres y hermanos, decidió seguir la carrera de medicina. Para ello, debía radicarse en la ciudad donde había una Facultad de Medicina. Un matrimonio, amigo de sus padres, que vivía en esa ciudad, aceptó darle pensión. Al poco tiempo de estar con ellos Betty se hizo amiga de los chicos que vivían al lado que eran evangélicos, los primeros evangélicos que conocía personalmente. Su curiosidad sobre lo que creían era cada vez mayor y, a sus preguntas, sus amigos respondían cándidamente. Llegó el día cuando uno de ellos, Biblia en mano, le explicó el plan de salvación. Betty aceptó al Señor sin problema. Cuando se lo contó al matrimonio con el cual vivía, éste reaccionó violentamente amenazándola de que si "se hacía evangélica" tenía que irse a vivir a otra parte, que ellos no podían albergar a "una hereje" en su casa. Sus amigos convencieron a sus padres de que le diera pensión y Betty se mudó con ellos. Aunque vivía al lado, el matrimonio nunca volvió a dirigirle la palabra. Betty se recibió y ejerció su profesión médica hasta morir de cáncer a los 50 años. En su lecho de muerte, siguió aferrándose al Señor sin desmayar. **2.** Pregunte quién tuvo la victoria final aquí. Diga que nuestro estudio trata de lo pasajero que son las persecuciones porque siempre Dios tiene la victoria final.

ESTUDIO PANORAMICO DEL CONTEXTO

1. Haga notar que han llegado a la mitad del libro de Apocalipsis. **2.** Pase a relatar el comentario de la sección *Fondo histórico* en este libro del maestro.

ESTUDIO DEL TEXTO BASICO

Los dos testigos, Apocalipsis 11:1-6. Fije en la pared la franja en que escribió este título. Vayan leyendo en voz alta un versículo a la vez, intercalando usted una explicación de cada uno. Dé oportunidad para que hagan preguntas sobre cualquier cosa que no entiendan. Si usted no sabe algo, admítalo. Nadie sabe todo sobre Apocalipsis. Comente que hasta aquí el tono de este capítulo es de victoria lo cual enseguida cambiará.

La reacción de la bestia, Apocalipsis 11:7-14. Fije en la pared la segunda franja debajo de la primera. Un alumno lea en voz alta los vv. 7-10 mientras los demás identifican: (1) la derrota de los dos testigos, (2) quién los venció, (3) la reacción del mundo ante la muerte de éstos. Dirija luego un diálogo en base a lo que identificaron. Otro alumno lea en voz alta los vv. 11-13. Los demás identifiquen: (1) Lo que Dios hizo con los dos testigos, (2) la reacción del mundo, (3) el castigo divino sobre éste. Proceda igual que con los versículos anteriores.

La séptima trompeta, Apocalipsis 11:15-19. Fije en la pared la tercera franja debajo de la anterior. Pregunte si recuerdan algunas de las cosas que el toque de las primeras seis trompetas desencadenó en la tierra. Diga que el toque de la séptima trompeta nos presenta un panorama totalmente distinto. Lean al unísono el v. 15 que es el *Versículo clave.* Coméntenlo. Dos alumnos lean antifonalmente los vv. 16-19. Los demás encuentren: (1) qué hicieron los "24 ancianos", (2) el motivo de gratitud de su oración, (3) quiénes son juzgados y quiénes reciben galardón. Dialoguen sobre lo que encontraron e identifique cada uno, entre qué grupo se encuentra. Dé una explicación del v. 19 en base al comentario en el libro del alumno.

APLICACIONES DEL ESTUDIO

JOVENES: Forme tres grupos. Asigne a cada uno, una de las aplicaciones en su libro del alumno para que la desarrollen y, si es posible, incluyan un ejemplo de la vida real. Informen a toda la clase. ADULTOS: Observen las aplicaciones en sus libros del alumno. Pregunte si pueden dar ejemplos de la vida real de estas aplicaciones.

PRUEBA

JOVENES: Reparta el papel de carta y los sobres para que escriban lo que pide el inciso. **2.** Estimule a cada uno a enviar o entregar su carta hoy mismo. ADULTOS: **1.** Cada uno haga lo que sugiere el inciso 2. **2.** Los que deseen compartan lo que hicieron como un testimonio.

Estudio **47**

Unidad 9

Las bestias y el Cordero

Contexto: Apocalipsis 13:1 a 14:5
Texto básico: Apocalipsis 13:1 a 14:5
Versículo clave: Apocalipsis 14:4b, c
Verdad central: En ocasiones las fuerzas políticas y religiosas forman alianza para tratar de detener la marcha triunfante de la iglesia, pero la promesa de Cristo es que su iglesia tiene segura la victoria.
Metas de enseñanza-aprendizaje: Que el alumno demuestre su: (1) conocimiento del hecho que ha habido ocasiones en la historia en que las fuerzas políticas y religiosas se han unido para tratar de detener el avance de la iglesia, (2) actitud de persistencia en el servicio al Señor a pesar de las adversidades.

Estudio panorámico del contexto

A. Fondo histórico:

Ya dijimos que al sonar la séptima trompeta aparece una serie de personajes. No se menciona el hecho de que sean seis, pero no puede ser casual que su número sea igual al de las otras secciones. Ya han aparecido en estudios anteriores la mujer encinta, el dragón, el hijo de la mujer y el arcángel Miguel. Sólo faltan dos, para que, como en los otros casos, el séptimo lugar sea ocupado por la nueva visión, esta vez de siete ángeles.

Las imágenes y símbolos son muy numerosos, pero hay uno que se ha hecho popular y es el mencionado en 13:18, donde dice: "El que tiene entendimiento calcule el número de la (segunda) bestia, porque es número de hombre; y su número es 666."

Es increíble la cantidad de especulaciones que se han hecho alrededor de esa llamativa cifra. Siempre hay alguna forma de atribuir valores numéricos a las letras, lo que tiene cierta legitimidad, ya que en griego y en latín era así; por ejemplo, todos sabemos que V es el número cinco, y X es el número diez, etc. De ese modo se ha atribuido ese número a toda clase de personajes desde el papa hasta Adolfo Hitler; ese tipo de explicaciones hoy, en general, no se considera serio.

En la antigüedad, esa forma de expresarse era común. En las ruinas de Pompeya hay una leyenda que dice: "Amo a aquella que se llama 545." "Nerón César", escrito en hebreo también da 666 y quizá algunos cristianos lo pensaron, aunque había pasado una generación.

Posiblemente, lo más seguro es entender esta cifra en la línea general del simbolismo numérico. Aquí tenemos un ser que quiere ocupar el lugar del verdadero Señor; por ejemplo, tiene dos cuernos semejantes a los de un cordero (13:11). Su apariencia confunde a muchos hombres. No es divino, pero parece. Si el 7 indica la perfección divina, ¿qué hay más cerca que el 6? El triple esfuerzo de 6-6-6 es nuevamente para asemejarse a la Trinidad. Esta interpretación es parte de la advertencia del gran peligro de aquello que se asemeja al Cordero pero no lo es.

B. Enfasis:

El reto de la bestia del mar, 13:1-4. En el *Estudio del texto básico* se dirá algo sobre lo que representa este horrible personaje. Lo notable es su agresividad y sus enfrentamientos con el pueblo de Dios. Ello se debe a que había recibido autoridad del dragón, que en el cap. 12 se describe como Satanás. Después, la misma bestia habló insolencias y blasfemias (13:5; Biblia de Jerusalén, "grandezas y blasfemias") contra Dios y contra los que tienen morada en el cielo, o sea a la parte glorificada de la iglesia.

Las blasfemias de la bestia, 13:5-10. Una blasfemia es una "palabra injuriosa contra Dios". Si la bestia quería usurpar el lugar del Señor, no podía hacer otra cosa que hablar mal de él, así como contra quienes le han seguido.

La bestia de la tierra, 13:11-15. Luego de la primera bestia aparece otra que completa su accionar. Como su papel es de orden religioso, tiene un interés en el hecho de que no provenía del cielo sino que subía de la tierra, o sea que no tenía un origen superior, sino ligado a las cosas de este mundo, quizá la misma humanidad.

La marca de la bestia, 13:16-18. Notemos que no es la bestia la que lleva la marca, sino aquellos que le siguen. Es al contrario del ángel de 7:2, que tiene el sello de Dios. Los esclavos antiguos (como los modernos cautivos en campos de concentración) llevaban tatuaje o algo similar que indicaba a quien pertenecían. La intención era que ese sello fuera universal (13:16).

Los 144.000 adoradores, 14:1-5. Reaparecen los que fueron presentados en 7:4. Sin embargo, aquí se los describe de manera más amplia, sin mencionar las tribus de Israel. Son más bien los redimidos de entre los hombres. Quizá esto nos demuestre retroactivamente el carácter universal de los mencionados en el cap. 7.

Estudio del texto básico

Satanás ha sido presentado como un dragón en el cap. 12. Pero el Apocalipsis nos aclara que él no actúa solo, sino que se vale de los poderes que se mueven en el mundo y en eso radica su gran peligrosidad. En el cap. 13 aparecen dos bestias, con lo que se describe a dos seres de aspecto monstruoso y de gran poder. Uno tras otro actuarán en lugar del demonio, como sus agentes. Si somos capaces de descubrir los símbolos que hay entre líneas, notaremos que esa forma de proceder sigue hasta el día de hoy.

1 La bestia que sale del mar, Apocalipsis 13:1-10.

Vv. 1-10. No es fácil decir por qué *subía del mar.* Quizá se refiere a 4:6, pero es improbable que se quiera decir que sale del cielo.

La idea habitual es que se refiere a los poderes políticos, comenzando por el de Roma. De ese modo, las *siete cabezas* serían las conocidas siete colinas de esa ciudad. Por otro lado, las *diez diademas* representan una plenitud de poder glorificado.

Se suele decir que esta bestia es el anticristo y conceptualmente es adecuado, pero esa expresión, pese a ser tan común, solo aparece en 1 Juan 2:18. Digamos que es el primer poder que se enfrenta a Cristo, con imágenes tomadas de Daniel 7. Más que un anticristo, la idea es de un seudo Cristo. Esto se aplica también a la segunda bestia, o diríamos que a la trinidad del mal que forman el dragón y ellas dos.

Tenía una *herida* mortal, pero que *se había sanado* (v. 3), describiendo así una resurrección. Esto se relaciona con la leyenda popular de que Nerón, que había muerto por su propia mano, lejos de todo, en realidad vivía y volvería al poder. Las fuerzas del mal nunca son destruidas del todo.

La astucia satánica se ve en el hecho de que el dragón (Satanás) no lo usa para que le adoren a él, sino que la misma bestia es adorada, ya que el interés está en que se alejen del Cordero. Sin embargo, los verdaderos creyentes no cayeron en su seducción (v. 8).

2 La bestia que sale de la tierra, Apocalipsis 13:11-18.

Vv. 11-15. Una bestia sigue a la otra. Nos adelantamos a decir que la idea más común es que describe un poder religioso o eclesiástico. No se ha dicho que la primera bestia haya muerto, de modo que ambas pueden coexistir. En la práctica eso significa el hecho históricamente comprobado de cómo un poder político que quiere asumir la totalidad del dominio adopta una actitud religiosa. Eso podía verse entonces en el culto al emperador, que era el gran problema de las siete iglesias a las que inicialmente estaba dirigido el libro. Lo hemos visto muchas veces con la unión de "la cruz y la espada", forma realmente satánica de dominar naciones enteras. Aún en nuestros días la elevación de retrato, monumentos de dictadores llega a asumir formas de culto. No importa que se pretenda organizar una iglesia; basta la actitud con que los hombres admiten ser dominados.

La correlación entre esta bestia y la primera es reiterada, como si hubiera un poder religioso dominado por otro político. Ya en el Génesis la primera tentación fue: "Seréis como dioses." Su peligrosidad está precisamente en ese parecido; esta bestia tenía cuernos semejantes a los de un cordero, en clara alusión a la posibilidad de que sea confundida con el Redentor.

Otro parecido esta en la posibilidad de realizar milagros, o señales que se le concede hacer. Los sacerdotes egipcios que se opusieron a Moisés repitieron sus milagros, y reiteradamente la Escritura nos advierte sobre las presuntas señales que pueden no ser de Dios, sino como en este caso de Satanás, o simplemente de algún proceso cuyas leyes nosotros desconocemos; en definitiva, un milagro no es sino algo que ocurre más allá de nuestra comprensión, pues para Dios no hay milagros.

Vv. 16-18. La descripción termina exponiendo cómo a los seguidores de esta bestia se les imprime una señal, que es el número 666, como se explicó antes. Sin esa señal, no habrá posibilidades de comerciar, tocando así el punto débil de muchos hombres; no es fácil identificarse como cristianos en la actualidad.

3 Un cántico nuevo, Apocalipsis 14:1-5.

Vv. 1, 2. En este hermoso pasaje se habla con claridad de un himno que cantan los que están ante el trono. Es un contraste abrupto con los cuadros anteriores. El escritor deja de mirar a las bestias que se mueven en la tierra y al elevar su mirada al monte Sion (donde estaba el templo) ve al *Cordero de pie,* detalle que no es superfluo. Ocurra lo que ocurriere, nada se ha conmovido en la gloria. El lugar donde se ha levantado el templo no ha sido conmovido ni tampoco aquellos que están allí adorando al Cordero, en su plenitud, indicada por el número 144.000 por tercera vez en el libro.

Hay tres efectos sonoros que se hacen oír y que conforman una grandiosa e inexplicable combinación. Primero se oye *una voz* no identificada pero sí descrita *como estruendo de muchas aguas y como la voz de un gran trueno;* es como si los sonidos de la naturaleza comenzaran a dejarse oír. A ello se agrega una voz *como de arpistas cuando tocan sus arpas.* De ese modo, se indica la forma en que la sabiduría y el arte humanos se agregan a la naturaleza. Esta es una de las ideas del libro que figuran en el habla popular lo que demuestra su influencia en nuestra cultura. En realidad, no dice que nadie tocara el arpa allí. Finalmente ellos, sin decir quiénes, forman un coro que entona *un himno nuevo* (4:3). A la majestad de la naturaleza y a la belleza del arte, se ha agregado la nueva vida de los redimidos (v. 4).

Vv. 3-5. La descripción que se hace de esos cantores pone el énfasis en su conducta. Luego de ser *redimidos* por la sangre del Cordero y para el Cordero, adquieren la capacidad de conocer el himno que alaba a Dios a quien no es posible rendir culto sino a través del Redentor. Por eso, siguen al Cordero, o sea que tienen una vida constante y perseverante con él. Se manifiesta en su forma de proceder. *Son sin mancha,* pues nunca mienten ni engañan a diferencia de aquellos que blasfeman siguiendo a las bestias. Mucho se ha discutido sobre el v. 4, que señala que la nueva vida es de pureza, específicamente en lo sexual. No puede tener relación con el celibato eclesiástico, sino que es un eco de la repetida idea de ambos Testamentos de que la iglesia es la novia de Cristo, que se mantiene pura para él.

Pero ¿qué cantaban? ¡Ah!, no se dice porque aún no podemos conocerlo. En la gloria nos esperan experiencias superiores a todo lo imaginables que se expresarán de maneras que aún nos quedan por conocer.

Aplicaciones del estudio

1. Satanás se presenta disfrazado. Puede ser como "ángel de luz" (2 Cor. 11:14). Asume formas seductoras y convenientes, porque siempre es "bueno" estar de acuerdo con el Estado y es cómodo tener una religión mayoritaria.

2. Satanás tiene límites. En 13:7 nos dice que su poder se extiende a toda raza y pueblo y lengua y nación. Hoy diríamos que no hay cultura que no sea afectada por él. Pero ese dominio se extiende sólo a aquellos cuyos nombres no están inscritos en el libro de la vida del Cordero.

3. El nombre en la frente. Los seguidores de la bestia tienen en su frente el numero 666. Es sólo el número de un hombre (13:18), que realmente no se puede decir que se entiende plenamente. Al contrario, los creyentes tenemos el nombre de nuestro Padre escrito en la frente (14:1).

Ayuda homilética

El cántico nuevo
Apocalipsis 14:1-5

Introducción: En este caso especial, cuando se nos dice que se canta en el cielo, no se da el texto de ese cántico, pero la descripción nos ayuda a unirnos a su espíritu.

I. Un himno con acompañamiento.
- A. Hay voces de los cielos que se nos unen.
- B. Hay melodía dulce como la del arpa.

II. Un himno con compañía.
- A. Como las voces del v. 2, inspiración que viene del cielo.
- B. Los cuatro seres vivientes (la naturaleza) y los ancianos (la iglesia antigua).
- C. Se canta como parte de la gran congregación de los 144.000.

III. Un himno que se estrena.
- A. Se han mencionado otros poemas celestiales, este es nuevo (v. 3).
- B. El creyente ha tenido una experiencia que pone algo nuevo en su canto.
- C. Es nuevo porque se relaciona con la nueva vida.

Conclusión: En este cuadro hay una prueba de que es en vano tratar de imaginar cómo será la gloria. ¡Allí todo será nuevo!

Lecturas bíblicas para el siguiente estudio

Lunes: Apocalipsis 14:6, 7
Martes: Apocalipsis 14:8-13
Miércoles: Apocalipsis 14:14-16
Jueves: Apocalipsis 14:17-20
Viernes: Apocalipsis 15:1, 2
Sábado: Apocalipsis 15:3, 4

AGENDA DE CLASE

Antes de la clase

1. Lea Apocalipsis 13:1 al 14:5. Anote en su "diccionario de simbolismos" los nuevos que aparecen. Anote los posibles significados como lo ha venido haciendo. Tome nota especial de lo que dice sobre la relación de ciertos simbolismos del capítulo 13 con el imperio romano, la ciudad de Roma y Nerón. En caso de referirse a ellos, o en cualquier caso, son una referencia a poderes y adoraciones anticristianas cuyo origen es Satanás. **2.** Prepare un cartelón con el encabezamiento: NOMBRES INSCRITOS EN EL LIBRO DE LA VIDA. **3.** Resuelva el ejercicio en la primera sección bajo *Estudio del texto básico* en el libro del alumno.

Comprobación de respuestas

JOVENES: **1.** a. Insolencias y blasfemias. b. Todos los habitantes de la tierra cuyos nombres no están inscritos en el libro de la vida del Cordero. **2.** a. Tenía dos cuernos semejantes a los de un cordero y hablaba como un dragón. b. Ejercía toda la autoridad de la primera bestia. **3.** Son moralmente intachables y totalmente veraces.

ADULTOS: **1.** a. v. 1, b. v. 2, c. v. 4, d. v. 7, e. v. 7. **2.** a. v. 11, b. v. 13, c. v. 15, d. v. 18. **3.** a. v. 1, b. v. 3, c. v. 3, d. v. 4, e. v. 4.

Ya en la clase

DESPIERTE EL INTERES

1. Pregunte qué opinan sobre el hecho de que una nación tenga una religión oficial o sea que haya una "religión del Estado". Destaque que esto por lo general significa una alianza entre la religión y la política y que viola la libertad del individuo. Comente que hay naciones musulmanas donde está prohibido practicar otra religión, donde los cristianos no pueden exteriorizar su fe ni predicar el evangelio. Hacerlo es un crimen penado por la ley. **2.** Pida que se fijen en la *Verdad central* de este estudio y que un alumno la lea en voz alta.

ESTUDIO PANORAMICO DEL CONTEXTO

1. Base su explicación del contexto en las preguntas que aparecen en el libro del alumno en la primera sección bajo *Estudio del texto básico* aprovechándolas para presentar una vista panorámica del texto bíblico que enseguida estudiarán en detalle. **2.** Mencione que Satanás ha sido derrotado en el capítulo 12 a pesar de lo cual se le ha concedido cierto tiempo para hacerle la guerra a la iglesia. Este "conflicto bélico" es lo que se presenta en nuestro pasaje a estudiar.

ESTUDIO DEL TEXTO BASICO

La bestia que sale del mar, Apocalipsis 13:1-10. Lean en voz alta un versículo a la vez y vaya explicando la significación de los símbolos y las acciones. O puede ofrecer su diccionario de simbolismos para que distintos alumnos encuentren allí los significados que anotó y de esta manera contar con la participación de los presentes. Destaque que el dragón es Satanás y que la bestia es una manifestación o expresión de él en los poderes sobre la humanidad como pueden ser las fuerzas del Estado, de la política, del ateísmo o cualquiera que sea contraria a Cristo, y cuyo quehacer constituye una insolencia y blasfemia contra Dios (v. 5). Destaque en los vv. 7 y 8 las frases "le fue permitido" y "le fue dado". Satanás y sus huestes no son omnipotentes como lo es Dios.

La bestia que sale de la tierra, Apocalipsis 13:11-18. Proceda de la misma manera que con el pasaje anterior. Destaque la opresión que indican los vv. 15, 16 y 17. Al llegar al v. 18 enfoque el número 666 y dé las explicaciones que aparecen principalmente en el comentario bajo *Estudio panorámico del contexto* en este libro del maestro.

Un cántico nuevo, Apocalipsis 14:1-5. Diga que al comenzar el capítulo 14 la escena cambia totalmente. Ahora ve Juan lo que está sucediendo en el cielo, no ya los conflictos que suceden en la tierra. Un alumno lea en voz alta todo el pasaje. Luego enfoquen un versículo a la vez. Utilice el comentario en este libro del maestro para explicar cada uno.

APLICACIONES DEL ESTUDIO

1. Diga que "el dragón" y sus "bestias", o sea Satanás y los que le sirven, todavía andan sueltos en la tierra. Pregunte: ¿Pueden identificar sus acciones a nivel mundial, nacional y local? **2.** Después que los presentes aporten sus opiniones, pregunte qué les parece que estará sucediendo en el cielo en este preciso instante. Cuando hayan dicho lo que piensan, afirme que allí es donde iremos nosotros si nuestros nombres están inscritos en el libro de la vida del Cordero. Fije el cartel donde todos lo puedan ver y pida que los que están seguros de su salvación o que quieran ser salvos, escriban su nombre en el cartel.

PRUEBA

1. Tenga una "mini" discusión de mesa redonda sobre el inciso 1 bajo la sección *Prueba* en el libro del alumno. Luego, cada uno escriba una, o dos frases que resuman el tema. Si lo desean, compartan lo que escribieron. **2.** JOVENES: Lea en voz alta la declaración del inciso 2. Desafíe a cada uno a considerarla seriamente y a poner su firma sólo si está dispuesto a comprometerse seriamente con el Señor. ADULTOS: Lea en voz alta la pregunta del inciso 2 y pida que cada uno escriba la respuesta individualmente. Cuando todos lo hayan hecho, los que deseen que compartan lo que escribieron. **3.** Invite a sus alumnos a hacer las lecturas bíblicas correspondientes a la siguiente semana.

Unidad 9

Los ángeles y el juicio

Contexto: Apocalipsis 14:6 a 15:4
Texto básico: Apocalipsis 14:6 a 15:4
Versículos clave: Apocalipsis 14:6, 7
Verdad central: La corrupción moral y el plan del enemigo de implantarla como norma de toda la sociedad acarrean el juicio irremisible de Dios sobre quienes la practican.
Metas de enseñanza-aprendizaje: Que el alumno demuestre su: (1) conocimiento de los motivos del juicio de Dios, (2) actitud de consagración a los propósitos de Dios para su vida.

Estudio panorámico del contexto

A. Fondo histórico:

Como culminación de los siete personajes ha aparecido el coro celestial de 14:1-5. Aparecen ahora siete ángeles en rápida sucesión, como indicando que los juicios de Dios, que han sido retardados durante tanto tiempo (para dar oportunidad al arrepentimiento), ocurrirán rápidamente. El énfasis hasta el cap. 19 está puesto en el juicio sobre el mundo. Los ángeles proceden, de acuerdo con su naturaleza, a hacer anuncios en forma muy resumida. Uno de ellos declara: "¡Temed a Dios y dadle gloria!", explicando el porqué. El segundo, por su parte, proclama: "¡Ha caído Babilonia!" (14:8).

La mención de la gran capital de los caldeos es simbólica, pues ya había dejado de existir siglos atrás. En sí mismo era un mensaje. La enorme ciudad de la que se sentía tan orgulloso Nabucodonosor, y que aún es recordada por sus jardines colgantes como una de las siete maravillas del mundo antiguo, ¡simplemente había desaparecido del mapa! Cuando los profetas de la antigüedad anunciaban que eso ocurriría, podía parecer una broma. Pero cuando Dios anuncia algo es como si ya hubiera ocurrido.

La enorme mayoría de los comentaristas opina que se hace referencia a Roma, la nueva capital del mundo. Históricamente hablando faltaban siglos para su realización, pues el hecho sólo ocurriría en el año 486 ante los bárbaros, pero el proceso de la decadencia estaba en germen al estarse escribiendo este libro.

Babilonia era para los judíos el símbolo de la esclavitud, la idolatría y el exilio. En el Apocalipsis su mención reemplaza la de otras ciudades y naciones. Sodoma debió ser una urbe importante, pero en ella Lot y su familia resultaron esclavos de la gran corrupción.

B. Enfasis:

¡Ha llegado la hora del juicio!, 14:6, 7. No es un juicio cualquiera, sino que es el juicio de Dios. Esto requiere que sintamos un temor reverente ante el Juez a quien todo el mundo dará gloria.

¡Ha caído la gran Babilonia!, 14:8. Ningún poder humano es tan grande como para no caer delante de Dios, aun al margen de que al parecer él ha dispuesto que todos los grandes imperios lleven un ciclo de surgimiento, progreso, culminación, decadencia y caída. Roma fue realmente grande, casi diríamos que incomparable. Junto con Grecia nos ha dejado un legado imponente de arte, derecho, poesía, etc. Pero su corrupción fue paralela a su magnificencia y con ello dictó su sentencia.

Los que adoran a la bestia, 14:9-11. La ruina de Babilonia o Roma iría acompañada por la de aquellos que seguían sus pasos. Cuando hay un poder tan grande, los "colaboracionistas" voluntarios o involuntarios siempre son muchos y su caída es tan grande como su poder ficticio anterior. Se indica que los horribles castigos descriptos alcanzan a los que adoran a la bestia aunque también aclara que deben llevar su señal encima.

Los que perseveran, 14:12, 13. Es como si fuera necesario un paréntesis, aunque sea de pocas líneas, para recordar que no todos han caído bajo el poder de Babilonia. Siempre hay quienes guardan los mandamientos de Dios y la fe de Jesús (v. 12). No dice si son más o menos que los adoradores de la bestia, pero es claro que son millones de millones. Se oye entonces una voz que ordena específicamente escribir una de las promesas que más han alentado al pueblo de Dios durante siglos: "Bienaventurados los... que de aquí en adelante mueren en el Señor."

La cosecha para juicio, 14:14-20. A menudo se usa la comparación de la recolección tanto para indicar la reunión de los redimidos como la de aquellos que serán echados al horno de fuego. Parece extraño, sin embargo, que Cristo reciba la orden de parte de un ángel para aparecer en gloria y cumplir su obra salvadora. Es más probable que aquel "de aspecto similar a un hombre" sea una figura celestial que comparte algo de la gloria de Cristo, como el "ángel poderoso de 10:1.

El coro de los victoriosos, 15:1-4. Están por derramarse las siete plagas sobre la tierra, pero nuevamente la misericordia de Dios nos proporciona un cuadro de triunfo. Allí están los vencedores sobre la bestia, ahora sí con el arpa en sus manos. Alaban a Dios por la victoria. Aunque se los denomina vencedores, ellos atribuyen la victoria al Señor Dios Todopoderoso (15:3) y la liberación es su mayor obra, así como lo fue la de Moisés de quien se recuerda que entona un cántico al salir de Egipto (Exo. 15).

Estudio del texto básico

No olvidemos que este pasaje es la culminación de las luchas anteriores. A veces da la impresión de que los dolores causados por Satanás y las bestias que le representan serán insoportables, y la cantidad de mártires así parecía indicarlo. Pero un siglo más tarde Tertuliano, el gran escritor cristiano, declaraba: "La sangre de los mártires es semilla de la iglesia." Otra expresión suya parece un eco de estas imágenes del derrumbe de Babilonia-Roma: "Somos de ayer y lo hemos llenado todo. Sólo os hemos dejado vuestros templos vacíos." El juicio de Dios sobre el Imperio comenzó muy pronto y preanuncia el juicio que habrá sobre el mundo entero.

1 El juicio proclamado, Apocalipsis 14:6-13.

V. 6. Tres ángeles aparecen en rápida sucesión para anunciar el juicio inminente. El primero (6a) cruza el cielo predicando el evangelio *a toda nación y raza y lengua y pueblo.* Jesús mismo había anunciado que eso ocurriría (Mat. 24:14). Algunos declaran que eso se cumple en nuestro tiempo, ya que no queda país sin testimonio, pero podría dudarse de que ello se ha cumplido en relación con todas las lenguas y pueblos. Lo mejor es ser eco de la predicación que Dios dirige por medio de los ángeles del cielo.

V. 7. Su mensaje iba acompañado de una exhortación, que presenta una interesante progresión en el llamado: *Temed a Dios y dadle gloria... Adorad al que hizo los cielos.* De hecho, por medio de este ángel Dios ya no llama, sino que se prepara para juzgar. Notemos que la adoración reconoce la gloria de quien puede llevar al mundo a juicio.

V. 8. El *segundo ángel* anuncia, como hecho consumado, la caída de *Babilonia.* El lenguaje profético incluye también el pasado; para Dios no hay diferencia entre el pasado y el futuro, el anuncio y el cumplimiento. Así como dijo "Sea la luz" y "la luz fue", dijo: ¡Caiga Babilonia!" y *ha caído Babilonia!*

Vv. 9, 10. *Y siguió otro ángel, un tercero.* Este aclara que no se trata de un hecho histórico previsible ni de algo lejano, sino que en el juicio están incluidos todos los que siguen en los caminos de la gran corruptora.

Vv. 11-13. Se insiste en la idea de la eternidad. En primer lugar en cuanto a los condenados que *no tienen descanso ni de día ni de noche.* Pero al mismo tiempo otra voz declara que también es eterno el descanso de los que han demostrado *la perseverancia de los santos,* o sea los que Dios apartó para sí mismo. Les llegará la muerte, pero sólo físicamente. No menciona a los mártires, por lo que puede confiarse que la promesa es para todos los que mueren en el Señor. Aunque tal vez haya que hacer una aclaración: la promesa es que han de descansar *de sus arduos trabajos.* No puede descansar el que no está cansado. ¿Qué será lo más hermoso del descanso? Que *sus obras les seguirán.* Una de las maravillas de la gloria será que recién entonces veremos hasta dónde ha llegado el fruto de nuestra siembra.

2 La cosecha para juicio, Apocalipsis 14:14-20.

Vv. 14-16. La presencia de Dios se manifiesta de manera indirecta por medio de *una nube blanca* que recuerda la que reposaba sobre el tabernáculo en el desierto durante el Exodo, y la que escondió a Cristo en la transfiguración y la ascención. La gran diferencia es que en este caso sí se ve claramente sobre ella a *uno semejante al Hijo del Hombre.* Este tiene dos atributos. El primero es *una corona de oro.* Ya han aparecido coronas en las promesas a las iglesias (cap. 2, 3), en la mujer de 12:1, y diademas en el dragón o las bestias (12:3; 13:1), ¡pero ninguna de ellas es de oro! Por supuesto, se quiere declarar quién es el Rey. *En* la *mano tiene una hoz afilada,* que naturalmente es un instrumento para la siega.

Vv. 17-19. El ángel repite la frase de Joel 3:13, diciendo que *la mies de la tierra está madura.* Hay en realidad dos hoces y por lo tanto dos siegas. Con la primera hoz, sostenida por el personaje semejante al Hijo del Hombre, la tierra fue segada. La segunda ciega es hecha por un ángel (14:17) que a su vez cumple el mandato de otro. La vendimia indica un juicio de castigo, por lo cual lo que se recoge termina en *el gran lagar de la ira de Dios.* (*cf.* Isa. 63:3).

V. 20. Hay aquí algunos puntos oscuros. Por ejemplo, no hay explicación clara para la mención de que la sangre del lagar corrió *a lo largo de 1.600 estadios,* lo que equivale a unos 300 kilómetros, que es más o menos como el viaje de ida y vuelta por todo Israel de norte a sur, o sea una distancia simbólicamente muy grande. Pero no es probable que eso sea lo que estaba en la mente de Juan ya que él escribía en el Asia Menor para iglesias de esa zona. Las cuentas que se han intentado resultan muy forzadas y aquí estamos ante un punto en el cual aún no tenemos luz suficiente.

Algo que merece señalarse de nuevo es que todo esto es posible porque Juan no era un testigo pasivo. Veamos sólo el capítulo 14 y leamos: *miré* (v. 1), *oí, escuché* (v. 2), *vi* (v. 6), *oí* (v. 13), *miré* (v. 14) hasta el *vi* de 15:1.

3 El coro de los vencedores, Apocalipsis 15:1-4.

V. 1. Antes de otro paréntesis triunfal se hace una advertencia y es que ya, antes del cuadro siguiente, Juan vio otra señal *grande y admirable* en el cielo: los siete ángeles con *las siete últimas plagas* (15:1).

V. 2. Pero antes aparece algo *como un mar de vidrio mezclado con fuego.* No se puede asegurar que sea el mismo de 4:6, que es como una separación entre el Señor y los adoradores. Aquí aparece mezclado con fuego, que es la señal del juicio concluido. Por los servidores de Dios están *de pie sobre el mar de vidrio.* Se les da el título de vencedores, al extremo de que estando sobre aquel mar mezclado con fuego, ellos tocan sus *arpas.*

Vv. 3, 4. Allí tienen un cántico especial. Es el cántico de Moisés, el siervo de Dios, y el cántico del Cordero. Moisés entonó su cántico después del cruce del Mar Rojo, que llevaba a la liberación. El texto de los vv. 3 y 4 no es de Exodo 15, pero bien puede decirse que es un resumen de aquel himno de victoria. En cuanto al Cordero, se puede decir que se trata de su tema y su espíritu, así como hablamos de "himno de la coronación" o "himno de bodas".

La alabanza a Dios es múltiple. Comienza mencionando sus *obras* para referirse luego a sus *caminos.* Después de mencionar su santidad, recuerda sus *juicios.* De ese modo, este cántico es como un resumen de todo lo hecho por Dios desde la liberación de Egipto hasta la caída de la gran Babilonia. Acercándonos a las partes finales del libro, debemos adecuar nuestro espíritu al que tendrán un día todas las naciones.

Aplicaciones del estudio

1. Tenemos la responsabilidad de predicar. El hecho de que se mencione que un ángel predica en todo el mundo no significa que los creyentes no tengan esa rcsponsabilidad. Aún está por cumplirse el mandato de Cristo de ir "hasta lo último de la tierra".

2. Todo le pertenece a Dios por derecho de creación. Su derecho de intervenir en los asuntos humanos parte de su acción creadora. Cuando se declara la necesidad de adorarle se dice que es porque él es quien hizo todo.

3. La caída de Babilonia es un ejemplo de las consecuencias del pecado.

Ayuda homilética

Bienaventurados los muertos
Apocalipsis 14:13

Introducción: Esta inspiradora promesa forma parte de una exposición sobre los juicios de Dios. Pero él siempre tiene una palabra para alentar a los suyos. Este es un mensaje adecuado para los momentos de duelo.

I. La promesa: Su enunciado.
- A. "¡Escribe!" Es un deseo expreso de Dios.
- B. "Bienaventurado". Se recibe una bendición directamente de Dios.
- C. Es el único caso en que esa bendición es hecha a los muertos.

II. Las partes de la promesa.
- A. Morir siendo fieles es una bienaventuranza.
- B. Nuestro anhelo de descanso se verá cumplido.
- C. Incluye la seguridad de que no hemos trabajado en vano.

III. Los destinatarios de la promesa.
- A. Cuando una persona muere, ya sabemos cuál es su destino.
- B. Sabemos que si hemos trabajado arduamente Dios propiciará que haya fruto aunque no lo veamos.
- C. Tengamos conciencia de que nosotros mismos somos resultado del trabajo de otros —a veces de generaciones— por los que debemos estar agradecidos.

Conclusión: Para recibir las bendiciones de Dios, no que estemos aquí o en la gloria, antes o después.

Lecturas bíblicas para el siguiente estudio

Lunes: Apocalipsis 15:5-8
Martes: Apocalipsis 16:1, 2
Miércoles: Apocalipsis 16:3-7
Jueves: Apocalipsis 16:8-11
Viernes: Apocalipsis 16:12-16
Sábado: Apocalipsis 16:17-21

AGENDA DE CLASE

Antes de la clase

1. Lea Apocalipsis 14:6 al 15:4. Fíjese en los simbolismos nuevos relacionados con la condenación eterna de los pecadores, el juicio de Dios y el destino de los salvos. Anótelos en su "diccionario" y, al estudiar el comentario en este libro del maestro y en el del alumno, escriba lo que representan específicamente. **2.** Si va a formar los tres grupos que se sugieren para desarrollar el estudio, prepare para cada grupo una tarjeta de palabras y frases clave del pasaje que estudiarán y tres hojas de papel en blanco. Grupo 1: ángel, evangelio eterno, predicarlo, hora de su juicio, temed, dadle gloria, adorad, ha caído, ira, será atormentado, bienaventurado, descansen, sus obras. Grupo 2: Nube blanca, Hijo del Hombre, corona de oro, hoz afilada, ha llegado la hora, segada, ángel, las uvas están maduras, lanzó, gran lagar de. Grupo 3. Señal, siete ángeles, mar de vidrio, vencedores, bestia, el cántico, tus obras, tus caminos, santo, naciones, juicios. **3.** Resuelva el ejercicio en la primera sección bajo *Estudio del texto básico* en el libro del alumno.

Comprobación de respuestas

JOVENES: **1.** Las respuestas dependen del alumno pero deben incluir el concepto de: a. temer, glorificar y adorar a Dios porque ha llegado la hora del juicio; b. ha caído el imperio del mal; c. los perdidos sufrirán eternamente. **2.** Cristo juzga. Un segundo juicio. **3.** Habían obtenido el triunfo sobre la bestia.

ADULTOS: **1.** a con f. b con d. c con e. **2.** juicio, llegado. **3.** Son bienaventurados, descansan de sus arduos trabajos, sus obras siguen. **4.** a. Segar la tierra. b. Dos. **5.** Victoria.

Ya en la clase

DESPIERTE EL INTERES

1. Escriba en el pizarrón o una hoja grande de papel: "Le llegó la hora". **2.** Dirija un diálogo sobre el uso de esta expresión y lo que sugiere (puede ser una referencia a un éxito, a tener que rendir cuentas, a la muerte, etc.). Termine el diálogo diciendo que el estudio de hoy describe la hora en que todos hemos de rendir cuentas ante Dios.

ESTUDIO PANORAMICO DEL CONTEXTO

1. Dé un breve repaso de Apocalipsis 15:1-5. **2.** Presente una vista panorámica del texto a cubrir en este estudio para que luego les sea más fácil comprender y valorar los elementos a considerar. **3.** Termine llamando la atención al título del cartel con el título de la unidad recalcando que lo que enfocarán son figuras representativas del destino final de cada ser humano.

ESTUDIO DEL TEXTO BASICO

Lean en voz alta Apocalipsis 14:6 al 15:4. Puede asignar un párrafo a distintos alumnos para que los lean, o leer todo el pasaje antifonalmente para que resulte más interesante. **2.** Forme tres grupos. Asigne a cada uno una sección del estudio, a saber: Grupo 1, El juicio proclamado, Apocalipsis 14:6-13. Grupo 2: La cosecha para juicio, Apocalipsis 14:14-20. Grupo 3. El coro de los vencedores, Apocalipsis 15:1-4. Entregue a cada grupo la tarjeta correspondiente con las palabras y frases clave del pasaje y la hoja de papel en blanco. Indíqueles que deben usar esas palabras al escribir uno o dos párrafos sobre el pasaje. Al terminar, deben prepararse para explicar el significado central de lo que escribieron. Insteles a usar sus libros del alumno si necesitan ayuda y ofrézcales su "diccionario". Esté listo para cualquier pregunta o duda que tengan. Cuando completen su tarea, cada grupo leerá el párrafo que escribió y explicará el significado principal. Al terminar el Grupo 1, lean al unísono el canto de 14:7; al terminar el Grupo 2 hagan lo mismo con 14:13 y, al terminar el Grupo 3 pónganse de pie para leer el cántico en 15:3, 4. Comente que con esto sugerimos que anhelamos ser contados entre los fieles en aquel día del juicio final.

Si a su clase no le agrada trabajar en grupos, comiencen leyendo todo el pasaje como ya se ha indicado. Escriba en el pizarrón o en un cartel algunas de las palabras y frases clave de 14:6-13 y pida a voluntarios dispuestos que noten una de ellas al leer esta porción y expliquen su significación. Un alumno lea en voz alta este pasaje. Luego, guíe el estudio en base a lo que digan los voluntarios, agregando sus propias explicaciones según sea necesario. Proceda de la misma manera para estudiar Apocalipsis 14:14-20 y 15:1-4.

APLICACIONES DEL ESTUDIO

1. Forme parejas. Cada una debe elegir una de las palabras o frases clave para redactar una aplicación para su diario vivir en vista de la realidad de que cada uno ha de comparecer ante Dios en el juicio final. Escríbanla en el margen de su libro del alumno. **2.** Los que deseen hacerlo, compartan lo que escribieron. **3.** Guíe una oración de gratitud por la bendición de poder ser salvos por toda la eternidad y no ser condenados en el día del juicio final.

PRUEBA

1. Las mismas parejas que ya formó trabajen en la respuesta a la primera pregunta. **2.** JOVENES: Un alumno lea en voz alta el inciso 2 en su libro. Pida que cada uno le diga a su pareja dos aspectos de su vida que podría consagrar a Dios. Cada uno escriba los suyos en su libro como un compromiso. ADULTOS: Lea en voz alta las preguntas bajo el inciso 2 en el libro del alumno. Pida que en silencio e individualmente las contesten en su corazón y las escriban.

Estudio **49**

Unidad 9

Las copas de la ira divina

Contexto: Apocalipsis 15:5 a 16:21
Texto básico: Apocalipsis 16:1-21
Versículo clave: Apocalipsis 16:7
Verdad central: Tenemos un Dios justo, y podemos confiar en que también lo son cada uno de sus dictámenes.
Metas de enseñanza-aprendizaje: Que el alumno demuestre su: (1) conocimiento de que Dios es justo, así como sus dictámenes, (2) actitud de justicia en todas sus acciones.

Estudio panorámico del contexto

A. Fondo histórico:

Nos estamos acercando al final del libro. Sólo faltan dos series de siete presentaciones. El cuadro que aquí se describe es tan amplio como los demás casos.

La aparición de estos siete ángeles forma parte del último episodio de la compleja serie anterior. Su presentación es doble, porque no sólo se trata de siete ángeles, sino que también aclara que ellos tienen para derramar las siete copas de la ira de Dios, que son otras tantas plagas que en buena medida reflejan los hechos ocurridos en Egipto antes del Exodo.

¿Cuál fue la reacción de los lectores de Juan ante estos anuncios y los demás del libro? La pregunta es difícil de contestar. Una cosa es preguntarnos cómo reaccionó Filemón al recibir la carta que le mandó Pablo sobre su esclavo fugitivo, y otra cómo reaccionar ante el Apocalipsis. En aquel caso, era evidente que se trataba de una situación histórica bien definida y personalizada; tampoco había allí nada en lenguaje simbólico.

Podemos caer en el mismo error que los primeros lectores. Ellos podían decir: "Esto no es para nosotros, sino para un futuro lejano, al fin del tiempo", y nosotros podemos pensar que no tiene nada que ver con nuestra situación, sino que era para la gente del siglo I. La pregunta básica, pues, es: ¿estamos ante el tratamiento de un hecho histórico o de algo que sucederá?

Nunca hay que ir al extremo. No hay duda de que Juan no escribía un tratado abstracto, olvidando lo que estaban pasando las iglesias a las que escribía. Pero sin duda, si bien ellos entendían algunos símbolos mejor que nosotros, es claro que la perspectiva de dos milenios nos ha mostrado cómo los anuncios divinos se cumplieron entonces, se siguieron cumpliendo y, por lo tanto, seguirán cumpliéndose.

Cuando se lee un libro como éste poniendo el énfasis en cada detalle es como si se leyera un poema, pensando en el acento de cada palabra. La única forma de captarlo es leerlo todo y dejarse envolver por su espíritu. ¿Cómo debe leerse el Quijote? ¿Cómo una serie de pequeños episodios poco hilvanados y a veces absurdos? ¿O cómo una parábola de la sociedad humana, para lo cual hay que entender qué le pasó al principio, cuántas cosas hizo y cómo murió? Del mismo modo, si bien cada línea del Apocalipsis es valiosa, lo que debemos entender es que Dios está presentando no tanto un libro de historia ni una profecía (en el sentido común), sino una serie de cuadros que nos muestran los grandes principios con los que él maneja el desarrollo de este mundo, paralelamente a lo que está más allá y nosotros no vemos. Damos gracias a Dios que tuvo a bien revelarnos las cosas que han sucedido, las que están sucediendo y las que van a suceder.

B. Enfasis:

Los siete ángeles y las siete plagas, 15:5-8. Un estudio que se puede hacer en este punto es el paralelo entre este pasaje y las diez plagas de Egipto, así como con los otros ángeles que tocan las trompetas (8:1 a 9:12). Estos ángeles provienen de la misma presencia de Dios, que es llamado "el santuario del tabernáculo del testimonio". Cada una de estas tres palabras tiene un contenido importante. Allí han adquirido una vestimenta similar a la del Hijo del Hombre (1:13).

Las copas de la ira de Dios , 16:1-11. El Señor de justicia tiene un castigo para quienes lo merecen. Puede resultar incómodo hablar de su ira, pero la idea es muy frecuente en la Biblia. No imaginamos que un juez humano pueda llegar a ser totalmente indiferente cuando dicta una sentencia. Nuestro Dios ha advertido y ha juzgado; no ha procedido como quien se deja manejar por reacciones violentas. Además, su acción es progresiva, como para que cada una de sus acciones (en este caso las plagas) sea una advertencia y un llamado. No se puede dudar de que esto está narrado para recordarnos los sucesos de Egipto antes del Exodo, y en esa oportunidad es claro que Dios hubiera interrumpido el proceso si Faraón se hubiera arrepentido. La diferencia está en que aquí se habla de toda la historia humana y sustancialmente de su final.

Las dos últimas copas, 16:12-21. La forma de describir estos momentos adquiere un tono más dramático, que en cierta forma presagia lo que ocupa los capítulos 17 y 18. Hay aquí varias referencias geográficas, comenzando otra vez por el río Eufrates, que fue el límite tanto del jardín del Edén (Gén. 2:14) como del Imperio Romano. La desaparición de ese curso de agua por un lado, señala la nueva fusión entre lo terreno y lo celestial y, por el otro, el fin de la gloria humana. De allí los ejércitos en pugna fueron reunidos en el valle del Armagedón, que tiene tanto un sentido histórico (donde había una llanura que permitía grandes batallas como la de Josías y Necao, 2 Rey. 23:29, o la de lord Allenby y los turcos en 1916) así como profético, pues es mencionado como lugar de la última batalla entre el bien y el mal. También es mencionada Babilonia.

1 La ira de Dios, Apocalipsis 16:1-11.

La ira de Dios no debe considerarse como uno de sus atributos más o menos teóricos, sino como un aspecto de su personalidad que se manifiesta en hechos concretos. Dios lo hace de muchas maneras y está fuera de nuestro alcance declarar que tal o cual cosa sucede como fruto de esa ira. Por ejemplo, si decimos que la destrucción de Hiroshima y Nagasaki fue permitida para castigar la traición de Pearl Harbor y todas las crueldades posteriores, ¿cómo explicaremos que eso colocó al Japón en una nueva posición en el mundo que le hizo un país tan rico?

Dios no actúa como un juez humano, que sanciona una pena para cada castigo. El ya ha establecido los principios que deben regir a los hombres y a los pueblos y, de alguna manera, cada cosa recibirá su premio o su castigo, quizá de inmediato y quizá no. La corrupción de un país, por ejemplo, no es algo que se produzca en un día ni quizá en un siglo, pero ella misma tiene el germen de su propia destrucción. El ejemplo más claro y estudiado es precisamente el del Imperio Romano, que era lo primero que Juan tenía en vista.

Vv. 1, 2. El mensaje del tercer ángel es sólo para recalcar que Dios es justo y por lo tanto también lo son sus juicios. En la sociedad humana no siempre vemos eso. Por ejemplo, cuando se produce un crimen aberrante, aparece una multitud que quiere linchar al presunto culpable. Esa actitud presupone que los demás que tengan planes de cometer la misma clase de crímenes tienen que pensarlo dos veces antes de prodecer.

La primera plaga, la de la *llaga dolorosa* (16:2) fue la sexta en el Exodo. Quizá entonces Dios estaba teniendo paciencia antes de herir directamente a los humanos, lo que ya no tiene sentido aquí cuando la sentencia ha sido declarada. Ya se habían identificado con la bestia, pretendiendo que su señal les daba seguridad.

Vv. 3-7. Cuando el *segundo ángel* repite la plaga del agua hecha *sangre,* como en el cap. 8, hay una diferencia importante: no muere la tercera parte de los peces, sino su totalidad (16:3). *El tercer ángel* tiene una accción similar, pero su presencia es más para aclarar el sentido de lo que ocurre y de su causante. Para ello aparece un ángel más, que no era uno de los siete.

Vv. 8-11. La acción de los últimos ángeles nos habla del efecto del calor. Primero, la accción quemante del *sol;* luego, las tinieblas que producen llagas, y finalmente el secamiento del mismo gran río Eufrates. En este caso, el hecho hace salir las *ranas* (como en Egipto) que representan a todo lo inmundo, que se enumera en su origen y en su acción.

El problema radica en que los hombres *no se arrepintieron de sus obras.* Tenía cada uno algo en particular de lo que cual debía alejarse, pero ya su corazón se había endurecido como ocurrió con Faraón. Como dijo el ángel de 10:6, el tiempo no sería más. Hay un tiempo en que Dios espera, y un tiempo en que dice: "Basta". El primero es bastante prolongado como para darnos oportunidad, pero los hombres en general creen que es infinito.

2 Las dos últimas copas, Apocalipsis 16:12-21.

Vv. 12-16. Estas dos copas son expuestas con mayor detalle, pero son sólo el preludio para los siete cuadros con que culmina el libro. Se declara específicamente qué es lo que hace el séptimo ángel. Pero todo ello no afecta la interpretación, que debe seguir las mismas líneas trazadas hasta ahora.

La caída de Babilonia (Roma) es indicada por la posibilidad de que *los reyes del Oriente* se lanzan contra el Imperio. De hecho, los romanos siempre fracasaron en sus ataques contra los partos, en la actual Persia. Sin embargo, el gran enemigo no se queda tranquilo y realiza sus esfuerzos finales. Este es presentado en forma triple: el *dragón* (que ya se aclaró que era Satanás, *la bestia:* que es la primera o sea el poder político) y *el falso profeta,* una nueva forma de designar a la segunda bestia y que subraya su carácter religioso o eclesiástico.

Hay una especie de desesperación en buscar aliados, apelando a los reyes de todo el mundo habitado, congregándolos en el lugar llamado *Armagedón.* Ni siquiera se dice que la batalla se haya concretado; tal vez eso insinúa que los reyes no fueron en actitud beligerante, o que simplemente se desparramaron al ver directamente el poder del Cordero.

Apelando a una nueva forma literaria, éste aparece sin ser mencionado: una llegada inesperada y súbita. ¡Los demonios y los reyes se preparaban para una gran batalla y de pronto aparece aquel contra quien no se puede luchar! La llegada del Señor les "robó" aun sus proyectos y sus sueños. Pero aun en esas circunstancias se pronuncia una nueva bienaventuranza que tiene que ser vista simbólicamente. La desnudez era antiguamente una forma de castigo, que se menciona varias veces en el A.T., así como en 3:17.

Vv. 17-21. El último ángel derrama su copa por el aire, lo que hará que sus efectos sean más generalizados. Y desde el trono suena una voz que declara: "*¡Está hecho!*" Aunque en griego la palabra (pues es una sola) sea distinta a la de Juan 19:30, cuando el Salvador declaró en la cruz "¡Consumado es!", resulta inevitable encontrar un paralelo. En ambos casos se produjeron señales en el cielo y *un terremoto.* Además, hay obvias referencias a las plagas de Egipto, sobre todo a la del granizo. Una vez más, se nos está diciendo que el Dios que actuó en toda la historia (cuando la liberación del Exodo, la crucifixión y la caída de "Babilonia") es el mismo, que realizó los mismos juicios, aunque asuman formas diferentes. Eso es así también en los corazones humanos: así como se endureció el de Faraón, los que condenaron a Cristo pretendieron luego perseguir a los apóstoles y aquí blasfemaron a Dios, como haciéndolo responsable de aquello que ellos mismos habían traído sobre sí.

No hay en estos juicios divinos restos que se salven. No ha desaparecido ni un tercio ni un décimo como en las veces anteriores. Ahora era verdaderamente el final, y para que sea implantada la ciudad celestial es necesaria la desaparición de Babilonia en la tierra, así como lo será la de la antigua serpiente en los ámbitos del aire.

Aplicaciones del estudio

1. Dios sí castiga. Las copas estaban llenas de la ira de Dios y de las plagas que derramaron sobre la tierra. Dios es amor pero también es justicia, y dará a cada uno conforme a sus obras, sean buenas o sean malas.

2. Sangre por sangre. En 16:4 se nos dice que el agua se hizo sangre como en Egipto. Pero el v. 6 nos aclara que la justicia de Dios se demuestra en forma terrible haciendo beber sangre a los mismos que la derramaron, lo que era un mensaje para aquel tiempo de mártires.

3. La oscuridad trae blasfemia. El versículo 10 brevemente nos describe la evolución de la mente humana. Primero, está en tinieblas. Como consecuencia pasan por muchas penurias, pero reaccionan (por su propia ceguera) blasfemando. La oscuridad les impide aun ver a aquel que los llama a arrepentimiento.

Ayuda homilética

La justicia de Dios
Apocalipsis 16:4-7

Introducción: No debemos forzar demasiado el énfasis de nuestra predicación en decir que Dios castigará a quienes ni siquiera están presentes para oírlo. La insistencia debe ser sobre la justicia de Dios, o sea, afirmar que aquellos que proceden mal quedarán bajo las manos de Dios y no reiterar el tema.

I . Dios es justo por lo que es.
- A. La primera afirmación es la de decir "Justo eres tú". Dios no podría ser de otra manera.
- B. Su eternidad e inmutabilidad se afirma en la frase "que eres y que eras". Ya no se dice y que serás.
- C. Además, Dios es santo, o sea que no hay nada malo en él.

II. Dios juzga la conducta humana.
- A. Hay mucho que está incluido en la frase: "Has juzgado estas cosas".
- B. Un aspecto especial que Dios tiene en cuenta es hacer justicia a aquellos que han sufrido por su nombre.
- C. Dios castiga sólo a los que se lo merecen.

Conclusión: Estamos delante del Todopoderoso que aplicará su justicia y por eso podemos saber ciertamente que sus juicios son verdaderos y justos.

Lecturas bíblicas para el siguiente estudio

Lunes: Apocalipsis 17:1-6
Martes: Apocalipsis 17:7-14
Miércoles: Apocalipsis 17:15-18
Jueves: Apocalipsis 18:1-8
Viernes: Apocalipsis 18:9-18
Sábado: Apocalipsis 18:19-24

AGENDA DE CLASE

Antes de la clase
1. Lea Apocalipsis 15:5 al 16:21. Al leer el comentario en este libro del maestro y en el del alumno tome nota especial de los paralelos. Por ejemplo: la primera plaga de "llaga dolorosa" es igual a la sexta plaga en Exodo 9:8. Compare las otras con Exodo 7:14 al 12:32. Tome en cuenta también el paralelo con las plagas producidas al toque de las trompetas en Apocalipsis 8:1 a 9:12. **2.** Anote en su "diccionario" los paralelos que identificó al igual que los nuevos simbolismos y sus posibles significados. **3.**Resuelva el ejercicio en la primera sección bajo *Estudio del texto básico* en el libro del alumno.

Comprobación de respuestas
JOVENES: **1.** La tierra, el mar, los ríos y fuentes de las aguas, el sol, el trono de la bestia. **2.** a. Se secó el río Eufrates. Salieron tres espíritus impuros de la boca del dragón, de la de la bestia y de la del falso profeta. b. Hubo relámpagos, estruendo, truenos y un gran terremoto; la ciudad se dividió en tres partes; desaparecieron las islas y montañas. Cayó un granizo enorme.
ADULTOS: **1.** Frases incorrectas: a. y el amor; b. a veces; c. se ablandaron aunque parecía que. **2.** a. Eufrates. b. ladrón. c. séptima. d. blasfemaron.

Ya en la clase
DESPIERTE EL INTERES
1. Pregunte cuántas plagas enviadas a Egipto para que faraón liberara al pueblo de Dios pueden recordar. **2.** Hojeen Exodo 7:14 al 12:32 para comprobar las que mencionaron y recorda las demás. **3.** Pregunte cuál era la finalidad de las plagas. Conversen sobre el hecho que "el corazón de faraón se endurecía" cada vez que una plaga pasaba y que se endureció aun después de la última plaga (Exo. 14:8). Diga que endurecer nuestro corazón trae sobre nosotros el juicio de Dios.

ESTUDIO PANORAMICO DEL CONTEXTO
1. Pregunte cuántas plagas recuerdan de las que aparecieron cuando siete ángeles tocaron las trompetas, según lo relata Apocalipsis 8:6 a 10:19. **2.** Luego pregunte qué proporción fue destruida con cada plaga (la tercera parte). Lean en silencio Apocalipsis 9:20, 21 para notar la reacción de los inconversos. Recalque: (1) que ni las plagas en el Exodo ni las de Apocalipsis 8 a 10 causaron un exterminio total, (2) que su finalidad, aparte de constituir un castigo, era dar una advertencia y una oportunidad para arrepentirse de verdad (no como faraón que se arrepentía y después se arrepentía de haberse arrepentido).

ESTUDIO DEL TEXTO BASICO

Diga que en este estudio también enfocarán plagas. Algunas son iguales a las del Exodo y de Apocalipsis 8 a 10 y otras no. Y son totalmente diferentes en dos aspectos fundamentales: (1) Son las últimas plagas que enviará Dios sobre la humanidad, la última oportunidad de arrepentirse y entregarse al Señor. (2) El efecto de estas plagas será la aniquilación total (no parcial como Egipto en el Exodo, ni un tercio de todo, como en Apocalipsis 8 a 10). Relate el contenido de Apocalipsis 15:5-8 como una introducción al texto a enfocar.

La ira de Dios, Apocalipsis 16:1-11. Forme cinco parejas o grupos pequeños. En este pasaje la primera pareja debe encontrar (a) dónde derramó la ira de Dios el primer ángel, (b) lo que produjo en quiénes y (c) si tiene un paralelo con una plaga del Exodo o de Apocalipsis 8 a 10. La segunda pareja debe encontrar lo mismo sobre el segundo ángel y así sucesivamente hasta incluir el quinto ángel. Cada pareja informe sobre lo que encontró. Después que informe la tercera pareja haga notar y lea en voz alta los vv. 6, 7. Pregunte por qué esta plaga era justa (ellos derramaron la sangre de los santos...). Después de informar la cuarta pareja, haga mirar el v. 9 para ver la reacción de los no creyentes. Después de informar la quinta pareja, haga lo mismo mirando el v. 11. Enfatice que cada plaga era una oportunidad de arrepentirse antes de que se completaran sus efectos, y que si se hubieran arrepentido Dios las habría suspendido.

Las dos últimas copas, Apocalipsis 16:12-21. Un alumno lea en voz alta los vv. 12-16. Vuelvan a leerlos uno por uno. Explique cada uno basándose en la información obtenida de su propio estudio. Al considerar el v. 21 haga notar el paralelo con una plaga de Egipto y de Apocalipsis 8:7, que aquellas destrucciones eran parciales pero que la de Apocalipsis 16:21 fue total, y que los seres humanos, teniendo libre albedrío, reaccionaron contrariamente a la advertencia de Dios: en lugar de aceptar su reprensión y arrepentirse "blasfemaron a Dios".

APLICACIONES DEL ESTUDIO

1. Guíe un diálogo sobre las oportunidad que Dios da en la actualidad a la humanidad para que le conozcan y puedan acercarse a él (tenemos la Biblia, misioneros, iglesias, etc.). **2.** Pregunte en qué sentido es el ser humano arquitecto de su propio destino (sus decisiones en cuanto a su relación con Dios y su obediencia a él determinan el juicio al cual el Señor lo someterá). **3.** Inste a cada uno a "ablandarse" siempre y apegarse a los designios de Dios.

PRUEBA

Forme parejas para comentar y contestar las preguntas que aparecen en esta sección en el libro del alumno. Los que deseen hacerlo compartan sus respuestas con toda la clase.

Juicio sobre Babilonia

Contexto: Apocalipsis 17:1 a 18:24
Texto básico: Apocalipsis 18:1-24
Versículos clave: Apocalipsis 18:4, 5
Verdad central: Los creyentes en Cristo no pueden ser ajenos a la corrupción del mundo, pero por la gracia y el poder de Dios no participan en ella.
Metas de enseñanza-aprendizaje: Que el alumno demuestre su: (1) conocimiento de cómo era descrita Babilonia y en cuánto tiempo vino su juicio, (2) actitud de dependencia del poder de Dios para evitar caer en la corriente del mal que caracteriza al mundo sin Dios.

Estudio panorámico del contexto

A. Fondo histórico:

Los cap. 17 y 18 describen detalladamente la caída de Babilonia, que ya había sido anunciada en 14:8. Es una forma de presentar el derrumbe de las potencias de este mundo, para dar lugar a que se cumpla lo anunciado en 11:15: "El reino del mundo ha venido a ser de nuestro Señor y de su Cristo." Otras traducciones lo mencionan en plural, diciendo "los reinos". Quizá esto nos ayuda a entender el mensaje de esta profecía. Para Dios no hay diferencias entre ambas cosas. Si bien, la interpretación histórica nos diría que esto se refiere a la caída de Roma, lo cual es legítimo, ese hecho sólo sería un ejemplo del desplome de todo el orden mundial que Babilonia había representado en el pasado y que representó Roma al escribirse el libro.

Como hemos visto en estudios anteriores, la Babilonia histórica había desaparecido hacía siglos, pero había quedado como símbolo ya que quizá después de ella, hasta los tiempos de Juan, solo podía verse a Roma como la ciudad que era el centro del mundo. Los imperios persa o alejandrino no estaban tan centralizados como lo estaba Roma.

La descripción del cap. 17 tiene un sentido moral y religioso más bien que político, y ciertamente no limita el vocabulario. Antes de nombrarla, se dice que se presenta como una gran ramera que está sentada sobre muchas aguas (17:1). Esto es un eco de las referencias al río Eufrates, que era el mayor de la región, así como puede serlo también al Imperio Romano que rodeaba el Mediterráneo y se extendía hasta el Atlántico y los mares Negro y Rojo.

La calificación de ramera es muy común en la Biblia. En 18:3 se la hace responsable de la corrupción de las demás naciones.

B. Enfasis:

La ramera y la bestia, 17:1-6. Se supone que ésta es la de 13:1; tiene el color del dragón, tal vez por estar embriagada con la sangre de los santos y mártires. Los detalles de su lujo sirven para enfatizar el cuadro seductor de su profesión.

Reacción de Juan, 17:6-18. En este caso Juan mismo dice que quedó asombrado. Nosotros, como el ángel, seguramente también nos preguntamos por qué Juan se asombró, ya que eran tantas las visiones que habían tenido lugar hasta entonces. Más que insistir en esa impresión, el relato se detiene en algo único: una explicación del significado. Es compleja y detallada y, en el fondo, solo es para darnos detalles de cómo se producirá la caída de la ramera y las bestias. Referencias como la de que las siete cabezas son siete montes parece subrayar la idea de que se refiere a Roma. Otros puntos son realmente difíciles de comprender.

Por qué cayó la gran ciudad, 18:1-3. Otro ángel apareció para reiterar ese fin y su declaración explica el porqué de su derrumbe, que se basaba más bien en razones internas que hoy resumimos en la idea de la corrupción moral y comercial.

Exhortación a los fieles, 18:4-10. Otra voz del cielo hace un llamado o da una orden: ¡Salid de ella, pueblo, mío! Un motivo son sus muchos pecados y otro que el Señor que la juzga es un Dios fuerte y celoso. El mundo se dolerá por tan grande caída, pero nada detendrá un juicio ya proclamado.

El lamento de los comerciantes, 18:11-24. Este detallado pasaje es una magnífica descripción del orden mundial en el que finalmente predominan los intereses económicos. Estos no lamentan ni la desaparición de la hermosa arquitectura, ni la pérdida del arte, ni el desorden del derecho, sino la de tanta riqueza (v. 17).

Estudio del texto básico

1 Babilonia la grande ha caído, Apocalipsis 18:1-3.

V. 1. Este hecho ya había sido anunciado, lo que reafirma lo ya dicho de que el Apocalipsis no es una historia cronológicamente ordenada, sino una sucesión de cuadros que pueden muy bien repetir la imagen anterior. De todos modos, para un anuncio tan importante —de hecho, el fin de la historia humana— se necesitaba de un *ángel* que tuviera *gran autoridad.*

V. 2. Para comenzar se anota que se trataba de una ciudad *grande.* La *Babilonia* histórica era realmente muy extensa y Roma era la mayor ciudad del mundo en cuanto a población al menos. Una ciudad puede ser grande por lo que significa en poder, influencia, tradición, etc., y ese era el caso de las ciudades aludidas. La declaración de la caída es un eco de Isaías 21:9 y el cuadro de su destino de Jeremías 50:39. Es una gran contraposición con el lujo y la gloria que se presenta en el capítulo anterior.

En primer lugar se nos explica en qué se convertirá Babilonia, y debemos decir una vez más que es sorprendente que, en efecto, durante siglos no fue sino un desierto habitado por las fieras. Hay tres clases de pobladores que se mencionan sucesivamente y que posiblemente tengan un solo significado: los *demonios, todo espíritu inmundo y toda ave inmunda y aborrecible* (v. 2). En Isaías 13:21-23 el cuadro que se trata es el de una serie de animales salvajes. Se puede decir que en realidad estos aparecieron, pero por supuesto se trata de dos ideas diferentes.

El único punto de contacto entre ambos cuadros está en la mención que hace Juan de esas aves. Probablemente tenía la imagen de los buitres que aparecían después de una batalla y que devoraban los cadáveres; eran una representación habitual de lo aborrecible.

V. 3. Después se da la razón por la cual es necesaria la destrucción de la gran ciudad. Había sido la fuente de la cual todas las naciones *han bebido el vino de su fornicación.* La fornicación, o sea la relación carnal con quien no es consorte legítimo, aparece a lo largo de la Biblia como una imagen de la idolatría, pues significa que, en vez de amar a Dios se está amando a otro, generalmente una falsa deidad y a veces al dinero. Esa conducta había influido en la vida comercial; el mal no estaba en las transacciones mismas sino en el hecho de que éstas se basaban en su lujosa sensualidad. Es claro que el negocio con los productos suntuarios es el que deja mayor ganancia.

2 Oportunidad para evitar el castigo, Apocalipsis 18:4-10.

La influencia del estilo de vida de Babilonia necesariamente envolvía a todos, inclusive a los creyentes. Estos no pueden mantenerse al margen de los sistemas mundiales. Por ejemplo, ellos también comprarán *trigo, ganado, ovejas, caballos, carros,* aunque bien pueden carecer de casi todo lo demás que se menciona. En el sentido literal, los miembros de la iglesia de Roma vivían en Roma y debían adecuarse al estilo de vida de la capital. Por supuesto esto no sólo en relación con el sistema político o económico, sino con los aspectos religiosos o morales. Es en medio de las tinieblas que el cristiano debe reflejar con toda su intensidad la luz de Cristo Jesús.

Vv. 4-6. Por eso debe leerse completo el llamado divino a su pueblo: *¡Salid de ella... para que no participéis de sus pecados y para que no recibáis sus plagas!* Babilonia, Roma y todas las demás grandes potencias no han caído por su desarrollo y riqueza, sino porque éstas les han llevado a una vida de pecado, que a su vez ha provocado la ira de Dios. No olvidemos que el enemigo que aquí se subraya es la corrupción interna. Dios no la detiene porque eso no sería de valor si no hubiera una real conversión abandonando el pecado.

Vv. 7, 8. El que ha vivido en la sensualidad nunca se satisface con el placer del momento, y el que alcanza poder siempre anhela más. Estos son algunos misterios del corazón humano. Una lectura superficial daría la impresión de que los mismos creyentes deben hacer justicia, en un sentido estrictamente legal. Sin embargo, no puede ser así si han salido de la ciudad y si es verdad, como nadie duda, de que es el Señor Dios quien la juzga (v. 8). La no participación del pueblo de Dios provoca un desastre económico y trastornará toda la estructura en que se basaba Babilonia "la grande".

Vv. 9, 10. Estos versículos nos ilustran la triste realidad de la raza humana. Comúnmente no hacemos caso de las advertencias, no aprendemos de las experiencias de los demás; en pocas palabras, no tomamos en cuenta a Dios en el ir y venir de nuestra historia. Dios no puede dejar de cumplir su plan, y tarde o temprano se llevarán a cabo sus juicios.

3 Conmoción universal, Apocalipsis 18:11-24.

Vv. 11, 12. Más extensamente se explica la reacción de los *comerciantes de la tierra,* en un detalle que tiene mucha profundidad y agudeza, pues es una verdadera exposición de la historia económica del mundo. Lloran a Babilonia no por aprecio o admiración, sino por haber perdido su negocio. Estos vv. describen qué es lo que ha quedado sin vender. Primero está aquello que sólo sirve para el lujo, y después los materiales de construcción para palacios. Estos productos nos hablan de una población con gran poder de consumo.

V. 13. La lista de lo que queda almacenado sigue con otros productos que no nos parecen tan importantes, como la *canela* y las *especias,* pero basta recordar que sí lo fueron para una minoría, y que fueron las que llevaron al desarrollo de la navegación en el tiempo en que se tradujo la Biblia que aún hoy más se usa.

Sigue con los comestibles, a partir de los más costosos (*vino, aceite, harina refinada*) y continuando con los de consumo diario (*trigo, ganado,* etc.). La carestía se va haciendo más aguda. Los *caballos y carros* eran les medios de transporte, imprescindibles para el comercio. Finalmente, para nuestra sorpresa, habla de *almas de hombres.* La palabra *cuerpos* es literal, pero otras traducciones dicen "esclavos". Estos eran un "producto" que se negociaba como los hombres, pero el alma no puede venderse. Tal vez aquí se llegue a este final como una muestra de los alcances del poder de la vida económica.

Vv. 14-17. El resumen del estado de ánimo se encuentra en estos vv. mencionando ahora el transporte por vía marítima. Todo el sistema organizado perfectamente por los romanos.

Vv. 18-24. El resto del capítulo expone la consumación. También hay una notable exposición de la vida social. Allí aparece primero lo artístico, luego lo laboral y finalmente hasta lo romántico (en resumen: los músicos, los artesanos y los novios). Y se da también la explicación: todo ello cubría la sangre de los mártires. La mención de la novia nos prepara para el cuadro siguiente de las bodas del Cordero.

Aplicaciones del estudio

1. Dios nos aclara los misterios. "Yo te explicaré." Dios no nos mantiene a oscuras de lo que precisamos saber, pero no necesariamente nos dirá todo lo que no necesitamos saber. Alguien dijo: "La Biblia no tiene como fin decirnos cómo van los cielos, sino cómo ir al cielo".

2. Cuando Cristo venga todos nos daremos cuenta. "Todo ojo le verá".

Esta declaración nos ayuda a recordar que todavía no ha llegado el tiempo de la segunda venida de Cristo como algunos grupos religiosos enseñan.

3. Pérdida de lo deseado. Lo que el hombre más desea, de acuerdo con su naturaleza carnal, se mueve en el ámbito de los bienes materiales, la fama y la popularidad. Todo eso será motivo de pérdida para los que persistieron en ello. El verdadero tesoro se hace en los cielos, comenzando desde la tierra.

Ayuda homilética

Mensaje para todos
Apocalipsis 18:22-24

Introducción: El mensaje de este pasaje es de condenación y juicio. Pero sabemos que todo ello ha sido precedido por tiempos de advertencia. Pongamos el énfasis en nuestra responsabilidad para que ese mensaje llegue tan ampliamente como llegará el desastre para quienes lo rechacen.

I. El mundo del arte.
- A. Al tiempo que se oyen las arpas en los cielos, callan en la tierra.
- B. Los músicos agregan la música vocal a la instrumental.
- C. Flautistas y trompetistas. Música de viento.

II. El mundo del trabajo.
- A. Los artesanos. Hoy la artesanía es producción popular y artística.
- B. Los oficios nos hablan de los gremios que cumplían las distintas fases de la producción.
- C. Los molinos eran muy importantes en la producción alimenticia.

III. El mundo del hogar.
- A. Necesitamos luz para vivir decentemente en casa.
- B. La voz de los novios tiene un dejo de ternura.

IV. Los siervos de Dios.
- A. Los profetas son especialmente la voz de Dios a los hombres.
- B. Los santos son los creyentes en general.
- C. Los que han sido muertos. Los mártires.

Conclusión: A muchos de ellos no les llegó el mensaje salvador, aunque probablemente muchos lo rechazaron. El último grupo, que parece tan distinto, sirve para recordarnos que los siervos de Dios siempre están presentes y tienen una misión que cumplir.

Lecturas bíblicas para el siguiente estudio

Lunes: Apocalipsis 19:1-5
Martes: Apocalipsis 19:6-10
Miércoles: Apocalipsis 19:11-21
Jueves: Apocalipsis 20:1-6
Viernes: Apocalipsis 20:7-10
Sábado: Apocalipsis 20:11-15

AGENDA DE CLASE

Antes de la clase

1. Lea en su Biblia Apocalipsis 17 y 18. Subraye los nuevos simbolismos y escríbalos en su "diccionario". **2.** Prepárese para presentar un resumen de Apocalipsis 17 que está estrechamente ligado con el capítulo 18 que enfocarán en este estudio. **3.** Escriba en un cartulina: "Es más difícil de sobrellevar". **4.** Prepárese para guiar el estudio en base a los personajes: quiénes son, lo que hacen, lo que sienten. **5.** Resuelva el ejercicio en la primera sección bajo *Estudio del texto básico* en el libro del alumno.

Comprobación de respuestas

JOVENES: **1.** a. Ha caído Babilonia la grande. b. Porque todas las naciones han bebido... los reyes..., los comerciantes... **2.** Respuesta personal. **3.** Un lucrativo comercio exterior de todo tipo de mercancías, incluyendo la trata de esclavos.

ADULTOS: **1.** El mensaje fue: "ha caído, ha caído la gran Babilonia, y se ha hecho habitación..." **2.** La razón es que sus pecados han llegado hasta el cielo, y Dios se ha acordado de sus maldades. **3.** La gran Babilonia decía en su corazón: yo estoy sentada como reina, y no soy viuda, y no veré llanto.

Ya en la clase

DESPIERTE EL INTERES

1. Muestre el cartel y diga que la riqueza es más difícil de sobrellevar que la pobreza, que la prosperidad es más difícil de sobrellevar que la escasez, que la ganancia material es más difícil de sobrellevar que las pérdidas materiales. **2.** Pregunte si estas afirmaciones son ciertas o falsas. **3.** Guíe un diálogo para puntualizar cómo la riqueza, la prosperidad y las ganancias materiales dan un sentido de falsa seguridad, de falsa superioridad, de querer siempre más, de dejar de depender de Dios creyéndose invulnerable y olvidar la importancia de la integridad en la vida diaria y en las relaciones a todo nivel.

ESTUDIO PANORAMICO DEL CONTEXTO

1. Llame la atención al título del estudio. Diga que Babilonia aquí bien puede representar a naciones, grupos, familias o personas. Estos, habiendo obtenido ganancias materiales, habiéndose enriquecido, habiendo prosperado, no pueden sobrellevarlo manteniendo sus normas de integridad con la consecuente decadencia y ruina que los capítulos 17 y 18 tan claramente describen en su estilo apocalíptico. **2.** Pida que abran sus Biblias en Apocalipsis 17 y presente un resumen del mismo en base a los personajes, lo que representan y lo que les sucede.

ESTUDIO DE TEXTO BASICO

Babilonia la grande ha caído, Apocalipsis 18:1-3. Pida que un alumno lea en voz alta este pasaje. Los demás deben encontrar los personajes que se mencionan. Al informar sobre los que encontraron escríbalos en el pizarrón o cartel. Guíe un diálogo de modo que comprendan las características y el papel de cada uno en esta predicción apocalíptica. Asegúrese de que comprendan el "porqué" que consigna el v. 3.

Oportunidad de evitar el castigo, Apocalipsis 18:4-10. Un alumno lea este pasaje en voz alta. Los demás deben encontrar los personajes que menciona (otra voz del cielo [Jesús], Dios, "pueblo mío", "ella" [Babilonia], reyes de la tierra). A medida que los mencionen escríbalos en el pizarrón o en un cartel. Diga que es la primera parte de un mensaje de Cristo a su pueblo, que empieza con una advertencia (v. 4), ¿cuál? El resto del pasaje describe el destino del cual se libra el pueblo de Dios si hace caso a la advertencia. Pida que encuentren en los vv. 8-10 frases que indican una caída súbita ("en un solo día", v. 8; "en una sola hora", v. 10) y noten en el v. 8 quién resultó ser más fuerte que "ella", la gran potencia. Al mencionar a los reyes de la tierra (v. 9) comente que los ricos atraen a los que quieren hacer alianza con ellos para obtener también riquezas. Eso es lo que pasaba aquí. Esos reyes, por haberse aliado a la gran potencia, ven ahora el derrumbe de su sistema económico que se basaba en esa alianza. Si el pueblo de Dios no escucha la advertencia, le pasará lo mismo.

Conmoción universal, Apocalipsis 18:11-24. Un alumno lea en voz alta 18:11-19. Los demás identifiquen los personajes. Al ir mencionándolos y escribiéndolos en el pizarrón o cartel que digan también por qué lloran y se lamentan los comerciantes (vv. 11-14). Al mencionar "la gran ciudad" noten cómo era "antes" del juicio y cómo quedó "después" (vv. 16, 17a). Comente: Todos sobre la tierra se lamentan y lloran por el destino de la gran potencia. Veamos ahora cuál era el sentir en el cielo. Un alumno lea en voz alta el v. 20. Destaque que es el clímax del mensaje de Jesús a su pueblo. Un alumno lea en voz alta 18:21-24 mientras los demás identifican a los personajes. Al informar, noten lo que el ángel poderoso hizo y lo que quiso representar con esa acción. Subrayen en sus Biblias en 18:22-24 la expresión "Nunca más". ¿Cuántas encontraron?

APLICACIONES DEL ESTUDIO

1. Observen los nombres en el pizarrón y cada uno determine con cuál se identifica. **2.** Consideren las aplicaciones que crea pertinentes.

PRUEBA

Cada uno conteste las preguntas bajo esta sección en sus libros del alumno. Comenten entre todos lo que contestaron.

Estudio **51**

Unidad 9

Las bodas del Cordero

Contexto: Apocalipsis 19:1 a 20:15
Texto básico: Apocalipsis 19:1-21
Versículos clave: Apocalipsis 19:6-8
Verdad central: La celebración de la victoria es para recordar que las fuerzas del mal han sido vencidas por el Hijo de Dios y la iglesia es restaurada a su digno lugar.
Metas de enseñanza-aprendizaje: Que el alumno demuestre su: (1) conocimiento de los nombres dados en Apocalipsis 19:11-17 al Cristo vencedor, (2) actitud de valorar la victoria de Cristo sobre el imperio del mal.

Estudio panorámico del contexto

A. Fondo histórico:

Desde aquí hasta el final del libro casi todo es presentado en tono victorioso. Excepto la breve descripción de la derrota final de Satanás (20:7-10), el conjunto es un gran motivo de aliento. Sea que se trate de "las bodas del Cordero", de la victoria del Fiel y Verdadero (o sea del Cordero), o de la nueva Jerusalén, todo sirve para mostrar claramente el triunfo sobre el mal, como no podría ser de otra manera.

Se trata de una victoria compartida. El vencedor es el Señor Jesucristo, pero quienes disfrutan de ello son los que han permanecido fieles. Son presentados substancialmente bajo dos imágenes: una es la de la novia del Cordero (19:6-10), y la otra es la de los pobladores del nuevo cielo y la nueva tierra.

La idea de esa relación aparece a lo largo de toda la Escritura. En general, puede decirse que no se trata de lo que hoy entendemos por noviazgo y que, en nuestro idioma, no hay una palabra exacta para describir ese estado. Recordemos a María que era "desposada" de José. Hoy seguimos usando el término "novia" para una joven en su casamiento, aunque en general ya es "esposa", pues ha cumplido con la ceremonia civil. Nos ayuda a pensar en la emoción que se produce cuando entra, especialmente ataviada, en un templo y es difícil decir si es novia o esposa.

En el A.T. aparece varias veces la idea de que la relación entre Dios e Israel era como la de esposo y esposa y esto es lo que muchos interpretan en el Cantar de los Cantares. Isaías 62:5 dice que la unión con Dios es "como el gozo del esposo con la esposa". La idea es mantenida en el N.T., por ejemplo en la exposición de Efesios 5. La riqueza de la comparación tiene una fuerza complementaria en la idea de que el culto a otros dioses, o simplemente la infidelidad al Señor, equivale al adulterio, o sea la traición al ser amado a quien nos debemos.

B. Enfasis:

Alabanzas en el cielo, 19:1-5. Este pasaje podría resumirse en la palabra "¡Aleluya!" Reaparece la enorme multitud que celebra la victoria divina. La triple alabanza (salvación, gloria, poder) corresponde a su carácter divino. En alguna forma esta alabanza es el sello del relato anterior, ya que se debe a la victoria sobre Babilonia y su corrupción así como la justicia hecha a los mártires.

Las bodas del Cordero, 19:6-10. Resuena otra vez una gran multitud, que no es necesariamente la misma de antes. Por un lado se adora al Señor y por el otro se canta un himno de alegría nupcial. Hay un énfasis especial en que la novia se ha preparado, o sea que todo este tiempo de espera es como el de esa hora en que la desposada se coloca un nuevo y único vestido.

La victoria del Rey de reyes, 19:11-21. Varios títulos se adjudican a Cristo aquí. Es el jinete que tiene el título de Fiel y Verdadero. Es el que tiene como nombre el Verbo de Dios y en su vestidura escrito Rey de reyes y Señor de señores. Aquí no se habla de él como el Cordero, pero ese título reaparece en el cap. 22. Una victoria implica que hay derrotados. Los primeros en caer son los principales agentes satánicos, la bestia, el falso profeta (la segunda bestia) y los reyes que les siguieron, que son lanzados al lago de fuego ardiendo con azufre, como ocurrió con Sodoma. El jinete divino apela entonces a la espada que salía de su boca (1:16).

Los mil años, 20:1-6. Ante la inminente destrucción del dragón o Satanás, surge una de muchas interrogantes: ¿por qué aquella destrucción no se produce de inmediato? Juan respondería sencillamente: "Es lo que vi" (vv. 1, 4a, 4b). Es muy poco lo que se nos dice de ese período: solo que Cristo reinará con quienes han sido fieles (v. 46). Esta idea de un reinado mesiánico, por un período determinado, antes de la consumación final, era un tema común en la literatura hebrea de la época.

Derrota final de Satanás, 20:7-10. Fiel a su esencia, apenas es liberado se lanza a la guerra contra los santos por un poco de tiempo. Pero no pasa de los preparativos, aunque había logrado reunir un ejército poderoso; sólo pudo rodear la ciudad donde los santos están protegidos. Allí les devora el fuego del cielo y entonces el diablo es lanzado al lago de fuego y azufre, junto con aquellos que eran sus instrumentos.

Juicio ante el gran trono blanco, 20:11-15. Esta descripción es un eco de Mateo 24, aunque se usen otras imágenes. El detalle notable es que ahora sí es abierto el libro que estaba sellado desde el principio, así como también el libro de la vida, donde están los nombres de los que acompañarán al Vencedor; aquellos cuyos nombres no figuren serán también lanzados al lago de fuego, con aquel a quien eligieron por Rey.

1 Himnos de victoria, Apocalipsis 19:1-5.

V. 1. Estos himnos son entonados *después de esto,* o sea la destrucción de Babilonia descrita antes. Los entonan aquellos que son mencionados como en un apéndice al final de ese relato en 18:24. Ahora sólo queda adorar porque la batalla ha terminado en cuanto a la persecución de quienes pueden llegar al martirio. Después de un *¡Aleluya!* comienza una expresión de adoración. Algunas versiones agregan "honra", después de *salvación.*

El alcance de la idea de salvación aquí es majestuoso. Por supuesto, cada uno de los cantores piensa en su propia salvación, ya que creemos que, aunque no se diga, se trata de los que han sido lavados por la sangre del Cordero. Pero al sonar en aquel conjunto significa que la iglesia entera ha sido salvada de la destrucción. Esta salvación habla de la liberación total de las fuerzas del mal.

Vv. 2-5. Para que la liberación se produzca es necesaria la aniquilación de la fuerza enemiga. Para ello el Señor ha cumplido una triple acción. En primer lugar, ha emitido sus *juicios* que son *verdaderos y justos,* como dijo en 16:7. En segundo lugar, *ha juzgado a la gran ramera,* aclarando lo que ésta ha hecho y que es la causa de su condena: *corrompió a la tierra con su inmoralidad.* Finalmente, *ha vengado la sangre de sus siervos.* De ese modo, la destrucción de la mujer del mal es un acto justiciero del amor de Dios.

2 Las bodas del Cordero, Apocalipsis 19:6-10.

V. 6. Esta *multitud* sólo tiene motivos para alabar y ya no hay en su cántico notas de rencor o de reclamos de justicia. Cuando reina el Señor nuestro Dios Todopoderoso no queda otra razón para cantar. El sonido llenaba el ambiente *como de muchas aguas* y *de fuertes truenos,* porque el regocijo es universal.

Vv. 7-10. Los cantores se dirigen unos a otros, exhortándose al gozo y la alegría. Cuando Europa logró crear su Unión, eligió como himno el coro de la Novena Sinfonía de Beethoven, escrito por Schiller, con el título de "Himno a la Alegría". Sentimos humildad cuando notamos que todo ese regocijo universal representado por los cantores se debe a que la iglesia (o sea nosotros) finalmente estamos unidos conyugalmente para siempre con el *Cordero.* Así como en el cap. 7 se ha expresado que los que están delante del trono han lavado sus ropas en la sangre del Cordero, ahora se aumenta el fervor de la descripción de la vestidura que es *de lino fino, resplandeciente y limpio.*

3 Victoria del Fiel y Verdadero, Apocalipsis 19:11-21.

V. 11. Al principio del libro, en 4:1, Juan comenzó a ver lo que era posible a través de una puerta abierta en el cielo. Ahora, al llegar al final, contempla *el cielo abierto.* Ya nada impide que toda la gloria y la justicia del Señor de señores esté disponible para que él la describa. Lo que surge entonces es *un caballo blanco;* muchos han pensado que es el mismo de 6:2, del que se nos dice muy poco y por ello consideran que el jinete se trata de Jesucristo. En realidad, en ambos casos, el énfasis es puesto en el jinete, al que, como hemos dicho, se dan varios nombres, todos los cuales se adaptan perfectamente a nuestro Señor. Cuando se está casi al fin, el hecho de que él sea *Fiel y Verdadero* es muy importante. Sus promesas tienen la garantía de su fidelidad y, además, de que él es la verdad y la vida (Juan 14:6). Ser verdadero significa que en él no hay nada falso. Cristo es la verdad de Dios en el mundo.

Vv. 12-17. Si la bestia de 13:1 tenía diez diademas, aquí vemos a quien tiene *muchas,* o sea incontables. Su nombre nadie lo *conoce sino él mismo.* En realidad, Fiel y Verdadero son sólo calificativos y los demás títulos son sólo eso. "Jesús" o "Cristo" son nombres que corresponden a su misión terrena. Por eso le llamamos "Hijo de Dios". En el día final, al dar a concer su nombre, se revelará también su total personalidad.

Sus acciones se describen en dos ámbitos diferentes. El primero es la preparación para la guerra, que se concreta en los vv. 19-21. Retoma imágenes del cap. 1 como la vestidura y la *espada.* Las manchas de sangre pueden ser las de sus víctimas, los seguidores de la bestia, o la derramada en la cruz; en realidad ambas son sólo aspectos de la justicia divina.

V. 18. Como demostración de que la victoria ya era segura el cuadro es lúgubre, como el fin de toda guerra. Ya se sabía que los cuerpos de los vencidos quedarían insepultos, como los de aquellos testigos de 11:9, sólo que aquellos volvieron a la vida y estos serán comidos por los buitres. El v. 18 establece un orden que va desde los reyes hasta los *esclavos,* pues todos han servido a Satanás de alguna manera.

Vv. 19-21. Pero la soberbia de la *bestia* y *los reyes de la tierra* perdura hasta el final y se preparan para la lucha, que ni siquiera parece haberse entablado antes de que cayeran prisioneros la *bestia y el falso profeta.* Estos fueron lanzados al lago de fuego donde estaba Satanás por mil años (20:2). *Los demás fueron muertos* por *la espada* del Rey de reyes y Señor de señores. Este es el título que se le da al salir a la batalla definitiva y que ya apareció en 17:14.

Aplicaciones del estudio

1. A veces decimos ¡Aleluya! ¡Amén! sin saber su significado. Una meditación sobre el cántico de 19:1, 2 puede ayudarnos a ser más conscientes de lo que estamos diciendo.

2. Jesucristo es la revelación de Dios. Lo que hemos visto de Jesucristo es precisamente lo que Dios es. El se ha revelado de muchas maneras. Lo ha hecho en su creación; por medio de los profetas, por medio de sueños, visiones y otras formas. Sin embargo, la revelación máxima es Jesucristo.

3. El es Rey de reyes y Señor de señores. Nuestro Cristo tiene en su mano el cetro de hierro, que usará para guiar a las naciones. Estos pasajes son una garantía de que todas nuestras luchas actuales terminarán con la victoria de nuestro Señor.

El juicio ante el trono
Apocalipsis 20:11-15

Introducción: La idea del juicio final fue expuesta con precisión por nuestro Señor Jesucristo en Mateo 24 y 25. Por supuesto, lo que se nos dice es una suma de símbolos, ya que todo lo que ocurre más allá de nuestra salida de este mundo escapa a nuestros razonamientos. Pero la insistencia es para que nunca olvidemos que Dios juzga, o sea que retribuye a todos de acuerdo con su posición previa ante él.

I. El juez.
- A. Está sentado sobre un gran trono blanco. La justicia de Dios se basa en su pureza.
- B. Es importante que esté sentado. Sólo el rey puede hacerlo y eso demuestra que está ejerciendo su autoridad sin disputa.
- C. El lo llena todo y ya no cabe ni siquiera la distinción entre tierra y cielo.

II. Los que son juzgados.
- A. Los menciona como los muertos. Pero agregó que no es Dios de muertos sino de vivos. Allí están también nuestros seres amados.
- B. Están anotados en el libro de la vida.
- C. Serán juzgados de acuerdo con sus obras. La "obra" esencial es la de haber puesto nuestra fe en su sacrificio.

III. La sentencia.
- A. Sólo se describe el destino de los que han desobedecido a Dios.
- B. La condena es esencialmente a morir y al Hades.
- C. Esta es la muerte segunda. Todos moriremos físicamente cuando nuestra alma se separe de nuestro cuerpo. Pero hay una muerte segunda, la separación de la fuente de vida que es Dios.

Conclusión: Para el creyente este pasaje debe ser una fuente de seguridad y alegría por un lado, y por el otro de desafío al pensar que quizá aun algunos de sus seres amados están expuestos a este destino.

Lecturas bíblicas para el siguiente estudio

Lunes: Apocalipsis 21:1-8
Martes: Apocalipsis 21:9-20
Miércoles: Apocalipsis 21:21-27
Jueves: Apocalipsis 22:1-5
Viernes: Apocalipsis 22:6-15
Sábado: Apocalipsis 22:16-21

NOTA

Apreciable maestro(a), este fue el penúltimo estudio del libro que tiene en sus manos. Le animamos a tomar las debidas providencias para conseguir el libro 1 para comenzar a estudiar Génesis y Mateo.

AGENDA DE CLASE

Antes de la clase
1. Lea Apocalipsis 19 y 20. Anote en su "diccionario" los nuevos símbolos que aparecen. Al estudiar los comentarios en este libro del maestro y en el del alumno vaya escribiendo también los significados que encuentra. Si no están, escriba al lado del simbolismo un signo de pregunta. **2.** Lea reflexivamente Mateo 22:1-14 y los capítulos 24 y 25 donde Jesús mismo habla sobre el tema que Juan describe en estos capítulos. **3.** Asegúrese de que el cartel con el título de la unidad esté en su lugar. **4.** Lleve a clase la letra del Himno Nacional de su país. **5.** Resuelva los ejercicios en la primera sección bajo *Estudio del texto básico.*

Comprobación de respuestas
JOVENES: **1.** a. Porque sus juicios son verdaderos y justos. b. Los veinticuatro ancianos y los cuatro seres vivientes diciendo: "¡Amén! ¡Aleluya! **2.** a. El Cordero. b. Que no le adore a él sino a Dios. **3.** a. Fiel y Verdadero. b. El Verbo de Dios. c. Rey de reyes y Señor de señores. ADULTOS: **1.** ¡Aleluya! La salvación y la gloria y el poder pertenecen a nuestro Dios. **2.** Debían alabar a Dios todos sus siervos, y los que le temen, así pequeños como grandes. **3.** Tiene escrito este nombre: REY DE REYES Y SEÑOR DE SEÑORES.

Ya en la clase
DESPIERTE EL INTERES
1. Diga que el Himno Nacional es especialmente significativo para todos. Lea la letra del Himno. **2.** Pida a los alumnos que digan las frases que puntualizan enemigos vencidos, victoria, libertador, libertad, amor y fidelidad o gloria a la patria. Compartan la emoción que sienten cuando escuchan el Himno Nacional y lo cantan. **3.** Diga que en este estudio verán lo que podrían ser dos estrofas de un Himno Nacional para nuestra patria celestial y una descripción de nuestro Libertador.

ESTUDIO PANORAMICO DEL CONTEXTO
1. Llame la atención al cartel con el título de la unidad y diga que a lo largo de estos estudios en Apocalipsis han enfocado muchas figuras representativas de conflictos salpicados con vislumbres del triunfo final de Cristo y de su iglesia. Recalque que en los capítulos que restan, las figuras representativas dominantes son del triunfo final de Cristo y su iglesia, ahora salpicado con descripciones del destino final de Satanás, sus huestes y sus seguidores. **2.** Pida a los presentes que abran sus Biblias en Apocalipsis 19 y 20 y vayan leyendo en ella los títulos de sus temas. Dé un breve resumen del contenido de cada uno sin entrar en polémicas ni especulaciones.

ESTUDIO DEL TEXTO BASICO

Himnos de victoria, Apocalipsis 19:1-5. Diga que en este pasaje se encuentra lo que podríamos considerar la primera estrofa del Himno Nacional del reino celestial. Usted lea en voz alta el v. 1 y explique a qué se refiere "Después de estas cosas". Agregue que ahora se imaginarán ser esa "enorme multitud en el cielo". Lean al unísono los vv. 1b, 2. Luego, pídales que opinen qué significa eso de "la salvación, la gloria y el poder le pertenecen a nuestro Dios". Identifiquen en el v. 2 el por qué. Explique el significado de las figuras simbólicas. Lea en voz alta los vv. 3, 4 y, los demás, encuentren quiénes ratificaron las palabras del himno (la multitud, los veinticuatro ancianos y los cuatro seres vivientes). Usando su "diccionario" explique a quiénes representan. Hablen de lo que significa "¡Aleluya!" (¡Alegría!) y "¡Amén!" (Sí, así sea). Lean en silencio el v. 5 para que cada uno vea una invitación (a loar a Dios) y quiénes están invitados (todos los fieles).

Las bodas del Cordero, Apocalipsis 19:6-10. Lea usted en voz alta el v. 6a. Todos lean al unísono 6b-8. Diga que podríamos considerar esto como la segunda estrofa del Himno Nacional celestial. Pida que encuentren dos "porqués" del aleluya, el gozo y la alegría (porque reina el Señor nuestro Dios Todopoderoso. Porque han llegado las bodas del Cordero). Explique la profunda significación de este simbolismo, basándose en la información obtenida en su propio estudio (si le alcanza el tiempo puede citar las parábolas de Jesús que leyó en Mateo). Un alumno lea en voz alta los vv. 9, 10. Comente que eso es el final de una visión. ¿Qué les llama más la atención?

Victoria del Fiel y Verdadero, Apocalipsis 19:11-21. Mencione que aquí se inicia una nueva visión de Juan. Busquen Apocalipsis 4:1 para ver el principio de una de las primeras visiones: vio una puerta abierta. Fíjense en 19:11 que ya no es sólo una puerta: todo el cielo abierto aparece ante sus ojos. Primero, lean todo el pasaje. Segundo, diciendo que hasta aquí Jesucristo ha sido llamado mayormente "el Cordero" vaya explicando la significación de los nombres que ahora se le dan a medida que los presentes los van encontrando.

APLICACIONES DEL ESTUDIO

Entre todos elaboren una estrofa nueva del "Himno celestial". Pueden ir escribiendo en el pizarrón o en un cartel. Díganla al unísono.

PRUEBA

JOVENES: **1.** Escriban individualmente la lista que pide el inciso 1 en esta sección del libro del alumno. **2.** Lea en voz alta el inciso 2 y asegúrese de que cada uno escriba su respuesta. ADULTOS. Forme pequeños grupo para contestar la primera pregunta y para compartir su respuesta a la segunda.

Estudio 52

Unidad 9

¡El Rey ya viene!

Contexto: Apocalipsis 21 a 22:21
Texto básico: Apocalipsis 22:1-21
Versículos clave: Apocalipsis 22:6, 7
Verdad central: El triunfo de la iglesia y la culminación de la historia son confirmados por la segunda venida de Cristo.
Metas de enseñanza-aprendizaje: Que el alumno demuestre su: (1) conocimiento de la promesa de la segunda venida de Cristo como culminación de la historia y confirmación del triunfo de la iglesia, (2) actitud de gozosa expectación en espera de la venida de Cristo.

Estudio panorámico del contexto

A. Fondo histórico:

Hace algunos años un ensayista se hizo popular diciendo que estábamos ante "el fin de la historia". Pero mientras haya hombres habrá historia; deberíamos decir mejor que mientras Dios permita que los hombres decidan y actúen, o mientras que él los use para sus fines. Es interesante hablar del "fondo histórico" cuando estamos ante lo que es la culminación de la historia.

Por eso, al llegar a las páginas finales de este breve y maravilloso libro, tratamos de entender qué es la historia, sobre todo cuando casi arribamos a un nuevo milenio nos parece que debemos hacer un balance. Al fin de cada siglo y en especial de cada milenio, la pregunta sobre el sentido del pasado y del futuro (que no es sino una posibilidad) se hace una interrogante colectiva para la humanidad. Cuando llegó el año 1000, interpretando mal la profecía del capítulo 20, la cristiandad estuvo al borde de la demencia. Ahora sabemos que los años, siglos y milenios también son criterios humanos para medir, mientras que para Dios mil años (o dos) son como el día de ayer que pasó (Sal. 90:4; 2 Ped. 3:8), lo que ha ocurrido tiene un sentido, un porqué, una dirección. El Apocalipsis es una lección de humildad para que aprendamos a decir: "El futuro está en las manos de Dios como lo estuvo el pasado", así como agregar: "Y mi futuro está igualmente seguro."

La natural curiosidad humana intenta saber cómo es esa dirección puesta por Dios al mundo. Algunos dicen que solo es como una línea: un hecho produce otro, que a su vez produce otro y así hasta que todo se acabe. El punto final de esa línea, para el creyente, es la venida del Señor. Otros se sorprenden de cómo pareciera que los hechos se van repitiendo; por ejemplo, todos los imperios han nacido, crecido y decaído.

Para todo ello hay base en el Apocalipsis. La sucesión de paralelos entre el Génesis, el Exodo, los profetas y estos cuadros del fin nos hablan de un Dios que siempre actuó de acuerdo con sus inmutables planes, pero que nosotros no sabemos cómo lo hará. Así como nosotros ponemos leyes para explicar, por ejemplo, por qué sale el sol todos los días, también buscamos leyes en la historia.

De hecho, estos últimos capítulos nunca nos dicen cómo se ha desarrollado la historia, pero sí para qué. El universo que conocemos y habitamos tuvo un comienzo y tendrá un final con notables paralelos, o sea que al fin de cuentas, sólo prevalece la voluntad de Dios.

Cuánto de lo que aquí se dice es sólo un símbolo, o cuánto ocurrirá realmente son solo preguntas humanas. Allá en lo profundo de la mente de Dios (y no tenemos otra forma mejor de decirlo) todo es lo mismo: es como "en el principio" que fue lo mismo lo que "él dijo" que lo que "fue hecho". Una sola verdad es definitiva: que el Rey y que su Hijo, el Cordero, vienen pronto para que eso sea manifiesto. Y así es en el año 2000, como lo fue en el 1000 y en todos los demás. Por eso callamos y decimos "¡Amén!"

B. Enfasis:

El cielo nuevo y la tierra nueva, 21:1-8. Dos veces esta imagen está en Isaías (65; 66). La ilusión de encontrarlos puso en los hombres el impulso a las exploraciones de todos los espacios terrestres y en el siglo que acaba los siderales. Cristóbal Colón pretendía que era la lectura de estos pasajes lo que le impulsó a buscar un nuevo mundo. Es muy rica la forma en que 2 Pedro 3:13 nos dice que "según las promesas de Dios esperamos cielos nuevos y tierra nueva, en los cuales mora la justicia".

La nueva Jerusalén, 21:9-27. La Ciudad de David, llamada también Ciudad Santa es el símbolo de la presencia de Dios. En la Edad Media creían que era el centro del mundo y así aparecía en los mapas; para conquistarla, toda Europa se lanzó a las cruzadas. Lo más hermoso es que la ciudad, la morada de los fieles, es como una novia adornada para su esposo.

El río y el árbol de la vida, 22.1-5. Es maravilloso como se usan aquí las mismas ideas que en el Génesis. Dios creó una tierra perfecta y su centro era aquel árbol, pero el hombre lo echó a perder. Al final, el Creador reconstruirá su obra perturbada.

Avance hacia el final, 6:9-15. La culminación es imposible de ser descripta con un orden como solemos pedir. Más bien una serie de episodios se conjugan para exponernos la infalibilidad de la Palabra, que es lo mismo que decir la seguridad del regreso prometido del Verbo de Dios.

Dios declara la conclusión, 2:16-21. La Palabra Sagrada no puede ser tocada. Nada debe ser agregado, porque nada se precisa sumar a lo dicho por Dios. Ya falta poco o muy poco quizá para que aparezca la estrella resplandeciente de la mañana. Por eso, el libro se cierra con un diálogo. Toda la Biblia es un dialogo de Dios con su creación. Entonces el Hijo promete: "¡Sí, ven pronto!" y su pueblo, su novia, nosotros respondemos: "¡Amén! ¡Ven pronto!"

1 Bendiciones en la gloria, Apocalipsis 22:1-5.

Vv. 1, 2. Trazando un vínculo con el jardín del Edén, la ciudad celestial es descrita substancialmente como una población en torno a *un río* y a un *árbol.* Aquí podríamos repasar todas las veces que en el libro se ha hablado del castigo de Dios cayendo sobre "las fuentes de las aguas" y la vegetación. Ese *río* nos recuerda muchos otros pasajes de la Escritura como las aguas crecientes en Ezequiel 47, y aun la referencia de nuestro Señor sobre los "ríos de agua viva" que brotarán del seno de los creyentes (Juan 7:38).

Del mismo modo, el cuadro del *árbol* con hojas salutíferas para todo el año es tomado del mismo pasaje (Eze. 47:12). Sus bendiciones tendrán carácter universal ahora que los reyes del mal han sido destruidos.

Vv. 3, 4. Pero es imposible que el lenguaje humano pueda describir las bendiciones de la gloria y entonces se hace por la vía negativa, diciéndonos simplemente lo que no habrá. Comienza por decir que *no habrá más maldición,* o sea que nadie podrá declarar nada efectivo que produzca un mal efecto. Pero sí señala un aspecto de la eternidad: que allí estará *el trono de Dios y del Cordero.* Notemos que se los menciona como una sola unidad a la que *sus siervos* rinden *culto.* Basta con mencionar que la presencia divina determinará el ambiente para destacar que el culto no es a ciegas, mecánico, sino que es consecuencia de que *verán su rostro.* La repetida idea de una señal es recalcada al decir que esta constará *en sus frentes.*

V. 5. Para ver se necesita *luz;* nadie ve de *noche,* salvo que encienda una luz, a la espera de que salga el sol. *Dios* será la luz, tal como su Hijo (que es uno con él) declaró serlo.

2 Cristo viene pronto, Apocalipsis 22:6-15.

Vv. 6, 7. Una serie de conceptos son enumerados alrededor de la declaración de Jesucristo: *¡He aquí vengo pronto!* Lo primero que sigue es una bienaventuranza para el que *guarda las palabras de la profecía de este libro,* pues de nada vale que venga alguien a quien no esperamos; al contrario, será motivo de asombro y no de espanto. Esta bienaventuranza es completada con la del v. 14 dirigida a los que lavan sus vestiduras, porque eso es lo que da derecho a entrar a la ciudad y aprovechar del árbol. En resumen, es en la Escritura que encontramos a aquel que puede cambiar nuestra vida al lavarla con su sangre, a quien el Apocalipsis llama "el Cordero".

Vv. 8-15. En ese cuadro aparecen también los otros, los que no entrarán, de los que se nos dan dos menciones en los vv. 11 y 15. Este episodio casi repentino tiene como clave la necesidad de adorar sólo *a Dios* (22:9). Se debió a la actitud de Juan de postrarse delante del ángel que le hablaba; quizá no quería adorarle en el sentido profundo de la palabra, pero Dios no quiere ni siquiera algo que dé esa impresión. De todos modos es hermoso saber que los ángeles, los profetas y los predicadores posteriores somos todos consiervos de

Dios y hermanos entre nosotros. Para todos habrá una recompensa a cada uno según sean sus obras. Para que quede claro se repite la presentación sobre el Alfa y la Omega con que comenzó (1:8). Hay algunas advertencias que podrían entenderse mal. La mención del v. 11 de la perduración del mal o el bien en la vida sólo indica que el destino ya ha sido determinado; quizá haya una seria advertencia de que habrá un momento, conocido sólo por Dios, después del cual ya no habrá posibilidades.

3 ¡Ven, Señor Jesús!, Apocalipsis 22:16-21.

Vv. 16, 17. Se cierra el libro. Se suceden el testimonio del Hijo de Dios, el del *Espíritu* Santo y el de la iglesia (*la esposa*). Todos ellos concuerdan en reunir a todos los santos alrededor del trono y de la esperanza del regreso del Señor. Lo mencionan con las profecías de Isaías 11:1 y Números 24:17, así como en el ofrecimiento del Señor en Juan 7:38. Como parte que somos de la iglesia nuestra misión es seguir llamando a los hombres hasta la hora final, para la que quizá falte poco, reiterando: *El que tiene sed, venga. El que quiere, tome del agua de vida gratuitamente.*

Vv. 18, 19. Pero hay necesidad de una advertencia, porque bien sabemos que, a lo largo de los siglos, siempre ha habido hombres e instituciones que han pensado que había cosas en la Escritura que ya no se aplican o que, por lo contrario, hay necesidad de agregar otras. A veces esto es una actitud meramente individual, pero hay casos de iglesias que reconocen otra autoridad fuera de la Palabra de Dios, sumando dogmas, tradiciones o costumbres obligadas que distorsionan el mensaje inspirado.

V. 20. Sea para cuidar de estas advertencias, sea para adorar a quien corresponde, sea para tener esperanza en cómo será el triunfo final, adquiere enorme importancia que el que da testimonio de estas cosas dice: "*¡Sí, vengo pronto!*" Entonces, conscientes de que entramos en la etapa final, que la revelación ha terminado y que estamos a punto del desenlace indiscutible, quedan dos declaraciones por hacer; una la dirigimos a nuestro Rey y la otra a nuestros hermanos: A él le decimos *¡Amén!* (Así sea), seguros de que todo ello se cumplirá por la voluntad del que es Fiel y Verdadero. Pero es natural la ansiedad de la esposa, en su deseo de reunirse con su Rey, exclamando: *¡Ven, Señor Jesús!*

V. 21. Y nos gozamos de que esa esperanza y seguridad no sea solitaria, que estemos en ellas con nuestros hermanos de hoy como lo han estado los de ayer y se irán sumando hasta la hora final. Por eso nos decimos los unos a los otros: La gracia de nuestro Señor Jesús sea con todos.

Aplicaciones del estudio

1. Nuestra ciudadanía está en los cielos. En estos capítulos, la gloria es descripta especialmente como una ciudad. Tiene muro, puertas, calles y plaza. No sabemos exactamente cómo será pero sabemos que Cristo fue a preparar allí una morada para cada uno de sus hijos.

2. Hoy es el día de buscar a los perdidos. En el cielo ya no habrá necesidad de evangelizar porque allí estaremos todos los que hemos sido redimidos por la sangre de Cordero. Ahora es el momento de evangelizar.

3. El fin de la historia es inevitable. ¿Cuándo, cómo, dónde ocurrirá el gran hecho? No lo sabemos. Por eso estamos expectantes y pacientes. Nuestra oración es: "¡Ven Señor Jesús!"

Ayuda homilética

¿Cómo esperaremos el fin?
Apocalipsis 21 a 22

Introducción: Tal vez sea útil recordar la expresión final del teólogo alemán Dietrich Bonhoeffer, cuando los nazis le llevaban a su ejecución: "No es el fin. ¡Es el principio!" Debemos aprender que no estamos esperando el fin de este mundo, sino el principio de un cielo nuevo y una tierra nueva.

I. No debemos ponerle fecha.
- A. Tenemos todos el anhelo que expresa Juan al terminar, o sea pedir al Señor: ¡Ven, Señor Jesús!
- B. Tenemos entre tanto la obligación de que sean cada vez más los que entren a la ciudad, y menos los que queden afuera.
- C. Cristo mismo dijo que no sabemos cuándo será (Mat. 24:36-44). Aun cuando ocurran muchas señales todavía no es el fin (v. 16).
- D. No tiene relación con un calendario humano, que indica que sí acabó un milenio, pero que eso no afecta el orden divino.

II. Debemos verlo como glorificación de Cristo.
- A. Será el momento de la Omega y del fin (21:6; 22:13).
- B. Hasta último momento tendrá agua de vida.
- C. Abrirá el libro de la vida y leerá los nombres de los salvos.
- D. Da testimonio de estas cosas. Nos revela el camino para lavar en su sangre nuestras vidas y para esperar su regreso.

III. Debemos sentirnos parte de esos hechos.
- A. Muchos hijos de Dios ya no estarán en la tierra.
- B. Habitaremos con Dios adorando al Cordero.
- C. Recibiremos nuestra retribución.
- D. Tenemos la exhortación de guardar su palabra hasta el fin (22:7).

Conclusión: Ante todo ello solo nos quedan dos palabras que hemos heredado de los santos de la antigüedad: ¡ALELUYA! y ¡AMEN!

Lecturas bíblicas para el siguiente estudio

Lunes: Génesis 2:1-3
Martes: Génesis 3:15-17
Miércoles: Génesis 12:1-3
Jueves: Génesis 26:1-3
Viernes: Génesis 32:24-30
Sábado: Génesis 50:24-26

AGENDA DE CLASE

NOTA: *Apreciable maestro(a) no olvide tener a la mano los materiales educativos correspondientes para el próximo ciclo. Puede empezar con el libro No. 1 que incluye el estudio de Génesis y Mateo.*

Antes de la clase

1. Lea Apocalipsis 21 y 22. **2.** Escriba una breve descripción de la ciudad celestial, los que allí vivirán y los que no podrán entrar. **3.** Anote los simbolismos en su "diccionario" y, al estudiar los comentarios, escriba los significados que descubre. **4.** Confeccione un cartel: De un lado escriba un signo de pregunta (?), y al dorso signos de admiración (¡!). **5.** Si tiene participantes que no han aceptado a Jesucristo como su Salvador personal éste puede ser un excelente estudio evangelizador. Determine cómo puede enfocarlo para ellos. **6.** Consiga la colaboración de un declamador o de alguien que lea muy bien en público para que se prepare a fin de leer en clase Apocalipsis 22. **7.** Conteste las preguntas en la primera sección bajo *Estudio del texto básico.*

Comprobación de respuestas

JOVENES: **1.** a. Para producir frutos. Las hojas son para sanidad de las naciones. b. De adoración. Sin maldición. Lleno de la luz del Señor. **2.** "¡He aquí vengo pronto!" "¡El tiempo está cerca!" **3.** Dios le añadirá las plagas escritas en Apocalipsis. **4.** Dios le quitará su parte del árbol de la vida y de la santa ciudad.

ADULTOS: **1.** Ya no habrá muerte, ni habrá más llanto, ni clamor, ni dolor; porque las primeras cosas pasaron. **2.** Serán lanzados en el lago de fuego y azufre los cobardes e incrédulos, los abominables y homicidas, los fornicarios y hechiceros, los idólatras y todos los mentirosos tendrán su parte en el lago que arde con fuego y azufre que es la muerte segunda. **3.** Solamente podrán entrar a la nueva Jerusalén los que están inscritos en libro de la vida del Cordero.

Ya en la clase

DESPIERTE EL INTERES

1. Muestre el cartel con el signo de pregunta y, usando su "diccionario", lea los simbolismos cuyo significado no pudo determinar. Agregue que en nuestro estado presente nos es imposible saber todo, vemos "oscuramente", conocemos las cosas de Dios "en parte" (1 Cor. 13:12) y que quedan muchos interrogantes. **2.** Dé vuelta el cartel y muestre el dorso. Diga que es admirable cuánto sí nos ha revelado Dios que podemos saber, que es lo suficiente para ser salvos y para poder estar seguros de que nuestra fe no es en vano, dándonos una gozosa expectativa del triunfo final del Señor y de nosotros como su iglesia.

ESTUDIO PANORAMICO DEL CONTEXTO

1. Presente la descripción que preparó de la ciudad celestial como una de las grandes cosas quc sí nos han sido reveladas. **2.** Añada que también nos ha sido revelado quiénes podrán vivir eternamente en esa ciudad y quiénes no. **3.** Pida que abran sus Biblias y lean en silencio Apocalipsis 21:6-8 y piensen que si Cristo volviera en este instante, en qué grupo serían contados.

ESTUDIO DEL TEXTO BASICO

Pida que la persona que se preparó lea en voz alta Apocalipsis 22. Agradezca su colaboración.

Forme tres grupos. Grupo 1: *Bendiciones en la gloria, Apocalipsis 22:1-5.* Deben: a. identificar los simbolismos y, con la ayuda del libro del alumno, su significado. b. identificar cosas que no habrá en el cielo y lo que sí habrá. c. encontrar lo que harán sus habitantes. d. redactar una oración gramatical basada en los vv. 3-5 que comience: "El Señor promete que en el cielo..."

Grupo 2: Cristo viene pronto, Apocalipsis 22:6-15. Deben encontrar: a. para qué Dios envió un ángel. b. las oraciones entre signos de admiración y prepararse a explicar el porqué de los signos. c. por qué Juan no debía sellar este libro. d. para qué Jesucristo viene pronto. e. quiénes son bienaventurados (vv. 7, 14). f. quiénes quedarán afuera de la ciudad celestial. Redacten una oración que comience: "En este pasaje, el Señor promete..."

Grupo 3: ¡Ven, Señor Jesús! Apocalipsis 22:16-21. Deben encontrar: a. los simbolismos y explicarlos. b. quiénes extienden una invitación. c. para quiénes es la invitación (cuando informen, recalque que el Señor no obliga, da salvación al que la "quiere"). d. cuál es la invitación. e. advertencias para los que agregan y para los quitan cosas a este libro. Redacten una oración gramatical que comience: "En este pasaje el Señor promete..." Cuando cada grupo informe, lean primero en voz alta el pasaje correspondiente. Guíe el estudio y subraye la realidad del cielo, la segunda venida de Cristo y la urgencia de estar preparados.

APLICACIONES DEL ESTUDIO

Consideren las aplicaciones que sean pertinentes para el grupo.

PRUEBA

1. JOVENES: Cada uno escriba la respuesta a la pregunta en el inciso 1 en esta sección comparándola con la respuesta de un compañero. **2.** Completen el inciso 2 en el libro del alumno. ADULTOS: Pida que cada uno escriba en silencio las respuestas a las preguntas, son cuestiones entre cada uno y su Dios. Si alguno quiere compartir una decisión que escribió, dele oportunidad de hacerlo.

No. 15045 —EMH

ATLAS DE LA BIBLIA
Y DE LA HISTORIA DEL CRISTIANISMO
Tim Dowley, Editor

Dividido en cinco secciones: AT, NT, Iglesia: Antigua, Moderna y Actual. Relaciona la Biblia y la historia por medio de mapas y fotografías a todo color. Excelente para la biblioteca de seminarios e institutos, y para el estudio de profesores, pastores, estudiantes y predicadores de la Biblia.

No. 48369
LA BIBLIA ONLINE

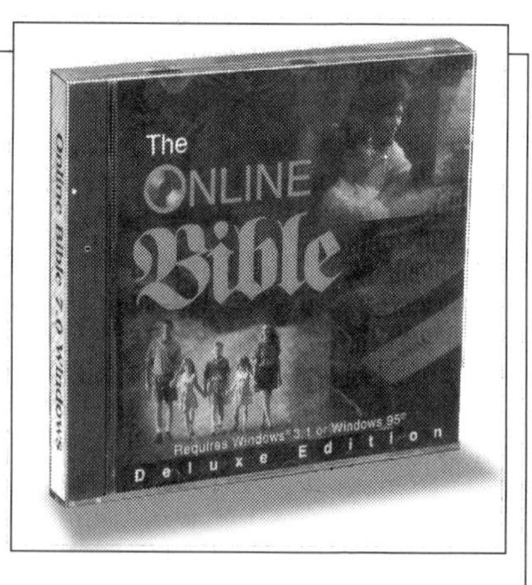

- Con la facilidad de consultar simultáneamente la Biblia en español y en inglés.
- Sistema de numeración Strong incluido.
- Mapas a todo color.
- Versión en disco compacto, compatible con PC.

No. 11067 CBP
REVITALICE EL DINOSAURIO DOMINICAL
Una estrategia para el crecimiento de la escuela dominical en el siglo XXI.
Ken Hemphill

¿ES SU ESCUELA DOMINICAL UN VIEJO PROGRAMA EN PELIGRO DE EXTINCION?

Según el destacado experto en el crecimiento de la iglesia, Ken Hemphill, la escuela dominical no sólo se puede salvar de la extinción, sino que tiene el potencial de revitalizar toda la iglesia. REVITALICE EL DINOSAURIO DOMINICAL le ofrece pasos específicos, detallados sobre cómo guiar a su congregación para hacer que esto suceda.

- ❍ Seis razones por las cuales ha declinado la escuela dominical
- ❍ Nueve razones por las cuales es la verdadera herramienta del futuro.
- ❍ Cómo resucitar un programa de escuela dominical deficiente o comenzar uno nuevo
- ❍ Cómo mantener la vitalidad de una buena escuela dominical

¡Convierta su escuela dominical de una en extinción a una de distinción!